Steichele, Antc

Archiv für die Geschichte des Bisthums Augsburg

Steichele, Anton

Archiv für die Geschichte des Bisthums Augsburg

Inktank publishing, 2018

www.inktank-publishing.com

ISBN/EAN: 9783750100268

Archiv

für die

Geschichte des Bisthums

AUGSBURG.

Herausgegeben

von

Anton Steichele,

Domcapitularen in Augsburg.

II. Band.

Augsburg, 1859.

B. Schmid'sche Verlagsbuchhandlung.

(A. Manz.)

Inhalt des zweiten Bandes.

I.

Aeltestes Chronicon und Schenkungsbuch des Klosters Ottenbeuren.

Herausgegeben und erläutert

von

A. Steichele.

Einleitung.

1. Geschichte der Handschrift. Die ehemalige Benediktiner-Reichsabtei **Ottenbeuren** bewahrte bis zu ihrer Aufhebung mit grösster Werthschätzung und Sorgfalt ein Pergament-Manuscript aus dem Mittelalter, welches alte Ueberlieferungen über die Gründung des Klosters, wichtige kaiserliche und päpstliche Privilegien, sorgsame Aufzeichnungen über Gütererwerb, und dankenswerthe Nachrichten über die früheren Aebte und Klosterschicksale enthaltend, ebenso für die Klostergemeinde und die Gerichte in Streitigkeiten über rechtliche Verhältnisse als unverwerfliches Urkundenbeweismittel in Geltung war [1]), als es den Chronisten für eine lange Periode die erste und fast einzige Quelle für die Geschichte des Klosters bildete. Welchen Werth das Werk aber für die oberschwäbische Provincialgeschichte überhaupt habe, ist gleichfalls längst anerkannt. In letzterer Rücksicht erbat sich dasselbe der eifrig forschende Stadtpfarrer Ignaz Meichelbeck von Kaufbeuren im Jahre 1794 vom Reichsstifte zur Benützung, und Abt Honorat Göhl sandte es ihm mit aller Freund-

---

[1]) „Hic liber in membranis conscriptus, antiquitate plus quam Nestorius, in camera imperiali Spirensi contra D. Christopborum Fuggerum 2. Nov. 1603 et 22. Aug. 1605 productus fuit, ubi revisus et recognitus est, sicut habet *die Probations- u. Exceptionsschrift fol. 16. in der Lad: Augspurg. Actionslad sub n. 18"*, steht innen auf dem Deckel des Buches von einer Hand des 17. Jhdts. eingetragen.

lichkeit [²]). Meichelbeck nahm von dem Manuscripte eine voll-
ständige wortgetreue Abschrift, welche später in Pl. Braun's
Besitz überging, und nach dessen Tode mit andern Meichel-
beckischen Papieren in das bischöfliche Archiv zu Augsburg
kam. Der Originalcodex des Chronicon selbst gelangte, nach-
dem er von P. Maurus Feyerabend für die beiden ersten
Bände seiner „Jahrbücher des ehem. Reichsstifts Ottenbeuren"
(4 Bde. Ottenbeuren 1813—16) als Hauptquelle benützt worden
war, in die Hände des Ottenbeurer Conventualen P. Basilius
Miller (gest. als Wallfahrtspriester zu Mussenhausen am
2. Juni 1844), welcher ihn i. J. 1837 an den k. Regierungs-
director v. Raiser zu Augsburg, als dieser während eines
Aufenthaltes in der dortigen Gegend dessen Aufbewahrungs-
ort in Erfahrung gebracht, nebst dem Originale der Ellenbo-
gischen Chronik aushändigen musste. Raiser sandte nun das
Manuscript mit der Ellenbogischen und der anderwärts aufge-
griffenen Sandholzerischen Chronik, dann mit ungefähr 400
Original-Urkunden, die er zu derselben Zeit gelegenheitlich
einer Landgerichts-Visitation in Ottenbeuren zu Handen ge-
bracht, im Juni 1838 an das k. allgemeine Reichsarchiv nach
München ein, wo sich dasselbe zur Stunde noch befindet [³]).

2. Bestandtheile. Das in Frage stehende Chronicon und
Traditionsbuch bildet einen schönen Pergamentcodex in quart,
10" hoch, 6" breit und 32 Blätter stark, mit vorzüglich schö-
ner eigenthümlicher Urkundenschrift während des 12. bis 14.
Jahrhunderts von verschiedenen Händen geschrieben. Es laufen
mehr als sechs unterscheidbare Schriftzüge durch das ganze Werk,

---

[²] „Nach Ihrem Verlangen überschicke ich hiemit das kostbare
Manuscript, doch mit der Hoffnung, nach einem Monat oder bis
Mariae Himmelfahrt es widerum ruckzuerhalten... Gott erbarme sich
über ganz Europa..." (Schreiben des Abtes Honorat an Meichelbeck
vom 7. Juli 1794.)

[³] S. Jahresber. des hist. Kreisvereines von Schwaben und Neub.
für d. J. 1838, S. 67. Es war behauptet worden, Bas. Miller habe
das Manuscript von Feyerabend selbst erhalten, mit der Anordnung,
es bis zur Wiederherstellung des Klosters Ottenbeuren sorgfältig
aufzubewahren.

und nach ihnen dürften sich folgende einzelne Bestandtheile
desselben herausstellen:

I. Bl. 1—10 einschl., geschrieben im 12. Jahrh. von
einem ungenannten, doch, wie seine Nachfolger, ohne allen
Zweifel dem Kloster Ottenbeuren angehörigen Mönche, dessen
Tod von Feyerabend (I. XIX.) um 1135 angesetzt wird. Die
Handschrift dieses Theiles hat das Eigenthümliche, dass zu den
Initialen wichtiger Abschnitte rothe Farbe gebraucht ist, was
sich im Folgenden nicht weiter findet. Die Schrift umfasst
den Zeitraum von der Klosterstiftung, angeblich 764, bis zur
Ertheilung des grossen Freiheitsbriefes durch K. Otto I.
i. J. 972, und der Aufstellung des Abtes Rudung in demselben
Jahre, gerade so, wie ihn der Verfasser im Eingange seiner
Darstellung als die von ihm zu behandelnde Periode im voraus
feststellt. Es wäre möglich, dass dieser Abschnitt schon zu
Ende des 10. Jahrh. verfasst worden, und die noch vorhandene
Schrift nur eine Copie wäre. Jedoch ist weit wahrschein-
licher, dass sie erst im 12. Jahrh., etwa um 1130, entstanden
sei; denn die Befugnisse der Klosterschirmvögte auf ihr alt-
herkömmliches, durch Kaiserbriefe festgesetztes Mass zurückzu-
führen, und die Freiheit des Klosters vom Reichsheerbanne
und andern Reichslasten, wie sie die alten Kaiser verliehen,
in Erinnerung zu bringen und geltend zu machen, ist unver-
kennbar die Tendenz dieser Schrift, und die in beiden Be-
ziehungen in den ersten Jahrzehnten des 12. Jahrhunderts wie
von andern Klöstern, so auch von dem unsrigen erfahrenen
Bedrückungen gaben wahrscheinlich zu deren Abfassung die
Veranlassung. Darauf deuten, abgesehen von allem Andern,
schon die Randnoten aus dem Calixtinischen Concordate von
1122 und aus anderwärtigen spätern Dokumenten hin, welche
von der Hand des Schreibers, vielmehr des Verfassers, dem
angeblichen Privilegium Karls des Grossen beigeschrieben sind.

II. Bl. 11 erste Seite bis Bl. 14 erste Seite einschl.,
13. Jahrh., gibt zuerst den Katalog der Aebte, vom ersten, Toto, bis
auf Konrad I., gest. 1229, spricht dann von den Schirmvögten,
wie von den Aebten des 11. und 12. Jahrh., bis zum seligen

1*

Abte Rupert I. (1102—1145), dessen Wirksamkeit, unter Auf-
führung mehrfacher Güterschenkungen an das Kloster, um-
ständlicher geschildert wird.

III. Bl. 14 zweite Seite bis Bl. 28. erste Seite einschl.,
13. Jahrh., wird die Klostergeschichte und die Aufzählung der
Gütererwerbungen fortgesetzt, und unter Einschaltung wich-
tiger, die Klosterfreiheiten und Rechte schirmender Urkunden
von Kaisern, Päpsten und Bischöfen bis zum Jahre 1221
fortgeführt.

IV. Bl. 28 zweite Seite und Bl. 29, 13. Jahrh., beschreiben
die letzten Jahre des Abtes Konrad, gest. 1229, und be-
ginnen die Regierungszeit des Abtes Berthold (1229—1248),
ohne dass jedoch diese bis zum Ende fortgeführt wird.

V. Nach einer wahrscheinlich später geschehenen Einfü-
gung von 11 Zeilen über gewisse Ottenbeurische Lehengüter
werden auf Bl. 30 und der ersten Seite von Bl. 31 die Guts-
erwerbungen und Veränderungen unter Abt Berthold fortge-
führt, wahrscheinlich von zwei verschiedenen Händen, die
gleichfalls dem 13. Jahrh. angehören.

VI. Endlich finden sich, wie auf Bl. 30 erste Seite, so
auch auf der zweiten Seite von Bl. 31 und auf dem anfänglich
leergelassenen Vorsetzblatte vor dem Beginne des Chronicon
für sich bestehende Einträge, von verschiedenen Schreibern
im 14. Jahrh. eingeschrieben.

3. Ausgaben. Einer Bearbeitung und Herausgabe in
der Weise, wie eine so wichtige Geschichtsquelle sie verdient
und die Wissenschaft sie fordert, ist dem Ottenbeurer Chronicon
bisher nicht zu Theil geworden. Die Ottenbeurischen Jahrbü-
cher von Feyerabend geben blos die Urkunden aus demselben,
und einzelne Abschnitte fragmentarisch und ohne Verbindung
als Belegstellen unter dem Texte. Regierungsdirektor von
Raiser besorgte zwar, nachdem ihm, wie oben gesagt, i. J. 1837
das Chronicon im Originale zu Handen gekommen, als Bei-
gabe zum Jahresberichte des historischen Kreisvereines im
Regierungsbezirke von Schwaben und Neuburg für das Jahr
1838, Augsburg 1839, S. 64—86 eine Ausgabe desselben

unter dem Titel: „Chronicon antiquissimum Ottenburanum, mit historisch-kritischer Analyse des Textes und mit den statistisch-topographisch-genealogischen Ortserklärungen." Allein so dankenswerth auch diese Erklärungen sind, so wenig kann in dieser Ausgabe die Behandlung des Textes selbst befriedigen. Denn dieselbe gibt den Text vollständig (mit Weglassung der bei Feyerabend gedruckten Urkunden) nur bis zum 16. Blatte; über alles Folgende, sohin die Hälfte des Werkes, wird nur im Auszuge berichtet. Die abgedruckten Textesstellen werden durch die dazwischengeschobenen Erläuterungen aus ihrem Zusammenhange gebracht, es wird dadurch das Ganze in eine Menge kleiner Stückchen zerrissen und ungeniessbar gemacht. Endlich aber geht dem Texte in dieser Ausgabe Correctheit und diplomatische Treue in hohem Grade ab, und damit gerade jene Eigenschaft, welche bei der Herausgabe alter Schriftwerke vor Allem gefordert werden muss.

Bei diesem Sachverhalte glaube ich gerechtfertigt zu seyn, wenn ich es für keine überflüssige Arbeit hielt, das alte Ottenbeurer Chronicon, diesen „Thesaurus Ottenburanus", wie man es im Kloster nannte, in dieser zur Veröffentlichung einheimischer Geschichtsquellen bestimmten Zeitschrift neuerdings, und zwar vollständig und in seiner ursprünglichen reinen Gestalt, dem Drucke zu übergeben. Für diesen Zweck hat Herr Universitätsbibliothekar Dr. R u l a n d zu Wirzburg und ich die an sich schon gute Meichelbeckische Abschrift neuerdings mit der Urschrift zu München auf das Genaueste verglichen und berichtigt, und auf Grund dieser Vergleichung folgt aus dem O r i g i n a l e der nachstehende Abdruck, welcher blos in Bezug auf Interpunktion und Gebrauch grosser Anfangsbuchstaben die heut zu Tage übliche Schreibweise einhält, in allem Uebrigen aber genau an die Urschrift sich anschliesst.

———

1. Aeltester Theil des Chronicon aus dem 12. Jahrhunderte, Bl. 1ᵃ bis 10ᵇ der Handschrift.

(S)cientes quoniam fastidiosa sunt, que in scriptis minus conpendiose tractantur, conplacuit admodum nobis ualde breuiter positionem describere Ötenburrenssis uidelicet nostri monasterii, qualiter a fundamentis constructum sit; pariter per quos inicium tante prouectionis usque ad nos Christo donante acceperit. Vbi nulla supereffluitatis usi prolixitate tantumque uetustissimam literarum seriem prosequentes, uerbis quam succincte positis eiusdem loci exordia indicare satagimus.

Igitur ante omnia non inmerito fundatores, qui Deum sibi heredem suis ex rebus elegerunt, in Ipso narrationis ordine ponendos estimamus, deinde quibus prediis et quantis monasterii fundamenta locauerint, quotque militantium Deo personas in eodem constituerint, dignitates priuilegiorum denuo ac libertates uel etiam donationes seu predia, per manus imperatorum euidenter collata ostendemus. Rursus quo regni ac principum consilio predictus locus ab expedicione regali ac seruitute siue hostili clipeo relaxatus sit et abstractus, autenticis regum scriptis una denotabimus. Nunc de singulis uideamus.

„Anno incarnationis dominice septingentesimo LI. iſti. regnante Karolo glorioso Romanorum imperatore. Ego Silachus ex Alamannia uir nobilis ac prepotens, et vxor mea Erminswint cum filiis nostris Gauciperto episcopo, Totone clerico, simul et Tageberto laico, monasterium in domate proprio, quod diuisum et separatum liberalissime a cunctis coheredibus contraximus et possidemus in loco, qui vocatur Ötinburra, secundum ecclesiasticam institutionem et iudicum leges in Dei nomine construimus atque fundamus. Omnia igitur predia uel mancipia totamque familiam nostram omnipotenti Deo et beato Petro apostolorum principi, necnon inuictissimo martiri sancto Alexandro abhinc in legitimam ac perpetuam dotem pro incolvmitate utriusque uite et pro remedio animarum parentum nostrorum prefato monasterio delegamus eo pacto, ea uidelicet condicione, ut nulli hominum liceat hanc donationem aliquatenus infringere aut umquam commutare, sed ad uictum fratribus et uestitum summo et uero regi Deo inibi militantibus perpetualitem deseruiant. Si quis autem inuasor quod absit aut tyrannus hanc nostre donationis confirmationem irruperit, anathema sit a Deo, et mors super eum eterna ueniat, uiuensque in infernum per omnia seeula cruciandus descendat. Amen. Amen. Amen. Hii sunt testes, qui uiderunt hec et audierunt: Lanto, Hilti, Öteno, Landolfus, Fridebertus, Hargoldus, Rvpertus, et alii plures tam nobiles quam ignobiles ¹).“ Et hec uocabula prediorum, que primitus monasterio data memorantur:

¹) Obige, auf den Namen Silach's, eines edlen Alemanniers, ausgefertigte Urkunde, welcher laut derselben mit seiner Gattin Erminswint, und seinen Söhnen Gaucipert, Toto und Tagebert im Jahre 764 das Kloster Ottenbeuren gestiftet haben soll, erscheint aus unserer Chronik schon in älteren Werken wiederholt abgedruckt, als in: Fr. Petri, Suevia eccl Aug. V. et Diling. 1699, p. 825, mit Einschiebungen, und in: Das tausendjährige Ottobeuren etc., gedr. Ottob. 1766, S. 3. Joh. G. Schelhorn, Stadtprediger und Archivar zu Memmingen, verwarf in seiner Schrift: Kleine histor. Schriften, 2. Thl., Memmingen 1780, S. 169 ff entschieden die Aechtheit dieser angeblichen Stiftungsurkunde mit Gründen, deren Gewicht M. Feyerabend in seinen Jahrbüchern von Ottenbeuren I. S. XXXIX—L zu entkräften sich vergebens bemühte. Ihre Unächtheit ist nach Styl und Chronologie (man denke nur an die Angabe: regnante Karolo glorioso Romanorum Imperatore auf das Jahr 764!) in der That zu augenfällig, als dass sich heutzutage noch Jemand versucht finden könnte, sie wirklich für ein Schriftstück des 8. Jahrhunderts zu halten. Sie ist eine Scriptur späterer Zeit, vielleicht des 11. Jahrhunderts, und hat höchstens diesen Werth, dass sie eine im Kloster vorhandene, gewiss nicht unbegründete Tradition über die Klosterstiftung der Nachwelt aufbewahrt hat.

Der angebliche Stifter Silach und seine Familie waren zwar bereits Gegenstand umständlicher Besprechung; doch sind die

Principale ceterisque maius ipsum scilicet locum mundi-
narium[2]), qui Ötenburren dicitur, cum terminis suis duo mili-
aria in longitudine habens et unvm in latitudine, de cultis et
incultis hubas ad minus trecentas. Item villam Behaim cum
terminis suis [3]). Villam Habevvanguen cum tota marcha
sua [4]), et predium Hollesvvanc [5]) usque in VVesternhain.
Villam Husen cum terminis suis [6]). Villam Westerhain cum

---

darüber gepflogenen Erörterungen bis jetzt zu einem befriedigenden
Abschlusse nicht gekommen. Feierabend a. a. O. I, S. XXXII
bis XXXVI u. 101—109 will in Silach eine und dieselbe Person ver-
muthen mit dem im Leben des hl. Pirmin (Acta SS. Ord. S. Ben. ed.
Mabillon, Saec. III., P. II., p. 136 sq.) vorkommenden Sintlaz oder Sint-
lach, dem Stifter des Klosters in der Reichenau; in Gaucipert er-
kennt er einen Regionar-, dann aber Bischof zu Chammerich; in
Erminswint, wenn nicht eine Schwester, doch eine nahe Verwandte
der aus einer edlen schwäbischen Familie entsprossenen Kaiserin
Hildegard, der zweiten Gemahlin Karls des Grossen, — Vermu-
thungen, die so wenig durch haltbare Gründe gestützt werden,
als die Annahme v. Raiser's, Silach sei entweder ein Welfe,
oder ein zum spätern, von den ältesten alemannischen Herzogen
abstammenden Vöhringen-Landauer Dynastenstamme gehöriger Iller-
gau-Graf, und mit Hildegard durch Erminswint nahe verwandt
gewesen; dann der Sohn und Mitstifter Toto sei identisch mit jenem
Toto, der in der Lebensgeschichte des hl. Magnus vorkomme (Jah-
resbericht des hist. Vereins von Schwaben und Neuburg 1838, S. 69
und die Hinweisungen daselbst). Da die angebliche Silachische
Scriptur als ein unächtes Machwerk erkannt werden muss, andere
Quellen aber gänzlich fehlen, muss von dem Versuche, für die
dunkle Entstehungsgeschichte des alten Ottenbeuren Aufhellung und
sichere Begründung zu gewinnen, diesorts abgestanden werden.

   [2]) Es heisst in der Handschrift mundinarium. Ueber die Aus-
dehnung der alten Pfarrmarkung von Ottenbeuren, wie sie noch
zu Ende des vorigen Jahrhunderts bestand, siehe Feierabend I.
S. 117, Anmerkung.
   [3]) Böhen, Pfarrdorf im bayer. Landgerichte Ottenbeuren.
   [4]) Hawangen, Pfd. im Landg. Ottenbeuren.
   [5]) Abgegangen, stand nach Feierabend l. c. S. 118 da, wo sich
jetzt das Holz Holensberg, und ein Theil der s. g Schluchten-
mäder befindet.
   [6]) Ungewiss, welches Hausen unter den vielen Orten dieses

prediis suis [7]) usque in Hirgchaim [8]). Villam Ŏmintingen cum pertinentiis suis [9]). Item ecclesias Stainhaim [10]) et Kirchtorf [11]) cum prediis quibusdam. Villam que dicitur Ekka cum terminis suis [12]). Villam Dietriceshouen cum prediis suis [13]). Villam Attenhusen cum omnibus appendiciis suis [14]). Item iuxta Uindicem uillam que uocatur Cella [15]), et uillam Wigenhusen [16]) cum terminis suis. Item predium in Wale [17]) hvbas novem. Ista pariter ad nvmerum reducta existunt oppida seu uille duodecim, ecclesieque barrochiales totidem, cum uiculis centum uiginti, exceptis prediis intra prouinciam hinc inde quibusdam transpositis. Preterea totam

---

Namens; wahrscheinlich jedoch Ungerhausen, Pfd. im Landg. Ottenbeuren.

[7]) Westerheim (Ober- und Unter-), Pfarrei im Landg. Ottenbeuren, nördlich von Ottenbeuren und Hawangen.

[8]) Erkheim, Pfd. im Landg. Ottenbeuren.

[9]) Amendingen, Pfd. im Landg. Ottenbeuren, nahe bei Memmingen. Unter den Zugehörden von Amendingen war wahrscheinlich auch der eingepfarrte Ort Trunkelsberg (*Trunkenesberc*) inbegriffen, der laut der unten S. 16 folgenden Urkunde Kaiser Otto's 1. im Jahre 972 unter den ältern Klostergütern sich befand, in diesem Jahre aber mit Amendingen und andern Orten für den Erwerb der Freiheit hingegeben wurde.

[10]) Steinheim, Pfd. im Landg. Ottenbeuren, nahe bei Memmingen.

[11]) Kirchdorf, Pfd. jenseits der Iller, im wirtembergischen Oberamte Leutkirch.

[12]) Eck an der Günz, Pfd. im Landg. Ottenbeuren.

[13]) Dietershofen, Pfd. im Landg. Babenhausen. Die Pfarrkirche ist St. Maria und St. Alexander, dem Ottenbeurischen Schutzheiligen, geweiht.

[14]) Attenhausen, Pfd. im Landg. Ottenbeuren.

[15]) Abgegangener Ort Zell bei Pforzen im Landg. Kaufbeuren nahe der Wertach *(juxta Uindicem)*, dessen Name sich in dem mit der Pforzener Feldmarkung vereinten Zeller Feld erhalten hat. Feyerabend, IV. 386.

[16]) Weinhausen, Pfd. im Landg. Kaufbeuren.

[17]) Waal, Markt im Landg. Buchloe.

populi sui multitudinem tam ingenuos quam seruiles ore manvque
abdicantes eo iure ac honore, quo ipsis nobilitate seculari domi-
nabantur, prefato monasterio pari nichilominus seruata eorum
dignitate tradiderunt.

Sane predicti fundatores ad nvmerum apostolorum ipsi
cenobio fratres XII^dim instituunt [18]), quorum non solum nobi-
litas sanguinis, quantum probitas morum et disciplina ad per-
petuas Dei laudes narrando requiritur effectus. Quibus etiam
domicilia uersus oratorivm hinc inde construentes singulis
propria cum subpellectili sua separatim repositis prebendas
ex communi cellario diebus non ferialis administrari statuerunt.
At uero diebus festis mensa omnibus una parabatur, ad quam
congregatis semper accuratiori usv ex officio seruiebatur.
Interea ne pro corporali aliquo modo indigentia causarentur
Deo seruientes, sub numero ex omnibus cibaria, quorum terra
nostra fructum reddit, data et uini mensura legitime frue-
bantur. Istis et huiuscemodi consolationibus fratres utpote
noui tyrones expediti, Toto clericus qui supra fundator
dilectissimus, post admirabilem sacri corporis Alexandri
acquisitionem ualefaciens seculo monachus effectus, in proprio
humiliter cepit conuersari monasterio. Qui post aliquot dies
abbas et domnus loci constitutus, inter cetera sue pietatis
opera beniuolum imperatorem Karolum adiens, nec non a
piissima imperatrice adiutus Hiltigard, cui et prius mona-
sterium suum contradidit, cum multis beneficiis priuilegium
subscriptum ab ipso principe reportauit [19]).

---

[18]) Es war alte Sitte bei Klosterstiftungen, dieselben nach der
Apostelzahl mit zwölf Mönchen zu besetzen. Ueber ihnen stand,
als Stellvertreter Christi, der Abt. Reg. S. Ben. c. 2.

[19]) Der nachstehende Bestätigungsbrief Karls des Grossen, an-
geblich von 789, ist unächt, was von Schelhorn a. a. O S. 187
bis 215 dargethan wurde, und von Feyerabend (I. S. L ff.), der Natur
der Sache nach, nicht widerlegt werden konnte. Der Versuch Feyer-
abends und der Mon. Boic. XXXI. A. wo die Urkunde S. 7 — 9
vollständig gedruckt ist, ihre Glaubwürdigkeit durch die Annahme
zu retten, dass für bestimmte Theile und Formeln derselben das

„In nomine Dei patris omnipotentis et filii et spiritus sancti. Karolus a Deo ordinatus augustus magnus pacificus, rex Francorum, imperator Romanorum, gubernans imperium. Quoniam principem ac defensorem ecclesiarum nos fecit dominus, ne eius ingrati esse uideamur munificencie, seruicium eius augmentare, ecclesias multiplicare, super inceptis et constructis bene et oportune, ne posthac destruantur, potestati regali conuenit tuitionem inpertire. Unde quidquid ad loca sanctorum damus uel concedimus, hoc nobis ad mercedis augmentum uel stabilitatem regni nostri pertinere confidimus. Quapropter notum sit omnibus principibus nostris et fidelibus, qualiter nos ad peticionem dilectissime coniungis nostre Hiltigarde illustris regine, abbatem nomine Totonem ex monasterio, quod uocatur Ötenburra cella noua cum hominibus una et rebus ipsius monasterii, sub nostro mundiburdio et deffensione propter malorum illicitas hominum infestationes accepimus et retinemus. Igitur a presenti die coram principibus nostris decernimus atque precipiendo precipimus, ut nulli de maioribus atque minoribus liceat predicto abbati aut hominibus ipsius monasterii tam ingenuis quam seruientibus, uel in rebus, que ad ipsam casam Dei legitime aspicere uidentur, inquietare aut calumniam facere presumat, sed sicut diximus liceat eum una cum iam facto monasterio sub nostra tuitione quietum uiuere ac residere, ac si alique cause aduersus eum aut homines ipsius monasterii surrexerint, quas infra pagum cum fidelibus suis deffinire non potuerint, in presentiam nostram reseruentur. Et ut omni regno nostro et fidelibus nostris pateat, nos prefatum locum non auaricie uel questus, sed pro amore Dei et anime salute ac defensionis causa in nostram potestatem suscepisse, hinc a presenti die et deinceps fratribus eiusdem monasterii auctoritate nostra damus hanc licentiam et concedimus, ut post discessum Totonis abbatis potestatem habeant,

---

Jahr 769 festzuhalten, für andere aber die Jahre 801—805, und damit eine Art Bearbeitung durch den Chronisten zuzugeben sei, ist unzulässig.

inter se eligendi abbatem, quem meliorem secundum regulam sancti
Benedicti et aptiorem nostro seruicio inuenire potuerint, nobis-
que ac successoribus nostris   (H)einricus imperator: Omnis
presentetur, quatenus regia su- episcopus uel abbas electus regni
blimetur auctoritate et confir- nostri de partibus teutonicis infra
metur. Inuestitus siquidem per sex menses nobis presentetur, re-
nos liberum hunc ab omni ex-   galia per ceptrum accipiat, sicque
actione curiali uel munere per- confirmatus per nos et sublima-
mittimus abire, consecracionem   tus dignitale principalitatis ex-
                                 hinc pociatur [20]).

et sui monachorumque concedentes, ut a religiosis duntaxat
episcopis infra provinciam ordinari poterint liberrimam habere.
Amplius presenti sane abbati eiusque successoribus, monachis
et hominibus, ac negociatoribus prefati loci, quia nostra auc-
toritate frequentia populi ad reliquias sacras uenientis inibi sta-
tuimus, hanc libertatis gratiam concedimus, ut ubicunque in
regno nostro ad negociandum perrexerint siue in ciuitates, uel
in oppida seu pontum nauesque petant, siue uenientes seu re-
deuntes, sine exactione thelonei cum pace securi transeant et
pergant. Item placuit nostre prouidencie, in Totonis prefati
abbatis suorumque successorum et fratrum monachorum hoc
perpetualiter potestate ponere, ut sapientum usi consiliis ex
his, quos inter potentes seculi nouerint esse equitatis et fideli-
tatis amatores, eligant suis competenter locis aduocatos et
deffensores, si opus habuerint. Sin uero, nos nostrosque suc-
cessores iustissimos et certissimos deffensores habeant. Sed
nullus hominum sibi hanc potestatem presumat uendicare, vel
quasi hereditariam aut aliquo iure debitam inuadere, nisi quem
abbatis et monachorum consulta approbatiora uelint admittere,
eo tamen tenore, ut post fidelitatem regio iure nobis nostris-

---

[20]) Ganz so wie hier im Drucke, ist obige Stelle aus dem
Calixtinischen Concordate von 1122 in der Handschrift als Glosse
neben den Text gefügt, und zwar von derselben Hand, welche den
Codex schrieb, nur mit kleinerer Schrift. Dasselbe gilt von den
unten folgenden, gleichfalls in die halbe Zeile eingeschriebenen
Glossen.

que successoribus, abbati tria juret sacramenta: primum quod secundum posse et nosse iustus et utilis aduocatus in homines et res predicti monasterii existat; secundum quidquid placitando acquisierit, id est in iniuria pannorum vel satisfactione temeritatum, tertia sibi parte retenta duas reddat abbati, et nullum aduocatum uel exactorem preter se nisi abbatis permissione constituat; tertium quod nichil priuati muneris uel seruicii a quolibet loco siue curte seu a uillicis uel a cellerariis quasi ex debito et statuto iure exigat, ac mansiones uel pernoctationes uspiam frequentare caueat.

(N)otandum est distincte, quod dicitur de locis siue curtis seu de uillicis uel cellerariis, hoc est de his, que non seculari persona, sed per domesticos nostros videlicet fratres barbatos specialiter excoluntur.

Ad unumquemque uero locum, quem abbas ad placitandum ordinauerit, cum XII. equis et totidem uiris aduocatus semel tantum in anno adueniat, nisi pro aliqua necessitate ab abbate sepius aduocetur; ac tunc pro loci qualitate ab abbate honeste suscipiatur et procuretur. Infra locum autem monasterii nullum placitum, nisi uoluntate et rogatu abbatis umquam statuat. Nullum de militari familia sine iusta sociorum suorum deliberatione dampnet, vel aliqua iniuria coherceat offendat. Qui militares vel alio nomine ministeriales, optimo iure perfruantur, quo Fvldenses vel Avgenses pociuntur. Amplius nullum domus seruientem sine consensu abbatis ad iudicium uel ad dampnum cogat. Quando

(Q)icumque in nostro iugiter occupantur seruicio, ut sunt manticarii, veredarii, pistores, coci, braziarii, officialesque nostre curie et ceteri homines.

autem huius commissi uel in homines aut in res, quod vvlgo *balmunt* dicitur, exstiterit, statim sine mora et sine preiudicio, nisi cito resipuerit, aduocatia cum omnibus commodis sine spe recuperationis carebit. Et ut hec firmius credantur et diligentius conseruentur, manv propria subter firmauimus et anulo nostro insigniri iussimus. Ego·Luitpertus recognoui archicapellanus et subscripsi. Data anno incarnationis domini septingentesimo sexagesimo ıễ. Actum Mogontia in pentecosten in Dei nomine feliciter. Amen."

He sunt donationes; quibus imperator Karolus Ötenburrense monasterium ditauit et per manus fundatorum dato quo supra priuilegio primitus transmisit ac delegauit hoc modo [21]):

„Ego Karolus Dei Romanorum imperator, die presenti ad prefatum monasterium per manus Gauciperti episcopi et Totonis abbatis fratris eiusdem ex mea proprietate uiros duodecim cum vxoribus et liberis ac tota possessione sua pro anime mee salute Deo et beato martyri Alexandro, sicuti ex hereditario iure possideo, trado nichilominus et transfundo, ea uidelicet condicione, ut ex his qui obierint optimvm tantum bonvm, quod in mobilibus rebus habuerint, abbati et fratribus prefati loci detur, cetera heredibus. Si uero absque herede obierint, predia vel quicquid habuerint, hereditario iure ad monasterium publicetur. Item omnem decimam ex debito regali, quicquid de pago Hilargovve de quibuscunque debitis aut fredis omni tempore exigitur, quod nostri iuris est, ad prefatum sanctum locum concedimus et confirmamus, ut cum Dei gratia et nostra elemosina ibidem nostris temporibus et futuris in augmentum Dei seruitutis proficiat. Que etiam cum omni integritate suscipiatur."

Hiltigarda nichilominus illustris regina corpus sancti Alexandri aduersus Uiennensium querelas prefato Totoni mirabiliter retinens, memoriam sui apud Vtenburram exhinc perpetuam constituit [22]). Que etiam per multa beneficia eidem

---

[21]) Auch die hier folgende Urkunde, angeblich von Karl dem Grossen, trägt wenigstens in ihrer vorliegenden Fassung das Gepräge der Unächtheit, wenn schon sicherlich ihr wirkliche historische Thatsachen, wie namentlich die Schenkung eines Zehents im Illergau. in dessen Besitz Ottenbeuren laut der unten folgenden ächten Urkunde Otto's I. im Jahre 972 stand, zu Grunde liegen mögen.

[22]) Die Tradition von der Erwerbung des Leibes des hl. Martyrers Alexander bildet einen dunkeln Punkt in der ältesten Geschichte Ottenbeurens. Das Kloster verehrte in diesem Heiligen einen von den sieben Brüdern, welche nebst ihrer Mutter, der hl. Felicitas, im 2. Jahrhunderte zu Rom den Martyrertod litten. Seine beabsichtigte Uebertragung aus Rom nach Vienne, die unterwegs zu St. Moriz in Wallis durch Abt Toto vollbrachte Entwendung des Leibes und dessen Ueberbringung nach Ottenbeuren, die Klage der

loco collata, maius his prcdium suum in **Haldevvanc** situm
cum terminis suis ac nobili familia et ignobili ad centum fere

---

Vienner Kanoniker auf Herausgabe vor Karl dem Grossen zu Aachen,
und die hiebei durch die Kaiserin Hildegard vermittelte Belassung
der Reliquien zu Ottenbeuren — erzählt ausführlich die aus alten
Handschriften herausgegebene „Translatio S. Alexandri martyris,
unius, ut volunt, e septem S. Felicitatis filiis, in abbatiam Otten-
buranam", welche bei den Bollandisten, A. S. Julii, t. 3, p. 19—21
sich abgedruckt findet. Neben diesem Berichte besteht aber noch
ein anderer, zuletzt gedruckt bei Pertz M. G. Script. Tom. II.
p. 673—681, nach welchem der ganze Leib des hl. Alexander, des
Sohnes der hl. Felicitas, durch Walbert von Rom aus nach
Sachsen gebracht wurde, und im Stifte Wildeshausen, Bis-
thums Osnabrück, seine Ruhestätte fand. Es geschah dies im
Jahre 851. Da der Leib des hl. Alexander nicht an zwei Orten,
in Ottenbeuren und in Wildeshausen zugleich seyn konnte, so wäre
das nächste, von irgend einer Seite, sei es von Rom, oder von
Sachsen, oder von Ottenbeuren, irgend eine, bewusste oder unbe-
wusste, Täuschung anzunehmen, wobei die Entscheidung offenbar
zum Nachtheile Ottenbeurens fallen müsste, da die ottenbeurische
Translations-Geschichte auffallende historische Blössen gibt, von
denen die sächsische frei ist. Indess findet sich ein ziemlich sicherer
Weg zur Lösung der Schwierigkeit, auf den schon die Bollandisten
(l. c. p. 19) hingewiesen haben; die Annahme nämlich, dass jener
hl. Alexander, dessen Leib Ottenbeuren bewahrt, nicht identisch
sei mit Alexander, dem Sohne der hl. Felicitas, der in Wildeshausen
verehrt wurde. „*Non satis constat*, heisst es bei den Bollandisten,
an S. Alexandri reliquiae, eo (Ottenburam) *translatae, sint istius
Alexandri, qui fuit unus e VII filiis S. Felicitatis.*" Dass nach Otten-
beuren der Leib eines Martyrers aus Rom unter der einfachen Be-
zeichnung des hl. Martyrers Alexander ohne die Angabe, es sei
dieses der Sohn der hl. Felicitas, gekommen, und dass der Glaube,
es sei dieser Alexander eine und dieselbe Person mit dem gleich-
namigen Sohne der hl. Felicitas, erst in Folge der Zeit entstanden
sei, scheint der älteste Theil unsers Chronicon im Zusammenhalte
mit dessen Fortsetzung aus dem 13. Jahrhunderte zu bestätigen. In
jenem ältesten Theile nämlich ist der hl. Alexander einfach mit
Namen genannt oder als Martyrer bezeichnet, ohne alle Beziehung
auf die hl. Felicitas *(invictissimo martiri sancto Alexandro* im an-
geblichen Stiftungsbriefe oben S. 7, *post admirabilem sacri cor-
poris Alexandri acquisitionem* S. 10, *corpus sancti Alexandri* an

hvbas computatum sancto Alexandro tradidit abbati fratribus-
que utendum, coram marito suo imperatore perpetualiter de-
legauit [23]).

„In nomine sancte et indiuidue trinitatis. Otto diuina
functus clementia imperator Romanorum et semper augustus.
Si peticiones seruorum Dei, quas nobis pro suis necessi-

---

unserer Stelle, pro *meritis sancti Alexandri martiris* im Freiheits-
briefe Kaiser Otto's 1. unten S. 17). Erst beim Fortsetzer heisst er,
wie mit Absicht, *beatus martir Alexander filius sancte Felicitatis*,
unten S. 22. Es war also höchst wahrscheinlich ein Martyrer A l e -
x a n d e r aus Rom nach Ottenbeuren gebracht worden, in welchem
die spätere Zeit den Sohn der hl. Felicitas erkennen zu müssen
glaubte. Die angebliche Ueberbringung durch Abt Toto hat zwar
viel Unwahrscheinliches und geschichtliche Verstösse : doch mag der
Erzählung, wie auch die Bollandisten annehmen, ein wahrer Kern
zu Grunde liegen. *(Nihil vetat, quin historiae translationis sub-
stantia possit esse vera; sed ambulat auctor in falsis adjunctis,
quae historiam, si ipsi credimus, circumstant, non cohaerentia per-
peram combinans.)* Sie scheint schon vorhanden gewesen zu seyn,
als der älteste Theil unseres Chronicon niedergeschrieben wurde.
Noch bewahrt man in Ottenbeuren ein seidenes Gewebe, angeblich
jenes Mantelstück, womit nach der Translationsgeschichte jene
Matrone zu Lucca, welche beim Durchzuge des Heiligen vom Blut-
flusse Heilung gefunden, dankbar den Sarg bedeckte. Es ist mit
seinen eingewebten Menschen- und Thierfiguren jedenfalls ein Rest
ehrwürdigen Alterthums, und darum als Beleg für die Wahrheit
der Uebertragungsgeschichte von Werth. In spätere Zeit, in das
12. oder den Anfang des 13. Jahrhunderts aber gehört jener kunst
reiche Kelch von Ottenbeuren mit den Bildern der Apostel und
der sieben Söhne der hl. Felicitas, welcher im Jahresberichte des
historischen Vereins für Schwaben und Neuburg 1851/52 beschrieben
und abgebildet ist, seinem Alter nach aber zu weit hinauf gerückt
wird. Was endlich die in der Translationsgeschichte offen gestan-
dene Veruntreuung anvertrauter Reliquien betrifft, so ist diese durch-
aus nicht gegen die Anschauung der damaligen Zeit, welche vor
Raub und Diebstahl von Reliquien, wovon in jenen Jahrhunderten
viele Fälle sich finden, keine Scheu trug.

[23]) H a l d e n w a n g, Pfd. im Landg Kempten. Die Pfarrkirche
ist den Ottenbeurischen Patronen, den heiligen Alexander und Theo-
dor, geweiht.

tatibus innotuerint, ad effectum perducimus, non solum impe-
rialem consuetudinem exercemus, sed etiam ad beate retri-
butionis mercedem talia nobis facta proficere speramus. Qua-
propter comperiat omnium fidelium nostrorum industria pre-
sentium videlicet et futurorum, qualiter nos adierint Ŏdalricus
Augustensis ecclesie episcopus et abbas Ŏttenburrensis ec-
clesie, seu Kunradus Constanciensis ecclesie presul, atque
Burchardus Alamannie dux ceterique potentes Alamannorum
insinuantes, notificantes copiam et inopiam ac regionis duriciam
Utenburrensis abbacie, supplicantes, precantes et consiliantes,
quatenus pro Dei honore, et pro nostra gratia, et pro meritis sancti
Alexandri martyris, qui ibi corporaliter requiescit, eam liberam a
nostra et ab omni regia scruitute faceremus, id est ab expedicione
regali et exercitali vel hostili clipeo, et a curiali remota itine-
ratione, seu ab omni regni negocio. Ad quod respondimus,
peticioni eorum nequaquam uelle consentire, nec fieri posse
sine communi principum regni consilio, permissione, delibe-
ratione, atque dispositione. Tandem eorum deliberationi, con-
silio, ac iudicio concessimus, permisimus, ita sane, ut quicquid
eis ex hinc placuerit placeat, quod displicuerit displiceat, et
quod ex his elegerint laudamus, consentimus, precipimus, per-
mittimus. Igitur in unum conuenerunt et consenserunt, id
aliter nequaquam fieri posse, nec tantus locus deberi a re-
gali obsequio diuelli, nisi parte aliqva prediorum prefate ab-
batie abstracta nobis tradantur sub tali condicione, ut a
nostra regali potentia Purchardo Alamannorum duci suisque
successoribus Alamannie ducibus in beneficium concedantur,
sitque in omnibus regni negociis paratus semper et uerbis et
factis pro abbate hostes reipublice nostre debellare, et quo-
ciens fit expedicionem nobiscum mouere; prefatus uero abbas
libere Deo cum fratribus suis deseruiat, et post eius obitvm
fratres liberam et canonicam in alium electionem habeant,
nobis nostrisque successoribus presentetur, et regalia per nos
accipiat, et sic a nobis sublimetur et confirmetur. Vnde quis-
quis abbas inibi constituatur, precipimus, statuimus, ut post
adeptam dignitatem non muneris quippiam vel curialis exac-

tionis ab eo exigatur, preter quod canes duos pariles vel uni-
colores ad nostrum et successorum nostrorum honorem ad
fores aule in Ulma, vel ad Augustensis curie portam pariter
in testimonium libertatis defferri prouideat, uenatoribus nostris
illinc seruaturos [24]. Item in predictis ciuitatibus curiam nos-
tram generalem acturi cum prin- (S)i pro incuitabili neces-
cipibus ex precepto idem abbas con- sitate rogatus fuerit abbas
loci huius ad curiam venire
ueniat, de ceteris omnino, ut atten- cum principibus extra pro-
tius Deo famuletur, liber et securus uinciam, humiliter cum
equis XII vadat, et expli-
permaneat." cito quantocius regali col-
loquio ad propria reuerti
„Hec sunt predia, que cum familia salagat [25])
et omnibns appendiciis suis pro libertate prefati monasterii
abstracta seu inbeneficiata noscuntur: Oppidum Òmintingen
cum uico suo Trunkenesber, villam Husen, villam
Titherieshouen, villam VVigenhusen, et predium in
VVale, et alia, que nominare longum duximus. Item inuesti-
turam ecclesiarum Stainhaim et Kyrchtorf[26]), insuper et
decimam de pago Hylargouuensi de quibuscunque debitis
a Kyrchtorf usque in Mosebrunge[27]), quam usque
in hanc diem de elemosina domni Karoli magni impera-
toris fratres prefati monasterii libere possederant, nunc pro
eadem libertate cum supra dictis regie manui resignatam ab-

---

[24]) So im Codex; wohl *seruituros* ?

[25]) Wahrscheinlich aus einer spätern kaiserlichen Urkunde ge-
nommene Worte.

[26]) Ueber die Orte: Òmintingen — Amendingen, Trun-
kenesber(e) — Trunkelsberg, Husen — wahrscheinlich Unger-
hausen, Titherieshouen — Dietershofen, Wigenhusen —
Weinhausen, Wale — Waal, siehe oben die Anmerkungen 9, 6, 13,
16, 17; über Steinheim und Kirchdorf Anm. 10, 11.

[27]) Die Deutung des Namens Mosebrunge ist schwierig und
unsicher. Einen Ort Moosbrunn gibt es in jener Gegend nicht
Feierabend 1. 363, Anm. gibt an, der alte Name des Platzes
Mosebrunge sei später von einer angebauten Mühle in den Namen
Moosmühle übergegangen Eine Moosmühle liegt bei Leut-
kirch, wirt. Oberamts gl. N. Vielleicht erstreckte sich der fragliche
Zehentbezirk von Kirchdorf bis zum Platze dieser Mühle.

dicarunt. Fautores nichilominus et consiliatores iam dicte liber-
tatis decreverunt, vt predicte decime prediorum, que prius-
quam nostre dicioni traderentur, in elemosinariam domum
prefati monasterii ad reficiendos pauperes dabantur, nunc etiam
auctoritate nostra et prefati Ôdalrici episcopi et abbatis suc-
cessorumque suorum consensv a curtis solummodo uillicorum
pro testimonio libertatis ad iam dictam domum in usus pau-
perum reuertantur. Preterea imperiali auctoritate nostra iu-
bemus, ut omnia precepta, libertates, dignitates, priuilegia, que
a predecessoribus nostris regibus vel imperatoribus prenomi-
nato monasterio, abbati, monachis, hominibus tam ingenuis
quam seruientibus ac negociatoribus quoquomodo concessa
sunt, perpetuum obtineant uigorem, nullusque nostre reipu-
blice potestate functus, siue in successorum nostrorum tempo-
ribus, aliquid audeat ex his inmvtare, et que prefati abbatis
fratrumque usibus succedunt, presumat aliquociens dilapidare.
Et ne forte aliquis aduocatus aut tyrannus eo licentius sibi
usurpet aut uendicet aliquid ex his, que sunt abbatis et fra-
trum eius, quasi nostri iuris non sit, nouerint omnes fideles
nostri, sicut domnus Karolus imperator primitus magis pro
defensione quam seruitutis utilitate suscepit, ita et nos stre-
nuissimos atque iustissimos rectores et defensores esse
sciat. Et ut hoc nostrum preceptum firmius stabiliusque
perpetim cunctis credatur, hanc cartam inscribi iussimus, anu-
(N)on usurpent sibi advocati ec-
clesias ad imperium pertinentes
quasi ad uoluntatem suam illis ut-
cunque abuti. Sciant nichilominus
se quam cicius priuari posse, cum
per horum videlicet scriptorum
pulsati fuerunt racionabilem eui-
dentissimam auctoritatem.
loque nostro signatam manu propria subtus firmauimus. Data
ab imperatore Ottone Ôdalrico episcopo et abbate Otten-
burrensis loci, anno incarnationis domini nongentesimo Lxxii,
die kal. Nouembrium. Actum Argentina ciuitate in Dei nomine
feliciter. Ego Rupertus archicapellanus scripsi et subscripsi."
Signum Ottonis *(Monogramma)* [26]).

---

[26]) Die Aechtheit der vorstehenden Urkunde kann einem ge-
gründeten Zweifel nicht unterliegen. Die Worte am Schlusse: *Data*

2*

Temporibus eiusdem imperatoris facta est secundo inter
Öttenburrenses et Campidonenses dissensio, contendentibus
pro saltu, quem ex aduerso uiolenter sibi pacto equitatis re-

---

ab imp. — *loci* sind als eigenmächtige Einschaltung des Chronisten
zu nehmen, dessen Schuld es vielleicht auch ist, dass die Angabe
der Indiction und der Regierungsjahre Otto's in der Copie fehlt.
Die Thatsache, dass Kaiser Otto für das Kloster Ottenbeuren die
freie Abtswahl wiederherstellte, wird bestätigt durch die Vita S. Ou-
dalrici Ep bei Pertz, Mon. Germ. Scr. IV. 410, wo erzählt wird,
der hl. Ulrich habe auf dem Rückwege von Sulmedingen *(castellum
Sunnemotinga* bei Biberach), wohin er in Familienangelegenheiten
von seinem Neffen Manegold eingeladen worden, die Mönche von
Ottenbeuren nach Amendingen gerufen (Mai 973), um ihnen über
die von Kaiser Otto vollzogene Zurückgabe der freien Abtswahl
Eröffnung zu machen. *(Consummatis ibi rebus, pro quibus illuc
vocatus est, abire coepit, et altera die ad locum, qui dicitur Ou-
mintinga pervenit, et ibi ad se convocatis monachis de monasterio
Utenbura nominato, autumare cum eis et cum suis fidelibus provide
coepit, quomodo deliberationem [quam ille eis antea conscriptam
et sigillatam ab imperatore donari impetravit], restituere potu-
isset.)* Jene theuer erkauften Rechte und Freiheiten, namentlich
die Befreiung von Kriegsdiensten und Steuern für das Reich, sind
dem Kloster Ottenbeuren bis zu seiner Aufhebung verblieben.
Feierabend, I. 387.
    Der Abdruck dieser Urkunde in den Mon. Boic. XXXI 1.
S. 211—213, genommen aus einer sehr alten Scriptur, sei es nun
Concept oder Auszug der Urkunde im ehemaligen fürstbischöflichen
Archive zu Dilingen, weicht von obigem Texte im Chronicon mehr-
fach ab, indem das letztere Exemplar eine andere Aufeinanderfolge
der Gegenstände festhält, Manches weglässt, Manches hinzufügt,
Manches in anderer Form gibt. Die Bestätigungsurkunde Kaiser
Friedrich's I. für Ottenbeuren vom 7. Mai 1171 (Feierab. II. 822 ff.
Mon. Boic. 29. I. 399 ff.) hält sich mehr an die Fassung des Ottonischen
Privilegiums in unserm Chronicon, als an die des Dilinger Exem-
plars. Das angebliche Original des Privilegiums, welches der Otten-
beurische Chronograph Gallus Sandholzer zu Anfang des 17. Jahr-
hunderts im Archive zu Dilingen gesehen haben will (Feierab. I.
626, Anm.), ist wohl nichts anderes, als eben jene früher zu Dilin-
gen, jetzt im Reichsarchive zu München aufbewahrte alte Scriptur.
S. Mon. Boic. l. c. S. 213. Anm. a.

licto utrique uendicabant [29]). Vnde ipsarum milites eccle-
siarum insidias alterutrum sibi pro hujusmodi ponentes, diu-
tina congressione populum ipsius regionis ad inopiam ferro
vel igne coegerunt. Qua ex re imperator commotus vene-
rabilem Ödalricum episcopum accersitus inimicicias illorum
omni cum diligentia sedare precepit, missis cum eo comi-
tibus Bertholdo et Richuuino [30]), qui terminos sicut VVic-
garius Augustensis episcopus a Karolo missus iuniore quon-
dam diuiserat et posuerat, prefati comites denuo cum pagensibus
renouarent. In exordio enim huius discordie quidam Rein-
hocus nutu Karoli uir admodum clarus in Öttenburrensem
ecclesiam primum uice imperatoris aduocatus constituitur, et
Gisilfridus apud Campidonam pari modo defensor profici-
tur. Tandem illis ad concordiam cum optimatibus prouincie con-
uocatis memoratus episcopus prefatam abbaciam aliquanto rexit
tempore. Interea uir quidam nobilis Hato nomine, ecclesiam
in Bonningin [31]) cum aliis prediis Öttenburrensi contulit mo-
nasterio, et seculari pompa derelicta habitum induit mona-
chilem, et se in eodem monasterio includi faciens irreprehen-
sibilem diu uitam duxit. Postmodum uero ab antiquo seduc-
tus hoste proprietates cepit habere, et propterea a cella propria
eiectus inter alios fratres iussus est conuersari, ubi tandem
per gratiam sancti Spiritus ita cepit sancte ac religiose uiuere,
ut etiam multa signa per eum Christus facere dignaretur, et
sic sancto fine consummatus in ecclesia nostra est tumulatus.

Cum igitur prefatus episcopus Öttenburrensi monasterio
div ac utiliter prefuisset, proprie conscius infirmitatis ipsam

---

[29]) Wahrscheinlich ist hier ein Theil des Kempter Waldes
gemeint, nach Feierabend l. 341 vermuthlich der noch jetzt soge-
nannte Herrenwald unweit des Ottenbeurischen Ortes Haldenwang,
wo der Wald etwa zwischen dem Kemptischen und Ottenbeurischen
Gebiete die Gränze theilte.

[30]) Richwin ist vermuthlich der Neffe des hl. Ulrich, Sohn
seines Bruders Dietpald, Grafen von Dilingen.

[31]) Benningen, Pfd. im Landg. Ottenbeuren, nahe bei Mem-
mingen.

abbaciam reclamantibus cunctis resignauit, fratres exhortans
ac populum, ut absque reluctacione successorem Dei adiu-
torio sibi providerent idoneum. Unde supplicantes episcopo,
quem adiudicaret tanti laboris suscipere fastigium, respondit,
meliorem inter fratres se non nosse, quam domnum Rvdun-
gvm fuisse. In quo uerbo uniuersi concordantes, episcopus
eidem electo baculum duobus pariter comitibus illum dedv-
centibus usque ad presentiam imperatoris commendauit. Qui
ab eodem benigne susceptus per regalia sublimatus ad propria
est dimissus ³²).

II. *Fortsetzung des Chronicon von einer Hand des* 13. *Jahr-hunderts, Bl.* 11ᵃ *bis* 14ᵃ.

Hii sunt abbates, qui Ottinburrense rexerunt monaste-
rium, ex quo fundatum est. Toto beatus uir, qui ipsum sacrum
cenobium in proprio domate construxit in honore beati mar-
tiris Alexandri filii sancte Felicitatis, cuius martiris sanctum
corpus illuc feliciter aquisiuit domino adiuuante. Post illum
abbates fuerunt hi, quorum nomina sunt subscripta: Milo,
Wicgarius, Birtilo, Adalbero, Vdalricus episcopus
et abbas, Rudungus, Dancolfus, Sigibertus, Embri-
cus, Eberhardus, Racelinus, Adilhalmus, Gebe-
hardus. Heinricus, sanctus Rupertus, Isingrimus,
Bernoldus. Kunradus.   Sub Dancolfo abbate cepit
uacare aduocatia Ottinburrensis monasterii, qui Dei et sui
oblitus Rupertum nobilem uirum de Vrsin³³) aduocatum sibi
elegit, qui in ipsa aduocacia promeruit, quod in fine uite sue in
insaniam est conuersus. Post hunc Reinhardus filius eius

---

³²) Mit Obigem übereinstimmend, aber etwas ausführlicher ist
die Wahl Rudung's erzählt in der Vita S. Udalr. bei Pertz, Mon. Germ.
Scr. IV. 410, welche der Verfasser des Chronicon an dieser Stelle
vor sich gehabt zu haben scheint. Die Wahl geschah im Mai 973.

³³) Dem Geschlechte der Grafen von Ronsberg zu Irse bei
Kaufbeuren angehörend.

adnocatus factus, fauorem sibi imperatorum et ducum Baioarie ac Sueuie preclaris actibus suis comparauit, et precipue principum de Altorf[34]) et episcopi Augustensis et abbatis Campidonensis, qui omnes multis et magnis feudis ipsum ditauerunt.

Defunctis XII. abbatibus, qui loco Ottinburrensi prefuerunt, de quibus exceptis duobus beatis uiris Totone et Vdalrico episcopo pauca uel nulla gesta habentur, Adalhalmus eligitur[35]), qui IIII^or regebat monasteria, scilicet Petirshvsin, Nernishaim, sancti Magni ad fauces[36]), et Ottinburron. Hic uetus destruxit monasterium aput Ottinburron, et nouum edificare cepit, laicisque abstulit monachorum prebendas, quas usque tunc iniuste possederant. Huic successit Gebehardus[37]), qui honestate sua et liberalitate multa cenobio acquisivit. Nam quidam illustris uir Eticho nomine predium suum in Savilgou[38]), curiam scilicet uillicariam et alios IIII^or mansos cum nonnullis mancipiis sancto Alexandro contradidit. Similiter Hartnidus uir nobilis predium suum in Herwigishovin[39]) predicto martiri obtulit. Quidam etiam Ottinburrensis ecclesie ministerialis nomine Siboto v hubas in Boningin, quas ipse oppignorauerat, predicto Ottinburrensi loco contulit. Prefatus uero abbas eosdem mansos solvit, et ipsum militem in sui curam suscipiens usque ad finem uite sue pauit. Ipse Siboto filios habens de ignobili femina sextam hvbam in Kenginshvsin[40]) predicto abbati et ecclesie sue contulit, ut filiis suis in censuale beneficium concederetur, de qua unus solidus

---

[34]) Der Welfen von Altdorf bei Ravensburg.

[35]) Nach Feierabend Abt von 1082—1094.

[36]) Petershausen bei Konstanz, Neresheim und St. Mang in Füssen.

[37]) Von 1094—1100.

[38]) Saulgen (Salgen), Weiler der Pfarrei Pfaffenhausen, Landg Mindelheim.

[39]) Herbishofen, protestant. Pfd. im Landg. Ottenbeuren.

[40]) Ist Engisbausen, Dorf Landg. Illertissen, oder Königsbausen, Pfd. Landg. Türkheim.

Augustensis monete persoluitur annuatim. Preter ista prefatus abbas Gebehardus multa preclara gesta fecit ad utilitatem monasterii. Quo defuncto successit ei in prelacione, non in uirtute abbas Heinricus iuuenis etate et stultus moribus [41]), qui timore Dei carens multa damna in dilapidacione rerum intulit monasterio, et post unius anni spacium mortuus est volente Deo, ne religio et bona ecclesie penitus deperirent.

Isto igitur defuncto, quoniam multum defecerat religio monastica, predictus Rupertus aduocatus [42]) de monasterio sancti Georgii in nigra silua beatum Rupertum adducens, Ottinburrensi prefecit monasterio [43]), quia patri suo iam morienti et ob defectum religionis hic sepeliri nolenti promiserat, quod abbatem religiosum et bonum monasterio prouideret. Qui beatus uir eidem loco prelatus quasi sol oriens omnes tenebras irreligiositatis radio sue sanctitatis dispulit, et personas honestas de aliis monasteriis aduocans, monachos etiam perfectissimos educauit. Laicos Deum timentes eisdem monachis associauit, et feminas honestas et nobiles ad seruiendum Deo inclusit, quorum donacionibus possessiones monasterii sunt plurimum dilatate, scilicet in Richersriet [44]), in Fridrichisriet [45]), in Wolfoldis [46]), in Kolberc [47]) et in aliis locis. Et quoniam ipse

---

[41]) Abt von 1100—1102.

[42]) Nach S. 22 wäre ein Rupertus de Vrsin schon unter Abt Dankolf, vor 1028, Schirmvogt von Ottenbeuren geworden, und hier soll derselbe *(predictus)* nach dem Tode des Abtes Heinrich um 1102 noch für Ottenbeuren thätig gewesen seyn. Es ist anzunehmen, dass an unserer Stelle eine Personenverwechslung stattgefunden habe, und ein jüngerer Rupert von Ursin, ein Sohn des Schirmvogts Reinhart (s. unten S. 26) und Enkel jenes ältern gemeint sei.

[43]) Abt von 1102—1145.

[44]) Reichertsried, in der Pfarrei Eggenthal, Landg. Kaufbeuren.

[45]) Friesenried, Pfd. im Landg. Obergünzburg.

[46]) Wolfholz, Weiler der Pfarrei Huttenwang, oder Wolferts, Einöde der Pfarrei Ottenbeuren.

[47]) Köhlberg, Hof in der Pfarrei Kemnat, nahe bei Klein-Kemnat.

beatus uir miraculorum erat eximius operator, quemadmodum
habetur in libro, qui de beata uita eius scriptus est [48]), populi
multi locum ipsum frequentantes, plurimas donaciones illuc
detulerunt, de quibus domnus Siboto, qui tunc custos erat
ecclesie, sarcofagum argenteum fecit fieri, in quo ueneranda
corpora sanctorum martyrum Alexandri et Theodori idem ue-
nerabilis inclusit abbas cum multis aliorum sanctorum reli-
quiis, de ipsorum uirtute in Spiritu sancto preuidens et pre-
dicens, quod propter ipsorum merita et presenciam locus idem
diuina sit uisitacione semper illustrandus [49]). Preterea monaste-
rium, quod Adilhalmus cepit construere, iste sanctus pater per-
fecit, et perfectum omni decore ac pictura competenti, aduo-
catis duobus episcopis Vdalrico uidelicet Constanciense, ac
Hermanno Augustense, in festiuitate omnium Sanctorum fecit
dedicari. In ipso dedicationis die Rupertus aduocatus filius
Reinhardi de Vrsin. qui R(upertus) duas hýbas in Alrichs-
rain [50]) Ottinburrensi monasterio sub Gebehardo abbate dona-
uerat cum omnibus attinenciis et cum omni iure corporali et
incorporali, ipse inquam Rupertus contulit eidem cenobio uineam
suam et curtem in Kortis [51]) cum capella sancti Georgii,
quod predium in ualle uenusta situm est, donans simul eadem
die aliam uineam in Basilan [52]) ualde bonam, quam quedam

___

[48]) Diese Schrift ist leider verloren gegangen.

[49]) Dieser Sarg war zur Zeit der Säcularisation in Ottenbeuren
noch vorhanden, ist aber nachher leider verschwunden (Feierabend,
II 44 - 46. wo derselbe näher beschrieben wird). Er hatte die In-
schrift: „Jnc. D. MCXXXIIII. A. Xᵐᵒ novenn. cycli. regn. Luithero.
rege. tempore. pie. memorie. Ruperti. abbatis. et. Sigebotonis. huius.
ecclesie. custodis. istud. Sarcofagum. factum. est.‟

[50]) Allesrain, zwei Höfe in der Pfarrei Dirlewang, Landg.
Mindelheim.

[51]) Kortsch, Dorf im Vintschgau (in valle venusta). Nörd-
lich davon und hoch im kahlen Gebirge am Rande einer tiefen
Schlucht steht noch die St. Jörgen-Kapelle, welche unter Kaiser
Joseph's II. Regierung gesperrt worden ist. (Die Erklärung der tyro-
lischen Ortsnamen verdanke ich Hrn. Regens Tinkhauser in Brixen.)

[52]) Passlan, eine Parcelle der Gemeinde Marling bei Meran.

femina Diem ẟt nomine et alii boni homines donacionihus suis
postea adauxerunt. Data sunt etiam ipsa die nonnulla man-
cipia a prenominato aduocato. Idem Rupertus swaigam unam
predicte contulit ecclesie, cum filius eius Albertus et filia
eius Irmingardis a beato patre R(uperto) in monasterium
reciperentur.

Filius quoque ipsius Ruperti Reinhardus nomine relicto
seculo in monasterium ab eodem patre susceptus sw igas in Ni-
dirtaige [53]), que soluunt nongentos caseos, eidem donauit ec-
clesie cum omnibus attinenciis et omni iure. Irmengardis soror
predicti Ruperti post decessum uiri sui in Karinthia cum
magno periculo persone ac rerum suarum corpus eius rapiens
ad Otinburense monasterium transtulit, et unam hvbam in Wih-
stain [54]) et duas hvbas in Lademvtingin [55]) eidem ecclesie
contulit, ut anniuersarium amborum simul ibi deinceps cele-
hretur. Miles quidam ipsorum Otto nomine a contribulibus
suis exoculatus, monasterium Ottinburense ingrediens relicto
seculo tertiam hvbam in Lademvtingin eidem dedit ecclesie.
Quidam ministerialis Ruperti de Marstetin [56]), cum filia sua
Helcha nomine in monasterium a beato uiro Ruperto reciperetur,
hvbam unam in Friderichsriet [57]) donauit ipsi monasterio cum
omnibus attinenciis. Quidam illustris uir Wolftrigil nomine,
pater Heinrici de Bẟron [58]), predium suum in Salhin-
wanc [59]) et in Friderichsriet unum mansum pro remedio anime

---

[53]) Niederthei, hinter Umhausen im Oetzthale, eine sehr
freundliche Alpengegend mit einer Kuratiekirche.

[54]) Vielleicht Weicht, Pfd. im Landg. Türkheim.

[55]) Lamedingen, Pfd. im Landg. Buchloe.

[56]) Ob Marstetten bei Buch oberhalb Weissenhorn, oder
Marstetten, Burg an der Iller, Oberamts Leutkirch? S. Stälin,
wirt. Gesch. 2, 575.

[57]) Friesenried, s oben Nr. 45.

[58]) Kaufbeuren? — Wolftrigil ist wahrscheinlich derselbe,
welcher 1123 zu Lauchdorf gegenwärtig war, als Graf Wernher von
Schwabeck das Dorf Warmundsried an das Kloster St. Blasien ver-
gabte. Gerbert, hist. nigr. silv. cod. dipl. pag. 51.

[59]) Salenwang, Dorf der Pfarrei Friesenried.

sue cenobio contulit Ottinburensi. Quod reliquum est nostri iuris
in Fridrichsriet. alii boni homines, quorum nomina scripta sunt
in celo, beato martiri Alexandro contradiderunt. Quidam
liber homo Rudolfus nomine et fratres eius predium suum
in Kolberc [60]) cum omnibus attinenciis eidem martiri sub pre-
dicto sancto patre obtulerunt. Sub ipsius sancti patris tem-
pore quidam Burcardus nobilis cum filio suo Rudolfo seculo
abrenuncians et monasterium ingrediens Ottinburense, predium
suum in Bruningis [61]) scilicet VII. curtes eidem ecclesie con-
tradidit, unde soluuntur.... casei. Similiter et Burcardus de
Burcperc [62]) predium suum in Bilratperc [63]) Ötinburensi con-
tulit monasterio, unde soluuntur centum casei. Quidam illustris
uir Wernherus nomine aduocatus de Swabegge [64]), habens
unum militem Berengerum nomine, qui predium suum
Walde [65]) cuidam militi Gotfrido de Rainstetin [66]) XXX.
marcis obligauerat, cum prenominato milite suo B(eringero),
qui hoc ipsum deuotis precibus ab eodem domino suo im-
petrauerat, proprietatem predicti predii per manus Ruperti
aduocati misit et contradidit beato martiri Alexandro, ita ut
abbas ipsius monasterii prefato Gotfrido peccuniam persolueret
supradictam. Sanctus ergo pater Rupertus adiutorio illustris
femine Irmingardis, cuius supra mencionem fecimus, pre-
nominatum predium soluens usui fratrum perpetualiter depu-

---

[60]) S. oben Anm. 47.

[61]) Bräunlings, Weiler der Pfarrei Altusried, Landg. Grö-
nenbach, oder Bronnen, Weiler der Pfarrei Volkratshofen, Landg.
Grönenbach.

[62]) Burgberg, Pfd. im Landg. Sonthofen.

[63]) Beilenberg (im Volksmunde Bileberg), Weiler der Pfarrei
Altstetten, Landg. Sonthofen.

[64]) Wernher Graf von Schwabeck, der bischöflich Augs-
burgische Schirmvogt.

[65]) Im Markte Wald, in der fürstl. Fugger-Babenhausen'schen
Lebensherrschaft Irmanshofen, Landg. Türkheim.

[66]) Reinstetten, Pfd. im wirt. Oberamte Biberach.

tauit. Ipsa etiam femina sancto patri cottidie unum uini
poculum solebat ministrare.

III. *Zweite Fortsetzung von einer andern Hand des* 13. *Jahrhunderts, Bl.* 14ᵇ *bis* 28ᵃ.

Sub eodem patre Adilhaidis illustris femina de Sunt-
haim predium suum, quod habuit in eadem uilla, capellam uide-
licet beatorum Nicolai et Kiliani, et partem parrochialis ec-
clesie cum uilla pene tota sancto Alexandro contradidit, et
ipsa relicto seculo se apud Ötinburrense monasterium includi
fecit, artissimam uitam usque ad obitum suum ducens [67]. Post
transitum vero eius, cognati ipsius Egilolfus et Vlricus et
Heinricus de Riedin [68] ceperunt infestare monasterium pro
eodem predio, dicentes se heredes esse. Predictus autem Egilolfus
cum quadam die persequeretur hostes suos, et fugasset eos in
ecclesiam Sunthaim, unum ex eis in ea interfecit. Vnde peni-
tentia ductus in monasterium Ottinburense se contulit relicto
habitu seculari, duas curtes optimas in Gunze [69] monasterio
conferens, et ex tunc monasterium quiete possedit predium pre-
dictum in Sunthaim. Mater etiam illorum in fine uite sue
conuersa predium in Kirloch [70] contulit monasterio. Qui-
dam etiam Rŭdolfus ministerialis ecclesie ad religiosam uitam
se conferens hŭbam unam in Attinhŭsen [71] sancto Alexandro
contradidit. Ministeriales comitis Ebirhardi de Kirch-

---

[67] **Suntheim** ist das Pfarrdorf **Sontheim** im Landg. Otten-
beuren Die Kapelle St. Nikolaus und St. Kilian oben im Dorfe,
später die Josephskapelle genannt, riess man nach der Säculari-
sation nieder, und verwendete die Steine zum Baue eines neuen
Schulhauses. Feierabend, II. 33. Anm.

[68] Wahrscheinlich das nahe bei Sontheim gelegene Pfarrdorf
Frechenrieden, Landg. Ottenbeuren.

[69] **Günz**, Pfd. im Landg. Ottenbeuren.

[70] Abgegangen bei Frechenrieden, Landg. Ottenbeuren.

[71] **Attenhausen**, Pfd. im Landg. Ottenbeuren.

perc[72]) pro prediis, que habebat ecclesia Ottinburensis in Kienberc[73]), per concanbium dederunt monasterio tres curtes in Berge[74]).

Post obitum beati patris Rv̂perti electus est Isingrinus de monasterio beati Vdalrici Auguste, strennuus uir, qui in multis per Dei auxilium profuit monasterio[75]). Predium quippe in VVolfoldesvvendin[76]) ad nouem hv̂bas conputatum cum ecclesia per industriam ipsius abbatis a Bertoldo presbitero de Grv̂ninbach[77]) nobili uiro contraditum est beato Alexandro. Decimas quoque in Haldivvanc et in Angir[78]), quas Kunradus plebanus eiusdem uille auferre conabatur, strennue retinuit idem abbas. Septimo autem anno prelationis sue, cum profectus esset ad sedem apostolicam cum Kunrado episcopo Augustensis ecclesie, monasterium Ottinburense exustum est incendio casuali, et mirum dictu baculus beati Rv̂perti, quem idem abbas secum ferebat, in ipsa exustionis hora repente in manu ipsius sedentis apud ignem est confractus. Post aliquot annos predictus episcopus ab eodem abbate uocatus ad festum natiuitatis domini, consecrauit altare beati Petri in sinistra parte chori, et in ipsa consecrationis die Hiltiboldus illustris de Krumbach[79]) predium suum in Engilmv̂triet[80]), ecclesiam uidelicet et dimidiam partem uille et quatuor hv̂bas extra uillam, scilicet Sibotinvviler et Rore et Lindun et Rv̂dolfshouen[81]), sancto Alexandro contradidit. Sub eodem

---

[72]) Kirchberg an der Iller, wirt. Oberamts Laupheim.

[73]) Künersberg? bei Memmingen.

[74]) Memminger-Berg, bei Memmingen

[75]) Er war Abt von 1145—1180.

[76]) Nicht das jetzige Pfarrdorf Wolfertswenden, sondern das ganz nahe gelegene Unter-Wolfertswenden oder Niederdorf, Landg. Ottenbeuren, dessen Kirche bis zur Säcularisation zum Kloster gehörte.

[77]) Grönenbach, Landg. gl. Namens.

[78]) Der Angerhof in der Pfarrei Haldenwang.

[79]) Krumbach, Landg. gl Namens.

[80]) Engetried, Pfd. im Landg. Ottenbeuren.

[81]) Sibotenweiler hat im Laufe der Zeit den Namen geändert.

abbate magnus et frequens fuit concursus populorum longe vel
prope positorum ad sepulcrum beati Rŷperti, quia prodigia et
signa multa et magna ibi per merita eius fiebant, de quorum
oblationibus idem abbas multa bona fecit monasterio in uario
ecclesie ornatu, in calicibus, in casulis, in cappis, in tape-
tibus, in campanis, in libris, in muris, in edificiis et in multis
aliis, auxilio cuiusdam fratris, qui Salcho dicebatur, qui tunc
temporis custos fuit eiusdem sepulcri. Per exhortationem ipsius
abbatis et peticionem Egilolfi, cuius supra mentionem fe-
cimus[82]), Vlricus de Riedin frater ipsius uillam ipsam
Riedin[83]) totam cum ecclesia et nemore et pascuis et pis-
cariis ad eam pertinentibus, et uillam Rotinbach[84]) citra
Licum ad XX hŷbas conputatam monasterio Otinburensi con-
tulit, quibus Hermannus de Wale et alii homines ecclesie
inbeneficiati sunt. Sub eodem abbate Rŷdolfus, Adilbertus et
Luitfridus liberi homines ad conuersionem uenientes, predium
suum in Swinoberc[85]) monasterio contulerunt. Alii quo-
que uiri conuersi quedam predia sua in montanis scilicet in
Albigŏ[86]) contradiderunt, que nominatim describemus.

Hec sunt predia citra Licum, que Vlricus de Riedin
dedit Otinburensi monasterio: Wieperc, Vrberc, Bŷ-
chiberc, Kienberc, Litvn, Greggin, Genna, Schel-

Es ist Dingisweiler, der Pfarrei Engetried, oder Ober-, oder
Unterweiler, der Pfarrei Ronsberg. *Rore* ist der Robrhof,
Lindun Linden, *Rŷdolfshouen* nach Feierabend II. 48. die Bruder-
höfe, sämmtlich zur Pfarrei Engetried gehörig.

[82]) S. oben S. 29.

[83]) Wahrscheinlich Frechenrieden. S. Anm. 68. S. 28.

[84]) Rettenbach im Landg. Oberdorf, auf welches, weil dem
Leche nahe gelegen, die Bezeichnung *citra Licum* besser passt, als
auf das weit von diesem Flusse entfernte Rettenbach im Landg.
Ottenbeuren.

[85]) Schweineberg, Einöde in der Pfarrei Kimratshofen,
Landg. Grönenbach.

[86]) Im Alpgau, Gegend von Sonthofen und Immenstadt, ver-
schieden vom Allgäu.

minstaige, Grindisriet vnus mansus, Ruprehts dimidia hvba. In Owe quicquid filii domni R. tenent. Villa Rotinbach tota preter unam curtem, que est monasterii S. Vdalrici Auguste, cuius tamen aduocacia ad Olinburen pertinet [87]).

Bertoldus, qui Getinbraiter dicebatur, ministerialis huius ecclesie ad conuersionem ueniens, predia sua et beneficia sua in Frvlins et in Teninberc [88]) et in aliis locis ad X hvbas conputata contulit monasterio. Wilmandus de Altorf [89]) ministerialis ecclesie in monasterium cum vxore et filiis suis ingrediens, predium suum iuxta Hasinwiler [90]) ad tres hvbas conputatum contulit, quo postea rogatu eius Kunradus de Smalnegge [91]) et filii eius inbeneficiati sunt. Kunradus de Rainstetin curtem in Gozhalmishoven et in Lachun [92]) aliam contulit. Svvigerus de Sunningen [93]) curtem bonam

---

[87]) Die Worte: *Hee sunt predia* bis *ad Olinburen pertinet*, sind auf Bl. 14ᵇ unten am Rande beigeschrieben, von derselben Hand, welche das Uebrige schrieb, nur mit blasserer Tinte und später nachgetragen, nachdem der Auctor einigen Raum hiefür gelassen hatte. — Die hier genannten Güter liegen sämmtlich am Auerberg, in dessen Nähe auch die *villa Rotinbach*, Rettenbach, liegt. Unter *Vrberc* ist der Auerberg selbst gemeint; *Wicperc* ist Weichberg, Pfarrei Rettenbach; *Bvchiberc* — Buchenberg, derselben Pfarrei; *Kienberc* — Kienberg, Pfarrei Burggen; *Litvn* — Leuten, Pfarrei Bernbeuren; *Greggin*, ein Thal zwischen Westerhof und Buchenberg, Pfarrei Rettenbach, heisst noch im Greggen; *Genna* — der abgegangene Gennachhof westlich von Rettenbach; *Schelminstaige* — ein Bergabhang nördlich von Rettenbach, bei Frankau heisst die Schelmenhalde; dort gibt es einen Steig an der Schelmenhalde; *Ruprechts* — auf dem Ruprecht, Oertlichkeit mit einem Hofe bei Frankau; *Grindisriet* zur Zeit nicht erklärbar; *Owe* — Ob, Pfarrei Bernbach.

[88]) Ersteres der Weiler Fröhlins, letzteres Tennenberg, beide nahe bei Ottenbeuren.

[89]) Von Altdorf bei Ravensburg.

[90]) Hasenweiler, Pfd. im wirt. Oberamte Ravensburg.

[91]) Schmalegg, Pfd. im wirt. Oberamte Ravensburg.

[92]) Lachen, Pfd. im Landg. Ottenbeuren; dahin eingepfarrt das Dörfchen Gossmannshofen.

[93]) Sinningen, Pfd. im wirt. Oberamte Laupheim.

in Traslaibeshoven, cum conuerteretur, dedit, et prediolum censuale in Sunningin, quod ibidem possidebat, filiis
suis illegitimis concedi fecit, unde maltrum tritici soluebatur,
quod Kunradus de Hairmirtingen[94]) sibi concessum esse
fingit. Hartwicus de Rot liber homo predium suum in
Rot[95]), ecclesiam uidelicet et uillam dimidiam et semetipsum contulit monasterio Otinburensi. Qui cum susceptus
fuisset, penitencia ductus fugit, postea vero conprehensus
precibus obtinuit, ut ipsum predium Gotfrido aduocato in beneficium concederetur, et ipse de manu eius illud susciperet.
Hartnidus filius fratris predicti Hartwici ad conuersionem
ueniens hůbam unam in Northovin[96]) et molendinum in
Oninginhusen[97]) contulit monasterio. Dux Welfo sweigam
unam in Gihage cum mancipiis quibusdam dedit sancto
Alexandro, quia filius fratris eius dux Heinricus aliam sweigam ibidem dederat.

Luitgardis illustris femina predium Buron[98]), quod
hereditate possederat, post decessum fratris sui rogatu prefati
abbatis monasterio contulit; quod quia dux Welfo iniuste inuaserat, sexaginta libris Augustensis monete predictus abbas
ab eodem redemit, ea condicione interueniente, ut ipsi duci
in beneficium concederetur. Aduocato autem predicte femine
Siboldo libero homini de Horningin date sunt LX libre VImensis monete, ut manu dante ipsius donacio eiusdem femine
firmaretur. Witimarus miles de Rotinbach[99]) cum uxore sua

---

[94]) Heimertingen, Pfd. im Landg. Babenhausen. *Traslaibeshoven* unbekannt.

[95]) Ober- oder Unterroth, Pfd. im Landg. Illertissen.

[96]) Nordhofen, Weiler in der Pfarrei Neuburg a. d. Kammel, Landg. Krumbach.

[97]) Engishausen, Filiale von Eck an der Günz, Landg.
Illertissen.

[98]) Sehr zu bezweifeln, ob darunter Kaufbeuren zu verstehen sei. S oben Anm. 58, S. 26.

[99]) Rettenbach am Auerberge. S. Anm. 84. Das folgende
Vfhofen ist zur Zeit nicht deutbar; über *Scelmistage* (Schelmensteig) s. oben Anm 87.

et duabus filiabus monasterium ingrediens, predium suum in
Vfhoven situm dedit, et beneficium suum in Scelmistage
et in Rotinbach resignavit. Sigimarus liber homo pro
susceptione filie sue Irmingardis hv̊bam unam in Ber-
gerstetin [100]) contulit. Albertus de Westirriet [101])
ministerialis ecclesie cum uxore et duobus filiis et duabus
filiabus idem beneficium resignauit, et predium suum in Tiv-
fintal contulit. Bertoldus de Druchpurc rogatu Kun-
radi de Racinriet [102]) plusquam dimidiam hv̊bam in
Friderichesriet pro filia sororis sue Elisabeth contulit.
Rv̊dolf liber homo de Eggintal [103]) duas hv̊bas in Kolberc
moriens dedit. Wolfwinus de Montalban uxorem suam
hic sepeliens predium, quod dicitur Campemaur, dedit, vnde
singulis annis XII gelta olei soluuntur, et paruam uineam in
Kortis [104]) dedit. Gotfridus aduocatus in extremo uite
sue, quoniam multa mala intulerat monasterio, swaigas in
Seldon, que singulis annis sexcentos caseos, molendinum in
Richersriet [105]) contulit, et in sepultura eius Heinricus
filius eius dimidiam hv̊bam in Ursiggin [106]) dedit, ut inde lumen
ad sepulcrum eius singulis noctibus accendatur. Oggozus
presbiter de Hvndinlanc [107]) et frater eius pro filia sua Ita

---

[100]) Bergenstetten, Dorf in der Pfarrei Herrenstetten,
Landg. Illertissen.

[101]) Westenried, Weiler der Pfarrei Unterthingau, Landg.
Obergünzburg.

[102]) Ratzenried, Pfd. im wirt. Oberamte Wangen. *Druch-
purc* ist Trauchburg bei Isny.

[103]) Eggenthal, Pfd. im Landg. Kaufbeuren. Ueber *Kolberc*
siehe oben Anm. 47.

[104]) Montalban ist ein altes Schloss bei Castellbell im Vintsch-
gau, nun ein Schutthaufen. *Campemaur* ist vielleicht Morein, ein
Weiler mit einer Expositurkirche nahe bei Castellbell und den
Ruinen von Montalban gelegen. Ueber *Kortis* s. Anm. 51.

[105]) Reichertsried in der Pfarrei Eggenthal. S. oben Anm. 44.
Seldon vielleicht Sellthürn, Pf. Obergünzburg.

[106]) Irsingen, Pf. Landg. Türkheim.

[107]) Hindelang, Markt im Landg. Sonthofen.

Steichele, Archiv II. **3**

predium suum in Hiberc [106]) situm dedit, unde soluuntur LX casei. Marquardus de Afiltranc [109]) frater Volcmari, dimidium mansvm in Bidigin [110]) moriens dedit.

Sub eodem patre Eugenius PP. et Fridericus imperator hec priuilegia Vttinburensi ecclesie dederunt [111]). Cum igitur idem abbas XXX annis Öttinburensi monasterio prouide prefuisset, permissione Dei, cuius iudicia sunt occulta, sed nunquam iniusta, cepit egrotare, et amens effectus sic per duos annos in eadem amentia uiuens permansit. Interea tamen ecclesia honeste regebatur per Gernodum priorem et per religiositatem fratrum, qui strennui erant et feruentes in obseruantia regulari.

Defuncto igitur eodem abbate Isingrino, electus est Bernoldus, unus ex senioribus monasterii [112]). Qui cum adisset imperatorem Fridericum apud Vlmam, ut imperiali auctoritate electio eius confirmaretur, cancellarius et alii officiales curie curiali exactione ipsum infestantes consilio suo egerunt cum imperatore, ut ad curiam, que tunc apud Herbipolim celebranda erat, ipsius negocium differetur. Quo cum peruenisset, et priuilegia Otinburensis ecclesie coram principibus regni lecta essent, iudicio ipsorum et auxilio Dei ab omni regio negocio et exactione secundum tenorem priuilegiorum liber ad propria remeauit, resque monasterii sapienter disponens muros et edificia claustri cepit renouare [113]). Ruper-

---

[106]) **Imberg**, Dorf in der Pfarrei Sonthofen. S. Feierabend. IV., S. 393.

[109]) **Apfeltrang**, Pfd. im Landg. Obergünzburg.

[110]) **Bidingen**, Pfd. im Landg. Oberdorf.

[111]) Wahrscheinlich beabsichtigte der Verfasser, die betreffenden Privilegien an dieser Stelle einzuschalten, führte aber dieses Vorhaben nicht aus. Das von Kaiser **Friedrich I.**, dat. apud Werdam 1171 (Nonis Maji, 7. Mai), folgt weiter unten S. 45 ff. Jenes von **Eugen III.** vom 22. Dec. 1152 ist gedruckt bei **Feierab.** II. 823 ff.

[112]) Abt von 1180—1194.

[113]) Ausführlicher erzählt die hier nur kurz erwähnten Vorgänge auf den Hoftagen zu Ulm und Wirzburg die Aufschreibung eines Augenzeugen, welche auf dem ersten Blatte eines alten Otten-

tus autem de Werde, filius sororis predicti abbatis, exhortatione ipsius admonitus et studiosis precibus exoratus, contulit Otinburensi ecclesie pro anima sua et pro animabus omnium parentum suorum VII mansos, quos libere possidebat in quatuor locis, scilicet in Grabrehtershovin, et in Riedin, et in Brunnin, et in Geruten, et Kunradum uillicum, qui

beurischen Calendarium sich eingetragen fand, und wahrscheinlich dem Verfasser unsers Chronicon als Quelle diente. Dieselbe lautet nach den Anführungen bei Feierabend II. 195 — 201, Anmerkungen, und im „tausendjährigen Ottobeuren" S. 85—86, wie folgt: „Defuncto pridie idus Decembris (12. Dec. 1180) Isingrino, Bernoldus de senioribus nostris etate maturior in dominum eligitur. Qui statim deductus in ecclesiam, que facienda sunt electo, rite super eum completis, predecessorem suum pridie jam defunctum divinis cum obsequiis terre commendare illico satagit. Expeditus proinde cum religiosis abbatibus et ceteris, qui convenerant, non parva videlicet multitudine, pransurus foris in atrio discumbit, ac parat se interea, ut crastino imperatori Friderico apud Ulmam occurrat, habens secum inter alios Heinricum comitem de Rumesperc, ecclesie advocatum. Cumque imperatori ambo se presentassent, cognita abbatis electione, quia canonice facta est, ab ipso tandem principe confirmatur, et per regalia sublimatur, ibique a clero totius curie in ecclesiam cum impetu ducitur, premissaque super eum benedictione, ut solet fieri, a laicis nihilominus velut in propria sede proclamatur. Ad imperatorem denuo revertens, de curiali exactione vel remuneratione cum ipso electo cancellarius studiose pertractat. In hoc suos etiam imperator cupiens adjuvare, prior prorupit in vocem dicens: omnino juris esse, ut qui duces et comites ceterosque nobiles viros inbeneficiaret, promotus ab ipso per sceptrum hominibus curie sue deberet pariter conferre donaciones. His objectionibus abbas respondens dixit, in privilegiis contineri suis, se ab omni regni negocio esse liberum, preter quod in promotione sua domino imperatori duos canes pariles in libertatis testimonium afferre deberet. Itemque rogat privilegia, que secum de monasterio tulerat, recitari, ut dignitates et jura ecclesie sue omnis curia certius recognoscat. Leguntur itaque privilegia imperatorum, Ottonis videlicet, Lotarii, nec non ipsius etiam Friderici imperatoris. Sed quidam ea sinistre interpretantes de curia dicunt, justitiam suam in his non esse proscriptam, magis magisque suggerentes domino suo, ut precipiat abbati curialem persolvere exactionem. Igitur paucos secum ibi habens imperator de principibus

3*

supersedebat illis, cum tota familia sua [114]). Sed W e r n h e r u s
de N o r d h o l z [115]), filius matertere sue, cepit impetere mona-
sterium pro dacione supradicta, unde abbas necessitate con-
pulsus eosdem mansos omnes in beneficium sibi concessit,
quos idem Wernherus S w i g e r o de A i c h a i n [116]) postea
concedi fecit, susceptis ab eo LXXX marcis.

Sub eiusdem abbatis tempore H e i n r i c u s marchio de

---

regni sui, nec tale aliquid volebat sine consilio eorum determiuare,
ac satisfacere cupiens parti utrique, memorato abbati generalem
curiam apud Herbipolim celebraturus indicit, et ut secundum sibi
a principibus condictam sententiam expedire sese queat, attentius
precipit; sicque cum gratia ipsius principis reversus, solito apparatu
in ecclesia recipitur a nobis.   Instabat nihilominus sacratissima
Jhesu Christi nativitas, et dux W e l f o mortalium liberalissimus eun-
dem abbatem nostrum invitans ad predictam solemnitatem in vico
B e r e n g a r t e r u t e n (*Bergatreute*, Pfd. im wirt. Oberamte Wald-
see) honestissime retinuit, rogans ad hec dux prefatus, ut curiam
utrique indictam secum eundo et redeundo dignaretur consummare.
Quo annuente prefatus dux nos satis deliciose ad prescriptam civi-
tatem (*perduxit*). Ibi coadunatis principibus, Suevorum scilicet,
Francorum et Saxonum, veutilata est in palatio nostre profectionis
causa, datis etiam ab imperatore advocatis, alterutram partem dis-
cernendi.   Cum igitur incassum ageretur negocium, imperator se-
cundo ecclesie nostre jubet recitari privilegia, eaque exponi. Deinde
precipit Trevirensium archiepiscopo, litem altercationis hujus judi-
ciali sententia solvendo dirimere.   Antistes siquidem religiosus pla-
cere curialibus nolens, ne detrimentum anime sue faceret, commu-
nicato principum consilio adjudicavit, abbatem securum fore de curi-
ali exactione, seu de remota itineratione, atque de omni regia ser-
vitute.   Huic ceteri erant consentientes; petitaque licentia de im-
peratore, cum integritate ecclesie nostre seu justitia regressi sumus
hilariter ad propria."

[114]) Die hier genannten Orte *Werde, Riedin, Brunnin, Geruten*
sind wegen Mangels näherer Bezeichnung nicht wohl zu deuten.
Grabrehtershovin ist wahrscheinlich G r a f e r t s h o f e n , Dorf bei
Weissenhorn, Landg. Roggenburg. Sollte *Rupertus de Werde* von
D o n a u w ö r t h seyn?

[115]) N o r d h o l z , Dorf der Pfarrei Rennertshofen, Landgerichts
Roggenburg.

[116]) I l l e r a i c h e n , Markt im Landg. Illertissen.

Rvmsperc[117]) cum uxore sua Ōdilhilde et filiis ac filiabus
suis predium quoddam in Altingin[118]) situm, dimidiam
videlicet hvbam cum duabus extremis partibus uinee sue, quas
uulgo duos *morgin* uocant, adiacentem quoque predicte uinee
uallem totam, excepta portione Bertoldi cognati sui de
Wizinhorn[119]), que est in medietate eiusdem uallis, Deo
sanctoque martiri Alexandro pro remedio anime sue parentum-
que suorum in ius proprietatis tradiderunt; ministerialibus suis
etiam hanc licentiam dantes, ut si quas res, predia uel pos-
sessiones uendicione, mutuatione, uoluntaria donatione, siue
quocunque modo vel pactione ibidem monasterio conferre
uoluerint, perpetuam habeant potestatem. Heinricus igitur,
qui et Mesiner dicebatur, ministerialis predicti marchionis,
cum uxore ac filia fratris sui ad conversionem Ōttinburensem
ueniens, hvbam unam in uilla Altingin, et plurimos agros
extra eandem uillam contulit monasterio. Gerungus quoque
frater eius pro XII marcis et pro spe amplioris remunerationis
plurimos agros ibidem uendidit monasterio. Gebehardus
etiam de Liehtinstain[120]) ministerialis predicti marchionis
monasterium ingrediens, molendinvm in Altingin et quosdam
agros et quedam prata cum filiorum suorum uoluntate con-

---

117) Heinrich, Markgraf von *Rvmsperc* (Ronsberg, Markt-
flecken im Landg. Obergünzburg), Ottenbeurischer Schirmvogt und
Stifter des Benedictinerklosters Irse bei Kaufbeuren (gestiftet 1182).
Die laut der oben folgenden Erzählung des Chronicon durch den
Markgrafen Heinrich und seine Ministerialen an Ottenbeuren ge-
gebenen Güter in Wirtemberg waren ohne Zweifel ursprünglich
Tübingische Besitzungen, und kamen vermuthlich durch die Heirat
eines Ronsberger Markgrafen mit einer Tübinger Pfalzgräfin an die
Markgrafen. Staelin wirt Gesch. II. 747. Anm. 1. Die Urkunde
Markgraf Heinrich's über seine Schenkung und Ermächtigung für
die Ministerialen ist gedruckt bei Feierabend II. 826 und 827.

119) Altingen, Pfd. im wirt. Oberamte Herrenberg.

119) Weissenhorn, Stadt im Landg. Roggenburg.

120) Lichtenstein Schloss in der Pfarrei Honau, wirt. Ober-
amts Reutlingen.

42

tradidit. Similiter Heinricus de Nivferon[121]) cum uxore
sua conuersus predia sua ibidem sita contulit. Rvdolfus
quoque de Isir, et Heinricus de Genkingin, et Rvdi-
gerus de Miulhvsen, et Rvdolfus de Kuppingin, mi-
nisterialis marchionis, agros suos eidem monasterio pro argento
uendidit[122]). Quedam etiam nobilis femina Adilhaidis no-
mine, de familia Bertoldi de Nifin[123]), predia sua ualde
bona pro remedio anime sue monasterio contulit cum manu
domini sui; cui ut hanc donationem fieri permitteret, singulis
annis nouum pellicium a preposito monasterii recepit. Hec
predia, que prescripsimus, tante sunt latitudinis, ut uix quatuor
aratris boum excolantur. Vinea quoque industria Heinrici
prepositi et labore Marquardi et Kunradi exteriorum fratrum
exculta ad XXX morgin conputatur[124]). In coemptionem pre-
diorum agente prefati prvdentia prepositi, quedam femina de
Mammingin[125]) Bertha nomine ad conuersionem ueniens,
plus quam centum libras contulit monasterio. Quidam etiam
Grifo de Mammingin conuersus LX libras contulit mona-
sterio ad predictam emptionem. Kunradus, qui et Sender,
multa bona fecit ecclesie in argento et in peccoribus. Kun-
radus de Hailberspere[126]) pro duabus filiabus suis hv̌bam
unam in Asce monasterio contulit. Bertholt, qui et Gunuil,

---

[121]) Nufringen? Pfd. im wirt. Oberamte Herrenberg, oder
Neufra? Pfd im wirt. Oberamte Rottweil.

[122]) Isir unbekannt; Genkingen — Genkingen, Pfd. im
wirt. Oberamte Reutlingen; Miulhvsen — Mühlhausen, abge-
gangen bei Herrenberg: Kuppingen — Kuppingen, Pfd. im wirt.
Oberamte Herrenberg.

[123]) Ueber das in der schwäbischen Geschichte so hervor-
ragende Geschlecht der Herren von Neifen (auf einem Bergvor-
sprunge an der Nordseite der schwäbischen Alp bei Nürtingen)
siehe Stälin II. 571—586.

[124]) Es muss zu Altingen eine Ottenbeurische Propstei be-
standen haben, wohin damals der Propst Heinrich mit den beiden
Laienbrüdern Marquard und Kunrad exponirt war.

[125]) Memmingen.

[126]) Halbersberg (Hammersberg), Dorf der Pfarrei Otten-
beuren. Asce wahrscheinlich in der Nähe.

cum duabus filiabus suis monasterium ingrediens, beneficium suum in Harde[127]) resignauit. Walthcrus miles de ciuitate[128]) cum filio suo Otinburense monasterium ingrediens, beneficium suum in Helbiligisberge similiter resignavit. Sub eodem abbate cripta sancte Marie, que corruerat, per industriam Alberti custodis sepulcri beati Rvperti cst reparata. Heinricus marchio de Rvmsperc iturus in Apuliam cum imperatore Heinrico, hŭbam unam in Vrsingin[129]) contulit monasterio, ut inde anniversarium eius deinceps agatur. Idem marchio swaigam unam in montanis prius dederat, ut ossa parentum suorum in capitulo sepelirentur.

Igitur abbas Bernoldus XIIII° anno prelationis sue uiribus et sensu deficiens resignauit prelaturam, et confestim conventus fratrum et ministeriales ecclesie in unum conuenientes Cunradum priorem, qui bonum ab omnibus habebat testimonium, unanimi consensu in patrem et dominum elegerunt[130]). Hic cum magno labore imperatori Heinrico apud Ratisponam occurrens, cum per septem dies quibusdam inpedimentis in curia esset detentus, tandem benigne per regalia sublimatus, inde ad Augustam ciuitatem profectus est, et ab Vdelscalcho episcopo in abbatem consecratus. Pro expensis autem in eodem itinere copiose habitis predictus abbas cifum aureum, quem Heinricus marchio in Apulia moriens Ŏttinburensi monasterio transmiserat ad faciendum inde calicem, necessitate coactus ipse abbas pro XXIIII°ʳ libris Ratisponensis monete iussit uendi; pro cuius reconpensatione industria sua egit abbas, quod quidam Bertoldus cognomine Vzgeŭ optimam hŭbam in pago illo sibi resignauit. Quam dum pro predicto dampno reconpensando consilio ministerialium marchionis custodi eccle-

---

127) Hard, Weiler der Gemeinde Buxach bei Memmingen.

128) *De civitate*, wahrscheinlich von Memmingen. *Helbiligisberge* ist vielleicht ein und dasselbe mit *Hailbersperc*, Halbersberg, siehe Anm. 126.

129) Irsingen, Pfd. im Landg. Türkheim. Kaiser Heinrich's VI. Zug nach Apulien fällt in das Jahr 1191.

130) War Abt von 1194—1228.

sie assignasset abbas prelibatus, tandem peticione ipsius custodis
et tocius conuentus census in Durniwanc [131]), duo uidelicet
libre Augustensis monete, pro eadem hŷba sacrario sunt traditi
et perpetualiter confirmati. Idem abbas dimidiam hŷbam in
Lindun [132]) a quodam Heinrico Stramin et a fratre
ipsius Hvgone XVIIII. libris conparauit. Eodem abbate et
preposito Heinrico patrantibus Gebehardus de Liehtin-
stain, Heinricus Mesiner, Heinricus de Nivferon,
de quibus ante scripsimus [133]), se ac predicta predia sua in
Altingin monasterio Ottinburensi contulerunt; et quia studio
et industria predicti Heinrici prepositi predictum predium
plurimum est auctum et dilatatvm, decreuit predictus abbas
cum consensu tocius conuentus, ut · e reditibus eiusdem predii
anniuersarius dies eius annuatim agatur [134]).

Tercio anno prelationis predicti abbatis muri monasterii
pre uetustate corruerunt. Quibus per XI annos eodem abbate
patrante et coadiuuantibus fratribus suis studiose reparatis,
abbas episcopum Vrisingensis ecclesie accersiens [135]), ipsum
monasterium dedicatione honestissima consummauit. Idem abbas
cupiens requirere monasterio predium in Bvron [136]), quod
imperator Heinricus post decessum Welfonis ducis monasterio
iniuste abstulerat, eundem imperatorem apud Noricum et postea
apud Wormaciam adiit, et ab eo literas ad fratrem eius Kun-
radum ducem Sweuie pro querimonia sua terminanda impe-
trauit. Sed quia idem dux, antequam hec fierent, uita decessit,
predictus abbas dolens pro dampno ecclesie, prescriptum im-

---

[131]) Dirlewang, Markt im Landg. Mindelheim.

[132]) Linden, Weiler in der Pfarrei Engetried. S. Anm. 81.

[133]) Siehe oben S. 37. 38.

[134]) Die feierliche Urkunde Abt Konrad's über die Jahrtags-
stiftung für Propst Heinrich ist gedruckt bei Feierabend II. 828.

[135]) Es war diess Bischof Otto II. von Freising, 1184—1220,
aus dem schwäbischen Grafenhause von Berg. Die Weihe geschah,
laut der bei Feierabend II. 829 gedruckten Urkunde darüber, am
26. und 29. Sept. 1204. Der Augsburger Erwählte Hartwich hatte
damals die bischöfliche Consecration noch nicht erlangt.

[136]) Kaufbeuren?

peratorem, qui tunc morabatur in Apulia, tercia uice apud
Barum adiens pro eodem predio conuenit, et acceptis iterum
ab eo literis ad Philippum fratrem eiusdem imperatoris, ducem
Sweuie, ad patriam est reuersus. Sed ipso labore magno et
expensis plurimis propter iniusticiam ipsorum principum et
auariciam nichil utilitatis est consecutus.

In diebus illis facta est fames magna per totam Germaniam
ita, ut maltrvm frumenti XXX solidis minusve uenunderetur.
Pro predictorum igitur itinerum expensis copiosis et fame
diuturna, et pro assiduis exactionibus, quibus Gotfridus aduo-
catus homines ecclesie vexabat, multis debitis monasterium
obligatvm propter rerum penuriam prorsvs defecisset, nisi
diuina gratia et bonorum hominum donaciones sibi subvenissent.
Nam Kunradus plebanus de Altunsriet[137] L libras con-
tulit monasterio pro prebende usu. quo uix per triennium
utebatur. Waltherus decanus de Scongŏ[138] consangui-
neus eiusdem abbatis X marcas dedit pro anniuersario suo
celebrando. Sifridus dictus de Horningin XX marcas
prv usu prebende, quam tantum tribus recepit annis. Engil-
herus plebanus de Riedin[139] XX marcas pro remedio
anime sue dedit. Swigerus nobilis vir de Aichain[140] XXX
libras contulit, ut festum sancti Johannis ante portam latinam
festiue agatur, et ut lumen ante aram eius singulis et totis
noctibus accendatur, et ut toti conuentui plenum seruicium
de hỳba una in Bozze[141] sita exhibeatur. Idem abbas ab im-
peratore Heinrico uocatus Magonciam conpulsus est, feudum
Wolfhardi de Stephinsriet[142] ad XX mansos conputatum

---

[137] Altisried, mit Frechenrieden vereinigte Pfarrei, Landg.
Ottenbeuren. Diese und die nächstfolgenden Schenkungen sind in
die nächsten Jahre von 1196 an zu setzen. Siehe Feierabend, II. 244.

[138] Schongau, Stadt, Landg. gl. Namens.

[139] Frechenrieden? Horningin, auch Seite 32, ist wahr-
scheinlich um Kl. Weingarten zu suchen, in dessen Todtenbuche
eine Ritterfamilie de Horingen vorkommt. Hess Monum. Guelff. 133.

[140] Illeraichen, Markt im Landg. Illertissen.

[141] Boos, Pfd. im Landg. Babenhausen.

[142] Stephansried, Dorf der Pfarrei Ottenbeuren.

uxori eiusdem militis concedere, quod feudum idem abbas
Wolfhardo defuncto pro centum XX marcis a predicta femina
redemit. Albertus etiam de Hornstain ipso abbate agente
predium suum Wolfseldon[143]) ad tres hỹbas conputatum, et
LXX marcas ad redemptionem predicti feudi contulit, ut
anniuersarivm eius et uxoris sue Gepun nomine, et omnium
parentum suorum in vigilia beate Scolastice celebretur. Wolf-
hardus iunior de Stephinsriet, fratruelis predicti Wolfhardi,
uita decedens reliquit ecclesie feudum suum, cuius partem,
quam idem miles uxori sue delegauerat, predictus abbas XL
quatuor libris redemit, et quoniam Wolf. senior de feudo pre-
dicto plurima obpignoraverat, idem abbas XXX libras dedit ad
ipsa redimenda. Nouerint ergo omnes hec legentes, quod
predicto abbati promittebatur a multis pecunia copiosa, ut
predictum predium concederet in beneficium, quia castrum
firmum in eo constructum erat, quam ipse pro Deo et fratrum
suorum peticioñe deuota recipere recusauit. Laudatum est
igitur sibi communi fratrum consilio et consensv uniuersaliter
fide data, ut anniuersarius dies obitus sui in ecclesia et in
refectorio pleno seruicio de eodem predio perpetualiter ce-
lebretur.

Hermannus Sender curiam et agros, quos possidebat
in Mamingin[144]), contulit monasterio, quia multa inde com-
moda fuerat consecutus. Rvdolfus, qui Scratinbacher
dicebatur, XVIII marcas dedit monasterio, et domum suam et
VIII iugera custodi ecclesie ad habenda inde lumina assignauit,
et consilio ipsius Heinricus, qui monetarius fuit appellatus,
se cum filio suo contulit monasterio, datis XL marcis. Hein-
ricus qui et Huginhover XVIII marcas dedit et X libras
pro molendino in Bonnigin[145]), quod uxori sue usque ad
terminum uite illius delegauit. Dedit et duas domos et ortum
custodi ecclesie, cui de una ipsarum persoluuntur annuatim

---

143) Ein Weiler Wolfsölden liegt im wirt. Oberamte Mar-
bach, Pfarrei Affalterbach.

144) Memmingen.

145) Benningen, bei Memmingen.

X solidi et VI denarii, de altera uero IIII⁻ solidi. Ipse autem custos tenetur singulis annis persoluere regi censum, de prima quidem domo VI denarios, de secunda III den. et I solidum, de predictis agris etiam I solidum plebano de S. Martino, de eisdem et de quodam orto IV denarios Hermanno Mainhunt. Albero qui et Grifo dedit domvm suam monasterio et unum ortvm, que utraque camerarius monasterii possedit; dedit quoque LX libras monasterio uir predictus. Vlricus qui et Vlmer similiter dedit domvm svam monasterio et LX libras pro usv prebende.

Hiltebrandus ministerialis Gotfridi marchionis hvbam unam in Westerhaim [146]), quam quidam milites auferre monasterio conabantur, de manv predicti abbatis in beneficium suscipiens ipsam monasterio retinuit, et in fine uite sne conuersus monasterio eam reliquit. Idem abbas nemus. quod est iuxta ecclesiam in Attinhusen [147]), quod quidam milites Swincristin dicti de manu eius tenebant, pro XX libris ab ipsis soluens monasterio requisiuit. Idem abbas predium in Kraphilins [148]) cum XX libris monasterio aquisiuit a quadam nobili femina filia Kunradi de Achiberc, unam uidelicet hvbam eiusdem predii ab ipsa emens, dimidiam uero hvbam, quam ibidem de manv eius in beneficivm tenebat, peccunia soluens prenominata. Gilfridus ministerialis ecclesie molendinum in Wölfolswendin [149]) et terciam partem hvbe, quam pro XVI libris inpignorata sibi fuerant, in termino uite sue resignauit, ut in anniuersario eius in uino et albo pane congregationi seruiatur. Item Heinricus qui et Hagilstain per exhortationem predicti abbatis hvbam unam in Liedishaim, quam in beneficio tenebat, monasterio resignauit [150]).

---

[146]) Westerheim. S. oben Anm. 7.

[147]) Attenhausen. S. oben Anm. 71.

[148]) Kräpflins, Einöde der Pfarrei Böhen, Landg. Ottenbeuren. *Achibere* — Achberg bei Tettnang?

[149]) Wahrscheinlich wieder, wie oben S 29., Unterwolfertswenden oder Niederdorf.

[150]) Der Ort *Liedisheim* ist mir zur Zeit zweifelhaft Die Erklärung von Feierabend (Lindisheim im Badischen) und von

Sub eodem abbate G o t f r i d u s aduocatus, filius Heinrici marchionis, repentina infirmitate preuentus Auguste disposuit Otinburensi monasterio duos mansos in V r s i n g i n [151]), et duas partes nemoris, quod ibidem est, pro salute anime sue et pro dampno, quod intulerat monasterio, donari, et ut anniversarium eius annis inde singulis deinceps celebretur, quam donationem frater eius B e r t h o l d u s marchio, qui ei successit in aduocatia, benigne conpleuit. Quam dum per quatuor annos strennue tenuisset, cum Ottone prius imperatore, sed tunc excommunicato a domno Papa Innocentio, proficisci uolens in Saxoniam, iuxta Renum defunctus est, et corpus ipsius ad monasterium Otinburense delatum, presente comite palatino de T v w i n g i n et copiosa militum multitudine cum tristicia et ingenti luctu in capitulo est sepultum. Sed quia idem marchio excommunicato imperatori communicauerat, nec ante mortem svam meruerat absolui, pro sepultura eius Otinburensis locus sub interdicto est positus a presule Maguntino, et abbas officio diuino priuatus. Sed missis Mogontiam discretis nuntiis, per intercessionem tocius cleri et nobilivm Alamannie bonvm testimonium abbati perhibentium absolutionem impetrauit [152]). Vacante itaque aduocatia Otinburensi, G o t f r i d u s comes de Mar-

---

R a i s e r's Hindeutung auf Leitheim unterhalb Donauwörth befriedigen nicht. L i e z h e i m? (Ober - und Unter-) im Landg. Höchstädt. H a g e l s t e i n heisst ein Dörfchen der Pfarrei Weiler, Landg. gl. Namens.

[151]) I r s i n g e n, Pfd im Landg. Türkheim.

[152]) Diess der traurige Ausgang des edlen und reichen Geschlechtes der M a r k g r a f e n v o n R o n s b e r g! Markgraf B e r t h o l d, der Letzte des Stammes, hinterliess wie sein Bruder G o t t f r i e d keinen Sohn; ob Töchter, ist unbekannt. Sein Todestag ist der 2. April 1212 (Feierabend II. 279)   Graf Heinrich III. von B e r g (südöstlich von Ehingen im wirt. Oberamte gl. Nam.), dessen verwandtschaftliche Beziehung zu den Ronsbergern nicht ermittelt ist, wurde Erbe seiner ansehnlichen Herrschaft und des Markgrafentitels, welchen er zuerst auf die Familienveste Berg, später aber ausschliesslich auf die ehemals Ronsbergische Besitzung B u r g a u übertrug. S t ä l i n, II. 358.

stetin[153]) cepit agere ac petere, ut sibi concederetur, da-
toque predio suo in Helchinriet[154]) monasterio, et multis
muneribus promissis, tandem obtinuit, quod petebat. Sed quo-
niam animum habebat inbecillem, et locum defendere nec
uolebat nec ualebat, cum multa mala et dampna plurima per
quinque annos ecclesia pertulisset, idem comes necessitate
coactus et dedecore, predictam aduocatiam Friderico im-
peratori pro nongentis marcis uendidit, et ut predivm svvm
in Helchinriet rehaberet; annuente his pactionibus abbate pre-
nominato propter intoleranda mala et incommoda, que propter
ignauiam eiusdem comitis monasterium sine intermissione
paciebatur. Imperator igitur suscepta de manu abbatis aduocatia,
illustri et glorioso filio suo Heinrico duci Svevie simul ipsam
concedi fecit, dans monasterio priuilegium, quod subscriptum
est. Sed propter temporum et rerum ordinem priuilegium,
quod auus eius imperator Fridericus eidem ecclesie tempore
imperii sui dederat, preponemus.

„In nomine sancte et indiuidue Trinitatis. Fridericus
Dei gratia Romanorum inperator et semper augustus. Sicut
ecclesiarum Dei iura priuilegiis antecessorum nostrorum regum
et imperatorum inuenta, statuta et stabilita esse cognoscuntur,
ita et nostre maiestatis officium esse non dubitamus, eadem
in sui status perpetuitate confirmare, et si qua nostre benig-
nitatis beneficia Deo et ecclesiis ,eius contulerimus, nostra
quoque auctoritate stabilire et corroborare decreuimus. Notum
sit igitur omnibus imperii nostri fidelibus tam futuris quam
presentibus, quod nos Ottinburrensis ecclesie libertatem ab an-
tiquis regibus et imperatoribus sibi collatam, nequaquam in-
fringere aut diminuere, sed potius corroborare et ampliare
cupientes, scriptum predecessoris nostri Lotarii imperatoris
propter ueritatis euidentiam placuit nobis in presenti pagina
interserere, ut deinde nostre traditionis et filii nostri Hein-

---

153) Siehe oben Anm. 56.
154) Helchenried, Dorf der Pfarrei Dirlewang, Landgerichts
Mindelheim.

rici regis Romanorum edicta conpetenti ordinatione possimus apponere. Est autem huiusmodi scriptum inperatoris Lotarii. „ „Priuilegia uenerande ac sancte congregationes Ôttinburrensis cenobii a domno antecessore nostro Karolo Romane magno sedis aduocato, nec non per Ottonem inperatorem eiusdem successorem cum regionis Sweuorum, beato uidelicet Ôdalrico Augustensis ecclesie, simulque sancto Constantiensis ecclesie Cvnrado presulibus et duce Burchardo, ceterorumque principum eiusdem prouinciee onfirmata."" Quoniam diuina gratia sublimati successores predictorum extitimus inperatorum, omnino in antiqua dignitatis libertate stabilire, stabilita corroborare, corroborata sigillare decreuimus. Statuimus itaque secundum ab antecessoribus nostris eiusdem prefate ordinata et confirmata abbatie priuilegia. Defuncto quolibet abbate fratres inter se liberam ac canonicam electionem sine cuiusquam contradictione secundum sancti et eximii Patris Benedicti regulam habeant, quem meliorem et utiliorem sibi inuenerint. Sin autem, quemcunque diuina gratia ad hanc ordinauerit dignitatem, ubicunque reperiatur, abbas eiusdem claustri constituatur, constitutus nobis ceterisque successoribus nostris representetur, representatus per regalia sublimetur confirmatus. Quisquis autem abbas inibi constituatur, ab omni liber negocio regio, Deo liberius quatinus deseruiat, expediatur, nichil ut ab eo duos preter unius coloris canes exigatur, idque religiose congregationis cenobio in testimonium libertatis eternaliter relinquatur, eo tamen tenore, ut predia cum mancipiis deliberatione communis consilii pro libertate prefata ab eadem abstracta regia potestate cunctis in beneficium ducibus Alamannie concedantur. Quorum nomina sunt hec: Opidum Omindigin, Truncinsperc, Hvsen, Tietricheshoven, Wiginhvsen, Wale, et decimam in Hilrgv̂, aduocatia ecclesie in Stainhain, aduocatia ecclesie in Kierchtorf. Decime autem prefatorum prediorum a curtis uillicorum in domvm elemosinariam ad reficiendos pauperes secundum antiqua statuta ad nos delata, eodem tradantur. Precipiendo vero precipimus, ne quis eiusdem abbatie aduocatus quasi hereditario iure inibi

constituatur, sed quilibet uoluntate abbatis fratrumque suorum
pro defensione eiusdem monasterii eligatur. Commissa vero
aduocatia pro regio iure nobis ceterisque nostris facta iuris
iurandi fidelitate similiter iuret abbati, quod secundum posse
et nosse iustus et utilis aduocatus in res et homines predicti
monasterii existat, et quicquid placitando acquisierit, una parte
sibi retenta, duas persoluat abbati, et nullum preter se aduo-
catum uel exactorem constituat, nec aliquid priuati uel publici
muneris uel a loco uel ab homine eiusdem monasterii quasi
ex debito uel statuto iure exigat. Amplius, ad unvmquemque
locum, quem abbas ad placitandum ordinauerit, cum XII uiris
totidemque equis semel tantum in anno ueniat, nisi pro ne-
cessitate aliqua ab abbate vel ministris eius sepius aduocetur,
ac tunc honeste procuretur. Item, infra locum vero mona-
sterii, uel alia eodem pertinentia loca, nullum umquam legi-
timvm placitum instituat omnino interdicimus, nec aliquos de
familia eiusdem cenobii, siue ministeriales, siue seruos, sine
iusta deliberacione suorum consociorum dampnet, uel aliqua
iniuria offendat. Qui tamen ministeriales optimo, quo fruuntur
Fuldenses et Augenses, iure pociantur, et ut in omnibus abbati
promptiores existant et fideliores, ab omni eos regie serui-
tutis debito absolutos esse uolumus. Si autem in aliquo isto-
rum deuiauerit, nisi infra XL dies resipuerit, gratia nostra
successorumque nostrorum sine spe recuperationis priuatus
deponatur. Et ne aliquis aduocatus aut tyrannus eo licentius
sibi usurpet aut uendicet aliquid ex his, que sunt abbatis et
fratrum eius, quasi nostri non sit, nouerint omnes fideles
nostri, quemadmodum domnus Karolus imperator primitus magis
pro defensione quam seruitutis utilitate suscepit, ita et nos
strennuissimos rectores et defensores esse sciat. Preterea
firmissime statuimus, ne quis abbatum de prediis siue redi-
tibus ecclesie, que in presentiarum possidere cernitur, siue
in futurum possidenda acquisierit, aliquam inbeneficiare pre-
sumat personam, sed omnia integre ad usus fratrum conser-
uentur et inconuulsa. Hoc si quis, quod absit, ad sui ipsius
perditionem temerarie presumpserit, dignitate sibi collata careat,

et alius dignus pro eo abbas eligatur, qui hec inuiolabiliter conseruet. Abbas et monachi ibidem Deo seruientes a consvetudine Hirsaugensium, quam hactenus habuisse uidentur, declinare non presumant, sed in proposito sancti uiri Rv̌perti abbatis diuinis orationibus insistendo uigilanter persistere contendant. Ministeriales quoque eiusdem ecclesie a regali expeditione et a seruitio, quod vulgo dicitur herstv̌re, penitus absoluimus. Similiter et homines. Ut igitur tam domni inperatoris Lotharii scriptum, quam nostre tradicionis edictum omni evo ratvm conseruetur, et a nulla persona seculari vel ecclesiastica valeat inmutari, presentem inde paginam sigilli nostri inpressione iussimus communiri. Acta sunt hec dominice incarnationis anno M°. C°. LXXI°., indictione IIII·, regnante domno Friderico Romanorum imperatore glorioso, anno regni eius XVIIII°, inperii uero XVI°. Data apud Werdam feliciter. Amen. Amen. Hii sunt testes, qui hec uiderunt et collaudauerunt: Hartwicus Augustensis episcopus, Cv̌no Ratisponensis episcopus, Otto et Hartmannus comites de Kyrperch, Diepoldus et Heinricus comites de Lechesgemunde, Degenhardus de Halunstaine, Witigǒ de Albegge, Diemo de Gundelfingin, et alii conplures. Ego Heinricus imperialis aule cancellarius uice Christiani Mogontini archiepiscopi et archicancellarii recognoui [155].“

„In nomine domini Dei eterni et salvatoris nostri Ihesu Christi. Fridericus secundus diuina fauente clementia Romanorum rex semper augustus et rex Sicilie. Si loca religiosa et ea, que sunt divinis cultibus deputata, regum sev imperatorum felicium predecessorum nostrorum donis ditata sunt et priuilegiis roborata, dignum uidimus et honestum, dona ipsa et priuilegia in perpetuum confirmare. Notum itaque fore volumus omnibus imperii nostri fidelibus tam presentibus quam

---

[155] Obige Urkunde König Friedrich's I. ist ausgestellt *apud Werdam* (Donauwörth) *nonis Maji* (7. Mai) 1171. S. Feyerabend II. 822, und Mon. boic. 29a, 399 ff., wo dieselbe vollständig gedruckt ist.

futuris, quod nos Ottinburensi ecclesie libertatem ab antiquis
regibus et inperatoribus sibi collatam nequaquam infringere
aut diminuere, sed corroborare et ampliare pocius cupientes,
scriptum predecessorum nostrorum Lotharii et domni Fri-
derici aui nostri inperatoris felicis memorie propter ueritatis
euidentiam placuit nobis in presenti pagina interserere, ut deinde
nostre tradicionis et filii nostri Henrici Svevorum ducis et
rectoris Bvrgvndie possimus edicta ordinatione adponere con-
petenti. Est autem huiusmodi scriptum inperatoris Lotharii.
„„Priuilegia venerande ac sancte congregationis Ottinburensis
cenobii a domno antecessore nostro Karolo magno Romane
sedis aduocato, nec (non) per Ottonem inperatorem eiusdem
successorem cum regionis Svevorum, beato videlicet Odalrico
Augustensis ecclesie, simulque sancto Constanciensis ecclesie
Cvnrado presulibus, et duce Burchardo, ceterorumque princi-
pum eiusdem prouincie confirmata.““ Quoniam diuina gratia
sublimati successores extitimus predictorum imperatorum, om-
nino in antiqua dignitatis libertate stabilire, stabilita corrobo-
rare, et corroborata uoluimus sigillare. Decernimus itaque
secundum ab antecessoribus nostris eiusdem prefate ordinata
et confirmata abbacie privilegia. Defuncto quolibet abbate fratres
inter se liberam ac canonicam electionem sine cuiusque con-
tradictione secundum sancti et eximii patris Benedicti regulam
habeant, quem meliorem et utiliorem sibi inuenerint. Sin autem,
quemcunque divina gratia ad hanc ordinaverit dignitatem, ubi-
cunque reperiatur, abbas eiusdem claustri constituatur, con-
stitutus nobis ceterisque successoribus nostris representetur,
representatus per regalia confirmatus sublimetur. Quisquis
autem abbas inibi constituatur, ab omni liber regio negocio,
Deo liberius quatenus deseruiat, expediatur, nichil ut ab eo
duos preter unius coloris canes exigatur. Idque religiose
congregationis cenobio in testimonium libertatis eternaliter
relinquatur, eo tamen tenore, ut predia cum mancipiis deli-
beratione commvnis consilii pro libertate prefata ab eadem
abstracta regia potestate cunctis in beneficium ducibus Ala-
mannie concedantur. Quorum nomina sunt hec: Oppidum

Omindigin, Truncinsperc, Hvsen, Tiericheshoven, Winhvsen, Wale, cum decimis in Hilrgŏ, aduocatia ecclesie in Stuinhain, aduocatia ecclesie in Kierchtorph. Decime autem prefatorum prediorum a curtis uillicorum in domum elemosinariam pauperes ad reficiendos secundum antiqua statuta ad nos delata eodem tradantur. Precipiendo vero precipimus, ne quis eiusdem abbacie advocatus quasi hereditario iure inibi constituatur, sed quilibet voluntate abbatis fratrumque suorum pro defensione eiusdem monasterii constituatur. Commissa vero aduocatia pro regio iure nobis ceterisque successoribus nostris facta iuris iurandi fidelitate similiter iuret abbati, quod secundum posse et nosse iustus ac utilis aduocatus in res et homines predicti monasterii existat, et quicquid placitando acquisierit, una parte sibi retenta, duas persolvat abbati, et nullum preter se aduocatum vel exactorem constituat, nec aliquid priuati vel publici muneris vel a loco vel ab homine eiusdem monasterii quasi ex debito vel ex statvto iure exigat. Amplius, ad vnumquemque locum, quem abbas ad placitandum ordinaverit, cum XII uiris totidemque equis semel tantum in anno ueniat, nisi pro necessitate aliqua ab abbate eius vel ministris sepius aduocetur, ac tunc honeste procuretur. Item, infra locum vero monasterii vel alia eodem pertinentia nullum umquam legitimum placitum instituat, omnino interdicimus, nec aliquos de familia eiusdem cenobii siue ministeriales siue seruos sine iusta deliberatione suorum consociorum dampnet, vel aliqua iniuria offendat. Qui tamen ministeriales optimo, quo fruuntur Fuldenses et Avgenses, iure pociantur, et ut in omnibus abbati promptiores et fideliores existant, ab omni eos regie seruitutis debito absolutos esse uolumnus. Si avtem in aliquo istorum deuiauerit, nisi infra XL dies resipuerit, gratia nostra successorumque nostrorum sine spe recuperationis privatus deponatur. Et ne forte aliquis aduocatus aut tyrannus eo licentius sibi resurpet aut uendicet aliquid ex his, que sunt abbatis et fratrum eius, quasi nostri iuris non sit, nouerint omnes fideles nostri, quemadmodum domnus Karolvs inperator primitus magis pro

defensione, quam seruitutis utilitate suscepit, ita et nos stren-
nuissimos rectores et defensores esse sciant. Preterea fir-
missime statuimus, ne quis abbatum de prediis siue de redi-
tibus ecclesie, que in presentiarum possidere cernitur, seu in
futurum possidenda acquisierit, aliquam inbeneficiare presu-
mat personam; sed omnia integre ad usus fatrum conser-
ventur et inconvulsa. Hoc si quis, quod absit, ad sui ipsius
perdicionem temerarie presumpserit, dignitate sibi collata careat,
et alius dignus abbas pro eo eligatur, qui hec inuiolabiliter
conseruet. Abbas et monachi ibidem Deo seruientes a con-
svetudine Hirsaugensium, quam hactenus habuisse uidentur,
declinare nullo modo presumant, sed in proposito sancti uiri
Rvperti abbatis diuinis orationibus insistendo, uigilanter insi-
stere contendant. Ministeriales quoque ejusdem ecclesie a
regali expeditione et a seruicio, quod vvlgo dicitur *herstvre*,
penitus absoluimus, similiter et homines. Vt igitur tam domni
Lotharii inperatoris scriptum, quam domni Friderici in-
peratoris aui nostri memorie felicis edictum omni evo ratum
conservetur et firmum, et nvlla persona seculari vel ecclesia-
stica ualeat inmutari, eorum propria priuilegia perpetvo duxi-
mus confirmanda. Et quia insuper aduocatiam prefate Öttin-
burensis ecclesie in fevdo per Cunradum abbatem eiusdem
monasterii nobis traditam et concessam, supradicto filio nostro
duci Sveuorum et Burgundie rectori concessimus, statuimus,
ut aduocatia ipsa nullo modo alienetur, sed eidem duci filio
nostro dabitur annuatim de qualibet hvba sita in ea parte,
que dicitur *Geu*, modius tritici, et modius siliginis, et agnus,
vel decem et octo denarii, et de qualibet hvba sita in ea
parte, que *Tan* dicitur, maltarum avene et agnus, vel decem
et octo denarii; de uilla vero Öttinburensi dabuntur annuatim
sex libre in collecta. Indulsimus etiam una cum filio nostro,
ut liceat ministerialibus et a nobis fevda habentibus ad inpe-
rium sev ad dvcatum spectantia dare eodem Öttinburensi ea
pro suis animabus. Item si minister eiusdem filii nostri
super ipsa ecclesia constitutus circa ipsum monasterium ali-
quid nequiter egerit, ad preces abbatis debeat amoueri. Ad

4*

cuius rei perpetuam firmitatem presens priuilegium inde fieri
fecimus, sigilli nostri munimine roboratum. Huius rei testes
sunt: Heinricus maior Constanciensis prepositus, inperalis
avle protonotarius, Cunradus burgrauius de Nǔrenberc,
Cǔnradus de Lȯbon, Euirhardus dapifer de Tan,
Conradus et Euirhardus de Winterstetin, Bur-
chardus de Hohenburch, Heinricus et Vlricus de
Sconegge, Wolfsatil Haldiwanger, Swigerus de
Mindilberc, Ortolf Constanciensis canonicus, Waltherus
de Egge, et alii quam plures. Date apud Wingartin, anno
incarnationis millesimo ducentesimo nono decimo, pridie nonas
Januarii, indictione octava, regnante domno nostro Friderico
illustrissimo Romanorum rege semper augusto et rege Sicilie,
anno vero romani regni eius in Germania octavo, et in Si-
cilia xxii. feliciter. Amen [156])."

„In nomine Ihesv Christi. Heinricus dux Svevorum et
rector Burgundie. Per presens scriptum notum esse uolumus
omnibus, ad quos ipsum pervenerit, quod aduocatia Ȯttinbur-
rensis cenobii redempta a G(otfrido) comite de Marstetin
cum predio ipsius monasterii sito in Helchinriet, concessa
est in fevdum karissimo patri nostro F(riderico) inclito Ro-
manorum et Sicilie regi per manus Conradi, venerabilis
abbatis in Ȯttinburren, vt ipsum monasterium nostra et im-
periali protectione perpetuo gavdeat, sub hoc pacto, vt nullo
alienationis modo a nobis uel heredibus nostris distrahatur
vel alienetur, et ut liceat ministerialibus et fevda regni vel
ducatus Svevie habentibus, et predia sua et feuda dare ecclesie
Ȯttinburensi; et quod minister noster, si in res seu homines
monasterii nequiter aliquid egerit, ad preces domni abbatis
deponatur, et equior substituatur. Singulis autem annis de
qualibet hǔba in ea parte, que Geu dicitur, dabitur nobis

---

[156]) Obige Urkunde Friedrich's II. ist gedruckt im tausend-
jähr. Ottob. 87. 88; bei Feierabend II. 834 ff., und aus dem
Originale in Mon. boic. 30a. 91 ff. Die Jahrzahl 1219 ist nach
Florentiner Zählung angesetzt; nach unserer Rechnung entspricht
sie dem Jahre 1220.

modius tritici et modius siliginis et agnus, vel xviii denarii,
et de qualibet hŭba integra sita in parte, que *Tan* dicitur,
maltrum dabitur avene et agnus, siue xviii nvmmi. De uilla
etiam Ŏttinburren dabuntur nobis in collecta sex libre singulis
annis. Et ut ea, que dicta et promissa in contractu conces-
sionis ipsius aduocatie sunt, firma permaneant, sicut karissi-
mus pater noster domnus F*(ridericus)* Romanorum et Sicilie
rex pariter nobiscum fide data promisit, hanc paginam, in
qua eadem conscripta sunt, sigillo nostro fecimus commvniri."

In diebus illis defuncto plebano Ŏttinburrensis ecclesie,
venerabilis abbas Cunradus pro dampno. quod in amissi-
one predii in Helchinriet monasterio suo acciderat, omni
studio apud episcopum Augustensis ecclesie cepit agere, qua-
tenus priuilegium Vrbani pape. qui praefatam ecclesiam
cum omni iure parrochiali ab abbate uel uicario eius procu-
randam monasterio concesserat, dato super hoc suo priuilegio
innouaret. Quo impetrato. idem abbas duos fratres idoneos
ad domnum papam Honorium, qui Romanam tunc regebat
ecclesiam, transmittens, apud ipsum Deo auxiliante obtinuit,
auctoritate ipsius ac scriptis predicte donacionis priuilegia
confirmari. Priuilegium autem episcopi et literas ab eo missas
Apostolico, et confirmationem super hoc ab Apostolico apud
urbem veterem datam, subscribimus.

„In nomine Patris et Filii et Spiritus sancti amen. Sifri-
dus Dei gratia Augustensis ecclesie episcopus. Debitum
pastoralis officii nos prosequi, et ad vitam aeternam edificare
non ambigimus, quociens ecclesiis a Deo nobis commissis
prospicere satagimus, promouendo eas in his, que ad honorem
earum pertinent sive profectum. Huius itaque rei gratia
notum fieri uolumus uniuersis tam futuris quam presentibus
Christi fidelibus, quod considerata deuotione, qua venerabilis
in Christo frater noster abbas et conuentus Vttinburrensis
monasterii semper corruscare et fulgere apud omnes digno-
scitur, presertim cum idem monasterium hactenus religione,
honestate, pariterque copia rerum preditum et preclarum, sed
nunc propter rapinas et alias laicorum violentias, quibus in-

solescunt laici contra clerum, maxime propter extorsiones et
indebita seruicia, que conprehendi nequeunt, aduocatorum
cooperantibus, precipue quod locus ille nuper miserabiliter
crematus fuit incendio casuali, et que semper ibidem exu-
berabat hospitalitatis affluentia, ad maximas redactum penurias
in eum deuenerit statum, quod fratres ejusdem loci propter
nimiam inopiam mendicare contingeret, nisi ab aliis claustris
exhiberentur. Hiis et aliis motiuis subnixi rationibus et causis,
ad instantem deuotam petitionem predicti abbatis et conuentus,
de consilio et consensu dominorum nostrorum maioris capituli
Augustensis, ad meliorationem prebendarum et aucmentum
diuini cultus et obsequii, memoratis dominis et succesoribus
eorum in perpetuum utramque administrationem, temporalem
et spiritualem, parrochialis ecclesie Vttinburrensis nunc
vacantis et attinentis eis ratione iuris patronatus, saluo per
omnia iure diocesani et archidiaconi loci, auctoritate ponti-
ficali liberaliter damus et concedimus, ita ut usum fructum
ipsius ecclesie percipiant ad communes usus, et ibidem ordi-
nent secundum generalem consvetudinem totius episcopatus
nostri; uicarium presbyterum scilicet secularem idoneum
moribus et literatura, qui sciat et valeat plebem regere sibi
commissam, assignaturi sibi talem de prouentibus ecclesie
portionem, per quam honeste possit producere uitam, sicut
ipsi rationem in districto examine proinde sunt reddituri. Vt
autem ista donatio siue concessio in sua debeat consistere
firmitate, presentem paginam eis indulgemus, roboratam sigilli
nostri testimonio et auctoritate. Acta sunt hec anno dominice
incarnationis domini millesimo cc⁰ xx⁰, iii. kal. Junii, presi-
dente sanctissimo papa Honorio, regnante gloriosissimo rege
Romanorum semper augusto et rege Sycilie Friderico,
anno regni eius viii⁰, coram dilectis nobis dominis Rappo-
tone maiore preposito, Heinrico decano, Heinrico de
Maeinchingen arcidiacono, Hermanno deWartolfesteten,
preposito de Fiuthwanc, Wortwino de Fivthwanc, Vl-
rico Fusario, canonico Augustensi, Heinrico abbate,
Hermanno priore, Albertho preposito, Albertho custode

sancti Vdalrici in Augusta, Rŭdolfo preposito, Ber-
tholdo camerario, Heinrico presbytero, monachis de Vt-
tinburren, Hermanno notario nostro, Cunrado diacono,
magistro scolarum, Bertholdo capellario nostro, Cunrado
dicto Sibilin, Cunrado dicto Arnis, Rŭdolfo, Degen-
hardo, laicis de Vttinburren, et aliis quam plurimis
tam clericis quam laicis, testibus ad hoc uocatis[137].“

Litere episcopi sancte Augustensis ecclesie ad Hono-
rium svmmum pontificem:

„Sanctissimo patri ac domno Honorio, sacrosancte
Romane ecclesie summo pontifici, S*(ifridus)* diuina misera-
tione Augustensis ecclesie episcopus humilis, devotum obse-
quium cum obedientia et orationibus. Nouerit sanctitatis
uestre incomprehensibilis celsitudo, quod uacante parrochiali
ecclesia de Vttinburren nostre diocesis, acceserunt ad nos
abbas et fratres conuentus Vttinburrensis monasterii, et pro-
positis coram nobis dolentes inopia et ceteris miseriis multis
loco suo imminentibus uariis ex casibus et causis, dum ex
rapina et aliis iniuriis sibi a malefactoribus contra ius illatis,
dum et ex coactis et extortis seruiciis aduocatis suis inces-
santer exhibitis, presertim ex miserabili et casuali, quo nuper
enormiter lesi sunt, incendio, et ex frequenti, que semper
ibi floruit, hospitalitatis obseruantia, sic quod fratres ipsi ibi
iam non habentes alimoniam oporteat ad alia transire mona-
steria, deuote et humiliter petiuerunt a nobis, quatenus propter
Deum et orationes suas pensatis his et aliis, quas difficile
esset enarrare, calamitatibus suis. ad reformandum priorem
statum monasterii sui ipsis dispensatiue et liberaliter dictam
ecclesiam, in qua ipsi ius habent patronatus, tenendam in
perpetuum in suis reditibus ad usus commvnes. Nos igitur
moti spiritu super desolatione loci semper hactenus religione
et ceteris uirtutibus cum rerum sufficientia admodum reflo-

---

[137]) Obige Urkunde Bischof Sigfrid's III. von Augsburg vom
30. Mai 1220 ist aus dem Originale gedruckt bei Feierabend
II. 831 ff. S. Reg. boic. II. 106.

rentis, predictis quoque et aliis nisi rationibus et causis, de consilio et consensu fratrum nostrorum capituli Augustensis, ipsam ecclesiam in perpetuum ad communes usus tenendam, saluo iure diocesani et arcidiaconi loci prefatis fratribus et eorum successoribus, ita quod in ea habeant administrationem spiritualium et temporalium, quemadmodum expresse continetur in priuilegio super a nobis edito, auctoritate pontificali dispensantes liberaliter concessimus, sanctitati uestre supplicantes humiliter et deuote, quatenus propter Deum et orationes nostras in subsidium et reformationem loci tam miserabiliter desolati factum nostrum apostolico munimine dignemini confirmare."

„(H)onorius episcopus, seruus seruorum Dei, dilectis filiis abbati et conuentui monasterii beatorum martirum Alexandri et Theodori de Vttinburron salutem et apostolicam benedictionem. Cum a nobis petitur, quod iustum est et honestum, tam uigor equitatis quam ordo exigit rationis, ut id pro sollicitudine officii nostri ad debitum perducatur effectum. Ea propter dilecti in domino filii nostris iustis precibus inclinati, ecclesiam sancti Petri de Vttinburron, quam uenerabilis frater noster Augustensis episcopus diocesanus uester de capituli sui assensu monasterio uestro contulit, intuitu pietatis, sicut eam iuste ac pacifice possidetis, et in ejusdem episcopi litteris exinde confectis plenius continetur, uobis et per uos ipsi monasterio auctoritate apostolica confirmamus, et presentis scripti patrocinio communimus. Nulli ergo omnino hominum liceat hanc paginam nostre confirmationis infringere, uel ei ausu temerario contraire. Si quis autem hoc attemptare presumpserit, indignationem omnipotentis Dei et beatorum Petri et Pauli apostolorum eius se nouerit incursurum. Datum apud Vrbem ueterem XVI. Kal. Augusti, pontificatus nostri anno quarto [158]."

„(H)onorius episcopus seruus seruorum Dei, dilectis filiis abbati et conuentui monasterii de Vttinburron ordinis

---

[158] Aus dem Originale gedruckt bei Feierabend l. c. 833.

sancti Benedicti salutem et apostolicam benedictionem. Sacro-
sancta Romana ecclesia devotos et humiles filios ex assuete
pietatis officio propensius diligere consvevit, et ne prauorum
hominum molestiis agitentur, eos tamquam pia mater sue
protectionis munimine confouere. Ea propter dilecti in domino
filii uestris iustis postulationibus grato concurrentes assensu,
personas uestras et monasterium, in quo diuino estis obsequio
mancipati, cum omnibus bonis, que in presentiarum rationa-
biliter possidet, aut in futurum iustis modis prestante domino
poterit adipisci, sub beati Petri et nostra protectione suscipi-
mus. Specialiter autem in Uttinburron et Behain eccle-
sias, et ius patronatus, quod in ecclesia Sunthain proponitis
uos habere, sicut ea omnia iuste ac pacifice obtinetis, uobis
et per uos eidem monasterio uestro auctoritate apostolica
confirmamus, et presentis scripti patrocinio communimus.
Districtius insuper inhibemus, ne tu fili abbas sine omnium
vel maioris et sanioris partis fratrum tuorum assensu eiusdem
monasterii possessiones alienare presumas. Nulli ergo om-
nino hominum liceat hanc paginam nostre protectionis, con-
firmationis et inhibitionis infringere, uel ei ausu temerario
contraire. Si quis autem hoc attemptare presvmpserit, in-
dignationem omnipotentis Dei et beatorum Petri et Pauli
apostolorum eius se nouerit incursurum. Datum apud Vrbem
veterem viii. Id. Julii, pontificatus nostri anno quarto."

IV. *Dritte Fortsetzung, von einer Hand des 13. Jahrh.
Bl. 28ᵇ bis 29ᵇ.*

„In nomine sancte Trinitatis. Cunradus Dei gratia
Otinburensis abbas. Notum esse uolumnus cunctis ista legen-
tibus, quod aduocatis Otinburensis ecclesie de Rùmsperc
defunctis, cum Gotfridus comes de Marstetin factus
esset aduocatus, et propter pusillanimitatem suam defendere
non posset monasterium, inter ceteras infestaciones et mole-
stias temporibus illis eidem ecclesie illatas, quidam miles
Albero nomine de Flvsson [159] multos ecclesie nostre ho-

---

[159] Flüssen, Weiler der Pf. Tafertshofen, Ldg Roggenburg.

mines in Svnthaim habitantes, Heinricum uidelicet qui
Satillin dicitur, cum omni eius parentela sibi usurpauit, sed a
prefectis imperatoris Friderici iunioris et filii eius Hein-
rici regis, qui Gotfrido in aduocacia Otinburensi succesit,
violencia supradicti militis et aliorum repulsa est, et predicta
multitudo Otinburensi ecclesie iusto iudicio requisita, nostrum
ius in eisdem hominibus ipsorum genealogia conprobante."

Sub predicto et benedicto abbate Cunrado custos altaris
sancti Alexandri, Swigerus nomine, de donacionibus bono-
rum hominum dimidiam hvbam in Bezilinsriet[160]), que multis
annis cuidam militi Heinrico nomine de Bogilins[161]) fuerat
obligata, per decem libras Campidonensis monete soluens, ex
unanimi et deuoto consensu abbatis et cunctorum fratrum
inpetrauit, ut festum sancte Trinitatis deinceps in monasterio
Otinburensi in summis, sicut pasca et pentecoste, per omnia
debeat in perpetuum celebrari. Item idem custos aliam curiam
in Habiwangin[162]) div obligatam cum decem libris predicte
monete soluit, ut inde octava assumptionis beate Uirginis in
albis et per omnia sicut festa apostolorum celebretur perpe-
tuo cultu et honore. Item idem custos sex uestes preciosas
emit de sameto rubeo, scilicet casulam unam et dalmaticam
et subtile, et tres cappas. Item de ciclade auro texta casulam
unam et dalmaticam emit, et subtile nouum de eadem materia
solvit in opido Mammigin, quod pro xxxvi solidis fuit
obligatum. Item idem custos fecit parari thuribulum argen-
teum pondo iiii⁰ʳ marcarum, et librum regum, qui in incendio
monasterii cum multis aliis exustus fuerat, rescribi fecit, dato
scriptori precio conpetendi. Item idem custos douota petici-
sone sna egit, quod quidam Rudolfus de Bozano[163]) duas
kappas purpureas dedit monasterio Otinburensi.

Presidente adhuc pio abbate Cunrado, ex occulto Dei
iudicio, sed non iniusto, locus Otinburensis cum uilla sibi

---

[160]) Bezisried, Weiler der Pfarrei Ottenbeuren.
[161]) Böglins, Einöde der Pfarrei Ottenbeuren.
[162]) Hawangen, Pfarrdorf im Ldg. Ottenbeuren.
[163]) Bozen in Tyrol.

adiacente pene totus per incendium casuale est deuastatus, sed per germanum predicti custodis, Rudolfum nomine, qui in illo tempore prepositus erat monasterii, in muris, in edificiis et in campanis constanter est et strennuc restauratus.

Post felicem decessum memorati et semper memorandi abbatis Cunradi, qui per xxx et vi annos monasterium Otinburense rexit, qui fuit humilis, castus, benignus, bospitalis, in elemosinis largus, in seruicio Christi strennuus, in doctrina preclarus, et in orationibus assiduis devotus, tunc successit ei in prelatura domnus Bertholdus, iuuenis etate, sed disciplina et morum probitate ac in omnibus uirtutibus precellens et grandeuus, qui camerarius erat monasterii in eodem tempore, et ipsum officium prudenter et optime disposuerat[164]. Qui cum unanimi consensu fratrum ac ministerialium esset electus, pudicum corpus pii predecessoris sui ante aram sanctorum Johannis et Mathie apostolorum in aquilonari parte monasterii honorifice sepeliuit, presente cleri ac populi copiosa multitudine. Tandem idem electus ad curiam Vlme celebrandam proficiscens, cum a rege Heinrico filio domni Friderici inperatoris iunioris per regalia sublimatus esset, et ab episcopo Eistensi Heinrico in oppido Gisilin per consecrationem confirmatus (episcopus quippe Augustensis cruce signatus peregre profectus erat)[165], ipse abbas ad monasterium

---

[164] Seine Regierungszeit wird in die Jahre 1229—1248 gesetzt. S. übrigens die folgende Anmerkung.

[165] Unter diesem Bischofe von Augsburg kann nur Sigfried III. gemeint seyn, der sich im Sommer 1227 dem von K. Friedrich II. unternommenen Kreuzzuge anschloss, und in demselben Jahre zu Brindisi, am Sammelplatze des Kreuzheeres, starb, und zwar nach dem Necrol. Ottenb. am 23. Aug. Dass sein Nachfolger Siboto gleichfalls Kreuzfahrer gewesen sei, wird nirgends erwähnt. Hienach müsste der Tod des Abtes Konrad von Ottenbeuren und die Wahl seines Nachfolgers Berthold in das Jahr 1227 gesetzt werden, in welchem Jahre Bischof Heinrich von Eichstädt, der den neuen Abt zu Geislingen weihte, im Gefolge K. Heinrich's VII. sich wirklich wiederholt in Schwaben aufhielt. S. die Regesten K. Heinrich's bei Böhmer.

suum reuersus et honorifice, ut dignum erat, susceptus, cepit
res monasterii sapienter disponere, incorrecta corrigere, bene
ordinata stabilire, et plurima predia soluere, que pro diuersis
necessitatibus ante ipsum fuerant uice pignorum obligata.
Nunc temporibus eius gesta per ordinem narrando prosequamur.

Defuncto Alberone de Flusson, de quo supra fecimus
mencionem, tres filii eius, Bertholdus, Rudolfus et Eber-
hardus predictum Heinricum, qui et Satilin, in dominium
suum reducere conabantur, sed uenerandus abbas Bertol-
dus datis eis xxv libris Vlmensis monete ab ipsa inpeti-
cione penitus ipsos remouit, pro cuius facti certitudine
Heinricus miles de Sconegge[166]) factus est testis et fide-
iussor pro xl libris Vlmensis monete.

Gebehardus miles de Starkinberc[167]), qui div et sepe
monasterium Otinburense pro una curte in Kortis molesta-
uerat, dicens eam hereditario iure ad se pertinere, cum
quodam tempore ad idem monasterium uenisset sub domno
Cunrado abbate, susceptis ab eo xii marcis querimoniam
ipsam remisit, promittens swaigam unam in loco qui Cirtis[168])
dicitur, monasterio tradere, et eam de manu abbatis in feu-
dum recipere. Que promissio sub domno abbate Bertoldo
peruenit ad effectum. Item Hermannus miles de Wale,
qui habebat de manu abbatis Otinburensis feudum in Vrberc
et in Rotinbach et in Kienberc[169]), cum signatus cruce
relicto domi paruo filio mare transfretasset, et illic feliciter
migrasset ad dominum, vxor eius Otinburensi monasterio
contulit x marcas et curtem unam in Moringishvsin[170]), et
de integra hvba tres partes in Lenginuelt[171]), sub tali pacto,

---

[166]) Ober-Schöneck, Dorf der Pf. Dietershofen, L. Babenhausen.

[167]) Die Burg Starkenberg, jetzt in Ruinen, in einer schauer-
erregenden Schlucht des Salvesenbaches, zwischen Imst und Nasse-
reut in der Nähe von Torrenz, wie ein Nest kühn auf den Zinnen
steiler Felsenwände gebaut.

[168]) In Tyrol, jedoch nicht näher zu bestimmen. [169]) S. Anm. 87.

[170]) Morenbausen, Dorfd. Pf Ebershausen, Ldg. Babenhausen.

[171]) Lengenfeld, Pfd. im Ldg. Buchloe.

ut sibi et filio suo eisdem prediis feudi ivro concessis, domno B e r -
t o l d o militi de T a n i n b e r c [172]) predictum feudum H(ermanni)
de W a l e preter aduocatiam ecclesie in R o t i n b a c h ab abbate
Bertoldo concederetur, vt ipsa cum filio suo de manu eiusdem
militis idem feudum reciperet et teneret. Item sub eodem
abbate B(ertoldo) quidam H e r m a n n u s de M a m m i n g i n
iuxta fontem et uxor eius et fratres eius predium, quod
babebant in eodem oppido, Otinburensi monasterio contuler-
unt, et in censum unius denarii de manu domni abbatis
receperunt.

*(Hier steht in der Handschrift eine Einschaltung von 11 Zeilen
über gewisse Lehengüter, die unten S. 84. folgt.)*

V. Vierte Fortsetzung, 13. Jahrh., Bl. 30* bis 31*.

Item in tempore uenerandi abbatis B e r t o l d i quidam miles
de S v n n m u l t i n g i n t [173]), R u d o l f u s nomine, ueniens ad
monasterium Vtinburen rogauit deuote, ut filius eius, qui ad-
huc paruus erat, in monasterium susciperetur, conferens
monasterio tres mansos in S t a i n h a i m iuxta M a m m i n g i n,
et multos homines ad idem predium pertinentes, ita tamen, ut
sibi et uxori sue et filiis suis ipsum predium et predicti
homines in beneficium concederentur. Que omnia facta sunt
coram multis testibus, scilicet domno D i e t r i c o de M u h i n -
b e r c, domno D i e t r i c o de R o t, Heinrico qui et A r n i s, et
ministro ciuitatis, qui W i s e r dicitur, cum aliis ciuibus eius-
dem loci.

Item agente eodem domno honesti milites de G o z h e r s -
h v h i n, R e i n h a r d u s et V l r i c u s, contulerunt monasterio
Vtinburen unum mansum in E p p i n g u i n [174]), et cum alio feudo,
quod habebant prius ab abbate, eundem mansum in beneficium
receperunt ad melioracionem feudi sui, quod ante receperant

---

[172]) T a n n e n b e r g, Pfd. im Ldg. Schongau.
[173]) S u l m e t i n g e n (Ober - und Unter -), Pfarrdörfer im wirt.
Oberamte Biberach.
[174]) Wahrscheinlich Eppingen, badische Amtsstadt.

ab eodem domno abbate, dato eis insuper a domno abbate
bono palefrido [175]). Item Bernoldus miles de Riedin offerens
filium suum Deo in monasterium, contulit monasterio mansum
unum in Weriswiler, et in Bibera medium, in Crumbach
unum, in Rotinbach quartam partem mansi, in Rittin
unum [176]).

In tempore predicti abbatis, cum uellet cognatus eius
domnus Heinricus decanus de Blezzin [177]) pro diuersis ne-
gociis ad curiam Romanam proficisci, rogante predicto abbate
impetravit monasterio in Vtinburon a domno papa Gregorio
secundam confirmationem super ecclesiam parrochialem in
Vtinburron, que prius fuerat a domno papa Honorio simi-
liter impetrata, interventu domni Sifridi episcopi felicis
memorie, ac tocius Augustensis chori assensu.

„Gregorius episcopus, seruus seruorum Dei, dilectis
filiis abbati et conuentui monasterii de Vtenbuirren ordinis
sancti Benedicti, salutem et apostolicam benedictionem. Iustis
petentium desideriis dignum est nos facilem prebere consen-
sum, et uota, que a rationis tramite non discordant, effecta

---

175) *Palefridus* — ein Frohnpferd. Wachter's Glossarium s.
voc. Palafredus: Genus equi, Cambris *palffrai*, Gall. *palefroy*,
Ital. *palafreno*. Cuncta vitiata ex *paraveredus*, quod habent Capi-
tularia, et alia monumenta Francorum apud Cangium. Fuisse equum,
non gradarium, nec dextrarium, nec censualem, sed angarium, cur-
sibus aut vehiculationibus publicis a subditis exhibendum, colligitur
ex lege Boiorum Tit. I. cap. XIV. Art. 4. *Parafredos donent aut
ipsi vadant, ubi eis injunctum fuerit, angarias cum curru faciant
usque L. leugas.* Dicitur alias angargnaco iisdem Boiis. Vulgus
Francorum videtur eundem appellasse *faraferid,* h. e. equum itin-
erarium, a *faren* proficisci. Nam hoc supposito statim apparet,
unde Latino-Barbaris sit *parafredus*."

176) *Riedin* ist wahrscheinlich Rieden an der Kötz, Pfd. im
Ldg. Günzburg; *Weriswiler* ist Erisweiler, Einöde der Pfarrei
Neuburg a. d. Kammel, Ldg. Krumbach; *Bibera* — Biberach Pfd.
im Ldg. Roggenburg; *Crumbach* — Krumbach, Ldg. gl. Nam.;
Rotinbach vermuthlich Rettenbach, Pfd. im Ldg. Günzburg; und
Rittin ein nicht näher zu bestimmender Ort Reuten oder Rieden.

177) Pless, Pfd. im Ldg. Babenhausen.

prosequente complere. Eapropter dilecti in domino filii ue-
stris iustis postulationibus grato concurrentes assensu, per-
sonas uestras et monasterium, in quo diuino estis obsequio
mancipati, cum omnibus bonis, que in presentiarum rationa-
biliter possidet, aut in futurum prestante domino iustis modis
poterit adipisci, sub beati Petri et nostra protectione suscipi-
mus. Specialiter autem ecclesiam de Vtenbiurron, quam
de concessione venerabilis fratris nostri Augustensis episcopi,
capituli sui accedente consensu, prout pertinebat ad eum,
canonice uos proponitis adeptos, sicut eam iuste ac pacifice
possidetis, uobis et per uos eidem monasterio auctoritate
apostolica confirmamus, et presentis scripti patrociuio con-
munimus. Nulli ergo omnino hominum liceat hanc paginam
nostre protectionis et confirmationis infringere, uel ei ausu
temerario contraire. Si quis autem hoc attemptare pre-
sumpserit, indignationem omnipotentis Dei et beatorum Petri
et Pauli apostolorum eius se nouerit incursurum. Datum
Lateranis xvii. kal. Maii, pontificatus nostri anno septimo [176]."

Item in tempore sepe et digne memorandi Bertholdi
abbatis nostri quidam ciuis Vtenburensis, Heinricus cogno-
mento Vogellinus, predium quoddam, dimidium uidelicet
mansum in uilla Svnthein, a quodam milite Heinrico
cognomento Milerderme de Mindelhein conparauit pro
xvi libris Augustens. pacto tali, ut prefatus miles H(einricus),
qui proprius fuit S(wigeri) et S(wigeri) de Mindelberc [177]
nobilium, iam dicto predio in manus eorum assignato, cum
absque donatione ipsorum proprii militis nulla esset donatio,
ipsi nobiles dominos Swigerus et filius eius S(wigerus) de
Mindelberc beato Alexandro manu sua contraderent, quod
et factum est in presentia quam plurium nobilium. Prenomi-
natus etiam ciuis noter H(einricus) Vogellinus ipsum predium
suscepit a manu venerabilis B(ertoldi) abbatis nostri pro bene-
ficio censuali, et uxori sue cum omnibus eorum infantibus

---

[176] Nach obiger Zeitangabe zu datiren auf den 15. Apr. 1234.

[177] Mindelberc — die ehemalige Burg Mindelberg über der
Mindel, unterhalb Mindelheim, in der Pf. Westernach.

et eorum heredibus, et in agnitionem et testimonii memoriam
annuatim persolverent cellerario in die Martini vi denarios.
Huius facti totalis testes, qui affuerunt, sunt hii: Omnis con-
uentns ecclesie V̇tenburrensis, S. et S. nobiles de Mindel-
berc, Th. de Mv̇ienberc, H. marscalcus de Wagegge,
Marquart de Haselberc, H. et B. milites dicti coloni,
H. minister de Maemingen, et alii quam plures. Acta sunt
hec anno gracie m.cc.xxx.v, indictione viii.

Item idem Heinricus civis noster a quodam Berhtoldo
Shv̇hilino, qui monasterio nostro iure proprietatis attinet,
duo iugera comparauit in Rv̇dingisriet[180]) sita, eo tenore
videlicet, quod predictus Berh. cum eisdem iugeribus esset
ab ecclesia nostra feodatus. Ipsum ius feodi in manus domni
abbatis Berhtoldi sine omni tergiversatione resignavit, et
prenominatus H. burgensis noster iure ac nomine feodali dicta
iugera suscepit nulla prorsus obstante calumpnia, cum here-
dibus suis perpetuo possidenda. Simili tenore a quodam
Hermanno de Suntheim milite in prefato pago comparavit
quinque iugera, et item a domno predicto abbate iure feodi
suscepit sine omni difficultate cum heredibus suis iugiter
habenda, excepto quod annuatim in festo S. Martini de utro-
que allodio duos denarios censuales persoluent.

Auf Bl. 30ᵃ der Handschrift ist Folgendes eingeschaltet:

Noverint omnes presens scriptum, quod domnus Hart-
mannus de Livbinŏwe[181]) has possessiones habet in pacto
a Cv̇nrado Bauwars, quas idem Cv̇nradus ab ecclesia
Öttinburensi habet in fevdum, tali inter ipsos pacto interiuncto,
vt iam dicto H. premortuo feoda redeant ad predictum Cvnra-
dum; vice versa prefatus H. in pacto reddidit Bauuars curiam

---

[180]) Nach Feierabend I. 418 und II. 395 ist Rudungsried, vom
Abte Rudung benannt, der jetzige Weiler Knaus in der Pf. Erkheim,
zwischen Schlegelsberg und Sontheim im Walde gelegen.

[181]) Welcher Ort Liebenau hier gemeint sei, lässt sich nicht
angeben.

in Alrichsrain ¹⁸²), quam habet in feodo ab eadem ecclesia, domno abbate ab eodem Bauwars x marcis accepto. Sunt autem he possessiones infeodate Cv̇nrado in Bozze, et in Bonningen quidque habet, et dimidiam hûbam Gozhalmeshovin, et quartam partem hv̇be in Rv̇dv̇ngesriet ¹⁸³).

Besondere Aufzeichnung auf Bl. 31ᵇ, 14. Jahrh.

Ista sunt feoda, que C. nobilis de Lŏbun ¹⁸⁴) habet in feodo de Ŏttinburra. In Gunze ecclesiam et duas curias, que pertinent in cameram V̇ttinburrensem, et illam que dicitur *ehaftin*, per totam villam, et piscinam. Habet etiam in feodo curiam in Westerhain. Quidquid habent milites in Attinhv̇sin in Egge, illa bona habet C. de Lŏbvn de Ŏttinburra. Quidquid habent predicti milites de Attenhusin in Wesinbach ¹⁸⁵), dictus C. de Lŏbun habet et de Ŏttinburra. Quidquid habet miles, qui dicitur Wezelo de Enginshv̇sin in Engishusin, de C. de Lŏbun habet, et idem C. de Ŏttinburra. Quidquid habet R. de Engishusin de Scv̇imegensi ¹⁸⁶) in Engishusin, illa bona habet C. nobilis de Lŏbvn de Ŏttinburra. Item C. de Lŏbvn habet in feodo decimam in Kemenatum ¹⁸⁷), et decimam in Nahtrammeshoven, et decimam in Richiltberge ¹⁸⁸) de Ŏttinburra. Item habet in feodo curiam, que dicitur Pvtaniz, quam habet

---

¹⁸²) Allesrain, Einöde in der Pfarrei Dirlewang, Ldg. Mindelheim. S. Anm. 60.

¹⁸³) *Bozze* — Boos, Pfd. im Ldg. Babenhausen; *Bonningen* — Benningen; *Goshalmeshoven* — Gossmannshofen, in der Pf. Lachen, Ldg. Ottenbeuren; *Rvdungesriet* — s. Anm. 180.

¹⁸⁴) Lauben, prot. Pfarrdorf im Ldg. Ottenbeuren, nördlich von Ottenbeuren an der Günz.

¹⁸⁵) Wesbach, Weiler der Pfarrei Egg an der Günz, Ldg. Ottenbeuren.

¹⁸⁶) *Sconeggensi?*

¹⁸⁷) Kemnat, Pfd. bei Kaufbeuren.

¹⁸⁸) Reichelsberg, Weiler bei Kempten. *Nahtrammeshoven*, unbekannt, vielleicht abgegangen.

Steichele, Archiv II. 5

pincerna de Rvmsperc de Öttinburra. Item habet in feodo
de Öttinburra duas curias, quas habent de Attenhvsin
milites in villa Attenhusin, et curiam in Berge[189]). Item
C. de Löbvn habet quartale[190]) in Attenhvsin, quod
habet quidam dictus Knobelrino de Ottinburra. Item C. de
Löbvn habet curiam in Özlinsperc[191]), quam habet miles
Bumannus. Item C. de Löbvn habet curiam, quam habent
milites, qui dicuntur Zange, et R. de Eggintal in villa
Eggintal. Item habet in feodo filios coci de Rumshusin[192])
de Öttinburra. Item habet in feodo medium mansum in Engis-
husin, et advocatiam in Engishusin. In Hainbrehs-
riet[193]) duas curias, Hainricus de Scherme unam, Hain-
ricus de molendino unam.

Eintrag auf dem vordern Vorsetzblatte der Handschrift,
geschrieben im 14. Jahrhunderte.

Hi sunt redditus caseorum et vini apud montana.
Curia Wolfhönnun solvit ccc. caseos. Hainbach sex-
centos caseos solvit. Erbinlönun cc caseos solvit. Ni-
dertage sexcentos caseos solvit. Altera curia similiter sex-
centos. Riedtvn xiiii^{cim} solum agnos solvit. Sliershowe
due curie, quarum utraque solvit unam saumam vini et unum
vrischink. Tercia curia ibidem unam saumam vini. Superior
curia Silze unam saumam vini. Curia ante cimiterium unam
saumam vini et duos vrischinge. Zem Giezen unam sau-
mam vini et viii denarios Augustensium. Ze Gehage utra-
que curia trecentos caseos solvit.

---

[189]) Wahrscheinlich Memminger Berg, prot. Pfarrdorf bei
Memmingen.

[190]) Ein Viertelhof.

[191]) Wahrscheinlich Etzlensberg. Weiler der Pf. Bernbach,
Ldg. Oberdorf.

[192]) Rumelzhausen, Dorf der Pfarrei Günz, Ldg. Ottenbeuren.

[193]) Unbekannt; ist abgegangen oder hat den Namen verändert.

In Altingen trans alpes[194]). Risershof solvit medietatem bonorum. Der Öninger solvit de quadam domo xviii denarios et duos pullos. Molendinum xv. solidos Tuvingensium. Mangoldus de quadam domo v solidos hallensium. Soror Risarii xviii denarios hallensium et ii pullos. De Gahai[195]) Schover xviii denarios. Domnus Gozzoldus v solidos Tuwingensium de quodam bono in Raistingen, quod possidet pro iure personali. Braintinholz solvit xiiiiclm mo. ve[196]).

___

In einem Manuscripte des Klosters Ottenbeuren, jetzt in der k. Lyceumsbibliothek zu Dilingen, epistolas S. Pauli enthaltend, aus dem 12. Jahrh., findet sich auf Bl. 2. über Ottenbeurische Gefälle von einer Hand des 14. Jahrh. Folgendes eingetragen:

De agris Kastiner dantur regi viii. den.; de domo Vlrici vi. den.; de agris Sendari xxx et viii. den.; Schogin ii. den.; de prato juxta Berge Heinrico militi de Ringinberc i den.; de orto juxta curiam nostram Bertoldo an der egge vi. den.; de orto Vlrici Lanzinvn i. den.; de agris Hvgginhoverin militibus de Bozze vi. den.; de domo Rvfi vi. den. eisdem; de domo Kastiner eisdem xvii. den. Census custodis. De domo Hugginhover vi. den. regi; de domo Kanzins iii den.; de quibusdam agris Sratinbachers regi i sol.; de quibusdam agris predicti viri plebano de S. Martino i sol.; de orto quodam Mainhund iii den.; de orto Kanzingi uxor quondam Hermanni Sendarii dare debet Lanzinvn i den.[197]).

___

[194]) Ueber Altingen, jenseits der schwäbischen Alp, s. oben Anm. 118 — [195]) *Gahai* ist Kayh, das folgende *Raistingen* — Reusten, *Braitinholz* — Breitenholz, sämmtlich Pfarrdörfer im wirt. Oberamte Herrenberg. — [196]) monete veteris?

[197]) Wie die Sender, Schrattenbacher und Mainhund Güter an Ottenbeuren übergaben, ist oben im Chronicon S. 42, 43 erzählt. Die auf einige der obigen Güter gelegten Abgaben an den König (*regi*) rührten wahrscheinlich von der Schirmvogtei. — Der *miles de Ringinberc* — vielleicht von Ringenberg, Weiler der Pfarrei Gestraz im Ldg. Weiler. — *Bozze* ist Boos.

5 *

II.

Des Abtes Udalskalk von St. Ulrich in Augsburg Registrum Tonorum.

Mitgetheilt

von

Dr. Philipp Jaffé

in Berlin.

—

Vorbemerkung.

Udalskalk, Abt des Benediktinerklosters St. Ulrich und Afra zu Augsburg in den Jahren von ungefähr 1124 bis gegen 1150, ist eine durch Charakterstärke und hohe geistge Bildung hervorragende Persönlichkeit des 12. Jahrhunderts. Geachtet als vortrefflicher Geschichtschreiber und begabter Dichter, erscheint er auch als Meister und Lehrer auf dem Gebiete der kirchlichen Tonkunst, und erwarb sich namentlich um Hebung und Verbesserung des Kirchengesanges grosses Verdienst. Dass Udalskalk über Musik geschrieben habe, war aus Wilhelm Wittwer's handschriftlichem Kataloge der Aebte von St. Ulrich bekannt *(scripsit etiam,* heisst es bei ihm f. 70, *librum egregium de arte musica);* ein musikalisches Werk selbst aber von ihm kannte man längst nicht mehr. Ich fand ein solches auf der herzogl. Bibliothek zu Wolfenbüttel im Cod. Guelferbyt. inter Guden. nr. 334, als ich dort im Juli 1857 für unsere Bisthums-Geschichte sammelte. Die Handschrift in Duodez, im XII. Jahrh. auf Pergament schön geschrieben, gehörte, wie noch der alte Eintrag auf dem ersten Blatte: *„Liber Sctor. Vdalrici et Affre Augusta,"* beweist, ehemals zu Udalskalk's Kloster, und enthält folgende musikalische Schriften: Guidonis Musica, item dialogi musici, — Dietgeri abbatis Musica, — Aribonis Caprea, — dann auf Bl. 140—174: *„Registrum tonorum secundum prescriptum pie memorie domini Oudalschalchi abbatis cenobii sancti Oudalrici et sancte Afre."* Herr Dr. Ph. Jaffé, der verdiente Herausgeber von Udalskalk's köstlicher Schrift *de Eginone et Herimanno* in den Mon. Germ. SS. XII. 429—448, von mir mündlich auf jene Wolfenbüttler Handschrift aufmerksam gemacht, hatte die Güte, vom *Registrum tonorum* eine Abschrift zu nehmen, und dieselbe zur Veröffentlichung im Archive mir gefälligst mitzutheilen. So folgt nun in nachstehendem Ab-

drucke das kleine musikalische Werk Udalskalk's vollständig, jedoch
mit Ausschluss der Noten und der jedem Paragraphen als Beispiele
hinzugefügten Antiphonienanfänge, die nur bei Paragraph 8 und 9
zur Veranschaulichung abgeschrieben wurden.

Steichele.

Incipit registrum tonorum secundum prescriptum
pię memorię domini Ŏdalschałchi, abbatis cenobii
sancti Ŏdalrici et sanctę Afrę.

In subscriptis tonorum formulis differentię cum suis varie-
tatibus subtrahuntur, quę in antiquis exemplariis inveniuntur,
quia valde necessarie esse probantur. Usum enim antiquum
ita esse viciatum, ut multis in locis falsa pro veris teneat,
si quis diligenter inquisierit, facillime reperiet. Dum enim
unusquisque musicus vel cantor has formulas, regularum
auctoritatem non sequens, secundum voluntatem propriam
constituere vel ordinare voluit, tam diverse edite sunt, ut
perpauci eas vel memorię commendare vel aliqua racione
discernere valeat. Quapropter dominus Ŏdalscalchus,
cenobii beati Ŏdalrici et sanctę Afrę abbas, musicorum peri-
tissimus, errorem hunc corrigens simulque imperitioribus
condescendens, omittens quęque superflua, has tonorum for-
mulas edidit. Que ita electę et racione firmatę sunt, ut qui-
cumque his aliquid addere vel ex his demere temptaverit,
vanitatis ac superfluitatis notam merito incurrat. Notandum
vero est, quod ab antecessoribus suis, scilicet Willihelmo
illustrissimo viro eiusque sequacibus, antiquus ordo in qui-
busdam tonis mutatus est, id est in primo, in tertio, in sep-
timo et octavo. Illud enim *Seculorum amen*, quod antiqui
autenticum tonum esse voluerunt, isti differentiam primam
fecerunt, et quod illi differentiam, hoc isti autenticum tonum
constituerunt, eo quod illud plures antiphonie habent in supra
scriptis tonis in finali incipientes. Nam quia in singulis tonis
omnium differentiarum antiphonias uno finali necesse est ter-
minari, illaque chorda in singulis tonis inter cęteras optinet
principatum, quę terminat cantum, congruum valde videtur,

ut illud etiam *Seculorum amen* principale sit, cuius antipho-
nias finalis chorda et inchoat et terminat. Habet autem pri-
mus tonus absque eo tono, qui dicitur antenticus, quinque
differentias et duodecim varietates; secundus nullam differ-
entiam et quinque varietates; tercius tres differentias et
duas varietates; quartus quatuor differentias et quinque
varietales; quintus unam differentiam et duas varietates;
sextus unam differentiam et septem varietates; septimus
quatuor differentias et sedecim varietates; octavus tres dif-
ferentias et novendecim varietates.

I. 1. Autenticus protus constat ex prima specie diapente
et ex prima specie diatesseron superius. Huius *Seculorum
amen* incipit in A acuto, hoc est in mese; cuius ultima syl-
laba altius distat a finali D, id est lychanos ypatun, diates-
seron intervallo in G, id est in lychanos meson.

Concinit equisoni modulum sic formula proti,
Hac ex lege protus autenticus sit tibi notus: . . .

2. Omnis finalis chorda principalis est in suo modo, eo
quod cantus in ea distinguitur et regulariter finitur. Principalis
autem tonus est, qui in finali chorda incipitur et statim ad
quavem vocem deponitur, quia graviores voces sunt pociores
quam accute, ut in his antiphoniis patet: . . .

3. Prima autem varietas est, ubi cantus in finali orditur
et statim ad accutiores, id est superiores. gradatim intenditur,
ut antiphonie: . . .

4. Hec autem secundum usum a plerisque cantatur ad
quartum tonum, quod non concedit monochordum: . . .

5. Secunda autem varietas est, quando cantus in finali
quidem incipitur, sed statim intermisse, id est per semidito-
num, intenditur, ut antiphonie: . . .

6. Tertia autem varietas est, cum cantus gradatim ascen-
dit, sed per quilisma, ut antiphonie: . . .

7. Quarta autem varietas est, ubi cantus per quilisma,
sed intermisse intenditur, ut antiphonie: . . .

8. Quinta autem varietas est, quando primo cantus de-
ponitur et per quilisma gradatim intenditur, ut antiphonie:

*Cum sublevasset; - In medio ecclesię; - In medio oarce-; - In-
terrogatus Jke-.*

9. Sexta autem varietas est, ubi cantus a finali in tercia
voce incipitur, sed in superiori, ut antiphonie: *Biduo vivens; -
Isti sunt due olive; - Vado ad eum; - Unus est enim.*

10. Septima autem varietas est, ubi in tercia quidem a
finali incipitur, sed mox semitonio deponitur, ut antiphonie: ...

11. Octava autem varietas est, quando in eadem tercia
voce cantus incipitur, sed mox tono intenditur, ut antipho-
nie: ...

12. Nona autem varietas est, quando cantus in tercia
voce incipitur, sed mox per diatesseron deponitur, ut anti-
phonie: ...

13. Prima differentia est, eo quod apud antiquos is can-
tus fuerit principalis, ut antiphonie: ...

14. Prima autem varietas est, quod tono a finali depo-
nitur, ut antiphonie: ...

15. Secunda autem differentia est, eo quod in proxima
finali chorda, scilicet inferius, inchoetur, ut antiphonie: ...

16. Tercia differentia est, eo quod cantus quidem a finali
semiditono incipiatur et statim tono intendatur, ut antiphonie:...

17. Quarta differentia est, que in hoc distat a tercia,
quod intermisse intenditur non gradatim, ut antiphonie: ...

18. Prima autem varietas est, eo quod equisono inten-
datur, ut antiphonie: ...

19. Quinta differentia est, eo quod a suo *Seculorum* di-
tono ad graves deponatur, ut antiphonie: ...

20. Prima autem varietas est, eo quod per equisonum
a suo *Seculorum amen* incipiatur, ut antiphonie: ...

II. 21. Incipit secundus, qui dicitur grece plagis proti,
id est pars primi. Nam in ea voce finitur, in qua et primus;
nihilque ab eo differt, nisi quod graviores et minus accutos
recipit cantus. Constat plagis proti ex eadem specie dyapente,
qua et autenticus eius, et ex eadem specie diatesseron inferius.
Eius *Seculorum amen* incipit in F, terminat in finali, ubi an-
tiphonia inchoat.

      Sed comes hoc iure sonat eius lymma tonumque,
      Sed primi talis modus est et meta plagalis: ...

    22. Hę antiphonię per dyatesseron a suo finali deponuntur ad graves: ...

    23. Prima autem varietas est, eo quod a suo Seculorum tono inferius deponatur, ut antiphonie: ...

    24. Secunda autem varietas est, eo quod gradatim a principali sua voce ascendat, ut antiphonie: ...

    25. Tercia autem varietas est, eo quod per semiditonnm a sua principali chorda ascendat, ut antiphonię: ...

    26. Quarta autem varietas est, eo quod semiditono intendatur in principio, ut antiphonie F: ...

    27. Quinta autem varietas est, ubi cantus per diatesseron a principali incipitur, ut antiphonie A: ...

    III. 28. Incipit tercius, qui grece dicitur autenticus deutrus, id est alter, secundus. Cuius Seculorum amen inchoat in C acuto et finit in E in suo finali. Constat autem ex secunda specie dyapente et ex secunda specie dyatesseron superius.

      Deuterus inde tono retinet cum lymmate iuncto,
      Deuterus autentus patet hoc sub iure retentus: ...

    29. Eo quod a principali suo tono inferius deponitur, ut antiphonie: ...

    30. Prima autem variatio est, ubi cantus quidem in finali inchoatur, et mox per semiditonum gradatim intenditur, ut antiphonie: ...

    31. Differentia prima est, eo quod semiditono distet a sua principali, in qua inchoatur, ut antiphonie G: ...

    32. Differentia autem secunda est, ubi cantus a suo Seculorum tono inferius orditur, et per diatesseron gradatim intenditur, ut antiphonie G: ...

    33. Differentia tercia est, eo quod per diatesseron a suo Seculorum inchoetur, ut antiphonie: ...

    34. Prima autem varietas est, ubi cantus per equisonum incipitur, ut antiphonie: ...

    IV. 35. Incipit quartus, qui grece dicitur plagis deutri,

id est pars secundi. Constat autem ex secunda specie dya-
tesseron inferius. Cuius *Seculorum amen* incipit in A acuto
sicut primi, et finit in suo finali.

Cuius discipulum sibi ditonus optat amicum,
Cuius per talem cursum noris lateralem: . . .

36. Eo quod in finali suo inchoetur, et mox tono inferius
deponatur, ut antiphonie: . . .

37. Prima autem variatio est, ubi cantus a sua principali
semitonio inchoatur et semiditono deponitur, ul antiphonie: . . .

38. Secunda autem variatio est, ubi cantus semiditono a
suo *Seculorum* intenditur, ut antiphonie: . . .

39. Tercia autem variatio est, eo quod gradatim a sua
principali ascendat, ut antiphonie: . . .

40. Quarta autem variatio est, eo quod semitonio distet
a sua principali voce, ut antiphonie F: . . .

41. Quinta autem variatio est, ubi cantus a finali semidi-
tono inchoatur, ut antiphonie G: . . .

42. Prima differentia est, ubi cantus a sua principali tono
inferius inchoatur et gradatim intenditur, ut antiphonie: . . .

43. Secunda autem differentia est, quando cantus a suo
Seculorum per diatesseron inferius inchoatur, ut antiphonie
D: . . .

44. Differentia autem tercia est, eo quod cantus ditono
a finali remittitur, ut antiphonie C : . . .

45. Differentia autem quarta est, ubi cantus a suo *Secu-
lorum* tono inferius deponitur, ut antiphonie G: . . .

46. Prima autem variatio est, quando cantus a suo *Se-
culorum* per equisonum incipitur, ut antiphonie: . . .

V. 47. Incipit quintus, qui grece dicitur autenticus tritus,
id est auctoralis tercius. Qui constat ex tercia specie dya-
pente et ex tercia specie dyatesseron superius. Cuius *Secu-
lorum amen* incipit in C acuto sicut tercii.

Hinc triti norma dyatesseron editur oda,
Hic demonstratur, tritus qua lege fruatur: . . .

48. Eo quod in principali suo inchoetur, ut antipho-
nie: . . .

49. Differentia autem prima est, ubi cantus per equisonum a suo *Seculorum* inchoatur et ditono remittitur, ut antiphonie: . . .

50. Prima autem variatio est, quando cantus in eadem chorda inchoatur, et mox semiditono intenditur, ut antiphonie: . . .

51. Secunda autem variatio est, eo quod semiditono a suo *Seculorum* incipiatur, ut antiphonie: . . .

VI. 52. Incipit sextus, qui grece dicitur plagis triti, id est subiugalis tercii. Qui constat ex eadem specie diapente, qua et autenticus eius, et ex eadem specie dyatesseron inferius. Cuius *Seculorum amen* incipit in A sicut primi et quarti.

Atque per ciusdem canitur dyapente clyentem,
Discipulum triti sic constrinxere periti: . . .

53. Eo quod in principali suo inchoetur et semitonio remittatur, ut antiphonie: . . .

54. Prima autem variatio est, eo quod cantus per dyatesseron a sua principali inchoatur et gradatim intendatur, ut antiphonie C: . . .

55. Secunda autem variatio est, quando cantus per semiditonum a suo *Seculorum* incipitur, ut antiphonie D: . . .

56. Tercia autem variatio est, quando cantus per equisonum inchoatur et gradatim intenditur, ut antiphonie F: . . .

57. Quarta autem variatio est, eo quod a principali per equisonum incipiatur et tono intendatur, ut antiphonie: . . .

58. Quinta autem variatio est, ubi cantus a suo finali semitonio deponitur, ut antiphonie: . . .

59. Sexta autem variatio est, quando cantus in principali suo inchoatur et semiditono deponitur, ut antiphonie: . . .

60. Septima autem variatio est, eo quod cantus per semiditonum intendatur, ut antiphonie D: . . .

61. Prima differentia est, ubi cantus a suo *Seculorum* tono inferius inchoatur, ut antiphonie F: . . .

VII. 62. Incipit septimus, qui grece dicitur autenticus tetrardus, id est auctoralis quartus. Qui constat ex quarta

specie dyapente et ex quarta specie diatesseron superius.
Huius *Seculorum amen* incipit in D acuto.

    Dat duo nexa tonis tetrardus ymmata ternis,
    Tetrardi cantus poterit discurrere tantus: ...

63. Eo quod cantus in finali suo inchoetur et gradatim ascendat, ut antiphonie: ...

64. Prima autem variatio est, ubi cantus per semiditonum a suo finali intenditur, ut antiphonie: ...

65. Secunda autem variatio est, quando cantus per dyatesseron a sua principali chorda intenditur, ut antiphonie:...

66. Tercia autem variatio est, ubi cantus quidem per dyatesseron intenditur, et a suo *Seculorum* tono inferius inchoatur, ut antiphonie: ...

67. Quarta autem variatio est, eo quod cantus eodem modo intendatur, et mox per dyatesseron deponatur, ut antiphonie: ...

68. Quinta autem variatio est, quando cantus quidem a principali incipitur, et mox tono et semiditono intenditur, ut antiphonie: ...

69. Sexta autem variatio est, ubi cantus a suo principali ditono intenditur, et in eadem chorda tono inferius inchoatur, ut antiphonie: ...

70. Septima vero variatio est, eo quod cantus a sua finali per dyatesseron intendatur et per semiditonum remittatur, ut antiphonie: ...

71. Octava autem variatio est, quando cantus quidem per dyatesseron a sua principali intenditur, ut antiphonie: ...

72. Nona vero variatio est, ubi cantus a sua principali ditono intenditur, et equisono a suo *Seculorum* tono inferius inchoatur, ut antiphonie: ...

73. Prima differentia est, eo quod cantus per dyapente a sua principali intendatur, ut antiphonie: ...

74. Prima autem variatio est, quando cantus quidem per diapente ascendit et mox semiditono remittitur, ut antiphonie: ...

75. Secunda differentia est, ubi cantus per equisonum

a suo *Seculorum amen* inchoatur et semitono inferius remittitur, ut antiphonie: ...

76. Prima autem variatio est, quando cantus a suo *Seculorum* semitonio inferius orditur, ut antiphonie: ...

77. Tercia differentia est, eo quod cantus semitonio superius a suo *Seculorum* distet, ut antiphonie: ...

78. Prima autem variatio est, ubi cantus per semitonium a suo *Seculorum* inchoatur, et mox per diatesseron remittitur, ut antiphonie: ...

79. Secunda autem variatio est, quando *Seculorum amen* per semitonium finitur, et mox cantus semiditono inferius inchoatur, et antiphonie: ...

80. Quarta differentia est, quando cantus a suo *Seculorum amen* tono superius incipitur, ut antiphonie: ...

81. Prima autem variatio est, quando cantus a suo finali per dyapente inchoatur et gradatim remittitur, ut antiphonie:...

82. Secunda autem variatio est in eodem loco, quando cantus a suo finali per dyapente inchoatur et mox semiditono remittitur, ut antiphonie: ...

83. Tercia varietas est, ubi cantus a suo *Seculorum amen* tono superius inchoatur, ut antiphonie: ...

VIII. 84. Incipit octavus, qui grece dicitur plagis tetrardi, id est subiugalis quarti. Qui constat ex eadem specie dyapente, qua et autenticus eius, et ex eadem specie dyatesseron inferius. Huius *Seculorum amen* incipit in C acuto, sicut tercii et quinti.

   Ast dyapente tono plagis huius conserit ordo,
   Cuius subiectum docet istec forma retectum: ...

85. Eo quod in sua principali chorda inchoetur, ut antiphonie: ...

86. Prima variatio est, ubi cantus a suo finali per dyapente orditur, et mox gradatim per dyatesseron ascendit, ut antiphonie: ...

87. Secunda variatio est, quando cantus a finali per dyatesseron inchoatur, et mox tono inferius remittitur, ut antiphonie: ...

88. Tercia autem variatio est, ubi cantus a suo *Seculorum* per diatesseron inchoatur et per semiditonum intenditur, ut antiphonie: ...

89. Quarta autem variatio est, eo quod cantus a finali tono inferius inchoetur, et mox per ditonum surgat, ut antiphonie F: ...

90. Quinta autem variatio est, ubi cantus in suo finali incipitur, et mox tono inferius remittitur, ut antiphonie G: ...

91. Sexta vero variatio est, eo quod cantus a principali chorda gradatim remittatur, ut antiphonie: ...

92. Septima variatio est, quando cantus a suo finali per dyatesseron remittitur, ut antiphonie: ...

93. Octava autem variatio est, ubi cantus per equisonum orditur et statim tono intenditur, ut antiphonie: ...

94. Nona variatio est, eo quod cantus per dyatesseron a sua principali chorda surgat, ut antiphonie: ...

95. Decima autem variatio est, quando cantus a suo finali per dyatesseron ascendit, ut antiphonie: ...

96. Undecima autem variatio est, ubi cantus a finali suo intenditur et mox tono remittitur, ut antiphonie: ...

97. Duodecima variatio est, cum cantus a sua principali chorda et tono ac semiditono intenditur, ut antiphonie: ...

98. Tercia decima vero variatio est, quando cantus a finali suo tono superius inchoatur, et statim per dyatesseron remittitur, ut antiphonie: ...

99. Quarta decima variatio est, eo quod cantus in eodem loco inchoetur et tono inferius remittatur, ut antiphonie: ...

100. Quinta decima variatio est, ubi cantus a finali suo intenditur, et iterum tono inferius remittitur, ut antiphonie: ...

101. Sexta decima variatio est, cum cantus per ditonum a suo *Seculorum* intenditur, ut antiphonie: ...

102. Septima decima variatio est, quando cantus a sua principali chorda per dyapente intenditur, ut antiphonie: ...

103. Octava decima variatio est, quod cantus a suo *Seculorum* per dyapente superius incipiatur, et statim semiditono remittatur, ut antiphonie: ...

104. Differentia prima est, quando cantus a sua principali chorda inferius orditur, ut antiphonie: ...

105. Prima variatio est, eo quod cantus a suo finali per semiditonum inferius inchoetur, ut antiphonie: ...

106. Differentia secunda est, ubi cantus a suo *Seculorum* per semiditonum superius orditur, ut antiphonie: ...

107. Differentia autem tercia est, eo quod cantus a suo *Seculorum* per equisonum inchoetur, ut antiphonie: ...

III.

Fr. Johannes Frank's Augsburger Annalen, 1430—1462.

Herausgegeben

von

A. Stcichele.

Einleitung.

In jenem Manuscriptenbande der ehemaligen Benediktiner-Reichsabtei St. Ulrich und Afra in Augsburg, welchen Pl. Braun in seiner *Notitia de codd. manuscr. monast. SS. Vdalr. et Afr., Vol. III. Aug. V.* 1793, S. 35 — 52 ausführlich beschreibt, befinden sich auf 21 Quartblættern in sehr einfacher, chronikmässiger Form Aufzeichnungen über geschichtliche Ereignisse, welche die Stadt Augsburg, die nähern und fernern Lande, besonders aber das Kloster St. Ulrich und Afra betreffen, in deutscher Sprache mit einigen lateinischen Sätzen untermischt abgefasst sind, und den Zeitabschnitt von 1430 bis 1462 in sich schliessen. Ihr Verfasser ist ein Zeitgenosse, Johannes Frank, Mönch im genannten Kloster, über dessen Leben und persönliche Verhältnisse jedoch nur Weniges bekannt ist. Seine Heimat und sein Geburtsjahr kennen wir nicht. Im Jahre 1447, vier Tage nach St. Bartholomäus-Abend, also am 27. August, kam Johannes Frank, wie er in dieser Chronik anführt, nach Augsburg; i. J. 1451 am Aschermittwoch (10. März) trat er in das Kloster zu St. Ulrich, und wurde am Palmabende desselben Jahres (17. April) als Novize eingekleidet. Am Vorabende von Peter und Paul (28. Juni) 1452 legte er die feierlichen Ordensgelübde ab, erhielt zu Ostern 1453 die niedern geistlichen Weihen, wurde zur selben Zeit 1454 zum Subdiaconus, und 1456 zum Diaconus geweiht. Priester ward er i. J. 1458 (*dominica Jubilate cantavi primicias*). Von da an mangeln alle weitern Nachrichten über seine Lebensverhältnisse bis zu seinem Tode, der nach Wilhelm Wittwer's Abtsregister von St. Ulrich am 19. Mai 1472 erfolgte. Derselbe Wittwer bezeichnet unsern Johannes Frank als einen sehr kunstfertigen Mönch, welcher Chor- und andere Bücher für das Kloster schön mit Malereien schmückte (*optimus illuminista, qui suis manibus illuminavit libros chori et alios plurimos in conuentu*).

Der Eingangs genannte Ulrikanische Collektaneen-Band, jetzt in der Bibliothek des bischöflichen Ordinariates zu Augsburg befindlich, enthält Frank's Chronik in einer Abschrift, die jedenfalls dem Ende des 15. oder spätestens dem Anfange des 16. Jahrhunderts angehört. Pl. Braun hat l. c. S. 40—42 aus derselben einen kurzen Auszug gegeben. Nachstehend folgt die erste vollständige Ausgabe der in mehrfacher Beziehung interessanten Schrift mit den nothwendigsten Erläuterungen, unter genauem Anschlusse an das Manuscript, wobei nur von vorne die einige Male versetzten Jahrgänge chronologisch geordnet wurden.

1430. Item da man zalt nach Christus gepurd 1430 jar an sant Anthonius abend, da ran ain junge fraw auf dem Lech herab an dye niedern pruck, vnd was angeschmitt mit henden vnd füssen und hals, vnd sas vnd het in der schoss ains münichs haupt.

1433. Item da man zalt 1433, da was ain vinsternus der sunnen zwischen 4 vnd 5. Item desselben jars an dem vierten tag vor aller heiligen tag da kam marckgraff Hanns von Prandenpurgs tochter her mit zwen gulden wegen vnd vil ritter vnd knecht. Item sy was 13 jar alt, vnd ward dem von Mantaw hye vermæchelt. Item der von Mantaw hett hergeschickt pey 200 pferden, dye sy hye enpfingen.

1434. Item da man zalt 1434 nach pfingsten, da kam Werd [1]) zů dem reich.

1435. Item da man zalt 1435 an der mitwochen vor Galli, da ward Engel Bernauerin zu Straubingen ertrænkt von hertzog Albretz wegen, vnd des hertzog Albrechts vater liess sy ertrencken.

1442. Item da man zalt 1442 jar an dem gaillen mæntag [2]), da thet der hochgeporen fürst marckgraff Albrecht von Prandenpurg ain scharfes rennen mit glen [3]) in seyden hemden zu Augspurg mit her Hansen von Fronburg dem ritter. Item dem marckgraffen zoch man vor xiiij verdæckte ross vnd dem ritter ain verdæckts ross. Item die statt zů eren dem fürsten stœlten an die schranken xiiij hundert man von fuss auf gewapnet in gutem harnifs. Item es waren mit dem marckgraffen hie 54 ritter vnd bey 300 turnierer.

1443. Item da man zalt tausend vierhundert vnd im drew vnd vierzigisten jar, da ward Neurenberg überfallen von herzogen Ludwig von Pairen dem jůngern vnd von marckgraffen Albrechten von Prandenpurg.

1444. Item da man zalt 1444 iar da kamen die armen jæcken in das land [4]).

---

[1]) Donauwörth, von den bayrischen Herzogen angesprochen und in ihren Kriegen hart bedrängt, erlangte damals durch K. Sigmund's und des Conciliums von Basel Bemühungen die Freiheit einer unmittelbaren Reichsstadt, kam jedoch bald darauf, aber nur auf kurze Zeit, wieder an Bayern.

[2]) Der Mondtag vor Aschermittwoch.

[3]) Spiesse.

[4]) Die Armagnaken, aus Frankreich gedungene Kriegsschaaren zur Bekämpfung der Schweizer.

1447. Item da man zalt 1447 an sant Bartolomeus abent, der da was an ainer mitwochen, da vand man zu Augspurg vor dem rotten tor auf dem graben zu der gerechten hand ainen pleyin farch, darin lag ain totter verwessner leychnam, man weß aber nit, ob es ain haid oder crist was, man setzt den farch auf das rott tor ins gwelb [5]).

Item tunc ego Fr. Johannes Franck veni ad Augustam post quatuor diebus.

Item da man zalt 1447 jar, da wurffen die von Augspurg vnser frawen maur ernider mit gewalt, die hinder des leupriesters haus iß.

Item da man zalt 1447, da satzt man dye meſſigen taffeln mit den meſſigen seilen auf den fronaltar in dem thum zu vnser frawen, vnd fy geßund xi hundert gulden. Item zu derselbigen zeitt da was maißer Hannſs der Kautz kußer zu dem thum, er pawet auch sunst vil groſſer pew.

1448. Item da man zalt 1448 an dem schmalzigen sampßtag [6]) zenacht, da verpran den von sant Ůlrich ain güt haus in grund ab hinder dem closter in dem garten, darin sas ainer der hiess der Cunrade, des gotzhaus diener, vnd darnach ze ostern was es ganz gepaut vnd pesser dan es vor was gewesen.

Item in dem selben iar an dem aftermæntag vor sant Pauls bekœrung, da ward Ůlrich Burgauer ertrenckt zu Augspurg in der Wertach vmb das, das er vnser frawen vnd irer muter so ser geflucht hætt ob dem spil, er was der statt kind.

---

[5]) Hektor Mielich, gleichfalls ein Zeitgenosse, schreibt über obigen Vorgang in seiner Augsburgischen Chronik (handschriftlich in der Kreis- und Stadtbibliothek) zum Jahre 1447 Folgendes: „Des iars an sant Bartolmeus abet ward hie gefunden for dem rotten tor auf dem büchel an dem graben gegen Geginger tor warts ain pleiin truchen, was bei 6 zentner schwer vnd wol fermacht, vnd fand darin aines menschen leichnam, darbei bin ich gewesen, als mans aus dem ertrich nam, vnd ist in den katzenstadel gefürt worden, da ists noch."

[6]) Ist der Samstag vor dem Fastnachtsonntage.

Item in dem selben iar an dem dornstag nach sant Gilgen
tag, da kam ain grosser hagel vber die statt Augspurg, vnd
fielen stain als die grossen hûner ayr, vnd erschlugen alles
glaswerk, wa sy es traffen, vnd besonder vil auf dem thum

Item da man zalt 1448, da geschach zu sant Vlrich ain
iæmerlich ding von ainem conuentpruder, mit namen hiess er
her Veit der Kreutter, vnd er was ain man gar tabes sins.
In dem vorgenanten iar am montag nach aller hailigen tag
gieng er in dem mesgewand vnd wolt auf sant Hylaria
altar mess haun, vnd als er heraus kumpt zu dem weich-
keffel, der in der kirchen ift bey dem frawen gefliel, so
get im ain vnbefinte weis zu, vnd er wirft den kelch wider
die erden, das er zu trümer sprang, vnd zuckt das mefsge-
wand vber den kopff herab, vnd warff es in dye frawen
gefliell, vnd lieff in der alb zu fant Agnefen kappellen
hinaus vber den kirchoff in ain haus hinab, darin fafs
ain wirt, der hiefs der Schwab. Darnach fûrt in fein vater der
Kreutter haim in fein haus, bis er wider zu im selbs kam,
da fûrt er in wider in das clofter. Item derselbig bruder ftarb
deinde in speco in anno jubileo. Ipse fuit vir devo-
tissimus.

Item da man zalt 1448 an sant Johannes enthauptung tag
zu mittag vmb ains, da was ain finsternus, taliter fuit sol (die
Figur fehlt).

1449. Item da man zalt 1449, da hankt man ain hye zu
Augspurg, der hyess mit namen Erhart, vnd was ratzknecht
auf dem haus, vnd was ain gewaltiger man, vnd dem der ratt
vnd gemain wol trauet, es geschach umb diebstall.

Item des selben iars da klagt der edel fûrst marckgraff
Albrecht vber die von Neurenberg, vnd des geschach
von des von Haydeck wegen, den beschirmeten dye von
Neurenberg wyder den fürsten marckgraffen Albrechten.
Man macht ain tag zu Babenborg zwischen in, aber es ward
nichtz ausgericht. Also nach pfingsten sagt marckgraff
Albrecht ab den von Neurenberg, vnd darnach von seinen
wegen vil fürsten vnd edler leut, mit namen sein zwen brû-

der, marckgraff Hanns, marckgraff Fridrich aus der Marck
vnd sein son marckgraff Fridrich, herzog Albrecht von
Oesterreich, herzog Ott, pfalzgraff am Rein, der von Wirtten-
berg, zwen graffen von Oettingen, das ist graff Vlrich vnd
graff Wilhalm, drew marckgraffen von Paden, ain graff von
Eberstain, ain graff von Lutzelstain, vnd der von Hochenloch,
und drew graffen von Helffenstain, vnd drew bischoff, der
von Mentz, der von Aychstett, der von Babenperg. Die vorge-
nanten herren all hulffen im mit ganzen krefften vnd all ir
ander gehilffen, vnd sunst vil graffen, freyen, ritter vnd knecht.
Item es erschlugen die von Wirtenberg die zwen hauptman
von Eslingen, die namhæftigsten im reich, das was Walther
Echinger von Vlm vnd Jeronimus Popfinger von Nœrlingen,
vnd sunst bey vierzig mannen, vnd fiengen bey lxx, in wur-
den auch gefangen ettlich vnd ein ritter erstochen. Item
marckgraff Albrecht macht bey Neurenberg ain flucht in ge-
mainer stett volk, vnd fieng ir mer dan ij hundert dy aller
pœsten, die das reich hetten, vnd der waren lx von Augspurg.
Item er verprant in alles das sy hætten auff dem land bifs
an die statt maur hinan, er liefs in in kaim garten kain
sumerhauss staun, er verprant den Gostenhoff ze grund ab,
im wurden auch bey lxx gefangen, er gewun in auch Haydeck
das stettlin vnd das schloss ab, vnd Liechtnaw vnd sunst
xxxij schlœsser. Vnd den von Weyssenburg wurden lxxx
erschagen von dem adel, vnd in dem lj iar ward der krieg
verricht, er gab in wider Haideck vnd etliche schlofs, sy
musten im geben xxvi tausend gulden, vnd die weill er
kainen krieg mit in anfieng, muften fy im verschreiben jär-
lichen sein lebtag iij tausent gulden zu leibting, vnd tætten
im vnd seiner frawen grofs fchank. Item der krieg was in
dem gnadenreichen iar, das ander iar darnach gab vns der
babst das gnadeniar gen Augspurg, das pracht vns der bischoff
herr Peter von Schamperg, da er kardinal was worden.

Item der vor genantt bischoff wurd in dem gnadenjar
cardinal, vnd was vor ain vngehœrt ding von aim bischoff
von Augfpurg, vnd gefchach da man zalt 1445 jar.

6 *

1451. Item da man zalt 1451 jar, da kam ich in das clofter selb vierd an der œscherigen mittwochen, vnd an dem palm abent da legten wir dye novitzen kutten an.

Item da man zalt 1451 an fant Othmars tag da verpran das fchœn tanzhaufs bey fant Moritzen bifs io den grund, das hætten die pœcken puben angezünt mit iren kolen, vnd in dem 1453 iar ward es wider gepaut kostlicher den es vor was gewesen, vnd das gewelbt durch das gantz haufs ward gemacht.

1452. Item da man zalt 1452 jar an sant Peter vnd Pauls abent, da thet ich Johannes Franck profession zu Augfpurg zu sant V̊lrich mit ander dreyen der ftatt kind, des selben tags kam mein bruder Lorentz auch gen Augfpurg. Auch in der zeitt ward gefchriben das puch *vita Christi* vnd aingepunden vnd getailt in vier tail vnd pücher, vnd das schriben vier conventual des gotzhaufs, mit namen ainen tail frater Johannes de Carniola, vnd den andern tail fr. Thomas de Gertzen, und ainen tail fr. Johannes Fries, vnd ainen tail fr. Hainricus Pittinger, vnd das liefs schreiben der gaistlich herr abbt, abbt Johanns Hoehen-stainer, der drit vnder der infell.

Item da man zalt 1452 jar in der vasten da macht man ain silberins kreutz zu sant V̊lrich, das hat v marck vnd viiij lot filbers, darein man das hailig kreutz hat getan. Item in dem selben jar liefs auch der kuster machen Mathias Sum-merman zway v̊bersilberte haupt zu dem hailtum vmb xii gul-den, darein tæt er sant Quiriaci haubt vnd in das ander sant Largianus haupt. Item darnach kaufet er auch ain iunck-frawpild v̊ber guldet vmb iiij gulden.

1453. Item anno domini 1453 zu ostern ward ich fr. Johannes (F) accollitus.

Item in eodem anno in quadragesima fuit fr. Hainricus de Carniola prior hujus monasterii incarceratus per quatuor-decim diebus, depositus de officio, et postea in pasca reinsti-tutus, per quid Deus scit et ego.

Anno domini da man zalt 1453 an dem carfreitag, da

ward Constantinopel gewunen von den Türcken, vnd
wurden als vil cristen ertöttet, das man in dem plut wutt.

1454. Item da man zalt 1454 ze ostern ward ich fr.
Johannes Franck subdiaconus, vnd ainer mit mir der statt kind
mit namen Mathias Vmbhoffer.

Item des selben iars henckt man zu sant Vlrich die
grossen glocken auff den turen bey der schul, vnd in dem
selbigen jar an sant Vlrichs abent da lault man sy zu dem
ersten, sy was vor bey füntzig iaren in der kapell gestortzt.
Vnd da man zalt 1455 an vnser Frawen tag annunciacionis,
der in der vasten was, zu der preim leuttet mans, da prach
in der glocken dye eysne schling oder hack, da an der klen-
kell hieng, vnd viel heraus.

Item da man zalt 1454 jar da ward gemacht die mon-
ftrantz zu dem sacrament, und in dem selbigen jar zu unfers
hern fronleichnams tag wurd sy des erften getragen mit dem
facrament, und hattz geschafft gen fant Vlrich der ersam man
Cunrat Fœgellin vor feinem tod, das filber geftund ij hundert
gulden, und das macherlon hundert gulden, sy machet ain
maister zu Landfperg.

Item da man zalt 1454 in dem gnadenreichen jar, da
erlanget man zu Rom die von sant Vlrich von pabft Nicolao
dem fünften, das man ynnerthalb der vier wend der kirchen
zu fant Vlrich dorst singen von fant Simprecht als von
ainem andern hailigen. Aber davor an seinem abent hielt
man im nur ain vigily als ainem andern totten, vnd an sei-
nem tag ain selampt. Item er hub an ze ton grossn zaichen.

Item da man zalt 1454 da ward gemacht von abbt Jo-
hansen durch sein gescheft vnd gepaut dye firmerey [7]) von
newem, ain stuben mit ainem ausgeschoffen kreütz fenster.
Item an der selben stat was gestanden ain stuben vnd ain kamer.
Item zu der gelingken hand da was ain alte holtz kamer, da
lief er machen ain stuben vnd iij kamern und ain gewelbte
kuchen, als mit gefchlagen estrich, vnd darunder was ain ge-

---

[7]) Infirmaria, Krankenstube.

gefæncknus, daraus liefs er machen ain kelerlin, das alles gar mit gutem vleifs.

Item da man zalt 1454, da liefs abbt Johanns ain müll machen zu Haustetten, die gestaind in auch bey iij' gulden, es was vor kaine da.

Item da man zalt 1454, da ward geweicht ain altar vnden in der kirchen zu sant Vlrich zu der gerechten hand vor sant Johannsen capellen, der wurd geweicht von dem erwirdigen bischoff vnd suffragany Adrimitano Aug. episcopo in der ere sant Peters apostel, sant Nicolai ep., Donati ep. vnd der hailigen iunckfrawen sant Barbara. Item in denselben altar setzt man der hailigen hailtum mit namen sancti Petri apostoli, Martini ep., Sebastiani mart., Barbare virg., Otilie virg. mit andern hailtum, das man darvor darinn hat gefunden. Item dedicacio altaris wurd gelegt ze eren an den næchsten suntag nach sant Michels tag.

Item an dem selbigen tag wurd auch darmit ain ander altar geweicht zu der gelinken hand in sant Bartholomeus capell in der ere der hailigen iij künig vnd Bartolomey apli., Panthaleonis mart. et decem milium martirum. Es wurden gesetzt in denselbigen altar der hailigen hailtum mit namen der heiligen drey küng, Erasmi mart., Ciriaci, Eustachy mart. Es wurd auch darinn gefunden der hailigen hailtum vnd wider darein gesetzt mit namen Bartholomey, Panthaleonis, Anastasii, Innocentum, Corbiniani, Ruperti, Georgy, Pancraty, Caffiani et Babile virg. Item der aller ersten ist die selbig capell geweicht worden in den iaren da man zælt tausent hundert vnd in dem lxxxvij iar. Item das gewelb ward gemacht da man zalt 1452 iar nach Christus gepurd, Johannes abbas parauit.

Item da man zalt 1454 an sant Seuerini tag, der an ainer mitwochen was, da fieng man an zu sant Vlrich die mettin alltag ze singen, das man vor nit hett gelon, wan man psalliert sy vor allweg ferialis diebus vnd auch vil ander tag, vnd man sang sy nur an hailgen tagen, als dye man feirat, vnd sunst ettliche fest. Das gepoten dye visitierer, ainer hiefs maister Hanns von Neurenburg, der visitieret für den abbt von

Werd, vnd abbt ... von Plapeiren. Item sy schuffen zu sant
Vlrich mer übels dan gutz mit irem visitieren, als vor all
visitirer hetten getan.

Item da man zalt 1454 an sant Bartholomeus abent da
ward auffgetan ain grab zu sant Vlrich hinder dem fronaltar
in sant Afra kor, vnd darin wurd gefunden der hailigen mar-
terin sant Digna leichnam in ainer truchen, dye was mit
helffenpain überzogen, vnd darbey lag ze zeügknus ain pleye
taffel, daran stond geschriben *Corpus sancte Digne mart.* Item
das haupt was nit in der truchen bey dem leichnam, aber es
stond herausnen bey der truchen auf ainer corporaltäschen,
vnd das mit ainem seidin tuch überdeckt. Item man nam das
erwirdigklichen vnd trug das in den segrer [1]. Item darbey
ward gefunden auch vil erwirdigs hailtum in zway pleyen
trüchlin, vnd bey dem was der ersam man Peter von Argen,
zu denselben zeiten purgermaister zu Augspurg, vnd auch
zu voran abbt Johans Hœhenstainer vnd ettlich couent brüder
zu ainer zeugknus.

Item da man zalt 1454 auch an dem selbigen tag da
ward auch ain grab auf geprochen, das unden in der kirchen
stond hinder sant Niclas altar, darin ward gefunden auch ain
ganzer leichnam, vnd darauf ain brieff, daran stond nichtz
geschriben. Item ward gefunden in ainem gantzen ausge-
hauen stainin grab, aber man west nit fürwar, wer der hailig
leichnam was. Item darbey waren auch dye vorgenanten
personen. Item da man zalt 1454, in demselben jar da setzt
man den selbigen leichnam wider in das selbig grab in ainer
pleyen truchen, vnd schrib den zedel darein vnd auch oben
auf den sarch *Corpus sancti Nigary episcopi.* Aber man
west es nicht für dye wahrhait, ob er es wär oder nit, be-
sunder man hätt es nur hören sagen von etlichen alten leüt-
ten, darumb schrib man es dubitatiue, wan er würt sunst
geeret an ainer andern stat, das ist herüber bey vnser frawen

---

[1] Sacrarium, Sakristei.

altar zu der gerechten seyten neben sant Simprechtz grab,
da stat auch ain ftainins pild in fciner er.

Item da man zalt 1454 jar an der næchsten mittwochen
nach des hailigen kreutz erhöhung, der da was an ainem
sampstag, da kam der erwirdig vnd gaistlich hailliger vater
Johannes Capiftranus gen Augfpurg in dye erwirdigen
stat vmb zwelffe ze mittem tag, vnd wurd im entgegen ge-
gangen mit grosser process vnd besunderlichen dye von seinem
orden, vnd ward des ersten eingefürt in das erwirdig gotz-
haus vnd munster, darin sant V̊lrich leytt der hayllig bischoff
vnd dye hailig künigin vnd martrerin sant Affra mit aller irer
gefchelfchaft, vnd auch ander vil bischoff vnd hailigen, der
on alle zal ist. Da ging im ausdermaffen ain gross volk
nach, das dye kirch fchier vol was vnd mit grossem gesang,
das die gaistlichen volbrachten. Da ward er des ersten ge-
fürt auf sant Afren kor für den fronaltar, der wol geziert
vnd besetzt ward mit vil wirdigem hailtum, davor er gar
andächtigklichen bettet mit gekertem angesicht zu dem sacra-
ment, vnd yederman erzaigt sich auf das andæchtigistes, vnd
dye brüder vnd herren des conuentz vnd ordens sant Bene-
dictz in demselbigen closter knyeten all auf der rechten sey-
ten des kors neben der hailigen martrerin sant Digna grab
gar andächtigklichen, als den gaistlichen leüten wol zimpt,
vnd dye münich seins ordens, das send dye parfusser, dye
knyeten an der andern seyten vnd sungen, vnd da sy nun
ausgesungen, da enpfingen in dye brüder zu sant V̊lrich.
Da knyet der hailig man nyder vnd umbfieng ye ain nach dem
andern, vnd gab in den kuss des frids an baidn wang gar die-
müttigklichen. Darnach fürt man in hinvmb in ̦sant V̊lrichs
kor, da sant V̊lrich leyt, vnd für den altar, da kniet er an-
dächtigklichen auch nider vnd bettet. dye weyl sungen dye
brüder von barfussen on vnderlass mit grosser andacht.
Darnach fürt man in durch die stat zu dem closter seins
ordens, da er herberg wolt haben. Vnd es waren im allweg
zwen des ratts mit vil knechten zugeschickt, wa er hin gieng,
dye im weg machten, das in das volck nit ze ser übertrung,

wan es volget im alweg on zal ain grofs volck nach.   Also
belieb er bis an den sechsten tag da mit seinen zwelf brû-
dern, dye mit im waren. Also macht man im ain grossen stul
auf wol geziert vnd vmbhenckt mit seydin vnd guldin tücher,
vnd ain altar auf den stul auch wol besetzt vnd geziert mit kos-
perlichem vnd wirdigem hailtum, vnd der stul stand auf dem
fronhoff vor des bischoffs haus auf der pfaltz. Darauf kam
er all tag frû da er da was des morgens vm sechse vnd
hielt mefs auf dem stul vor yederman, vnd darnach tätt er
ain schöne predig in latein, dye weret auf zwu stund oder
anderthalb, vnd darnach dye andern predig nach der ersten
tätt sein ausleger in deütsch dem volk, wye sy der vater hätt
prediget in latein. Vnd man machet schrancken auf dem
fronhoff auf da mitten durch den hoff, vnd an ainem ort
stunden dye mann vnd auf dem andern dye frawen, auch
waren schranken gemacht hinvmb an den heüssern, dye auf
dem hof stunden, darein niemant gieng dan dye kranken, vnd
allweg nach mittag vmb drew oder fiern ze vesper zeitt, so
kam dan der hailig man auf den hoff gegangen, da fand er
drew oder fier hundert menschen sitzen, dye all beschwert
waren mit grossen prechen vnd kranckhait, da gieng er von
ainem zu dem andern, vnd wer ain guten starcken glauben
hätt vnd dye gnad gotz, den macht er gesund, es wär wel-
cherley prechen es wär, plind gesechend, vnd lam gerecht,
vnd stummen reden, vnd ungehörend hörend, vnd bettrissen
auf sten vnd gen, vnd on zal vil grosser zaichen, dye mer
dan tausend oder vier tausent menschen sachen dye zaichen,
dye all wol zeügen send. Das tätt er all tag dye weil er
hye was, vnd alltag bey der predig bey im auf dem stul
stunden vil gelerter gaistlicher leüt, besunder hertzogs Ottens
sun, darnach der abbt von sant Vlrich mit seiner munich
sechs oder siben, der tumbropst, custer, zwen burgermaister
mit andern mächtigen burgern, vnd besunder mit des hailigen
vaters brûder vnd mit vil gelerten leütten, vnd gar grosses
volck. Item vnd an dem freitag da er hätt geprediget ze
mittag, da batt er dye von Augspurg, das sy im geben alln

kartenspil vnd spilpreter vnd schlitten, dye gemacht wären
darauf man ze vasnacht für, vnd anderlay spilzeüg im zu
ainer schanckung. Da wurd im des selben tags nach mittag
in aim halben tag pracht man kartenspil wol ain wagen vol,
vnd bey xiii hundert spilbreter, vnd sechzig oder sibenzig
schlitten, on das das im ander tag wurd, vnd on zal vil
wirffel. Vnd am suntag nach seiner letzsten predig fürt man
das alles auf den fronhof auf ainen hauffen wol drey oder
vier wegen fol, vnd verprant alles das auf ainem hauffen.
Vnd an dem mrentag frü hätt er mess auf dem stul, vnd alls-
bald nach der mess da gesegnet er das volck vnd raitt hin,
vnd da was ain grosses wainen und trauren von vil andäch-
tigen menschen vmb sein dannen scheiden. Item es was
auch bey seiner predig gar gross volk, vnd besunderlich an
feyrtagen, das mans mer dan ainsmals zelt vnd überschlug bey
zwaintzig tausent menschen, da dye ye auf ainmal bey der
predig waren. Item er saget auch von den grossen zaichen,
dye sant Bernhardin getan hätt vnd noch täglich tut, defs
maister er gewesen ist, er saget, dass sant Bernhardin hätt
acht vnd fünfzig totten erkicket vnd bey fünf hundert gese-
chen gemacht, dye plind geboren waren worden, on ander
all, der on zall vil waren plind, krum, stumen, toren, vnge-
horend, pettrisen vnd allerlay prechen, dye er gesund hätt
gemacht. Item er schied aus von Augspurg an sant Tecle
der hailigen iunckfrawen vnd martrerin tag, der an ainem
mäntag was. Item sein interpretator hyefs mit namen Fridericus
gar ain gelert man vnd darzu gar andächtig, er was auch
seines ordens ain doctor [8]).

──

[8]) Ueber des hl. Johaunes Capistranus Auftreten in Augsburg
berichtet ein anderer Zeitgenosse, Hektor Mielich, in seiner
Chronik zum Jahre 1454 Folgendes: „Anno domini 1454 an sant
Moritzen tag hat hie geprediget brüder Hans von Capistran barfüser
orden vnd sant Bernhardins orden iünger ainer, vnd tat 5 bredig
in latein auf dem fronhof, vnd das sagt dan ain doctor in teusch
nach im, vnd hett alweg mess for auf dem bredig stůl, und was
7 tag hie, vnd nach tisch tet er grose zaichen mit sant Bernhartins

Item anno domini M⁰. cccc. liv. an dem ersten suntag in dem advent, da communicirten dy iungen covent brüder zů sant Vlrich, vnd ainer des conventz sung das ampt, der hiefs mit namen her Hanns Klesatel, vnd als er ainem lay-bruder communiziert, da was im der finger feücht worden, vnd er zuckt im das sacrament wider aus dem mund an dem nassen finger, vnd das sacrament viel auf die erden, vnd man prach darnach das pflaster danen, vnd macht ain pret an dye stat.

1455. Item anno domini M⁰. cccc⁰. lv⁰. in vigilia pasce violata fuit ecclesia beate Virginis in summo a quodam layco et layca, et in die pasce ante matutinas reconciliata est. Item laycus fuit eiectus a ciuitate per vnum annum trans Vindicem, sed layca non est conprehensa, sed effugit⁹).

Item anno domini 1455 in der vasten da starb pabst Nycolaus der fünft, vnd er hätt bey acht oder neün ia ren geregiert. Item da ward erwelt Calixtus der dritt ze pabst.

Item zu ostern in dem selben iar ward dye tafel zu dem hailigen creüz auf den fron altar (gemacht), sy gestund bey cc hvndert gulden, vnd sy ist dinn in Flandern gemacht worden.

---

hailtumb. Man bracht von weytten her fil kranker vnd tauber leit vnd satz die auf den fronhof vnd warren zwo gassen mit krancken vbersetzt vnd glegt, vnd was so fil folcks an seiner bredig, das er selb sprach, er het nie mer folcks bey einander gesehen, dan hie vnd zu Bresla, vnd es wurden auch 15′. bretspil ferbrent vnd fil schliten vnd kartenspil an einen haufen gelegt auf den fronhof. Darbei bin ich Hecktor Mielich selbst gewesen."

⁹) Die Thatsache wirklicher Entweihung der Domkirche wird von Andern in Abrede gestellt. So schreibt Hektor Mielich, übrigens der Priesterschaft nicht geneigt, zum Jahre 1455: „Dess iars an dem ostertag am morgens, als vnser her erstan solt, ward ain geschray zu vnser frawen in der kirchen, vnd sprachen ire zwen pfafenknecht, es het ainer aine gehelst hinder dem niuen kor in der kirchen. Der weichbischof legt sich an vnd weichet die kirchen anderst, vnd ward vnser her erst vm 2 stund nach miter-nacht erhaben. Der ward hie gefangen, das er vnschuldig was vnd es nitt gethan hett, vnd hetten die pfafenknecht gelogen.

Item da man zalt 1455 den nächsten mäntag nach der creutzwochen, da gieng man mit dem creutz all pfarr gen sant Vlrich für den neüen pabst. An demselben tag da ward der gross fanen am ersten tragen. Item er gestvnd ze malen xiv gulden, vnd das tuch vnd dye francen gestunden xx gulden. Item in malet ain maler, der hiess maister Mang, der hett auch gemalt dye taffel auf sant Vlrichs altar daruor, da man zalt 1446, dye selbig tafel gestvnd xxiv gulden, sub Johanne Höhenstainer abbate.

Item da man zalt 1455 an sant Kylianus tag da nam der hochgeboren fürst hertzog Ludwig hertzog Heinrichs sun titulum pfaltzgraff peim Rein hertzog in obern vnd nidern Payren, das erwirdig gotzhaufs sant Vlrichs vnd sant Afren gelegen in Augfpurg genädigklichen vnder seinen schirem nam, vnd der schirem solt zehen iar besten, vnd er gab dess dem gotzhaufs ainen guten versigelten brieff, vnd fy im auch ainen verfigelten brieff mit irem des convents vnd auch des abbtes sigel, vnd dye beschirmung tætt er vmb kain gut, besunderlichen allain durch gotz willen, abbas Johannes Hœhenstainer.

Item da man zalt 1455 an dem montag nach sant Lorentzen tag, das was an sant Tiburcy tag, litera dominicalis E, da pran ain stat in Beham aus zu grund, dye hiefs mit namen Prix, vnd verprunen vil leut. Item man hett erst ain gloggen gegoffen, dye hett siben vnd sechzig zentner, dye ersprung ze aylf stucken von der hitz, es giengen fünf feuer mit ain ander in der stat auf.

Item da man zalt 1455 an ainem suntag nach sant Anthonis tag, der am freytag was, da hett des Granders tochterman hett ain knecht, der selb wolt lauffen an ainer stieg, vnd er trug ain blosses meffer in der hand vnd strauchet an der stieg, vnd stach sich selbs durch die gurgel, vnd starb auf der stund. Item das meffer was ain dorffner.

1456. Item da man zalt 1456 an sant Pauls kœrung abent, dess tag an ainem suntag was, da viel in sant Agnesen capellen ein altes hültzin crucifix herab, das oben auf ainem

palken stund, vnd ain convers bruder, der hiefs mit namen
Stephan, der prach den got von dem creutz vnd fand hinden
darin zehen grosse namhöfftigen stuck hailtums.

Item da man zalt 1456 an sant Agnesen achtet, da
ward gemacht ain vbersilberts prustpild zu sant Digna haupt,
das machet ainer ze Augfpurg, hiefs mit namen maister Vlrich,
derselb hett auch gemacht vnd gehauen des abbts Kissingers
grabstain vnd des abbts Heütters grabstain vnd auch des Vögelins
grabstain. Item das prustbild gestund den kuster acht gulden.

Item da man zalt 1456 an sant Kunigunden tag in der
vasten, der an ainer mitwochen was, vm zwölfe, da ward
Michel Rem ain purger von Augspurg erstochen von ainem
edelman, der hiefs mit namen Hans von Schomberg, vnd was
des selben mals der hertzogin diener zu Fridperg. Es
geschach zwischen den zwayen lechprugken, vnd der Rem
lebt nit lenger vntz biss man in her ein pracht in ain mül
vor sant Jacobs tor, da starb er on alle Gotz recht. Item
es geschach von alter feindtschaft wegen.

Item da man zalt 1456 am sampstag vor iudica in der
vasten, da setzt man sant Digna leichnam wider in das grab
hinder den fronaltar in ainem pleyin sarch, vnd das haupt
behielt man heraussen in der sacrastei, vnd satzt sunst vil
stuck hailtums mit sant Digna hin ein, vnd das hab ich Jo-
hannes Franck gesehen vnd bin dar bey gewessen, vnd das
geschach vnder pabst Calixto dem dritten vnd Petro cardinali
et episcopo Augustensis diocesis, was ainer von Schomberg,
vnd abbt Johannes Höhenstainer, der zu der selbigen zeitt
abbt was zu sant Vlrich, vnd bey diser geschicht was der
gantz convent vnd sunst vil erber purger vnd layen.

Item da man zalt 1456 in der fasten an sant Gerdrauten
tag, der an ainer mitwochen was, da viel ain armer holtz-
hacker hinder sant Margrethen in den Lech und ertrank, vnd
er schwam hin ab pifs zu dem stier pad, da fand man in vnd
hub in herauss.

Item da man zalt 1456 am freytag vor dem palmtag, da
ward gemacht der esel vnd der saluator darauf. Es schnaid

in ain maister zu Vlm, dem gab man zehen gulden, vnd ain maler vaffet in zu Augspurg, der hiefs mit namen maifter Jœrg, dem gab man vii gulden. Item der maler liefs den wagen auch darzu machen.

Item da man zalt 1456 an dem palm abent da kam gen Augspurg ain legat von dem pabst vnd prediget das creutz an dye Türcken, vnd gar vil numen das creutz an sich. Item der legat was ain prediger münich vnd ain ertzbischoff.

Anno domini M⁰. cccc⁰. 56 in vigilia pasce ego fr. Johannes Franck ordinatus sum in dyaconum.

Item da man zalt 1456 an sant Marx tag, da starb Johannes de Carniola vnd was fünf tag gelegen, vnd als man im dye haillikait gab, da was sein bruder Hainricus de Carniola der prior auch darbey, vod alsbald man seinen bruder versach, da leget sich der auch nider, vnd lag auch fünf tag vnd starb. Item sy hetten ainen prechen, sy waren auch zway zwilach, vnd sy hetten den orden des ersten gen sant Vlrich pracht.

Anno domini M⁰. cccc⁰. lvj in vigilia sancte trinitatis hora septima dominicae (?) in capitulo electus est fr. Mathias Summerman in priorem per abbatem totumque conuentum, isque fuit inutilis prior vt patuit.

Item da man zalt 1456 am freytag nach vnsers herren fronleichnamstag, da erhänckt sich ain fraw selbs dunlten an dem Lech in ainem haufs oberhalb des Schwals.

Item da man zalt 1456 an sant Petronellentag frů zwischen vieren vnd fünfen, da viel zu Werd der ain tail der mauren an vnser frawen kirchen gantz ernider, dye hett man erst des selbigen iars von newem auf gepauet.

Item da man zalt 1456 da macht man dye tafel auf den frümefs altar, dye gestund cccc. gulden, vnd macht sy maister Hans von Ketz.

Item da man zalt 1456 an sant Onoffrius tag vnd pey acht tagen darnach an ain ander, da sach man ain stern, den man nent in latein cometam, der hett ain schwantz in der leng ains menschen, vnd der selbig stern was nit lautter als ander stern, sunder man sach in als ain prinede fackel durch

ain glas. Item der stern erschin in der praitte als ains
menschen hand, vnd der schein oder schwantz was auch in der
varb als der stern. Item er hencket den schwantz gen mittem
tag, vnd doch ain wenig auf dye gelingken hand oder seytten.
Item da man zalt 1456, da kamen zwen menschen von
des türckischen kaiffers herr, dye waren etwan Kristen ge-
wesen, zů Huni ienifch [10]) dem gubernierer zu Vngern,
vnd gwarneten in vnd sagten, wie dy Dürgken hætten zu
samen gefchworen, sy wöllen all das leben verliessen, oder
sy wölten kriechifchen Weyffenpurg [11]) gewinen. Da schickt
Huni ienifch haimlich auf der Tunaw hinab 40 tausent fus-
gengel, vnd er ritt hinab mit taussent pferden, vnd kamen
haimlichen in dye stat, vnd an sant Maria Magdalena frů da
rantten dye Türcken dye stat an, vnd ain zeügk kam in dye
vorstat, vnd dye Kristen erschlugen den selben zeüg. Die
Türgken schicktend den andern zeüg, den geschach auch
also. Der dritt wurd auch nachend gantz erschlagen. Nun
mügt ir hören, was der gaistlich vater Johannes Capi-
stranus tät. Er stund ain hohen zinnen der statmaur, vnd
röcket das crucifix auf in dye höhe vnd schray laut mit
wainder stim vnd sprach: „O mein got, o Jhesu, wa send
dein alt barmhertzigkait, kum vns zu hilff, verzeüch es nit,
kum vnd erledig dye du mit deinem plut hast erlöst, kum
vnd saum nit, das dye nit sprechen, wa ist ir got.“ Item
der streitt weret vil stund, vnd dye Türgken flochend vnd
wurdend ir zwai taussend erschlagen. Es schrib Huni ienisch,
das ir so vil erschlagen wurden, das nyemant dye zal müg
gewissen. Er eylet in acht meyl nach, vnd dye Kristen waren
als begirig, das sy under wegen weder silber noch gold noch
speifs achtend vnd liessend alle ding liegend. Item man num
dem Türcken zwelff seiner grössten püchsen vnd gar vil gu-
tes zeugs, vnd sunst zway hundert gemainer püchsen, vnd
all sein pest edelman wurden im erschlagen in der raifs, vnd

---

[10]) Joh. Hunyad (Corvinus) der berühmte ungarische Held.
[11]) Belgrad, die ungarische Grenzfestung.

auch sein vicedum des lands, defs Got gelobt sey. Item da
schrib es Huni ienisch Künig Latislao seinem herren da es
geschach, vnd sturb darnach in kürtz.

Item da man zalt 1456 an sant Moritzen tag zogen hye
von Augspurg lxxxij aus an dye Türckcn, vnd darnach an
sant Francissen tag zochen mer ccc vnd 40 aus all fufsgengel
vnd woll geharnischt, aber dye stat verlegt sy nit besunder.
Man samnet in auf dem hohen weg, vnd auch ettlich zugen
auf ir aigen gelt, dies vermochten. Sy komen alweg vor gen
sant Vlrich, vnd nomen vrlaub. Item vnder den 40 vnd ccc
wasen x priester, münich von predigern vnd von parfusen
vnd laypriester, vnd ain laypruder von sant Vlrich vnd sunst
des abbts knechts woll fünf, all gekreützigt. Item dye von
Neurenberg schicktend xiij hundert man an dye Türgken all
gekreützigt, vnd vor weichennächten kamen sy all herwider
vnd hätten nichts geschaft, denn das sy hetten das gelt
verzert.

Item da man zalt 1456 an sant Seuerini tag, der was
an ainem sampstag, da starb der gaistlich vater Johannes
Capistranus in Vngern, vnd ligt in ainer stat haist Sulach.
Item darnach lecht über drey wuchen, da schlug der guber-
nator in Vngern, der da des Huni ienisch sun was, den gra-
fen von Cili den kopf ab an seiner herberg, vnd fieng künig
Latislaon seinen herren, der künig in Vngern vnd Beham was
vnd heitzog in Oesterreich. Er nöttet den künig, das er
den creützern must vrlaub geben; also schieden sy all von
danen, man mainet, das anderthalb hundert tausent creützigter
in Vngarn lagen. Item man mainet, das woll ij tausent men-
schen iu dem hör hungers vnd durstes sturben, gläbig
menschen.

Item des selben mals da starb der türkisch kayser, vnd
sein sun ward gewaltig an seiner stat, vnd zoch mit seinem
volk wider hindersich nein in dye Türckey, vnd verprant seins
aigens lands woll bey hundert meyl langk nach im alles das,
das da was.

Item da man zalt 1456 an sant Ciriaci tag, da weichet

man ain abbt gen T i e r h a u p t e n zů sant V̇lrich, der hiefs
mit namen Fridrich, vnd am xii tag darnach, das was an
sant Bernharts abent, da erstach in seiner münich ainer, der
hiefs Marcus. Er stach ain schwert durch in, das er an der
stat belib, vnd sprach kain wort me, sine causa quasi.

Item des selben iars malet man das rathaus, vnd machet
den gemaurten turen darauf vnd das schœn fensterweg dar
an berumb.

Item des selben iars was so ain kalter vnd naser sum-
mer, das von sant V̇lrichs tag biss auf sant Michels tag kaum
x tag waren, daran es nit regnet, vnd was darnach ain kalter
winter, das nachent all mülen in der stat verfruren.

Item des selben iars ward vnser Katholicon geschriben
von aim conuent průder, hiefs her Thoman.

Item des selben iars ward der keler gegraben vnd ge-
macht vnder dem summer refectori.

Item des selben iars ward ain histori gemacht vnd zů
samen colligirt von dieser stat, dye machet ain conuent průder
zů sant V̇lrich, hiefs mit namen S i g m u n d u s M e y s t e r l i n.

Item in dem selben iar ward der turen auf das ratthaus
gemacht vnd im andern iar darnach.

Item in demselben iar an sant Niclas abent geschach ain
erdpidem zů Naplos [12]) vnd in dem gantzen land, vnd darnach
da man zalt 1457 zwischen des achteden der heiligen drey
küng, da kam ain erdpidem vnd zerprach das gantz küngreich
zů Arrigani vnd des næchst dar uor was. Naplos was gantz
zerprochen von des ersten erdpidems wegen, vnd yetzund
das küngreich zů Arrogonia. Von den zwaien erdpidem zer-
fielen mer den sibentzig stett, kastel vnd schlœsser, ettliche
zerbrachen vnd ettliche versuncken vnd verschlicket sy das
erdtrich mit leüt vnd gůt, das man nit fůfstritt nach in fand,
vnd plaget sy got gar fast, also dafs ain grosser schrecken
in allem welschen land was, vnd man gieng überal mit den
kreützen, vnd im lvij iar da satzt pabst Calixtus auff in allen

---

[12]) Neapel

teuschen landen in ainer yedlichen stat, das man alweg den
ersten suntag in dem monat můſt mit dem kreutz gan, vnd
all pfar hye zů Augſpurg giengen in ain kirchen zusamen,
vnd man sung ain ampt got zů lob vnd frid der hailigen
cristenhait für dye Türcken.

Item da man zalt 1456, da satzt bischoff Peter hye zů
Augspurg auf, das man all wochen in ainer yedlichen kirchen
der pfarrer am sampstag ain proceſſion helt, vnd ain ampt
hett für dye Türcken, vnd allweg den ersten tag im monat
gingen all pfar mit dem kreütz als sunst in der creütz
wuchen. Vnd darnach in dem nächsten iar lvij da nams der
pabst ab und satzt als vor geschriben stat, vnd satzt darzů
auf, das man alle tag vmb zway nachmittag iij zaichen
leüttet in allen pfarren vnd clœstern, vnd wer iij *pater noster*
bettet, der hett c. tag antlaſs. Item wer mit dem creütz
gieng, der hett vi°. tag antlaſs.

Item da man zalt 1456 zů sant Michelstag, da aus
ſchloss man dy schůler, das ſy nymer zů vns in chor gien-
gen oder mit vns sungen, auch nam man dy proceſſion ab,
dy man täglichen mit den suffragy helt in sant Ůlrichs kor
nach der vesper vnd nach der laudes. Item darnach in
dem advent da beſchlůss man den hoff, das kain offne
strass mer dar durch ging als vor. Item pald darnach als
Hunigenisch sun dem graffen von Cily das haupt abschlůg,
darnach vieng der künig Latislaus den iungen Hunigenisch
vnd lieſs im das haupt auch abschlagen angesicht seiner
augen.

Item da man zalt 1456 zů weichen nächten da gab
margraff Hans seinem brůder margraffen Albrechten sein
land über, grund vnd poden, mit gůtem willen.

1457. Item da man zalt 1457 an sant Augusteins tag,
der was an ainem suntag, da viel ain wirttin ze tod, dye
hieſs Gugkenpüchlerin, dy viel oben in irem haus zů ainem
laden kœpflingen heraus an dye gaffen vnd ſprach kain
wort mer.

Item drey tag darvor viel sich ain zimmerman vnder dem Perlach zu tod an der ftat.

Item des selben summers pauet der abbt zů fant Vlrich sein predig haus von neuem auf vnd machts weitter denn vor, vnd mit aim getefel, das was vor auch nit gewesen.

Item anno domini M°. cccc°. lvij post festum sancti Ýdalrici per multas ebdomadas apparuit stella caudata, sed non fuit diffulgata sicut cometa preterita, eciam non fuit ita splendida et magna, sed bene eadem forma.

. Item in demselbigen iar an sant Gregorys tag ordinacionis im herpst, der was an ainem suntag prima dominica mensis, da was eclipsis lune zů nacht, vnd fieng an ain weyl vor xi ze mitternacht, vnd weret ain weyl nach aim nach mitternacht, tali modo.... *(Die Figur fehlt)*

Item des selben iars zů sant Michels tag am herpst fand man schœne wol schmeckete öpfelplů auf den paumen.

Item des selben iars an sant Clementen tag da starb künig Latislaus, er waz alt xix iar, vnd starb zu Prag in der ftat, vnd an sant Katherina tag ward er begraben, vnd im ward vergeben von seinem gubernator in Peham, der hiefs mit namen Gersis. Item er was künig Albrechts son, vnd sein můter was kayser Sigmunds tochter. Er was künig zu Pehem vnd in Vngern vnd hertzog in Österreich, dominus multarum provinciarum.

Item des selben iars vor Martini da starb margraff Albrechtz weib, dy was ain margraffin von Paden.

1458. Item anno domini 1458, da nam man dye proceffion ab, dye man vor all monat ainest hett getan all pfarrer vnd clöster in ain kirchen, vnd satzt darfür auf, das mans all quatember tätt vnd sunst all manet dahaim vmb gieng vnd ain ampt sung pro pace, als man in dem 56 iar hett getan.

Item in dem selben iar ward der Gersig [13]) küng in Beham in quadragesima.

---

[13]) Georg von Podiebrad, von 1458—1471 König von Böhmen.

7*

Item da man zalt 1458 am montag nach Letare, da resigniert dominus Johannes Höhenstainer dy aptey zů sant Ůlrich. Item der conuent der gab dy election dem cardinal vnd sunst zwayen, das was maister Johannes Kausch vnd doctor Hainrichen Lauren pfarrer zů Düllingen. Dy iij wölten ainen abht, doch so můst der cardinal dem conuent ain brieff geben vnder seinem insigel, das dye ellection in künftig zeit vnserm gotzhaus kain schaden solt oder möcht pringen, noch fürbafs kain hindernufs solt tůn in vnser wall. Item am suntag darnach vor Judica wölt man ain apt vnd setzt in auf den altar, vnd darnach am möntag da confirmiert man in, vnd am palm abend, da was annunciacionis Marie, da weichet man in, vnd am karfreytag da prediget er den paffion. Item der abbt hiefs herr Melchior vnd was von gepurd ainer von Stamhain, vnd was profefs zů Wiblingen, doch so was er vor wol xx iar profefs zů Mœlck.

Item in demselben iar vnd im nächsten darvor müntzet graff Ůlrich von Oettingen vnd machet so pöfs gelt, das man hindennach ain pfund Müncher vm ain gulden gab. Item man verpotz vnd man wolt nichs mehr darumb zů kauffen geben, vnd wurd von der müntz wegen ain sölliche teürung, das man gern hett 40 grofs vm ain schaff rogkens geben, hett mans nur gefunden zu kauffen, vnd dy böcken wölten kain hallerwert mer pachen.

Item da man zalt 1458 am donerstag vnd freytag in der osterwochen, da henckt man zů Wien el dieb dy ii tag, dy hett man auf ainem täber [14]) gefangen.

Item an demselben freytag prunen zů Zwicken mer dan hundert heüffer aus, dye stat ligt in Meichsen.

Item darnach an sant Marx tag fieng man hye an zů müntzen, vnd galt ain r. gulden xxij grofs.

Item darnach dominica Jubilate cantaui primicias.

---

[14]) Vielleicht eine Art Verschanzung oder Wagenburg. S. Scherzii Glossarium s. h. v., wo sich indess eine bestimmte Erklärung davon nicht findet.

Item an sant Tiburcius tag desselben iars, der was an aim freytag, da entran ain Rigler hye aus den eyssen, der lag vmb den hals gefangen.

Item da man zalt 1458 an sant V̊lrichs abent warff man hye ain newe müntz auff.

Item desselben mals gewun margraff Albrecht das stettlin vnd das schlos wider, das was ain grofs raub schlofs, vnd zerstœret sy paide nider biss auf den grund, das tätt er den reichstetten zů lieb. Zu derselben zeit waren mit im ym pund dye von Neurenberg, vnd von Winshaim, vnd dye von Rotenburg, vnd dye von Dinckelspühel, vnd der von Wirtenberg.

Item da uuan zalt 1458. da machet man vnsern turen hœher der zinen.

Item zu derselbigen zeit waren ym pund mit hertzogen Ludwigen hertzog Hainrichs sun dy von Vlm vnd dye von Nœrlingen vnd dye von Popfingen.

Item zů derselben zeit waren dye von Augfpurg im pund mit hertzogen Albrechten von München vnd mit seinen sünnen.

Item da man zalt 1458 nach Michahelis sagt hertzog Ludwig den von Werd ab, vnd am nächsten tag nach sant Lucas des ewangelisten tag da zoch er darfür, da gaben sy ims auf, das was an ainem dornstag. Item dy von Werd waren in puntnus mit den von Augspurg, vnd was ain grosser groll zwischen den hertzogen vnd den von Augspurg.

Item zů derselbigen zeit starb pabst Calixtus tercius, vnd ward erwelt pabst Pius.

Item desselben iars da mauret man dy tür zů zů sant Marie Magdalen, dy in sant V̊lrichs kor gat assumptionis, da wurden zeitliche gůt von der kusterei genomen. Got geb in allen noch ain pös iar, dy rat, tat oder hilf dar gaben an in paiden.

1459. Item da man zalt 1459 am suntag trinitatis, da hielt her V̊lrich von den willigen armütten mefs, darnach gieng er heim in sein haus, vnd man sach in darnach des

selben tags nymer bis an möntag frû, da stig man in sein
haus vnd wolt lûgen wie im wær, da fand man in in seim
gewand ligen auf der prugk in seiner stuben, vnd man hett
im den hals nachend halb abgeschnitten, vnd hett man im
ain stich in das hertz getan, vnd ain wunden in das haupt
gehauen, vnd hett im all sein clainet aus getragen, vnd man
weft nit, wer das mord hätt getaun. Vnd darnach da man
zalt 1467 ward ainer gefangen hie zû Augspurg, der wolt
den Straufs burgermaister ermirdt haben, derselbig veriach
auch das mordt, vnd was zû derselben zeit, als er das mordt
hätt getaun, des obgenanten priesters hauswirt, vnd man
setzet in auf ain rad, vnd er hätt vier mordt getan.

Item des selben iars am dornstag nach sant Bonifacius
tag zû nacht auf der trinckstuben, da erstach Cûnrad Vittel
Vlrichen Hangenor also, das er dennocht in der stuben
starb des selbigen nachts, doch beychtet er vor vnd enpfieng
das sacrament vor mit grosser andacht, aber er hett ain
schwert durch vnd durch in gestochen. Item der Cunrat
Vittel der das tätt, desselbigen brûder viel oben auf den
Hangenor vnd wolt in villeicht seinem brûder heben oder
sunst helfen, da hûb in sein prûder vnd stach in also in der
gech vnd zoren, das er disen treffen wölt, vnd schlûg sein
aigen brûder, das im das hiren aus gieng, vnd man füret in
herauf gen sant Vlrich in dy freyung. Also lag er biss an
den xii. tag vngeredt, vnd starb on peycht vnd on sacra-
ment, wann er kund nichts reden, vnd hett darzû gar wenig
vernunft. Aber sein brûder, der es hett getan, der entran.

Item des selben iars schlûg man Hans Feder das haupt
ab ainem des rats, hat man im vnrecht getaun, so reds
nyemands, wan man wils nit haben.

Item da man zalt 1459, da was ain tag zu Neurenberg
mit fürsten vnd reychstett, vnd sunderlich mit hertzog Lud-
wig von Werd wegen, vnd margraffen Albrechten von
Brandenburg ward dy sach befolchen des reychs halb, also
mûst hertzog Ludwig Werd dem reich wider geben, eo ers
ain iar gehapt hett. Item des selben mals hett margraff

Albrecht xviii tausent man nur ain meil von Neurenberg
ligen, dy weil er in der stat taget über hertzog Ludwigen
vnd den pfalzgraffen.

Item da man zalt 1459 an sant Katherina ze nacht pran
der kor zů sant Stepfan ab.

Item des selben iars nachend das gantz iar lag pabst
Pius zů Manta cum tota curia, darnach zoch er gen der
hohen Syn. [15])

1460. Item da man zalt 1460 am freitag vor Invocavit
starb hertzog Albrechts von München, den legt man auf den
hailigen perg gen Andex.

Item darnach an dem grön dornstag zoch hertzog Lud-
wig von Lantzhůt für Aychstet, da lag da vor piss an oster-
tag frů, da raitt der bischoff heraus vnd traff ain täding
mit im, aber warumb das geschach, da wär vil da von ze
schreiben. Item dye sag was, der hertzog hett xv tausent
man da vor. Er hett vil Beham zehilffen, dye zerprachen
vnd beraubten dye kirchen vnd numen da, was sy fanden.
Sy schutten auch das sacrament aus an dye erden, vnd numen
kelch, monstrantzen vnd glogen, vnd fürttens haim gen
Beham mit anderm gůt, das sy sunst numen.

Item da man zalt 1460 an sant Matheis zů nacht ward
hye ain beckenknecht erstochen auf der gassen, vnd man
fand in bey dem Hanold in der gassen ligen, vnd dye sel-
bigen nacht num man bey c. messer auf der gassen, dye zů
derselbigen zeit verpoten waren.

Item des selben iars in der vasten wurden dem apt von
Kempten hundert man erschlagen vnd ain ritter von den
Schweitzern, vnd sunst 40 wund, der auch ettlich starben.
Item der Schweitzer satzten den abt ab vnd machten ain
andern [16]).

---

[15]) Siena.

[16]) Jörg Beck, des Stiftes Kempten Kellner zu Legau, fiel, weil
er in einem Streithandel mit dem Able Gerwig sein Recht nirgends
finden konnte, mit 334 Schwyzern, die er zur Hilfe gerufen, in das
Kemptische Gebiet. Bei Buchenberg stiessen sie am 17. März 1460

Item darnach in der kreutzwochen des selben iars pran ain haus ab vnder den kœchen, das was der korherren, darinn verprunnen zway menschen.

Item auch des selben iars an sant Andreas abent zenachts vm viii pran das closter zu vnser frawen prüder gantz ab biss an dye kirchen [17]).

Item des selben iars müntzten gar vil herren yedlicher besunder, der kayser Fridrich', hertzog Ludwig von Lantzhût, dye hertzogen von München, hertzog von Newenmarckt, der bischoff von Salzpurg, der bischoff von Paffaw, graff Vlrich von Oettingen, all bœs müntz, sunderlich der kayser vnd hertzog Ludwig von Lantzhût vnd hertzog Hans von München, da man oft wol x pfund Münicher kam vmb ain reinischen gulden, vnd verderbten ir leut gar vast darmit, vnd zû Augspurg nam man ir nit ain haller, wan sy schlûgen selb gûte müntz.

Item in demselben iar an sant Vlrichs achtend, da leüttet man vnser grossen glogen wider, dye ward gemacht von aim der hyefs maister Hans, dem gab man xxx gulden für speis, lon vnd alle kostung. Er macht das gestiel darzû, darinn sy hangt.

Item da man zalt 1460 in oster feirtagen, da zoch hertzog Ludwig zû feld wider margraff Albrechten, vnd gewun im ain stetlin ab hiess mit namen Rott, vnd prent im ain stetlin aus hiess Windspach, vnd gewun im sunst iiij oder fünf schlœsser ab. Darnach legt er sich mit ainer wagenpurg in das feld bey Rott, vnd in vigilia ascensionis domini zoch margraff Albrecht zû feld vnd legt sich auch mit ainer wagenpurg gegen dem hertzogen als nachend, das sy geringklich mit allen püchsen schüssen mochten an ain

---

mit den Leuten des Abtes, 800 Mann unter Walther von Hoheneck, zusammen, von denen sie viele sammt ihrem Führer erschlugen, die übrigen in wilde Flucht trieben Von den Schweizern waren nur zwei geblieben. S. Haggenmüller, Gesch. von Kempten. I. 322 ff.

[17]) Das Kloster der Carmeliten zu St. Anna.

ander erraichen, vnd tätten grossen schaden an ain ander.
Item der margraff entpot dem hertzogen täglich streit zů,
aber dy Pairen mochten nit fechten. Es war bey dem hertzo-
gen der pfalzgraff vnd dy Beham, hertzog Ott vom Newen-
marckt, der bischoff von Wirzpurg, der bischoff von Bam-
berg, vnd in ritten auf sold zů aus der herren von München
land vnd aus hertzog Sigmund von der Etschland vnd aus
andern landen.

Item margraff Albrecht hett bey im hertzog Wilhalm von
Sachsen, den von Wirtenperg, den bischoff von Mentz, vnd
zů der selbigen zeit was in puntnuss bei im der bischoff von
Wirtzpurg vnd der von Papenberg, vnd sy wurden baid main-
ayd an im vnd hulfen dem hertzogen. Item des selben
kriegs wurd den von Wirttenberg ain graff von Kirchperg
erschlagen. Item dy zwen fürsten lagen da gen ain ander
bis sant Johannes tag des tauffers, da legten sich ander
fürsten in dy sach, vnd verrichtends sy mit ain ander, da
half der bischoff vnd cardinal fast zů, scil. Peter von
Schomperg bischoff zů Augspurg. Item zů hilf margraff
Albrechten zoch sein brůder margraff Fridrich aus der Marck
vnd hertzog Fridrich von Sachsen der alt mit xxvi tausent
mannen heraus biss in ain stat haist zum Hoff, da můsten
sy wider keren, wan in kam dy botschaft, der krieg wär
verricht. Sunst was dy gemain sag, dye zwen fürsten, scil.
der hertzog vnd der margraff hetten wider ain ander als
vil man, der hertzog bey xxx tausent mannen, vnd der
margraff bey xxij tausent mannen, doch so was der mar-
graff allweg an raissigem zeug stercker, wan er hett vil ritter-
schaft, so hett der hertzog vil Beham.

1461. Item da man zalt 1461 an der vnschuldigen
kindlins tag in der nacht zwischen aim vnd dreyen was
eclipsis lune gantz finster tali modo. . . .

Item da man zalt 1461 iar, zů den zeiten ward dem
hochgeporen fürsten vnd herren herren Albrechten margraffen
zu Prandenburg das rœmisch reich befolchen als aim ge-
waltigem fitzdum in disen landen. In dem jar verloff sich

ain zwiträchty zwischen kayser Fridrich, der rœmischer
kayser was, vnd seinem brůder hertzog Albrecht von Oester-
reich, also das er dem kayser absagt, dem hulf nun der
küng von Beham, scil. küng Jœrg, vnd hertzog Ludwig von
Pairen, vnd der. pfaltzgraff am Rein, vnd hertzog Ott vom
neuen marck, vnd hertzog Sigmund an der Etsch, vnd der
bischoff von Wirtzpurg, vnd der bifchoff von Babenberg, ye
ainer von des andern wegen, als sy den gen ain ander ver-
punden waren, vnd der krieg ward angefangen in aller der
mainung, das sy den kayser wolten vertreiben, vnd hertzog
Albrecht zoch für Wien vnd lag ain zeit darvor, vnd gewun
dürre růblen, er mocht nichts gefchaffen, wan er vermochts
sein nit an dem gůt. Also ward er pald mit dem kayser
verricht, aber der krieg belaib zwifchen dem kayser vnd
hertzog Ludwig vnd disen herren, wan der hertzog hett
dem kayser grosse vngehorsam erzaigt, auch hett er dem
reich grossen můttwillen erzaigt, als mit Dünckelspichel vnd
Nœrlingen vnd Schwæbischenwerd. Also sagt der kayser
dem hertzogen ab, vnd dye obgenanten herren hulfen all dem
hertzogen, vnd auch dar zů graff Ludwig von Oettingen.
Da schraib der kayser dem reich gar ernstlichen, vnd befalch
dye sach dem margraffen Albrechten von Prandenburg, der
fůrt im den krieg, darinn hulfen im baid graffen von Wirt-
tenperg graff Eberhart vnd graff N., vnd der margraff von
Paden, vnd graff Ůlrich von Oettingen, aber dy reichftet
wolten nit zůsagen, sunder sy numen ain zug biss Bartolo-
mei, biss auf sant Gilgen tag. Da zoch der margraff zů
feld vnd legt ain wagenpurg ain meil von Neurenberg mit
tausend vnd iiiij wegen, vnd gepuret yedlichem wagen
viiij man zů, vnd wurf da auf des reichs paner ain schwartzen
adler in aim gulden tůch, vnd wolt da warten ainer antwurt
von den stetten. Also lag er vi wochen vnd als vil tag
darzů, als dann ainem fürsten zů gepürt zů feld ze ligen,
vnd zoch darnach wider haim, wan dy reychstet verzugent
in mit dem zůsagen vnd numen in vil auszüg vnd red, das
triben sy als lang biss weichennächt hin, dass sy ymmer ain

tag nach dem andern numen, vnd der kayser schrib in ymmer
ain ermanung über die ander vnd bott in bey ächt vnd pan,
dannocht ward es ymmer verzogen, also dass der margraff
vnd dye fürsten gar vnwillig wurden. Wan dyweil der mar-
graff zů feld lag, rüstet sich der hertzog vnd zoch dem mar-
graffen in sein land, darzů hulfen im der pfalzgraff, dy zwen
bischoff von Würtzpurg vnd von Papenberg, der hertzog Ott,
dye detten dem margraffen gar gross schaden vnd gewunen
im gar vil schlœsser, stætlach vnd mærckt ab. Also zug der
bischoff von Maidburg herauf mit hertzog Wilhalms von
Sachsen volck dem margraffen ze hilf, wan hertzog Wilhelm
was dy selbigen zeit gem hailigen grab zogen, vnd der mar-
graff vnd der hertzog tetten vil schaden an ain ander an volck,
doch nur rupffens, wan der hertzog hett vil Beham bey im.

Item da man zalt 1461 am herbst zů des hailigen creutz,
da gewan der hertzog dye neuen stat an der Asch dem
margraffen ab, vnd also hin gen dem aduent zoch der hertzog
wider haim, dye zoch margraff Fridrich heraus aus der Markt
des margraffen brüder über den bischoff von Babenperg, vnd
kriegt in gar hart, vnd verderbt das bistum gar hart, also
dass sich der bischoff ergab vnd machet ain richtung daran,
davon lang zů schreiben wär. Dyeweil zoch der margraff
Albrecht über den bischoff von Wirtzpurg vnd tätt im auch
also, vnd prennet im sein land gar hart. Also ward ain tag
daran gemacht zwischen dem margraffen vnd dem bischoff
biss Geory. Also zug der margraff ye von aim zů dem an-
dern, was im der hertzog hett abgewunen, das gewun er
alles wider biss an dy neuen stat vnd Hohennek, dye gewun
er auch pald. Item an sant Katherina tag des selben iars da
gewan er dy neuen stat an der Afch wider, vnd fieng dem
hertzog all sein leut darinn, vnd fand gross gůt an parschaft,
das der hertzog darein hett gelegt zů versœlden. Also dar-
nach wolt hertzog Ludwig vom neuen marckt gen Neuren-
berg reitten, also kam im der margraff zwischen kugel vnd
zil, vnd num im ain kamer wagen vnd viel gůtz darauf vnd
gelt vnd silbergeschirr, vnd fieng im ettlich darzů, also dass

der hertzog wider hindersich müſt weichen, man meint er
wär sunst gefangen worden, darnach prennet er dem hertzo-
gen gar vil ab.

1462. Item da man zalt 1462 am freytag nach der
hailigen drey tag, daz was an sant Maurus tag, nam der
margraff Kaysheim ein das kloster mit gewalt, darüber was
der hertzog beschirmer, vnd der margraff lag da mit taussent
pferden iij tag, da kauften sy yn dann vm xv hundert gulden,
vnd also zoch er wider danen. Es was dy selben zeit so
kalt, das vil leut vnd füch erfruren. Dy zeit prant er dem
hertzogen ain marckt aus vnd ettliche dœrfer, vnd pschetzet
das frawen closter Pergen [18]). Also zugen all herren ain
weyl wider haim.

Item am sampstag vor sant Pauls bekœrungtag, das was
an sant Emerenciana tag, da sagten dy von Augspurg ab
dem hertzogen, dess geleichen ettlich ander stett, Vlm. Nœr-
lingen, Werd, Kaufpeüren, Eslingen, Gmind, Memmingen,
Kempten, Giengen, Rotenburg, Dinckelspichel, vnd am næch-
sten nach sant Pauls bekœrung tag da sagten dy von Fridperg
den von Augspurg ab. Des selben tags da schickten dy von
Augspurg aus iiij'. mann, dy verprannten Kreutt das schloſs
vnd ij dœrfer, das was der Nœrlinger, dy hulfen dy selbigen
zeit den hertzogen, vnd nummen das vich. In vigilia purifi-
cacionis Marie da nam man Pocksperg ein vnd nam das vich,
das was des ritters, der was auch des hertzogen diener.
Des nächsten tags nach sant Agnesen achtend da fiengen dy
von Werd xxiiij mann von Hœchstet güts geraissigs zeugs.
Item an dem tag daran man hye absaget, da namen dy von
Hœchstet sant Vlrich xii ross vnd iij wegen, vnd fiengen in
dy knecht, das ward pald an in gerochen. Des selben mal
beranten dy von Vlm Wasserpurg, das was der von Argan,
aber sy gewunen ain dreck.

Item am sampstag vor purificacionis Marie enpotten dy

---

[18]) Das Benediktinerinen-Kloster Bergen, zwischen Eichstätt
und Neuburg, Eichstätter Sprengels.

von Fridperg den von Augspurg, dass sy sich nit liessen plangen, sy wölltens bald auf wecken. Des selben nachts schickt dy stat gesellen hinaus, dy verpranten in ir zolhaus ab vnd wurffen dy lechprugk ab. Item in octaua sancte Agathe zenacht da verprennet Sigmund von Argen, der was des hertzogen diener, Geckingen vnd Ynningen. Item den nächsten tag nach sant Juliana tag da verprenten dy Pairen Hurlach vnd Meittingen an der strass, vnd des nächsten tags darnach verpranten sy Lanckwaid. Item in kathedra sancti Petri vm iij nach mitternacht pranten dy von Fridperg viij segmül vnd plaich ab, also das acht feur mit ain ander auf giengen. Da wurden ij von Fridperg erschossen, dy fund man erst über acht tag dauss in den engern ligen. Item des selben tags schickten dy von Augspurg taussent man gen Werd dem margraffen zehilf, der waren l. von Kaufpeiren, darunder waren hundert raissig ze ross. Des selben tags pranten dy von Rain Merdingen das dorf ab bey Werd, vnd wurden iij von Rain gefangen. Item am freitag nach sant Matheis tag pranten dy von Augspurg dem hertzogen ij dœr-fer ab vnd numen das vich. Des selben tags zenacht pran-ten dy von Fridperg Lechhausen ab, das was der korherren, dy waren dennocht nit ir feindt.

Item dominica in sexagesima zugen die von Laugingen mit vi hundert mannen gen Öttingen, das auf halben weg zwischen Augspurg vnd Vlm ligt [19]), vnd prantens aus, vnd dy kirchen mochten sy nit gwinen, vnd zugen mit schanden wider daruon, vnd kamen xx von Laugingen vmb vor der kirchen, vnd kainer von Öttingen. Item dominica scil. quin-quagesima ward Manhaim das stetlin gewunen von dem mar-graff Albrecht, vnd ettlich reichstet zeug waren derbey. Man-heim was hertzog Ludwigs. Item des selben mals gewunen der von Wirttenberg Haidenhaim das schloss vnd stetlin, das was auch hertzog Ludwigs, da waren dy von Vlm vnd dy von Memmingen bey ze hilff.

---

[19]) Jettingen, an der alten Strasse von Augsburg nach Ulm.

Item des selben tags kamen iij hundert Schweitzer gen
Augspurg, dy waren bestelt an sold. Item feria 6ta ante
Inuocauit da pranten dy von Fridperg Oberhausen ain tail ab.
Desselben tags zugen vi hundert fůsknecht vnd hundert rais-
sig von Augspurg aus in das Pairland, vnd pranten vij dœrfer
ab. Item des selben mals gewunn der margraff Graispach
das schloss vnd Welden das schloss, dy waren des hertzog
Ludwigs. Item dominica Reminiscere liess der abt von sant
Vlrich das schloss zů Finningen selbs ausprenen, das was des
closters aigen, propter caussas etc. Item darnach feria quarta
da verpranten dy Pairen ain dorf hiess Hirblingen, darin
haben wir v hœf. Item des selben mals legt sich der mar-
graff für Gundelfingen mit sampt dem von Wirttenberg vnd
andern ettlich reichsteten mit x oder xi tausent mannen, vnd
zerschussen es ze trümern vnd erschussen vil leut darin,
vnd an der mitwoch vor Letare was der raissig zeug nach
fůter ausgeritten, dy weil teten dy von Laugingen vnd Gun-
delfingen ains, vnd beranten dem margraffen dy wagenpurg,
vnd erstachen xviiij mann. Also setzten sich dy zů wer, vnd
dy Pairen fluchen, vnd wurden von Laugingen vnd Gundelfingen
lxxxx vnd hundert mann erstochen, dy all auf der walstat
beliben, also missriet in dy kunst. Item am aftermöntag nach
Letare zoch der von Wirtenberg vnd dy von Vlm dann von
Gundelfingen aus dem hör, wan sy hetten ain verdriessen als
lang da zeligen, sc. sy besorgten das noch lang nit zů ge-
winen, also wolts der margraff nit lassen stürmen, er forcht,
er precht das reich vnd sich vm ze vil volcks, wan sy hetten
ynnerhalb der maur gross tief greben gemacht. Also zog er
dan, vnd an der mitwoch nach Letare zertrennet sich das
hör ganz vnd gar. Item am montag nach Oculi hett man
dem margraffen von Augspurg mer iiij hundert man geschickt
für Gundelfingen minder vi man eyttel fůsknecht.

Item am dornstag vor Oculi hetten dy von Fridperg den
von Augspurg flosshœlzer genumen auf dem Lech, vnd prach-
tens biss an dy lechprugk, sy hetten ccl. man. Also schickt
dy stat ain zeug hinaus vnd nummen das holtz wider vnd

fiengen ain edelman ain Eyssenhofer vnd ain knecht, vnd er-
stachen ain. Desselben mals schrib margraff allen stetten, dy
im krüg waren, vnd müst im ydliche ain oder zwen treffenlich
aus dem ratt züschicken in das hör. Also schickt man von
hinnen den N. Radawer vnd Ludwigen Vögelin. Item am sun-
tag Oculi ze nacht vm zehne kamen dy von Fridperg, vnd
hetten das kloster zü sant Niclas gern abprent. Also wurden
sy abgetriben von den schilt wachtern, vnd da sy an dy walck-
mül kamen vor dem schwipogen, da wurd ir ainer erschossen,
der belib an der statt, vnd ainer ward geworfen, das sy in
tod haim fürten über ain ross. Item an der mitwochen nach
Oculi nam der graff von Dirstain den von Fridperg viii wegen
mit koren vnd mit eyssen, vnd fiengen ain purger von Frid-
perg mit nameu Gaulrapp. Item derselbig graff was am sold
bestelt gen Augspurg mit xxv pferden. Item am suntag Letare
liess der graff von Tierstain viij wegen mit leren fassen ver-
deckt mit plahen herab füren über das lechfeld, vnd er hett
an aim ort ain haldt mit hundert pferden, vnd an dem andern
mit tausent trabanten, darunder waren ccc Schweitzer all von
Augspurg. Also schickten dy von Fridperg als vil als iij hun-
dert man heraus, das sy dy wegen solten nemen, also waren
dy Schweitzer ze gech vnd paugketen auf, das dy von Frid-
perg wurden fliechen, dennocht wurden ir x erstochen vnd
vi gefangen, vnd nyemants von Augspurg geschach kain
schad, denn dem graffen ward ain ross derschossen.

Item am suntag Judica zoch hertzog Ludwig für Wer-
tingen, vnd dy gemain sag was, er hett bey vi tausent man-
nen Pairen, Pecham vnd brüder, vnd bey füntzig gross püch-
sen, vnd man gab ims auf. Aber in ward nit gehalten, als
in versprochen was worden, wan er prent den marckt aus,
vnd fieng all dy dy darin waren, vnd zuntten dy kürchen an
vnd verpranttens. Item dy gefangen wurden waren bey
füntzig von Augspurg, dy zoch man müter nacket aus, dy
luffen bey der nacht her an das tor, vnd hett ettlicher nichtzit
den ain tüch oder leilach vmb sich geschlagen.

Item darnach am after möntag kam margraff Albrecht

gen Augspurg, vnd pracht in ir volk wider, das sy im hetten
in das hör geschickt ob tausent mannen, vnd er pracht seins
volk auch mit vnd gar ain hüpschen raissigen zeüg bey fünf
hundert pferden. Item des selbigen nachts zoch er aus gen
Pairen mit zway hundert mannen raissig vnd ze fuss, vnd an
die lechprugk zu Lechaussen schickt man xv hundert man,
dy hielten dy weil dy prugk inn. Der margraff prant Effin-
gen das schloss aus vnd verprant sunst xi dœrfer und fieng
lxxxij bauren, vnd pracht bey tausent haupt vichs, vnd kamen
an der mitwoch zenacht wider. Item sy lœsten aus der peugk
xiii hundert gulden. Item des selben mals verprant der hertzog
dy zway Ketz bey Vlm vnd sunst ettlich dörfer, vnd tett
grossen schaden. Item des selben mals hett der hertzog gar
vil Beham vnd sunst volk, haissen dy brüder, vnd er zug gen
Vlm fur Naw das dorf vnd stürmets, also trib man in zwen
stürm ab vnd pracht im ob ij hundert man vmb, vnd bey xxx
von Naw kamen vmb, also zu dem dritten mal gewun er das
dorf vnd fieng dy pauren vnd prant das dorf aus. Item dy
paüren von Naw musten sich vm iij tausent gulden auslesen.

Item am palm abent waren ettlich dy treffenlichisten vom
thum heroben an des margraffen herberg in aim gesprech
bey dem margraffen. Nu war hye ain edelman am sold be-
stelt mit namen Endris Druckses, der hett ain heimliche feind-
schaft zu dem thumdechant herrn Lienhart dem Gessel, der
selbig Drucksess nam haimlich ain geselschaft an sich, sein
knecht vnd des graffen von Tierstein knecht vnd ettlich des
margraffen gesellen, vnd hatt sy, das sy im solten helfen ain peigk
gewinen, er hett gnug glimps vnd vrsach darzu. Also waren
sy willig vnd giengen ir bey füntzig hinab zerströt ye iij
oder iiij mit ainander, biss sy dundten ze hauffen kamen.
Also fielen sy dem thumdechant mit gewalt in sein haus, vnd
zerhetten vnd zerschlügen im alle schloss vnd druhen, vnd
numen was sy funden von silbergeschirr, gelt, gwand vnd
ander cleinat, dy man auch ain tail hinein hett geflechnet.
Also kam das geschray herauf zu dem margraffen vnd zu
den purgermaistern, vnd dy burgermaister numen dy Schweitzer

mit in hinab vnd giengen in das haus, vnd fiengen den Endris
Druckses vnd zwen seiner knecht mit im, vnd numen im
was er genumen hett, vnd dy andern gesellen bey xl entrunen
herauf in dy freiung vnd prachten auch vil gelts vnd clainet
mit in in das closter, das sy darnach wider müsten geben, doch
wurd sein vil verstollen.   Dy gesellen waren nachend xiiij tag
in der freyung, biss dass der margraff hin zoch, das man
ymer zu taidiget.   Item der Druckses lag gefangen biss in
dy wochen so man singt Cantate, da liess man in aus, er
verpürget bey tausent gulden widerzekeren dem dechant vnd
ander ding, wie er sich sunst verschrib darvon saget man
mir vnd auch andern leütten nit vil.   Item dy gesellen waren
sunst in vj heussern korhern vnd verwesser, aber sy funden
nichs.   Item das was ain sœliche vngehörte fresentliche sach,
das kain man desgleichen gedacht, vnd hett man nit des
margraffen geschaint, darumb dass etlich seiner diener
auch darpey waren gewesen, man hett dem Druckses vnd
noch ettlichen des selbigen abent dy haupt auf dem Perlach
abgeschlagen.

Item feria 4ta ante cenam domini fru kam der hertzog
mit ainer macht vnd prant ze Oberhausen vnd ze Pferse, also
liess sich der margraff mit aim zeug hinaus vnd gesach in,
aber er kam pald herwider, wan der hertzog was ze starck,
doch so prachten sy iiij gefangen mit in ze ross, dy hetten
sy an ainer halt gefangen.   Item des selben tags ze abent
kamen des von Wirtenberg bey iij hundert pferden.   Item
am ostertag fru vm iij nach mitternacht pranten dy von Frid-
perg ze Kissingen, vnd darnach bey vierzehen tagen all tag
ain wienig, biss sy es gar verpranten.   Item darnach am
dornstag ze mitternacht ritt der margraff hin mit taussent
pferden, vnd wolt graff Vlrich von Oettingen ze hilff kumen,
dem was der hertzog in das Riess zogen, aber er kam ze
spet, der graff was ains worden mit dem hertzog, doch so
söldet er den krieg dem kayser aus dennocht mit lx pferden
helffen vnd nit stercker.

Item des selben tags da weichet man ain neüen apt auf den hailigen perg zu sant Ůlrich.

Item am möntag post quasi modo gelobet hye alle pfaffhait zum thum vnd sant Moritzen mit allen iren vndertan, vnd der apt von sant Ůlrich nam den ayd von in.

Item an sant Ůlrichs kirchweich pranten dy von Augspurg dem hertzogen iij dœrfer ab, vnd darnach ze nacht numen dy Schweitzer auch ettlichs vich enhalb Fridperg.

Item feria 3ª post quasi modo fieng der margraff graf Ludwig von Oettingen, der half dem hertzogen, vnd fieng mit im xxx raissig ze ross.

Item feria 6ᵗᵃ post quasi modo luffen ettlich gesellen von Augspurg hinaus gen Pairen, vnd pranten ij müll an der Parr ab, vnd wurden ir zwen von Augspurg erstochen. Item an des hailigen creütz erfündung tag ze nacht zugen dy von Augspurg aus gen Pairen mit iiij tausent mannen, darunder waren ob iij hundert raissiger, vnd hetten lxxx wegen, vnd pranten viij dœrfer ab vmb Fridperg, vnd erstachen fünf pauren, vnd fiengen xviij pauren, vnd numen lx haupt vichs, und prachten sunst vil guts an korn, an möl, an pettgwand vnd anders hausgerett. Item dy weil sy in dem land waren, kamen dy von Rain vnd dy von Schrobenhausen vnd dy von Aychach gen Fridperg, vnd da dy von Augspurg herwider zugen, vnd liessen sich vor Fridperg auf dem Lechfeld sechen, da liessen sich dy von Fridperg heraus mit xij hundert mannen ze füs vnd ze ross, vnd schickten ettlich gesellen zesamen vnd liessends mit ainander abenteuren. Also wurd den von Fridperg ain edelman gefangen mit namen Ůlrich Teuffel von Pichel vnd ain raissigen gesellen, vnd ainer ward in erstochen, vnd sy schussen gar vast heraus, doch geschach nyemants von Augspurg kain schad, dan ain gesell ward ain wenig gestochen vnd ain kantengiesser fiel an ain mordaxt, das er auch wund ward. Item Johannes ante portam da schickt man dem margraffen gen Werd hundert pferd, so hett er vor auch hundert von Augspurg. Des selben nachts derstach ain aidgesell den andern.

Item des selben mals kamen dem hertzogen xxx man vmb bey Laugingen, das tät graff Vlrich von Öttingen vnd des von Wirttenberg gesellen. Item am freytag vnd am sampstag post misericordia domini pracht man zwen raub vichs herauf von Rain vnd Tierhaupten. Item in der wuchen Jubilate da numen dy von Fridperg zehen kü den von Augspurg bey Lechausen. Item dy selben wuchen schwembt mar- graff Albrecht bey Hœhsteten über dy Tünaw vnd num gar vil vichs, vnd ertruncken im zwen knaben vnd vj gesellen, dy wolten ain besundern furt sûchen, der margraff selbs was der dritt über das wasser.

Item in der wuchen Cantate zoch der hertzog für Werd hin mit vij hundert pferden, also schrib der margraff gen Augspurg, das sy zu in selbs lûgten. Der hertzog wœlt her- auf an dye strass, also am dornstag frû kam er für Augs- purg gar mit grosser macht in das feld bey Kriechshabern vnd tätt grossen schaden in dem traid, vnd num das vich in der Rosenaw vnd zu Geckingen alles woll bey ii tausent haupt. Also schickt man ain zeug hinaus, aber es was vmb- sunst, es ward ainer von Augspurg derschossen ain sœldner, vnd ward ainer gefangen, der viel mit seinem ross in dy Wertach, vnd dem hertzogen ward auch ainer erstochen vnd vii gefangen ze ross. Da kam er wider hin, vnd am nächsten tag darnach frû da kam er wider für dy stat, vnd hett als man schetzet auf taussent pferd vnd bey iiij hundert wegen vnd vil fussknecht. Also zugen dy von Augspurg hinaus gen im, aber das pairisch volk wolt nymer als nachend herzu, wan dy stat liess gût wagen vnd karrenpüchsen hinaus füren. Also zug er wider von dann, vnd darnach lecht über zwu stund liess er sich aber ainest sechen. Des selben tags nu- men dy Peham ettlichs vich an der Schmutter, also luffen xx gesellen von Augspurg aus haimlichen, vnd fiengen der Peham ij, vnd iagten in ob hundert küen ab.

Item darnach am sampstag prachten dy hiesigen gesellen lvij vnd hundert schaff vnd ij hundert kü, das was des vichs das der hertzog hett der statt genumen. Item sy hetten auch

8*

ettlich Peham erstochen. Item darnach am suntag *Vocem iocunditatis* hetten dy von Fridperg das vich in der aw doben für sich geschlagen, also schickt man hundert pferd vnd iiij' trabanten, dy erraichtends biss an iiij ross.

Item am möntag darnach ze nacht prannten dy Pairen Othmarshausen ab an der strass biss an zway heüsser. Item am sampstag post *Vocem iocunditatis* derstachen dy pairischen pauren iij pauren zû Lechausen vnd erheübens ze stucken. Item am aftermontag post ascensionis domini da erstach der graff von Tirstain vnd der bauch Ûtz iiij Peham bey Fridperg, vnd prachten ain wenig vichs mit in.

Item anno domini M⁰. cccc⁰. lxij in octava ascensionis domini stund dy sun den gantzen tag in zwayen zirkeln ad modum □

Item am freytag vor dem pfingstag in der nacht zugen hye ii hundert raissiger pferd aus vnd iiij hundert füsknecht Schweitzer vnd ander gesellen gegen Pairen, vnd numen lx haupt vichs, das losten dy von Fridperg wider von in vm xl gulden, vnd fiengen v pauren vnd erstachen x pauren, darunder waren iiij, dy die drey pauren von Lechausen hetten zerhauen. Des selbigen zugs wurden zwen Schweitzer wund, vnd der vogt von Gershoven was mit den von Augspurg aus zogen, vnd in der finster ward er von aim von Augspurg erschossen, wan er west der kreiden nit zu nennen [20]), also num er schaden. Item darnach am pfingstabend prachten dy von Augspurg hundert haupt vichs, das hetten sy den von Holtzhaim genumen in Pairen. Item des selbigen mals prant der hertzog vm Vlm fast, vnd tätt gar grossen schaden. Des selben mals waren dy herren vnd stett, dy im krieg waren von des kaysers wegen, zu Gmünd am Necker vnd hetten ain tag mit ainander, wie sy fürbas den kreüg wolten füren, vnd teten gross anschlag, da wurden düri rüben aus.

Item am freytag in der pfingstwochen kamen dye pauren vnden´bey Biberpach über den Lech vnd numen vil vichs, vnd

---

[20]) *Kreide* = Losung im Felde

fiengen ettlich pauren in der nacht. Also schickt man hye
ain zeug aus ze ross vnd ze füss, vnd ereylt in das alles ab,
das sy kam entrunen über den Lech. Des selben tags fien-
gen dy pauren dauss zwen, dy waren aus der brüder gesel-
schaft, vnd des nächsten tags darvor auch ainen, den prach-
ten sy her. Des selben mals wollt Hilpold von Knœringen
hye scharpf renen, da wolt ims dy stat nit vergünen, also in
dominica trinitatis hetten sy ain tantz hye, da enpot im ain
edelman von Fridperg, das er hinaus auf das Lechfeld kem,
so wölt er scharpf mit im rennen. Also zergieng der tantz,
vnd er nam ettlich gesellen zu im, vnd rant gen Fridperg
hinein biss an dy schrancken, vnd fodert den edelman heraus,
aber er wolt nit heraus, woll schoss man vast zu in, vnd
schussen aim pferd durch das maul, vnd dye von Augspurg
schussen ain füssknecht von Fridperg ze tod vnden an dem
perg. Item der Knöringer was söldner zu Augspurg.

Item in vigilia Corporis Christi nummen dy von Augspurg
das vich zů Pachen, dy waren nit offenlich feind, doch so
hetten sy vor den von den von Augspurg ainsmals oder mer
nachgeeylt, also gab man in das vich wider zu lesen durch
ain fraindliche tädung vm xx vnd hundert gulden. Item des
selbigen tags prachten dy hiessigen von Pairen herauf von
Münster xx vnd hundert kü vnd lx ross, vnd xvi pauren het-
ten sy gefangen.

Item in die s. Albani mart. ze nacht waren die Pairen
über Lech. Also schlůg man in iij hundert haubt vichs des
morgens hinaus zu dem galgen, vnd legt haimlich zu Ober-
hausen in das dorf iij hundert gesellen raissigs zeügs vnd
iij hundert Schweitzer vnd bey xx büchsen gross. Aber dy
Pairen wolten das vich nit holen. Des nächsten tags darnach,
scil. decem milium martyrum, kamen sy oben in der aw über
das vich, vnd fiengen zwen von Augspurg auf der wart.
Also wurden sy wider abgetriben, vnd ward aim edelman von
Fridperg aim von Abensperg ain ross auf der Lechprugk er-
schossen von aim von Augspurg.

Item an der mitwochen vor Johannes Baptiste machet der

margraff ain geren vor Laugingen mit fünfhundert pferden. Also
waren dy von Laugingen heraus nur vor der stat, vnd er
macht das geren hinein in dy gerten, vnd tät in grossen
schaden an volk, der zal mocht ich nit ynen werden.

Item am freyttag nach Johannes Baptiste frů am morgen
kam der hertzog für Augspurg mit gar grosser macht, vnd
num bey vij hundert haupt vichs klains vnd gross, doch so
waren es nur vast seü vnd schaff, vnd was nur vast aus-
wärdiger leüt vnd gar wenig der stat, vnd fiengen vij gesellen
aus der stat, ain tail auf der wart vnd ain tail sunst. Item
man fürt wagen vnd karrenpüchsen hinaus bey xvj, vnd schoss
zu in vnd tett in grossen schaden. Dar von sagten sy wenig,
den das man hernach vil todter ross fand in dem koren ligen.
Auch waren ettlich pauren mit holtz herein gefaren, den
wurfen sy dy scheitter ab den wegen, vnd lůden in tot leüt
auf, das sis můsten mit in hin füren. Man fieng auch ain
Peham von des hertzogen tail. Also zoch er wider hin, in
wurd dennocht woll ij halb hundert haupt vichs abgestroist,
das man wider gen Augspurg pracht.

Item in commemoracione sancti Pauli pranten dy von
Fridperg ain haus vnd ain stadel zu Haustetten ab, vnd num-
men ettlich vich, vnd fiengen ain raissigen von Augspurg.
Des selben tags waren bey xl gesellen von Augspurg reittend
vnd gend hinüber gen Pairen, vnd prachtend ain raub vichs,
ward aim fůssknecht x gulden an der peügk, vnd aim reit-
tenden ward xx gulden. Item des selben mals liess der
margraff dem hertzogen im Ries ain weiur abgraben. den hett
er vor ij iaren besetzt mit xxxij tausent stucken.

Item Petri et Pauli zoch margraff *(Carol)* von Paden vnd
graff Ůlrich von Wirttenberg vnd der bischoff von Mentz, der
was des margraffen von Paden brůder, aus mit ainer wagen-
purg dem pfaltzgraffen in sein land, vnd pranten vnd ver-
derbten im das land gar vast. Also schickten sy viij' pferd
gůts raissigs zeügs von der wagenpurg vnd *(zochen)* selbs
auch persönlich mit vnd pranten biss gen Haidelperg an dy
stat. Nu tätt der pfalzgraff nit des geleichen in der stat, aber

er hätt viiij hundert pferd din, so schicket im der bischoff
von Mentz iij hundert pferd auch haimlich, also das er
xii hundert pferd guts zeugs ze wegen pracht, vnd er
num als vil fûssvolck darzû, als er denn vermocht, vnd ains
nachts hinderzoch er dy drey herren mit irem raissigen
zeug, vnd kam zu fechten mit in vnd fieng sy all drey,
vnd raumpt in vij hundert settel, dy übrigen hundert kamen
ain tail vmb vnd ain tail entrunnen, vnd dy wagenpurg kam
auch darvon. Item der pfaltzgraff schrib dem hertzog Lud-
wig, er hett vnder dem zeug xx vnd hundert graffen, ritter
vnd knecht gefangen. Item dy obgenanten iij gefangen
herren waren auf des kaysers tail, vnd der pfaltzgraff
auf des hertzogen tail. Dye Niderlegung geschach des
nächsten tags nach Petri vnd Pauli, das was an ainer
mitwochen.

Item am nächsten tag nach V́dalrici numen dy von
Fridperg bey Lechausen den von Augspurg ij hundert schaff.

Item in octava apostolorum Petri et Pauli schickt man
dem margraffen von Augspurg gen Vlm ij hundert raissiger
pferd. Des selb mal gewan hertzog Ludwig Haidenhaim an
der Prentz wider, das hett im vor der von Wirttenberg ab-
gewunen. Item dy von Augspurg foderten dy paurschaft
von der strauss vnd aus der Reüschenaw wol bey viiij hun-
dert man, vnd gaben ain volk darzû. Also in die septem
fratrum schickten sy dem margraffen gen Vlm bey ij tausent
mannen, darunder waren iij' Schweitzer.

Item des selben mals legt sich der hertzog für Gengen,
vnd lag zwen tag darvor. Da grüsten in die von Gengen
als vnsauber mit schiessen, das er wider dan zoch.

Item in invencione s. V́dalrici in der nacht nummen dy
von Fridperg ettlich vich zu Geckingen vnd pranten
xvij first ab.

Item am möntag vor Marie Magdalene riten hy lx raissig
pferd aus, vnd zugen mit in iij' fûsknecht, vnd zerbrachen
den von Fridperg dy Lechprug wider, vnd fiengen ij von
Fridperg vnd numen in viij ross.

Item des selben tags was der margraff vnd ettlich stett
vor Haidenhaim an der Prentz gelegen, vnd si zugen dann,
wan sy besorgten, der hertzog wär in ze starck, sy hetten
nit ob vij tausent mannen, vnd wolten gen Gengen. Also
kam in der hertzog vnder wegen zwischen Gengen vnd
Haidenhaim mit grosser macht, man meint ob xx tausent
man, vnd stürmet in dy wagenpurg. Also triben sy in
zwen stürm ab. Also stürmet er auf alle ört vnd gewun in
dy wagenpurg ab, vnd kam ain flucht in der stett volk vnd
in ander herren wer denn da was, vnd verluren wegen,
püchsen, speiss, zerung vnd was denn da was. Also mûs-
ten sy pey Gengen über dy staig ab fliechen vnd fielen sich
vil leüt ze tod vnd ertruncken vil leüt im wasser, nit vil
wurden derschlagen, wan den Pairen was so gach auf das
gût, vnd der hertzog hett vor zsagkman gemacht, was yed-
licher ergriff, dass sein wer. Darumb eyllet man in nit vast
nach, vnd was raissig zeûg was auff der stett tail vnd der
margraffischen, dy kunden dy staig nit hinab reitten, dy
fielen von den rossen vnd liessens laffen vnd eylten ze fûss
in dy stat, vnd kamen kaum xii raissige pferd den von
Augspurg darvon, dy hetten dye schiltknaben vor hinein
gen Gengen pracht [21]). Item dy von Augspurg hetten ob
ij hundert raissiger pferd bey der selbigen niderlegung,
daraus wurden in zwen edelman gefangen, Hilpold von
Knöringen vnd Wilhalm von Wallenfels, sunst auch ettlich
fûsknecht nit vil, es waren aller vnd aller von Augspurg bey
taussent man, darvon da kamen bey xvi man vmb. So
hettens sy sunst aus der paurschaft von der strauss vnd aus
der Reuschenaw bey tausent mannen, darvon kamen ettlich
vmb nit vil. Item dy von Augspurg hetten darbey auch bey
ij hundert wägen, dy wurden all verloren, ettliche ross
prachten dy pauren darvon. Dy sag was, der hertzog hett

---

[21]) Es war diess Herzog Ludwig's des Reichen von Bayern-
Landshut berühmter Sieg über Albrecht Achilles und die Reichs-
städte bei Giengen am 19. Juli 1462.

bey xiij hundert ross darvon pracht vnd ob iiij hundert
raissige pferd, dy im ledig an der flucht wurden. Man
saget, das der margraffischen vnd Wirtenbergischen vnd der
von den steten aller vnd aller, dy erstochen wurden vnd
ertrunken vnd zů tod fillen, weren bey xl vnd hundert man.
Dye stet hetten bey tausent Schweitzer vnder irem volk.
Also da nu das volk gen Gengen kam, da zog der hertzog
hinach vnd legt sich für Gengen yetzvnd zu dem andern
mal, vnd schuss vast hinein, vnd lag iij tag darvor, vnd
zoch wider dann, wan er west nichts da zů gewünen. Dy
selbige niderlegung maint man das dem hertzogen alweg
zwen man an ain vnd kain gen den auf der stet tail, aber
er achtet sein nit, wan er hett vil Peham vnd ander bœses
volk, das schetzet er nit für leüt. Item darnach zog er
herauf für Augspurg.

Item an sant Maria Magdalena abent in der nacht pran-
ten dy gesellen von Augsburg zů Stetzling vij first ab.
Des selben abents waren lxx raissig pferd daus bey Frid-
perg vnd ettlich trabanten, vnd dy von Fridperg hielten auf
dem Lechfeld, vnd dy hiessigen wolten hinder sy sein
kumen, also verfelet in die kunst, vnd wurd in ain ross
erschossen, daran prachten sy zwen alt kessel vnd iiij rot
schüssel, vnd mainten sy hettends wol geschaft. Item des
nächsten tags darnach was Schilch Hans daus zů Pairen mit
xl gesellen, vnd pracht hundert kü vnd ob fünfzig ross vnd
xvij gefangen pauren, vnd sunst vij hetten sy erstochen.
Des selbigen mals zoch der hertzog wider von Gengen zů
dem andern mal.

Item an sant Jacobs tag der was an aim suntag
legt sich der hertzog vnderhalb Augspurg ze feld als nachent,
das man die zelt sach. Also am montag darnach zoch er
herauf vnd prant Gershofen ab vnd Gablingen vnd Ober-
hausen vnd Pfersen gar vnd Perga vnd Geckingen, vnd zů
Ynningen vnd Bobingen vnd Perckhain vnd ain dorf oberhalb
Perckhain, vnd dy iij heüsser ze Pfersa, ze Geckingen vnd
Wellenpurg prant er aus. Vor Geckingen ward im ain

püchsenmeister erschossen, vnd sunst auch ainer. Also gab
man ims auf, wan er hett wagenpüchsen vnd sunst gross
püchsen darvor, also num man dy gesellen darauf gefangen,
bey vii waren darauf. Radaw mocht er des selben tags nit
gwinen, vnd ward im vil leüt darvor erschossen. Also
schlüg er dye wagenpurg herab vnder Wellenpurg auf dy
eben zwischen des pergs vnd der Wertach, vnd liess vast in
Radaw schüssen. Des selbigen nachtes speiset man Radaw
von der stat in der nacht dennocht. Also am aftermöntag
nach mittag gab man Radaw auf, wan in was pulfers vnd
kugel zerrunen, also num man dennocht die gesellen ge-
fangen xxij vnd gab in täg, vnd das haus pranten sy auch
aus. Des selbigen nachts waren xx gesellen von Augspurg
daus bey der wagenpurg vnd fiengen iij Peham, ain edlen
vnd sunst ij, vnd numen fünf ross. Der hertzog fretzet gar
vil traids daselbs ab, er wolt auch hinauf an dy strass sein
zogen, also kauften dy pauren an der strauss frid. Also an
der mitwoch frü vor tag prach er auf vnd zoch wider hin
da er her was kumen. Item am herauf vnd am hinab ziehen
ward im etwa vil volks abgestraist von dem statvolk mit er-
schiessen, auch am möntag ward im ain raissiger gefangen.
Item man schätzet im sein raissigen zeug ob iij tausent
pferden, vnd allerlay volk sunst nütz vnd vnnütz ze ross vnd
ze füs bey xx tausent menschen vnd hüren vnd püben on
zal alles zu samen gezelt vnd gar vil wegen. Es gieng von
Pfersen bis hinauf gen Wellenburg ain wagen an dem
andern.

Item zu denselben zeitten waren gar vil fürsten gaist-
lich vnd weltlich zu Neurenberg vnd hetten ainen tag von
ainer richtung wegen.

Item an sant Peters abent ad vincula schickt der kaisser
ain doctor her, der num im des von Argen haus ein vnd
alles das, das er zu Augspurg het. Des selbigen tags kamen
vnser leüt her wider von Vlm, dy bey der niederlegung
waren gewesen.

IV.

Vertraulicher Briefwechsel des Cardinals Otto Truchsess von Waldburg, Bischofs von Augsburg, mit Albrecht V., Herzoge von Bayern.

1560 — 1569.

Mitgetheilt

von

Joseph Baader,

Vorstand des k. Archiv-Conservatoriums in Nürnberg.

Erste Abtheilung.

Vorbemerkung.

Einen beträchtlichen Theil der Correspondenz des Cardinals und Bischofs von Augsburg, Otto Truchsess von Waldburg, mit dem Herzoge Albrecht V. von Bayern, Briefe von 1568 — 73 enthaltend, hat der leider zu früh dahin geschiedene Bibliothekscriptor Dr. Friedrich Wimmer in meinen Beiträgen zur Geschichte des Bisthums Augsburg, Bd. 2, S. 1 — 134, Augsb. 1852, bekannt gemacht. Einer frühern Periode, den Jahren 1560 — 1569, gehört jener Briefwechsel zwischen den beiden unter den katholischen Fürsten der damaligen Zeit so hervorragenden Männern an, welchen aus den Originalien des k. allgemeinen Reichsarchivs zu München Hr. Archivs-Vorstand Baader nachfolgend, theils in wörtlichem Abdrucke, theils mit Weglassung des Unwesentlichen in Auszügen, der Oeffentlichkeit übergibt. Ueber die Lebensverhältnisse der beiden Correspondenten und ihre persönlichen Beziehungen zu einander hat bereits Dr. Wimmer in der Einleitung zu seinen Publicationen das Nöthige beigebracht; es erscheint nicht angemessen, hier zu wiederholen, was dort schon in treff-

licher Weise gesagt wurde; es genüge, darauf hingewiesen
zu haben. Beide Fürsten, Albrecht und Otto, hatten ge-
meinsam den Reichstag besucht, welcher im Februar des
Jahres 1559 zu Augsburg eröffnet worden war. Wenige
Monate nach Beendigung dieses Reichstages (18. Aug. 1559)
war Papst Paul IV. gestorben, und Otto, seit 1544 Cardinal,
reiste nun — im Ganzen das fünfte-, seitdem er Bischof
war, das viertemal — nach Rom, um in das Conclave zu
treten, aus welchem am 26. Dec. 1559 Pius IV. als neu
gewählter Papst hervorging. Wenige Tage darnach, den
30. Dec. 1559, schrieb er über diesen Vorgang den ersten
Brief an Herzog Albrecht nach München. Fast drei Jahre
lang verweilte nun Otto, vom neuen Papste mehr als von
Paul IV., der mit dem Haupte der Deutschen, König Ferdi-
nand, in höchst gespannten Verhältnissen gestanden, ge-
schätzt und durch Auszeichnungen beehrt, zu Rom, und
während dieser Zeit war sein brieflicher Verkehr mit Herzog
Albrecht äusserst lebhaft und innig.

Die Briefe Otto's aus jenen Jahren sind von höchstem
Interesse und für die Zeitgeschichte von grösster Wichtig-
keit. Sie entrollen ein lebhaftes Bild aller Vorkommnisse,
zeugen von der staunenswerthen Thätigkeit des Cardinals für
die katholische Kirche und das deutsche Vaterland, und be-
urkunden seinen Einfluss auf Papst, Kaiser und Fürsten.
Die Ansichten und Urtheile der Correspondenten, namentlich
Otto's, über religiöse und politische Zeitfragen veroffenbaren
ebenso warme Vaterlandsliebe, als sie einen Schatz politischer
Weisheit enthalten, wie sie auch durch die Erfahrung meistens
als die richtigen sich bewährten. Zu bedauern bleibt nur,
dass die Correspondenz mitunter lückenhaft ist, und nur so
wenige Antwortschreiben des Herzogs enthält.

Steichele.

1) 1559. 30. *Dec. Otto an Albrecht. Schreibt über die Wahl Pius IV., und knüpft daran seine Hoffnungen und Wünsche.*

1) Durchleuchtiger, hochgeborner Fürst, vnser freundlich dienst, vnd was wir liebs vermögen zuuoran, besonder lieber her geuatter vnd freund — Wiewol wir nit zweifeln E. L. seye von andern vorhin bericht worden, welcher massen gemaine der hl. Rom. kirchen Cardinäl, vnsere lieben hern vnd brueder, nach jüngstem tödlichen abgangk weiland Pabst Pauln des Vierdten löblicher vnd seliger gedechtnus, nach alter herprachter gewonhait alhie in Vaticano zusamen komen, zu berathschlagen, wen wir an hoch benants abgestorbenen Pabsts stat wider verordnen möchten, vnd das wir darinnen biss auf den hailigen Christtage beieinander verharret, vnd die volgende nacht darauf vmb aylff vhr, mit guetem zeitlichen vorgehabtem rath, auch aus onzweifelicher schickunge vnd eingebunge götlicher gnaden, den allerhochwirdigisten vnd hailigisten Vatter hern **Johannem Angelum von Medices**, gewesten Prister Cardinaln des titels Sanctae Priscae vnd Bischof zu Cassan, so aines ehrlichen christenlichen wandels, vnd hohen dapfern verstandts, auch fürtreflicher erfarung vnd vbunge in hailigen vnd weltlichen schriften, rechten, vnd handlungen, vnd seines alters vngeuerlich vmb lx jare ist, ainhelliglich zu ainem vorsteer vnd haupt disses hailigen Stuels alhie zu Rom, vnd algemainen Christenhait erwhelet, vnd volgenden tags gegen morgen nach gehaltenen scrutinio, mit gepuerlichen soleniteten vnd ceremonien, an gewonlichem ort vnd platz offenlich erclert, vnd Ire Hailigkeit sich darauf **Pium IIII.** genent haben, — So haben wir doch aus guetem freuntlichen willen, so wir zu E. L. jederzeit tragen, für guet angesehen, dieweil wir bej solcher whal vnd anderm biss so lange es obangeregter gestalt ordenlich volpracht, selb persönlich gewesen, vnd vns das alles wolgefallen lassen, Ewer Lieb ain solches hiemit auch zuuerkönden, der freunt-

lichen vnd gentzlichen zuuersicht, E. L. werden darob mit
vns ain hohes frolocken vnd freüdt haben, vnd dem Almech-
tigen mit vns dank sagen, auch inniglich pitten helffen, das
Er nach seiner götlichen almechtigkait höchstbemelten Er-
welten seine götliche gnad vnd segen verleihen wolle, damit
Ir hl. dissem hailigen Stuele vnd der Christenlichen kirchen
wol vnd nützlich vorsteen, vnd sonderlich Ire nach dersel-
ben angebornen naigunge vnd habenden hohem Christen-
lichen cyfer vnd begird zu disser zeit mit eusseristen fleiss
vnd vätterlicher sorgfeltigkait vor allen dingen allain ange-
legen sein lassen, wie Sy mit zuthuen der Röm. kay. Mt.
vnsers aller gnedigsten hern, auch E. L. vnd gemainer
Stende des hl. Reichs vnd anderer Christenlicher Potentaten
vnd hern alle laydige vnd hochschedliche eingerissne miss-
preuch vnd spaltungen in vnser hailigen waren Christenlichen
Religion vnd Glauben widerumb in ain guete ordnunge,
wesen vnd ainigkait zum vernünftigisten vnd Christenlichisten
richten, vnd dieselb vnser algemaine Christenliche Kirchen
vor so manigfaltigen widerwertigkaitten vnd anfechtungen
erhalten müge, darzu dan Iren hailigkaiten neben höchst-
bemelten vnsern lieben hern vnd bruedern den andern hern
Cardinäln wir zum fleissigsten vnd trewlichsten auch rathen,
vnd die one vndterlass erinderen helffen, vnd sonst an allem
dem, so vns vnsers tragenden ampts halben hierin ze than
zusteet vnd gepueret, gar nichts erwinden lassen wollen —
das mögen sich E. L. zu vns entlich versehen, vnd wir seind
E. L. zu angenemben freuntlichen gefallen, beuorab jetz vnd
alhie, in alwege gantz willig berait.

Datum Rom am xxxten tage des Monats Decembris,
Anno etc. im lix.

E. L. allzeitt dienstwilliger
Otho Cardinal zu Augspurg.

*Eigenhändiges Postscriptum des Cardinals zu obigem von
fremder Hand geschriebenem Briefe.*

E. L. verzej mir das ich ir nitt mitt aigner handt ge-
schriben, ich hab firwar nitt der weyl. Heutt vmb 21 vr hatt

ir Hayl. zu sich geforderet die Cardinal Tornon (?), Carpi,
Pacieco, Trient, Saraceno, Puteo, St. Clement, Traui, Mantua,
Alexandrino, Farnes, Safior (?), Ferrar, Guisa, Sauello,
Caraffa, Neapoli, Vitello vnd mich, vnd hatt die Kays. Mt. fir
ain Rom. Kayser ainhelliglich erkent [22]), vnd verordnung
thuen, ir Mt. bottschafft hinfür an sein statt vnd ort zue
zulassen. Gott hab lob.

Ich kan E. L. nitt gnueg schreiben wie ain fromen
Bapst wir vberkommen.

---

2) 1560. 20. *Jan. Rom. Otto an Albrecht.* Lobt Papst Pius IV.

2) P. P. Wann E. L. aigentlich wissen solt, wie an
gesundthaylt vnd andere zuefel es vmb mich gestanden, so
wirt si gwisslich ain treues mittleyden mitt mir haben, vnd
ich meins nitt schreibens mitt aigner handt bey derselben

---

[23]) Der eben verstorbene, glaubenseifrige Papst Paul IV. war
schon als Cardinal ein Feind des Kaisers Karl V. und seines
Bruders des Römischen Königs Ferdinand gewesen; diesen hatte er
auch im Verdacht als besondern Beförderer des Augsburger Reli-
gionsfriedens.   Als Ferdinand nach seiner Thronbesteigung als
Kaiser i. J. 1558 einen Botschafter nach Rom sandte, versagte
Paul demselben den Zutritt, weil Ferdinand nur durch den Tod,
und nicht durch die Abdankung des Kaisers Karl V. dessen Nach-
folger im Reiche werden könne.   Er anerkannte ihn desshalb auch
nicht, zumal derselbe auch von Churfürsten gewählt sei, die sich
von der Kirche getrennt hätten und später wohl gar einmal einen
protestantischen Römischen König wählen könnten.   Viel mag zu
dieser Abneigung des Papstes der Umstand beigetragen haben,
dass Ferdinand seinen ältesten Sohn Maximilian mitten unter Lu-
theranern erziehen liess und dieser grosse Hinneigung zur neuen
Lehre zeigte.   Es war desshalb des neugewählten Papstes Pius IV.
erstes und dringendstes Geschäft, den Kaiser anzuerkennen, ohne
des Erfordernisses zu gedenken, dass er vom Papst gekrönt werden
müsse, und die unter seinem Vorfahr in so unerquicklicher Weise
gestörten freundschaftlichen Beziehungen zu dem Kaiserhause zu
erneuern.

---

gnuegsam entschuldigt sein, hoff och, E. L. selle auss irer
angeborne giette gwisslich darfirhalten, das ich on ainichen
zweyffel derselben treuwer diener vnd freund an allen enden
vnd orten vnd zu allen zeytten sein vnd bleyben will, vnd
ain Gott in omnibus occasionibus souil ane meine ringen
vermügen vnd verstandt ist, solchs mitt dem erzaigen will.
Bitt also E. L. welle mich in guttem befolchen haben.

Ich kann E. L. nitt gnuegsam schreiben, wie vnser
neuw erwelter Bapst sich in allem seinen thuen vnd lassen
so gar wessenlich, angenem, fleyssig, giettig vnd aussrichtig
erzaigt, also das er yederman zufriden helt.

Ich bin och ongezweyffelter gwisser hoffnung, er werd
am Concilio, Reformation vnd allem was zu gemainer wol-
fart frid vnd ainigkaytt dient, nichts vnderlassen, vnd sein
befollen ampt treuwlich ausswarten, Gott verley im nur lang
leben.

Ir Hayl¹. erzaigt sich gegen mir vast wol, vnd hoff well
mer bey im als dem Neapoli ²⁴) trauen erhalten.

Er ist allen Teutschen wol gewogen, hatt och Teutsche
bluetzuerwante, deren yettzt ettlich hie sendt, 3 schwester
süne, Hannibal, Marx Sittich, vnd Gabriel von Emps, ain vetter
hayst och Marx Sittig vnd ain schwager von Rayttnau, ligen
in palatio papali, haben vil eerlich vom adel vnd haubtleut
bey inen. Man sagt, ir Hayl¹. well die 3 brieder bald ver-
schicken, den Marx Sittich an des Röm. Kaysers Mt., Hanni-
bal an des Kunigs auss Hispania vnd den Gabriel an des
Kunigs auss Franckreich hoff. Es send 3 fein kärle, all 3
haubtleutt, sendt wol gebutzt kommen, allain der jünger ist
mit gutten langen ploderhosen erschinen 3 tag, ee seine
brieder kommen.

Man wart täglich der Röm. Kays. Mt. Bottschafft, der-
gleichen anderer Catholischen Künig vnd Fürsten.

Wolt Gott E. L. kemen och ainmal in dises landt, ich

----

²⁴) Es ist hier der vorhergehende Papst Paul IV. gemeint, der
aus dem vornehmen Geschlechte der Caraffa zu Neapel stammte.

hoffe, sie solt von yederman vnd sonderlich hie zu Rom
wol enpfangen vnd gehalten werden.

Dissmals hab ich nichs neuwes, dann wir gutte auss-
richtung in Engellandt hoffen.

Thue mich hiemitt E. L., derselben frauw muetter vnd
gmahel gantz dienstlich vnd freuntlich befellen, sambt der von
Schwartzenberg. Datum zu Rom an Sant Sebastian tag 1560.

---

3) 1560. 1. *Febr. Rom. Otto an Albrecht. Berichtet,
er habe dem neuen Papste des Herzogs Gratulations-
Schreiben überreicht, rühmt des Papstes Auftreten, und
spricht den Herzog um Empfehlung bei ihm an.*

3) P. P. Bey nechster Post hab ich gegen E. L. mein
entschuldigung gethuen meins seltens vnd nitt aigner handt
schreibung; hoff wölls kunfftigen souuil immer müglich alls
widerumb herein bringen. Heutt morgens hab ich E. L.
schreiben von dato den 15. tag Januarii sambt ainem
schreiben vnd copi an die Bapst. Hayl[t.] wol empfangen
vnd fir war ain recht fred empfangen, das ich E. L. dienen
kan, deren ich allzeyt fräuntlich tzu dienen, in ainem vil
grössern mich schuldig erkenn vnd von gantzem treuwen
hertzen willig bin.

Habe noch heuttigen morgens nach dem Consistorio mich
zu ir Hayl[t.] verfuegt, vnd auff das best ir Hayl[t.] E. L.
beuelch münttlich nach lengs anzaigt, vnd nach vberantt-
wurtung E. L. schreibens die congratulation Ihr Hayl[t.] waal
verricht, vnd E. L. gutthertzige erbiettung sambt bricht der-
selben hochloblichen bestendigkaytt aussfierlich anzaigt.
Darauff ir Hayl[t.] ain sonder hochst wolgefallen vnd zuenaigung
zu E. L. erzaigt vnd sich auff das höchst gegen E. L. erbotten,
mir och verhayssen, derselben biss yettzt sambstag durch
ain breue zu beantwurten, vnd darneben beuollen, E. L.
zu schreiben, wie ir Hayl[t.] vorhabens seye, ir vetter ain, ir

Steichele, Archiv II.   9

Hayl¹· schwester Son, hern Marx von Emps, an der Röm.
Kays. Mt. hoff zu schicken, vnd zuuor zu E. L., derselben
ir Hayl¹· vatterlichen genaigten willen anzuzaigen.

Ich kan E. L. nitt gnuegsam schreiben, wie hoch ir
Hayl¹· E. L. genaigt vnd so gar ruemblich von derselben
gegen vile Cardinale gerett.

So helt ir Hayl¹· sich dermassen das yederman Gott zu
loben vnd zu danken.

Wann nur E. L. ettwas zu handlen vnd mir darumb ver-
trauwen, so solt si erfaren, das ich mich in allen fürfallenden
sachen mich wie ain geborner Truchses von Waltpurg in
allem was yeder zeytt müglich sein kan erweysen will, vnd
ainmal an mir an treuw fleiss vnd gutthertzigkeytt nichts er-
winden lassen will.

Souuil was yettzt neuwes verhanden, lass ich E. L. wis-
sen, das die Bapst. Hayl¹· ir angeborne giettigkaytt nach an
ir nichts manglen last, die zerritte hochschwerliche sachen
der Christanbaytt in gutte richtigkaytt zu bringen, den friden
zwischen den grossen heubtern zu erhalten vnd meren, die
Religion vnd Reformationsachen zu berattschlahen, vnd alles
das, was Bapst Paulus IIII mitt hitzigem zelo ettwan exaspe-
riert, des haylet die yettzige Bapst. Hayl¹· mitt seiner gietig-
kaytt. Er zaigt sich gegen allen in vnd ausslendischen ge-
nachbaurten vnd vnderthonen reychen vnd armen giettig,
fridlich, schidlich, beschaydlich, gerecht, mild vnd vatterlich,
ist gar arbayttsam vnd aussrichtig.

Ir Hayl¹· erwart der Kaysl. Spanischen vnd franzischer
Bottschafft, von inen ir herren gmietter zu erlernen, vnd
alsdan fürderlich das ir och darzuthuen mitt dem Concilio
och anderm.

Gester hatt ir Hayl¹· nach altem brauch irn Cardinals
huett des Herzogen von Florens sohn Don Johan de Medicis
mit aller Cardinäl bewilligung überschickt, vnd nebet im zwen
seine vetter Carolum Boromeum vnd N. Zerbellonium bayd
maylendischer herren geschlechter, zu Cardinal gemacht, vnd

inen bayd heutt in consistorio publico die hiett geben mitt aller gewonlichen solennitet.

Ir Hayl[t.] wird den ybertreffenlichen man den bischoff Stanislaum Hosium Episcopum Warmiensem Polonum Nuntium an der Röm. Kays. Mt. hoff schicken [25]), dergleichen wirt si die 3 von Emps, wie ich E. L. vor och geschriben, verschicken an die 3 hoff Kaysl. Mt. Spania vnd Franckreich.

Die Legation hin vnd wider in Statu ecclesiastico sagt man Ir Hayl[t.] werde Bononia vnd Romaigna ir zwen vetter geben, vnd der übrigen einkommen vnder die Cardinal gleich thaylen. M(ein) H(err) von Trient [26]) hatt sich entlich der legation von Romaigna versehen, aber vil mainen er mecht hinderlich gon. Ich stand och in hoffnung ainer klaine Legation oder zum wenigsten einer järlichen prouision, es gatt aber langsam, vnd muess dero ding mitt geduld gewart werden.

E. L. kindte mir wol ain gutte befurdernus thuen wan si ettwan sonst in andern iren sachen ir Hayl[t.] schriben, das si mich ir Hayl[t.] alls für sich selbs befellen vnd meldung thetten, wie ich E. L. och anderen Chur vnd Fürsten also ruemblich von ir Hayl[t.] election thuen vnd wesens geschriben etc. Item wieuil ich von wegen des Röm. stuels erlitten etc., das will ich vmb E. L. verdienen.

Hiemitt thue ich mich derselben befellen vnd bitt Gott, das er E. L. ir frauw muetter vnd gemahel vor allem übel beware, befilch och E. L. mein liebste bas die von Schwartzenberg.

Datum zu Rom am ersten tag Februarii.

---

[25]) Der hauptsächlichste Zweck dieser Sendung war, mit dem Kaiser wegen Fortsetzung des durch den Zug Morizens von Sachsen i. J. 1552 unterbrochenen Conciliums von Trient zu unterhandeln. Hosius war einer der ausgezeichnetsten Theologen und der grösste katholische Polemiker seiner Zeit, überdiess aber auch ein Mann von grosser Sittenreinheit und der Kirche mit ganzer Seele ergeben.

[26]) Cardinal Christoph Madruzz, Bischof von Trient 1539—67.

9 *

4) 1560. 3. *Febr. Rom. Otto an Albrecht. Schreibt über Besorgung eines neuen Sollicitators in Rom für den Herzog.*

Vns ist E. L. schreiben am dato haltend den zehenden nechstuerschinen monats Januarii alhie zukomen, das vns dan E. L. darin freuntlich ersuechen, das wir derselben an Ires abgestorbnen Sollicitators Buslidii stat ainen andern ehrlichen, geschickten vnd wolgewelten man alhie zu ainen Sollicitatorn vor vnserm verrucken wider bestellen wollen [17]), darauf wollen wir E. L. freuntlicher mainunge nit bergen, das disser zeit nit leuthe alhie vorhanden, so der Teutschen nation vnd des Reichs gelegenhait köndig, damit E. L. fürsehen vnd wir derselben darzu rathen könden, dan wir selb zu vnserm tragenden ampt der Protectur der Teutschen Nation [28]) alhie solcher leuthe ditzmals in mangel steen, wir wollen aber nach ainer qualificierten person fleissig nachfrag haben, vnd so wir die erfaren, alssdan mit dero E. L. halben vnd nach inhalt derselben schreiben handlunge pflegen vnd fürnemen, vnd solches alles E. L. alssdan zuwissen than.

Nachdem wir auch bedacht, obbemelter Protectur halben vermittelst götlicher gnaden noch ain guete weil alhie zuuerharren, vnd E. L. dan mitler weil, vnd ehe wir derselben ainen andern wesenlichen Sollicitatoren zuwegen pracht, sachen fürfallen werden, so deren Irer notturft nach alhie anzupringen vnd verhandlen zulassen gefellig, seind wir freuntlich erpütig, E. L. (so ferre Sy vns derhalben ver-

---

[17]) Seit Hieron. Buslidii Tod hatte der Herzog keinen bestellten Sollicitator am päpstlichen Hofe; er ersuchte daher in einem Briefe dd⁰. München 10. Jan. 1560 Otto, ihm einen solchen zu bestellen, weil sonst bei vorfallenden Sachen Verhinderungen eintreten könnten. Er sei gerne bereit, dem künftigen Sollicitator ein jährliches Dienstgeld, oder je nach Ansehen und Wichtigkeit der verrichteten Handlung gebührliche Verehrung zu geben.

[28]) Otto wurde von König Ferdinand am 9. Nov. 1557 zum Protektor Teutscher Nation am päpstlichen Stuhle ernannt.

trawn wollen) gantz guetwillig vnd vnsers pesten fleiss darin
zu dienen, das wir E. L. zu antwort freuntlicher wolmai-
nunge nit verhalten sollen. Datum Rom am dritten tage des
Monats Februarij, Anno Lx. *(Nur die Unterschrift eigen-
händig.)*

---

5) 1560. 5. *Febr. Rom.   Otto an Albrecht.   Berichtet
Neuigkeiten.*

Bey diser heuttigen ordinari post hab ich nitt wellen
vnderlassen, E. L. was dissmals neuws verhanden zuschicken,
vnd bitt si well mich entschuldigt haben, dann ich hab yettz-
mal niemantz, der solch ding transferieren kind, verhoff aber
mitt der zeytt ain zu bekommen.

Der Cardinal Paccieco ist heunt in der nacht gottselig-
lich verschiden, hatt ain kostlich haussrath an klayder, sil-
bergeschirr, tapezzerey vnd anderm verlassen, darzu och ob
den 60 : gold cronen, solls alls seinen vettern vnd den
diener vermacht haben. — Ist virwar ain theurer, glerter,
beredter, feiner man gewest, ett. 75 Jar alt, vnd hatt nach
zum Bapsthumb gestochen, ist aber herab gerentt worden,
Gott sey im gnedig.

Ich wolt gern wissen, ob E. L. mein jüngste schreiben
nach vnd nach vnd sonderlich das Breue der Bapst. Hayl.
zukomen were, ich hab seyd dem Conclaue her E. L. all
wochen geschriben. Datum in eyl am 5 tag Febr. 1560.

---

6) 1560. 10. *Febr.   Rom.   Otto an Albrecht.   Will
durch den Herzog Empfehlung seiner Person beim neuen
Papste erzielen.*

Ich verhoff, es seyen E. L. von mir nun mer ettlich
schreiben zuekomen, darauss zuuernemen was sich taglich
zutregt, hiemitt schick ich, was sich seydher zuetragen,

bitt E. L. welle mitt mir alls ainem bösen schreiber fir gutt nemen.

Weytter, wie ich E. L. zuuor och bricht, wirt her Marx Sittich von Emps auss befelch der Bapst. Hayl⁻ zu E. L. kommen, alssdann kinden E. L. mir vil fauores beweysen, wann si auss irer fürstlichen aingebornen giettigkaytt alls fir sich selbs mir nach fragten vnd in sonderhaytten, wie mich ir Hayl⁻ mitt Legation oder prouision vnderhielten, mitt stattlicher aussfierung, was widerwertigs ich von wegen des stuels zu Rom erlitten, wie treulich ich allzeytt der kirchen anhengig, mitt bitt, das ir Hayl⁻ mich stattlich wolle begaben mitt ainen stetten einkommen oder mitt ainer lega- tion in der kirchen landen, item das ir Hayl⁻ mich fir ander in sachen so sich der kaysl. Krönung halb, och von wegen des hayl. Reychs, zutragen mügen, fir andere brauche, mitt bester recommendation, so E. L. auss gnaden, damitt si mir vnd allen Truchsessen von Waltpurg genaigt, wol zuthuen wayst, dessen verhoffte ich gar vil zu geniessen vnd sonder- lich, wan E. L. solchs och ettwan herschribe. Ich sag solchs E. L. auss sondern vertrauwen, deren vilfeltig befür- derung ich offt erschiesslich genossen etc. Datum zu Rom am 10. tag Februarii 1560.

(Postscriptum.) In kan E. L. in vertrauwen och nitt verhalten, das hieher ain geschray kommen, wie die Kaysl. Mt. selle vorhabens sein, fir irer ordinari oratorn vnd bott- schafft alhie ain hungerischen bischoff brauchen wollen, welchs fil leutt befremdt, vnd vermainen, es were besser, ir Mt. schickte ain Teutschen vnd Reychsperson; on zweyffel wirt ir Mt. wol leutt haben, aber der Lazarus von Schwendi were meins erachtens erwünscht darzu. Er ist glert, beredt, ge- schickt, erfaren, vertraut vnd hatt gutte qualitet, die si hie wol schicken wurd.

---

7) 1560. 16. *Febr. Rom. Otto an Albrecht. Berichtet über die Ankunft der kaiserlichen Botschaft.*

P. P. Ditz vnser schreiben beschicht allain darumb, E. L. damit freuntlich zu berichten, das auf sambstag den zehenden gegenwertigs monats herr Scipio Graf zu Arch etc. Röm. Kays. Mt. etc. vnsers allergnedigisten herrn Potschaft, so Ire Mt. der Babstlichen Hayligknit zu congratuliren alhero geordnet, gegen abendt ankomen, vnd durch höchst bemelte Babstliche Ht. allernechst vor Rom, in weilend Babst Julii des Dritten lustgarten, so an ime selb herlich gepawet vnd sonst zierlich zugericht gewesen, verordnet worden, darin sy biss auf montag den zwölfften gemelts monats, biss so lange Ire Ht. in irem Palatio vnd nemblich an ainem lustigen ort, das Beluidere gnant, ain herlich gmach zurichten lassen, verbliben, auf welchen tage nach mittag Ire Ht. die von Embs sambt andern Irer Ht. Camerdienern vnd reuthern in iren gewondlichen scharlachen klaydungen hinaus geschickt, dessgleichen alle anwesende herrn Cardinäl auch gethan, vnd wolbemelte Potschaft gar herlich durch die stat einfueren vnd biss zum Beluidere beglaiten lassen, doch ist in solchem einritt ain treffenlicher grosser regen eingefallen, das sy alle zimblich nass worden.

Vnd haben Ire Ht. der Potschaft den Bischoff von Forly zu hofmaistern zugeordnet, so dieselb mit allen dingen statlich tractieren vnd fürsehen sollt.

So wirdt man morgen ain publicum Consistorium halten, in welchem wolbenante Potschaft von der kays. Mt. wegen mit preuchlichen solenniteten verhört werden solle.

Vnd erzaigt sich die Babstlich Ht. in summa durchaus vnd in allen handlungen also, das meniglich abzunemen, das sy zu der Kays. Mt. vnd allen Stenden des hl. Reichs ain sonder vätterliche guete naigunge tragen, Got wolle Ire Ht. vor vnfal behueten, das sy mit hilff derselben in gaistlichen vnd zeitlichen sachen guete ordnunge vnd ainigkait aufrichten.

Wir schicken E. L. auch hiemit Irer Ht. contrafectung, sampt ainer verzaichnus aller herrn Cardinal etc. Datum Rom, am xvi tage des monats Februarii, Anno Lx.

(Der Brief ist von fremder Hand.)

8) 1560. 17. *Febr. Rom. Otto an Albrecht. Bericht über die Audienz des kaiserlichen Orators.*

Heut hatt ir Hayl^{t.} Consistorium publicum gehalten gar soleniter, darin hatt Graff Scipio von Arch als kayserlicher Orator sein Credentz überanttwurt, welchs überlesen. Darnach hatt er ain schone gelerte latheinisch oration gehabt vnd so gar wol aussgesprochen, das des er bey mengem ain lob erlangt. Er hatt och in namen ir Kays. Mt. die gewonlich Obedientz vnd fuesskuss gethan. Ir Hayl^{t.} hatt im selbs doctissime respondiert, vnd sich gar hoch gegen der Kays. Mt. erbotten, wie och nach dem brauch des von Arch hoffgesint ir Hayl^{t.} den fuess kisst, do fragt mich ir Hayl^{t.} wer si all weren, vnd wie vnder andern ich den von Preysing anzaigt, er wer E. L. vnderthon, da sagt ir Hayl^{t.}: „Hetten wir vil solche Catholisch Fürsten, so wurd es bass ston," vnd sagt zu dem Cardinal von Ferrar, der stund ir Hayl^{t.} an der seytten: „Ir kindt nitt glauben, wie ain feins schreiben mir der von Bayr gethon etc." Darauff sagt ich, Ir Hayl^{t.} wurde bey E. L. nichs als guttz finden; sagt ir Hayl^{t.}: „Wollt Gott, er kem her, so wolten wir im vil eer erzaigen."

Ir Hayl^{t.} ist heütt nach dem Consistori in das Castellum Sti Angeli gezogen etc.

Datum zu Rom am 17 tag Febr. 1560.

9) 1560. 24. *Febr. Rom. Otto an Albrecht. Berichtet genauer über die erste Audienz des kaiserlichen Orators beim Papste und die Anstände vor derselben; beschwert sich über den Cardinal von Trient.*

P. P. Nachdem ich E. L. mehrmals geschrieben, hatt

sich nichts sonders schriftswirdig begeben, allain soll ich nitt
vnderlassen E. L. in vertrauwter gehaim anzuzaigen, das am
freytag zuuor, ee der Kaysl. Orator sein oration gehalten
hatt, die Bapst. Hayl[t.] begert, er soll ir die oration wie breuch-
lich schicken, domitt auff all artickl ir Hayl[t.] sich kindte mitt
anttwurt gefast machen, des hatt nun der Graff thuen. Alls
aber ir Haylt. in der oration befunden, das der Graff nitt
weytter befelch dan anstatt der Kaysl. Mt. Reuerentiam et
deuotionem S. S[t.] zu exhibieren, do hatt ir Hayl[t.] den graffen
zu ir beruefft vnd im giettlich anzaigt, die Oration standt nitt
recht, dann es solte nebent der reuerentia vnd deuotion och
das Wort *obedientiam* ston, vnd das sey bisher allweg von
den alten kaysern onwidersprechlich gebraucht worden, vnd
wann er der graff solch wort *obedientiam* heraust solte lassen,
so wurden solch das Consistori vnd all ander fir ain ver-
dächtlich neuwerung halten, vnd mechte der kays. Mt. zu
verweyss raichen, derhalb erman ine ir Hayl[t.] er welt das
wort *Obedientiam* allweg och hinzusettzen. Darauff der Graff
geantwurt, er hab in seiner instruction vnd sonst disen auss-
druckenlichen befelch, darauss kinde er nit schreytten, mit
bitt ir Hayl[t.] welle in darbey bleyben lassen. Die Bapst.
Hayl[t.] aber hatt nach lengs ausgefiert ir wolmainent gemiett
vnd liebe gegen der Kays. Mt., vnd das ir Hayl[t.] nitt von ir
selbs sonder och ir Mt. wegen nit anderst erleyden kinde,
das diess wort *Obedientiam* komm hinzue, dann es sey brauch-
lich vnd also lang herbracht, gebure ir Haylt. nitt solchs in
tantum praeiudicium Sedis apostolicae nachzusehen, so werdet
ir Mt. sich dardurch bey menigen verdechtlich machen etc., mitt
langer erzelung, was übels darauss fliessen mecht Der graff
hatt abermals sein erste anttwurt repetirt vnd sich entschul-
digt, also das ir Hayl[t.] ettwas bewegt, vnd hatt dem graffen
ausstruckenlich gesagt, wann er das wort *obedientia* nitt
brauchen will, so woll ir Haylt. in kain offenlich audientz
geben, sonder dem Consistorio wider abkinden lassen. Do
hatt der Graff die sach an mein herren von Trient vnd Car-
dinal Moron langen lassen, die haben nach vilfeltiger ernst-

licher aussfierung den Graffen, doch gar schwerlich, dohin
vermügt, das er bewilligt das wort *obedientia* auch zu brau-
chen, also ist morgens den sampstag am 17. Februarii das
Consistorium publicum mit aller gewonlichen solennitet ge-
halten worden, darin hat der graff wie von alter herkommen
sein credenz überantwurt, die oration cum additione obedien-
tiae gehalten, och darauff die Obedientiam actualiter gethon,
welchs der Apostolicus fiscalis publice wie breuchlich rogiert,
registrirt vnd auffgeschriben, requirendo praesentes prothonota-
rios et omnes notarios. — Nun lass ich E. L. wissen, das mich
ser auff den graffen (der sonst mir gar vertreulich) befrembdt,
das er die sach nitt sowol an mich als protektorn hatt langen
lassson, alls an die Cardinel Trient vnd Moron, dann er der
Graff hatt mir so bald er herkomen nach überantwurtung
seiner Credentz anzaigt, er hab sondern befelch, in allen fir-
fallenden sachen meins rahts zu pflegen, mitt mir all ding
was firfelt zu conferieren, des ist aber hierin nitt beschehen,
nitt wayss ich auss was vrsach, wol waiss ich, das ich vnd
mein namen vnd stammen so wol verdient vnd vertrawt sendt
bey der kays. Mt., dem haws Österreich vnd dem heyligen
Reych Teutscher Nation, alls kain Cardinal oder person in
Rom, ja och der von Trient, der mitt seinem auffgeblosen
gayst niemantz fir wittzig vnd trew acht alls sich selbs, vnd
womitt er mich wayst haimlich zuuerklaineren oder zuuer-
stossen, da feyrt er nitt wunderbarlich kluege weg zu sue-
chen, vnd darnebet offenlich gibt er mir die besten wort, die
er kan. Das schreib ich E. L. darumb, das ich mein sonder
vertrauwen vnd zueflucht zu derselben hab, mitt bitt, wo sis
anderst fir gutt ansehe, solche Trientisch ontrew, die er wi-
der mich meins thayls onuerschult gebraucht, an die kaysl.
Mt. vnsern allergnedigisten herrn langen zu lassen, vnd ir
Mt. zu ermanen, das si mich durch Trient nit lasse verklai-
neren vnd mir entlich souil ja wo nitt mer, als dem von
Trient, der nur den augen vnd dem glück dient, vertrauwe,
so soll ain Gott will die zeytt meines lebens ir Mt. an mir

nitt anderst dann wahrhaffte lebendige treuwe entlich vnd bestendeglich befinden.

Nachdem nun sich solch sachen verlassen, hatt mir der Cardinal Moron doch mitt wenig worten vnd in grosser gehaim von diesem zwitracht gesagt, aber die sach ist gar lauttmer worden, also das ich verursacht bin worden den Graffen darumb zu red zustellen, der hatt mir nuo wie oben gemelt, die sach nach lengs erzelt mitt dem weytter vermelden, der von Trient vnd Moron haben ihm gesagt, sie bayd, der Cardinal Pacieco vnd ich, och der spanisch orator Vargas werdten in entschuldigen vnd auff vns nemen, wo er im zuuil hett gethon, och ir Mt. ain missfallen mit der addition Obedientiae etc. Darauff ich im mitt kurtz geantwurt, ich befrembde mich nitt wenig, das ander leutt, die mich nie gehört oder darumb angesprochen, von mir yettzt erst vil entschuldigung etc. begerten; darueber hab ich im och gesagt, ich wisse vnd erkenne die kays. Mt. also Catholisch, das si sich der Obediens nitt beschemen werde, dann ain mall sey also herkommen, vnd von ir Mt. hochloblichisten vorfaren och beschehen etc.

Volgens am 21 tag diss hab ich den Graffen zu gast geladen, vnd alls ich nach essens mitt im in ain fenster gangen, hatt er ganz hittziglich mitt mir angefangen zu reden: wann die Bapst. Hayl'., die Cardinal Moron vnd Trient vor seim weg raysen im nitt clarlich vnd greyfflich ausfieren, das bey den alten Kaysern dise gewonhaytt gewest, ainem Bapst Obedientiam zu laysten, so well er ee er verreytt sich dermassen offentlich vor ir Hayl'., mir vnd ander Cardinalen auff das höchst beklagen; er sey vnderm schein ainer vertreulichkaytt verfiert ja verratten worden, vnd wann die kays. Mt. diser Obedientz ain missfallen haben wurd, so well er disen spott vnd betrug auff im nitt ligen lassen, vnd es sey nitt erbar gehandelt, das ain Bapst mit verlettzung andrer leutt merer begere dann gebreuchlich oder im zugehöre; er werde och solchs seiner vnd seins namens vnd stammes eer halb nitt nachsehen, sonder er wisse weg was namhafftez

dargegen zu handlen, das villeicht dem hiesigen stuell nitt zu
guettem raichen müg; er rede och solchs nitt, das er ye
Lutherisch gewest, aber kindt seins herren vnd sein eer nitt
also nachgeben, vnd sollt im leyb vnd leben darauff gen, vnd
er red solchs nitt yettzt nach essens, dann er hab nitt zue-
truncken, er welle morgen ubermorgen vnd so offt man will
wider reden, er habs och dem Moron vnd Trient anzaigt,
zeigs mir och an, domitt man ein clar bricht thue, das er
nit verfiert sey worden mit der addition des wortz Obedien-
tiae etc.; dann wiewol im schon was deshalb in Clementina
quod Imperator teneatur jurare fidelitatem etc. sey angezaigt
worden, noch dennoch sey er nitt zvfriden, so lang vnd biss
er lautter befindt, das andere Kayser och Obedientiam gethon.

Darauff hab ich im nitt on klain bekimmerns geantwurt:
ich sey hoch erfreuwt gewest, das Gott vns ain so fridliben-
den Bapst geben, welcher mitt der Kays. Mt. so gar woll
ainig vnd vertreulich; es sey och er der Graff vnd alle rechte
Christen vor Gott vnd der welt schuldig, zwischen diesen ge-
rechten frommen zwayen obristen heubter frid vnd einigkaytt
zu erhalten vnd zu meren; deshalb soll er sich wol bedencken,
vnd nitt etwan was sich hie och anderstwo vnderston, dar-
durch nit allain Rom vnd die kirch, sonder och die Kaysl. Mt.
vnd das gantz Reych ja die Christenhaytt in verderbnus iamer
vnd nott kommen mecht; er hab hie nitt vrsach gefunden,
die vertreulichaytt zwischen disen heubter zu schwechen, vnd
wan er sich brichten well lassen, so werde er befinden, das
zuuor nitt anderst von Catholischen Kayser das erstmal nach
irer election beschehen; es hab och Kayser Carolus gethon
vnd all Ir Mt. vorfaren, das findt man in vil biecher vnd
histori, besonder aber bey dem Aenea Syluio. Darauff der
graff gesagt: das sey im nitt gnueg, man miest im anderst
probieren, vnd die zwen Cardinel Trient und Moron haben in
machen auss der Instruction schreytten, vnd er sey auss dem
vertrauwen, so bisher zwischen der Kays. Mt. vnd der Bapst.
Haytt. gewest, betrogen worden, das sey im verletzlich vnd
kindt nitt also nachgeben, er hab och wegen sein eer zu

retten, die kein mensch gläut (sic); ich vnd menger werde es aber sehen vnd hören, vnd villeicht sey es also der will Gottes, das was durch ine in das werck müge gebracht werden, das sonst nitt beschehen, dann er well disen betrug der gantzen welt kundbar machen. Darauff im gut rundt gesagt: ich kindte nitt befinden, das er vrsach hab, die sach so hoch anzuziehen, ich bitte aber in, er welle über ain tag oder zwen wider zu mir komen, so will ich der sach bass nachfragen vnd in mein mainung och entdecken.

So bald der Graff hinweg kommen, hab ich mich bey ettlichen glerten erfaren leutten befragt das herkommen vnd den gebrauch dieser Obedientz, vnd hab befunden, das von onerdencklichen jaren her solchs bey den Erwelten Röm. Kaysern gebreulich, wie solchs in vilen biecher, historien, brieffen, vrkunden vnd oration hin vnd wider gefunden. Deren ettlich hab ich auff das papeyr verzaichen lassen, wie E. L. hiemitt ain copey finden wirt.

Dieweyl dan die sach also geschaffen, hab ich verfuegt, das dem Graffen solchs alles aussfierlich anzaigt worden ist, darob er wol zufriden, vnd hett meins erachtens diser disputation vnd zweyffels nitt bedurfft.

Solchs alles hab ich E. L. auss gutem vertrauwen anzaigen wellen, domitt wo ettwan daussen onriebig och onerfaren leutt wolten ettwan neuw disputation deshalb erwecken, domitt E. L. alls ain Catholischer Fürst wüste dem gemainen friden zu gutten rigel vnderstossen, dann sonst leychtlich mer onruebs auss dergleichen onnotturftigen grublen dann guttz entston mecht.

Was sonst news, wirt E. L. hieneben och befinden. Thue mich derselben hiemitt etc.

Datum zu Rom am 24. Febr. 1560.

(Postscriptum.) Ich kan E. L. mitt warhaytt schreiben, das die Bapst. Hayl^t der Kaysl. Mt. bottschafft nitt mer eer kendte erweisen dann si thuett, och gegen der Kays. Mt. nitt bass genaigt vnd wolgemaint sein kindt, vnd ist warlich der

Bottschafft nitt vrsach geben worden vil ding zu klagen vnd
in zweiffel settzen.

---

10) 1560. 2. *März. Rom. Otto an Albrecht. Schreibt*
wie der neue Papst gegen ihn, den Cardinal, gesinnt sei;
dann über verschiedene Tagesvorgänge.

P. P. Ich hab fir war mitt gar grossen freden Ewr.
lieb schreiben vom dato 10. Febr., so si mir mitt aigner
handt geschriben, empfangen, vnd bedanck mich derselben
fräuntlich zuenaigung, wills och ain Gott will vmb die selb
die zeytt meins lebens danckbarlich, souil in meim geringfie-
gen thuen vnd wesen ist, verdienen vnd beschulden
    Souil den zwitracht zwischen ir Haylt. vnd mich im
Conclaue antriff, lass ich E. L. wissen das nitt on, das ain
grosser missuerstandt zwischen vns entstanden, doch wayst
ir Haylt. selbs wol, das ich die schuld nitt gehabt, sonder
andere, die dardurch ir Haylt. an der wal gern gehindert hetten.
Aber do ich die boshaytt der anstiffter gemerkt, hab ich mich
mitt ir Haylt. ettlich tag vor der wall also verglichen vnd die
fürnemisten Cardinel hin vnd wider dermassen bricht, das
daraus ain fürnemist beförderung der wal darauss eruolgt,
derhalb Ir Haylt. ab mir gar wol zufriden, vnd och giettekaytt
ir natur nach gegen niemantz, wie hoch ir Haylt. belaydigt,
ainiche rachgirigkaytt gebraucht, also das ich mich dishalb
entlich kainer hindernus zu beforen. Aber ir Haylt. sennd
sonst langsam mitt ir begnädigung, so ist fir war das Bapst-
thumb zimlich erschöpfft, der sachen vil, vnd sollen wir all
ain klaine geduld mitt willen tragen, dann in kürtze kan ir
Haylt. sich erhollen auss täglich zufallenden gelegenhaytten
von allen ortern; Ir Haylt. halt mich von neuwen hoch ver-
tröst vnd gnedigist sich erbotten, mir würcklich zu helffen,
fiat voluntas domini. Ainmal soll ich mich gegen E. L. irs
gutten willens bedancken.

Das sich die leuff abermals so geferlich erzaigen, hab ich ain treuws billichs mittleyden mitt vnserm betriebten vatterlandt, vnd wer ye gutt, die gehorsame fridlibente stend thetten bass zusament, domitt si ainmal den onfridenlichen vnd onchristlichen Landtzuerderbner mitt billicher straff begegnen mechten [29]).

Ich wird bricht, wie E. L. auff 6. hujus ain ausschreiben gen Ingoltstatt gethon, will verhoffen, Gott soll zu nottwendiger gegenwer gnad geben.

Engellendische onbestandigkaytt ist nicht neuws, vnd sonderlich ist dieser yettziger kunigin nitt wol zu trauwen [30]).

Wass diessmals neuws hie ist, schick ich E. L. hiemitt, vnd lass si wissen, das Graf Scipio von Arch der Kays. Mt. Bottschafft von der Bäpstl. Haylt. aller dings wol bericht abgefertigt, och von ir Haylt. wegen mit ainer guldener kettln von 1000 Cronen vereert worden. Es ist ain gutter Graff, hatt sein zorn bald fallen lassen, nachdem er mitt souill schrifften vnd allegationibus überwisen worden. Heutt acht tag hab ich E. L. wass ich deshalb gehabt zugeschickt, yettzt schick bullam Othonis 4ti integram.

Es hett der Graff schier ain onnottigen lerman erweckt, vnd send schon ettlich onriebig Cardinel zugefaren, vnd hetten gern allerlay zugericht; aber ir Haylt. alls der fridliebend

---

[29]) Die Kunde von des Papsts und Kaisers Freundschaft und der bevorstehenden Berufung eines Conciliums hatte die protestantischen Fürsten und Stände allarmirt, und manche Vorschläge und Verabredungen behufs Abwendung der ihnen, wie sie meinten, darob drohenden Gefahr veranlasst. Vielleicht ist es diess, was Otto als Gefährlichkeit der Läufe bezeichnet, oder die Soldverträge unter den deutschen Fürsten und Adel für Frankreich, und ihre Verbindungen mit Anton von Navarra.

[30]) Hier deutet Otto wohl zunächst auf den abermaligen Abfall Englands von der Kirche und die feindselige Gesinnung der Königin Elisabeth hin, die im Jahre 1560 nicht einmal den Abt Hieronymus Martinengi, welchen der Papst des Conciliums wegen an sie abgesandt hatte, vor sich liess, und seine Ueberfahrt von Belgien nach England verhinderte.

haben die sachen an ortern einzogen etc. Etllich vermainten,
ir Haylt. sollt dise Obedientz nitt also fir gnuegsam annemen,
sonder soll ain Currier gen weg schicken vnd ain ander
Credentz vnd gwalt, darin das wort obedientia expresse stiend,
vnd mitt ir Mt. handt vnderschriben; aber ir Hayl. hattz nitt
fir gutt geacht.

Der von Warmien Episcopus Hosius wirt bald abgefertigt
als Nuntius Apostolicus ad Caes. M^{tem}., ist fir war ein tref-
fenlicher teurer man.

Der von Emps her Marx wirt och an der Rom. Kays. Mt.
hoff ziehen, vnd zuuor E. L. in ir Haylt. namen besuchen.

Der von Trient hatt hern Jörgen von Matrutsch von Wien
hereingefordert, den heuratt hie gar zu beschliessen. Volgens
soll die hochzeytt zu Emps beschehen, vnd auf den Mayen
soll brautt vnd breyttiger herkommen vnd von ir Haylt. ain
stattlich vnderhaltung bekommen.

So will der von Trient nach Österen och wider gen
Trient, vnd auff den herbst wider her. Er sagt, er well zu
dem heuratt gut der xx^{m.} c. *(Kronen)* och was hinzuethuen,
vnd seim vetter in disen landen ain herschafft kauffen. S. L.
hoffen noch stettigs ain gutte Legation zu erhalten, aber sonst
ist yederman der mainung, das ausserhalb der Cardinel Boro-
meo vnd Serbellonio, so man yett (sic) de S^{to} Georgio nen-
net, kaim kain Legation geben werde, anderst dann das er
aim ander Cardinal ain bestimbte pension iarlich daruon
rayche.

Mann will och dafir halten, das her Marx Sittech von
Emps mitt der zeytt Cardinal werden soll, vnd nebent im
praticiert der von Trient hefftig vmb sein vetter den Electo,
die zeytt wirt alle ding zu erkennen geben.

Der von Trient helt sich gar stattlich hie mitt allen dingen,
vnd schenckt an vil orten reulich auss, ain gutten namen zu
machen.

Man will sagen, es solle kunig Philip mitt seiner bottschafft
dem Vargas nitt wol zufriden sein, das er den ain zuuil ge-
hindert vnd den audern zuuil gefurdert hab in der wall. Es

ist noch auss Franckreych vnd Spania kain Pottschafft her-
kommen, aber zwen Currier die do kommen sendt, sagent
an, das die Bottschafften bayder Künig schon vnder wegen
seyend.

Alls der graff Scipio herkommen, hatt es angefangen
zu regnen vnd nie aufgehört biss den tag, am welchen er
wider verritten, yetizt ist wider gar schön wetter.

Der von Ferrar hatt in sambt dem von Trient, mich,
den von Thurn, die ordinari Kaysl. bottschaft vnd S. Marco
Antonio Columna an dem lesten Fassnachtag zu gast ge-
halten vnd gar wol erbotten.

Dieweyl der Cardinal von wegen seins bruders abgang
kain musick gehalten, hatt er doch nach disch ain jungen
knaben von x. oder xii jaren gehabt, der hatt ex improuiso,
warauff er in sacra scriptura gefragt, verwunderlich geschick-
lich geantwurt, also das der von Trient im uin fragstuck
der fasten halb gethon, welchs der bueb gar wol aussge-
fiert, derhalb der von Trient sein diener aim, Jorg Gissenson,
ain gt (sic) kettin, die 130. $\triangle$. *(Kronen)* werd ist, abgezo-
gen vnd dem buecben geschenckt vnd offenlich an hals ge-
henckt. Darnach sendt wir all sambt dem Cardinal von
Ferrar auff das fassnachtfest, so die Römer auff dem platz
Agoni (?) gehalten, in des Conseruators hauss gefaren, vnd
darin biss 3 stund in die nacht bliben, ist ain langweylig
fest gewest, vnd ist am haimziehen ain treffenlicher fciner
man, so Antoni Doria son einer, von wegen ettlicher
hittziger wort, die er wider die Römer gebraucht, erstochen
worden, vnd zwen seine brieder sambt allem iren gesindt
verwunt worden.

Was sonst vorhanden, wirt E. L. auss eingelegten
zeyttungen vernemen etc. Datum zu Rom am 2. Martii 1560.

---

11) 1560. 9. *März*. *Rom*. *Otto an Albrecht*.
Neuigkeiten.

P. P. Man sagt hie von den vorstehenden leuffen vnd kriegsgewerb, so hin vnd wider im Reych sein soll, gar vil, Gott der allmechtig welle alle die zum geliebten friden vnd gutter rueb schicken.

Mein Her von Trient hatt mir die tag gesagt, wie sein vetter der Electus von Trient vnd der Graff von Küngstain, so von des Reychs wegen in Franckreych gesant seyend, schon von Paris wider auffbrochen, vnd haben der Kaysl. Mt. die anttwurt zuegeschriben, vnd das si deshalb auff kunfftigen Reychstag och den verordneten aller irer ausrichtung relation werden thuen. Bitt E. L., souil sich geburt, deshalb mir mittzuthaylen [31]).

---

[31]) Diese Gesandtschaft wurde von dem Reichstage zu Augsburg i. J. 1559 auf Anregung des Kaisers Ferdinand abgesandt, um die von König Heinrich II. dem Reiche entrissenen Städte und Bisthümer in Elsass und Lothringen zurückzufordern. Am 26. December 1559 erschienen die Gesandten zu Blois vor König Franz II. Die Guisen, welche damals das Staatsruder in Frankreich leiteten, erkannten die Bisthümer als unzweifelhaftes Eigenthum des Reiches an, aber den Grund der Rückforderung wollten sie nicht einsehen, da die Bischöfe dem heiligen Reiche den Huldigungseid geleistet und allen Stücken wegen des Reichsschutzes genügt hätten. Wegen der entrissenen Städte lautete die Antwort der Guisen, diese Angelegenheit gehe alle Stände des Reiches an, und dessbalb wolle der König den ersten Reichstag, der gehalten werde, beschicken und allda die Sache verhandeln lassen. So spielten die Franzosen mit der deutschen Gutmüthigkeit; denn im Ernst dachten sie an keine Herausgabe weder der Städte noch der Bisthümer; sie wollten vor der Hand nur Zeit gewinnen.

Anfangs waren Otto und Herzog Christoph von Württemberg zu dieser Gesandtschaft ausersehen. Aber letzterem hinterbrachten die Neider Otto's, und namentlich ein französischer Cardinal Namens Johannes Belaius, dass er (Herzog Christoph) auf der Reise von Otto durch Gift aus dem Wege geschafft werden sollte. Die Unschuld Otto's stellte sich zwar bald darauf ganz klar heraus; aber statt nach Paris und Blois ging Otto nach Rom zur Papstwahl, wo

So wird E. L. onzweyſſel och vernomen haben, wie der gutt fromb S⁰. Jorg von Madruttz nach empfangen frölichen zeyttungen seines heurattz, alls er sich schon zum hereinziehen gericht hat, vnuersehen ding von Gott auss diser welt erfordert, Gott sey im gnedig vnd barmherzig. Es ist warlich ain laydlicher mittlaydlicher faal. Der Currier, so mitt disen zeyttungen am donnerstag vmb 22. vr kommen, hatt dem von Trient die sach nitt anzaigen darſſen, ist gestracks zum Cardinal Moron geritten vnd im die sach entdeckt, do ist der Moron gleich in ainem kotschy zu dem von Trient gefaren, vnd im all ding anzaigt, och getröst souil er kindt, aber der von Trient hatt gross hertzlayd vnd mer alls man gehoſſt empfangen, och so bald der Cardinal Moron hinweg kommen, hatt er sich dieselbig gantz nacht in sein camer eingesperrt vnd niemantz, ja och seins gesindtz kain einlassen wellen. Morgens bin ich gar frie kommen, vnd hab ir lieb och wie billich beklagt, hab aber wol gesehen, das er ain grossen schmertzen getragen, darumb ich im vil aussfierungen gethan, wie er mit geduld solle sich in den willen Gottes schicken etc. vnd handlen, ob die Bapst. Haylt. im zu gnaden her Fortunato von Matrottz, her Jorgen sel. Bruder, sein bass von Emps bewilligt hette, do hatt er sich vernemen lassen, er hab nit vil lust diss heurattz halb mer zu handlen.

So bald ich hinwegkommen, ist er in ain hauss vnd lustgarten dem Cardinal Sᵗᵃ Fior zugehörig, gefaren vnd hatt mir anzaigt, S. L. welle biss in 14 tag alldo bleiben, biss er des layds vergesse, vnd hatt mich gebetten, bey den Cardinelen abzustellen, domitt si nitt wie hie breuchlich in

---

er zur Erhebung Pius IV. auf den päbstlichen Stuhl durch sein Ansehen wesentlich beitrug.

Otto nennt hier einen Grafen von Königstein als deutschen Abgesandten, während von den Geschichtsschreibern ein Graf Stollberg als Gesandter neben dem Bischof von Trident aufgeführt wird.

10*

noch der zeytt visitieren wellen. S. L. will das holtzwasser
dise 14 tag nemen.

Ich bin volgens zu den von Emps in das Palatium ge-
faren, hab si och geklagt vnd gebetten, si wellen bey Bapst.
haylt. befurderen, domitt ir schwester dem S°. Fortunato von
Madrutz werden müge etc. Darauff mir herr Hannibal ge-
antwurt, er wiss warlich nitt, was ir Haylt. deshalb noch
firnemen werd, her Marx Sittich aber sagt, man wirt hinfir
nitt so eylen wie vor beschehen, man wirtz bass bedencken,
also das ich nitt wayss wass daraus werden wirt.

Am afftermontag hatt die Inquisition der Bapst. Haylt.
relation thuen in causa accusationis Moroni, den hatt ir Haylt.
onschuldig vnd onbefleckt ab omni heresi befunden, vnd des-
halb ine an mittwoch frey, libere vnnd solenniter absoluiert,
wie dann solch absolution bald in truck aussgen wirt vnd
allenthalb verkündt [32]).

Am selben mittwoch hatt des alten Gropper bruder,
welcher hie Auditor Rotae worden, nach altem brauch sein
publicam disputationem in St. Eustachii kirchen in presentia
26 Cardinälen, viler bischoff, aller auditor vnd doctorn, mitt
grossen eeren gethuen vnd vns allen eer anthuen.

Gester ist Bapst. Haylt. gen Sant Peter gangen vnd aldo
den ablas, so all Freytag im Mertzen ist, andechtiglich ver-
dient. Heutt hatt ir Haylt. Consistorium publicum gehalten,
vnd darin hatt des kunigs von Polen Pottschafft sein Obedientz
nomine Regis mitt ainer schöner Oration gethon.

Was weytter hie neuws, findt E. L. in disem eingelegten
zettel. Hiemitt thue etc. Datum zu Rom am 9. tag
Martii 1560.

---

[32]) Pabst Paul IV. hatte nämlich in seinem Glaubenseifer selbst
einige ausgezeichnete Männer, wie den Cardinal Joh. Morone und
den Bischof Thomas Sanfelicius, wegen Verdachts der Haeresie ge-
fangen setzen lassen. Sein Nachfolger Pius IV. aber liess ihre
Sache durch die Inquisition untersuchen, und diese erklärte die
verdienten Männer für unschuldig.

---

12) 1560. 16. *März.* Rom. *Otto an Albrecht.* Schreibt über des Papstes Benehmen gegen ihn, beklagt sich über den Cardinal von Trient, und wie sehr er von der Besorgung von Reichsangelegenheiten ausgeschlossen werde.

P. P. E. L. schreiben von dato des 24. Febr. hab ich gantz wol vnd mit sondern freden vnd dancsagung empfangen, vnd fir war ich kan vmb E. L. nitt verdienen noch beschulden, das sie so sich in allem gegen mir vnd den meinigen in lieb vnd layd so beharlich mitt fräuntlichen gnedigen willen erwcysen, vnd sich och bemuehen, mir mit aigner hand zu schreiben.

Bedanck mich och, das E. L. auff ansuechen meinen rälhen so gnediglich erschinen mitt bewilligung ire hinderlassene gietter in fal der nott zu Ingoldtstatt einzunemen. Womitt ich nur wüste vnd kindte solchs vmb E. L. verdienen, were ich schuldig vnd willig [83].

---

[83] In verschiedenen Ländern Deutschlands fanden damals allerlei Kriegsrüstungen statt. Otto's Statthalter zu Dilingen und sein Kapitel fragten desshalb bei Herzog Albrecht an, wohin diese geschwinden und gefährlichen Läufe zielen, und wider wen und wohinaus das entstandene Kriegswesen wohl gerichtet sein möge. Auch baten sie den Herzog, ihnen im Falle der Noth mit Rath und That beizustehen. Dieser schrieb ihnen gegen Ende Februar von München aus, er habe nur so viel gehört, dass das Kriegsgewerb nicht bloss in Ober-, sondern auch in Niedersachsen, dessgleichen auf dem Odenwald und an andern Orten vorhanden und im Werke seyn solle, einen verdächtlichen Musterplatz zu Herrnpreitingen in der Grafschaft Hennenberg anzustellen und von dannen die fränkischen Einigungsslände zu überziehen Andere Kundschaften aber besagten, dass der Anzug gegen den Ries und die Markgrafschaft Burgau angehen solle. Mit Grund könne man zwar noch nichts sagen, aber jedenfalls müsse man sich vorsehen und bei den Pässen, sonderlich aber zu Dilingen die Sache so anstellen, dass einem eilenden Einbruch daselbst Widerstand und Abbruch beschehe. Uebrigens werde er selbst alles Gute befördern und rechtzeitig

Souil aber E. L. schreiben antrifft, soll si mir gar nitt dancken, was ich irthalb alhie bey Bapst. Haylt. verricht, dann ich solchs schuldig gewest, vnd wolt Gott ich kinte E. L. in ainem vil mererm vnd höherm dienen, so wolt ichs mitt treuwen vnd freden gern thuen.

Ich hab E. L. yettzt mir vberschickt schreiben noch nitt vberantwurt, dann ich es erst am donnerstag nach mittag empfangen, verhoff aber noch heutt ewr lieb befelch nachzukommen, vnd was mir ir Haylt. fir antwurt gibt, das schreib ich alsdann E. L. zu, deren ich abermals vmb die gantz trewhertzig commendation meiner person halb hochsten danck sag, vnd verhoff, soll was guttz erschiessen.

Ir Hayligkaytt erzaigt sich fir war gantz gnedigist gegen mir, gibt mir so offt ich beger willige guette audientz, erbeut sich och beharlich gegen mir, vnd verhoff si werde was mir erweysen, zum wenigisten mitt ainer monatlichen prouision 200 Cronen. Aber ich muess darnebet sorgen, es werde langsam von statt gon, sonderlich weyl der von Trient nitt gar vnderlast, doch gantz haimlich, mich zu hindern vnd sich allein gross zu machen. Das schreib ich E. L. in hochstem vertrauwen, vnd lass sie wissen, das er durch commendation der Röm. Kaysl. Mt. den vorigen heuratt mitt deren von Emps schwester vnd sein anderm vetter her Fortunatus von Matrutsch beschlossen vnd och addition zum vorigen heurattz gutt, welches xx^{m} Cronen gwest, vertrösst, also das er entlich vorhabens, mitt allen seinen vorigen anschlegen, die ich E. L. och vertraulich zuuor zugeschriben, stattlich vnd dapffer on trauren fir zu faren in spiritualibus et temporalibus.

Darnebet schreib ich E. L. vertraulich, das die ander ir Haylt. Nepoten, der Cardinal vnd Graff Friderich Boromaei mitt dem von Trient nitt zufriden, vnd in darfir halten, alls welle er die von Emps vber sie erhöhen (wie S. L. dann

handeln, auch ihnen in allen Dingen beistehen. Für dieses gütige Anerbieten dankt daher Otto dem Herzoge.

nichs vnderlast) vnd inen schaden tbue, die weyl sie ver-
mainen, die liebste zu sein (wie dann durchauss geachtet
wirdet) vnd wo der von Trient inen den weg nitt abrennet,
die höchste empter, alls obrister General vber der kirchen
land vnd andere nützliche empter zu erhalten.

Der von Trient soll Legatus Marchiae Anconitanie wer-
den, der Boromeus Legatus Bononiensis vnd Romandiole,
wie es mitt den anderen Legatis geschaffen, wayst man noch
nitt. . . .

Weytter lass ich E. L. wissen, wie dise woch ain eylende
post in 6. tagen von Wien von der Röm. Kaysl. Mt. her-
kommen, die hatt brieff au die kayserliche bottschaflt, Bapst.
Haylt., die Cardinal Moron vnd Trient gebracht, vnd wie-
wol ich noch den grunt nitt gar erfaren, so sagt man doch,
die Kays. Mt. schreib ir Haylt. von wegen der bösshafftigen
gifftigen praticken ain general kriegs vnd aufstand wider
die Catholischen etc. [84]).

Nun kan ich mich nitt gnueg verwundern, worumb och
mir armen nitt geschrieben wirt, dann ain Gott will mecht ir
Mt. mir in disen vnd allen ja gehaymisten sachen so wol
vertrauwen alls ainem andern. Ich wayss och, das ichs gegen
hayligen Rom. Reych, ir Kays. Mt., E. L. vnd alle Catholische
Churfürsten vnd Stende och vnserm vatterlande so gutt
maine alls ain ander, vnd Gott wayst das ich nitt auss
hoffart, sonder zu uerhiettung verklainerung mich geduncken
lass, man schliesse mich von denen sachen, die das Reych
antreffen, nit auss. E. L. kan wol gedencken, wer mir solchs

---

[84]) Diese Nachricht bezieht sich ohne Zweifel auf die im Monate
März 1560 zu Worms stattgefundene Versammlung der Pfalzgrafen
bei Rhein, des Herzogs Christoph von Württemberg und des Land-
grafen Philipp von Hessen. Es ging von dieser Versammlung die
Sage, sie habe nahe Beziehung zum Anschlag der Hugenotten gegen
den König von Frankreich und die Guisen, um den Prinzen von
Condé an die Spitze zu stellen. Am Oberrhein sollen damals auch
wirklich alle Anstalten getroffen worden seyn, mehrere 1000 Reiter
und Landsknechte zu Gunsten Condé's zu stellen.

am hoff anrichtet, ich mues es Gott befellen vnd verhoffen, quod mei persecutores veritatem opprimere, sed non supprimere poterint, quae tandem elucescet tanquam sol inter tenebras. Wann ich das ampt der Protection nitt hett, so were ich nitt froher, dann solcher muc vberig zu sein, dieweyl aber ich das ampt angenommen, so ist mir nitt ain ringer spott, das ich alhie von Reychs gehaimen sachen soll abgesindert werden. Bitt E. L. welle mir in grossem vertrauwen irn rath vnd guttbeduncken hierin anzoigen. Ich gib fir war der Kaysl. Mt. kain schuld, wolt och nitt gern das ir Mt. vermaint, ich thette es ex ambitione aut vana curiositate, wann es on verletzung meiner eer sein kindte, so wiss Gott das ich nitt darnach fragen wolt. E. L. helffe vnd rathe mir, ich wells wo müglich verdienen, ich hab kain ruggken och befürderung bey ir Mt., dann E. L., zu deren hab ich auss vilfeltiger erfarung onaufhörlicher gutthatt mein fürnemist hoffnung vnd vertrauwen, vnd will mich gottlicher hilff getrösten, in allem mein thuen vnd lassen dermassen allzeytt zu halten, das E. L. sich meiner beschirmung vnd befürderung nitt beschemen soll.

Was dann E. L. hieigen künfftigen sachen antrifft, wann si sich meines treuwen wolmainenden erbiettens vnd fleyssiger redlicher aussrichtung beniegen will, so verhoff ich yeder zeytt, alles was menschlich vnd müglich nach E. L. guttem beniegen nach gestalt yeder sachen ain Gott will zuuerrichten.

Ich hab ain geschickten recht glerten vnd erfaren erbaren man, hayst Lactantius Fusto, zu meinem auditorn angenommen, der verstatt die hieigen sachen, kan si wol anordnen, darzu hab ich nach absterben des Buslidii sein substituten ain Niderlender, hayst Dionisius Miller, zu ainem Sollicitator, welcher an seinem fleyss och nichs erwinden lassen wirt, domitt alle ding, wann sich was zutregt, souil müglich firdersam vnd wol aussgggericht werden.

So befindt ich die Bapst. Haylt. gar auff das hochst gegen E. L. wol genaigt, vnd settz in kainen zweiffel, was E. L.

sachen hie mitt der zeytt firfallen mechten E. L. sölte gutte aussrichtung erlangen.

E. L. kundte disen willen vnd vertreulichkaytt nitt bass erhalten vnd meren, dann wann si offt was hin vnd wider der leuff vnd sonderlich der Religion halb im Reych zutregt, ordenlich alle wochen herein schickten, so wolt ichs wochenlich ir Haylt. firbringen, vnd darnebet yeder zeytt E. L. ir Hayligkaytt befellen.

Ich wayss, das E. L. bass auisiert ist dann yemant im Reych, so ist es allain vmb souiel abschreibens zu thuen. Wann ja was were, das E. L. wolten haimlich gehalten sein, so kan sy mir es allweg sonderlich zuschreiben, so wayss ich mich wol zu halten, doch in allweg hierin was ir gelegen ist.

Wie ich E. L. oben geschriben, hab ich vermaint, so heutt mitt E. L. schreiben fir zukommen bey der Bapstlichen Haylt., dann mir vmb 21. vr die stundt ernent, so aber yettzt bottschafft ich selle biss morgen verziehen, dann ir Haylt. hat heutt Signaturam gehalten, vnd ist zum thayl mied vnd zum thayl befindt si sich nitt wol des podagra halb. Hiemitt thue etc. Datum zu Rom am 16. tag Martii 1560.

---

13) 1560. 18. *März. Rom. Otto an Albrecht. Berichtet über eine Audienz beim Papste, und über Neuigkeiten.*

P. P. Am nechst vergangen sambstag, nachdem schon mein schreiben an E. L. von dato des 16. Martii auf die post gegeben, hat die Bapst. Haylt. onangesehen ir schmertzen des podagram zu ir erfordert, do hab ich E. L. schreiben vberanttwurt, die dancksagung vnd was sonst mir E. L. befollen, besten fleyss verricht, das haben ir Haylt. zu gar grossem wolgefallen angenommen, vnd mitt mir gar vil vertraulichs E. L. halb geredt, vnd alls ich ir Haylt. bricht,

was mir von Wirtzburg, Dilingen, Speyr, Mentz vnd anderst
woher och von E. L., der yetzigen schweren leuff halb hin
vnd wider geschriben, vnnd ir Hayl'. nach lengs aussgefiert,
in was gefor die Catholisch stendt vnd Religion der sorg-
lichen stattlichen pratick halb standen, do hat ir Hayl'. mir
guetthertziglich vnd gantz trostlich gesagt, si hab warlich
ain treulichs christlich mittleiden mitt allen Catholischen
stenden, beuor aber mitt der Kays. Mt. vnd E. L., deren si
sonderlich mitt guttem hertzen genaigt, vnd ich soll E. L.
schreiben, wann was widerwertig E. L. solltc begegnen vnd
sein Hayl'. zuuor bericht wurde, so wolt si alls ir Gott krafft
verlihe, E. L. hilfflich vnd beystendig sein, dergleichen och
der Kays. Mt. vnserm allergnedigisten Herren, vnd firwar
mitt solcher trewhertzigkaytt, das ichs nitt gnuegsam wayss
zu sagen.   Derhalb hab ich nitt wellen vnderlassen, bey
heuttiger post E. L. solchs zu schreiben. Ich hab michs och
E. L. halb, och von wegen Kays. Mt. vnd vnser aller auff
das hochst bedanckt, kan dannocht nitt schaden, mitt ir Hayl.
diser sachen halb gutte Correspondentz zu haben. Es were
fast gutt, E. L. schickten mir offt, was si der leuff vnd Re-
ligion halb hetten, wie ich derselben jüngst och geschriben.

Sonst was weytter neuws hie vorhanden, schick ich mitt,
vnd des Cardinals Morons Sententiam absolutoriam, welche
ich vor och ainmal geschickt.

Der Nuntius apostolicus zeucht morgen hinweg [21]), tragt
gar ain dienstlich danckbar gmiett gegen E. L., wurt ge-
stracks auff Wien zuziehen, aber der von Emps wirt auf
München zue, aber noch nitt sobald. Hiemitt thue etc.
Datum zu Rom am 18. Martii 1560.

Post scripta ist mir anzaigt worden, wie der Cardinal
S'. Angeli ettlicher seiner vnd des Cardinals Farnesi pot-
schafft halb zu kunigl. W. in Hispania nach osteren faren
werden, dergleichen sagen och ettlich vom Cardinal
S'.. Fior.

---

[21]) Ist wohl Hosius gemeint.

Ich kan E. L. in vertrauwen nitt verhalten, das man
noch auff den heuttigen (tag) vmb das Pabstumb fir Mantua
und Ferrara heffliger alls vor nie handlet, dann vil mainen,
ir Hayl‘. sey nitt langes lebens. Ich hoff aber, Gott werd
ir Hayl‘. frisch vnd gesundt erhalten, vnd viler leutt anschleg
hinder sich gon lassen.

Der Cardinal von Trient hat ain gar grossen rust von
Tappizereyen, gulden, silbere stuck, Carmesin, Sammt, Attlas,
Teppich aus Niderland von Silber, Gold vnd seyden, och
lidere Tappezzerey, och von Silbergeschirr vnd gwaltige bett
vnd anders herbringen lassen, si schetzens auff zwaymal
hundert Tausent Cronen, ich halt aber, ist mir anderst recht,
es sey gar vmb vil weniger, in Somma si mainen, er werds
inen allen mit zierd beuor thuen, so uerzert er, wie S. L.
selbs sagt, 2000 Cronen des monats speyss vnd tranck.

---

14) 1560. 23. *März. Rom. Otto an Albrecht.*
Tagesgerüchte.

P. P. Heutt acht tag vnd am afftermontag darnach hab
ich ewr lieb nach lengs geschriben, was seyd sich zuetragen
schick ich hiebey.

Die Bapst. Hayl‘. ist gar nitt wol auff dise wochen, aber
ich hoff zu Gott, es solle täglich besser werden.

Der Fortunatus von Madrutsch soll dise woch kommen,
volgens wirt die heuratt gar beschlossen vnd die von Emps
werden bald darnach verraysen. Man sagt, die heuratt zwi-
schen der Baromei schwester vnd Don Caesare Gonzaga gang
entlich fir sich, welchs dem Cardinal Farnes ain grosser stoss
sein wirt, in Somma es sendt Casus mundi, vil leutt ver-
muetten, die Farneser seyend nitt mer wol am brett, der von
Trient soll inen vast feind sein vnd hefftig wider si prati-
cieren, schreib ich in kaim. So sendt die Boromeer och nitt
nach dem besten Trientisch.

Mann sagt bestendiglich, ir Hayl[t.] werd zween Gonzaga, ain von Emps, den erwelten von Trient, Don Luis de Toledo, welcher der Hertzogin von Florens bruder ist, vnd noch ettlich Cardinäl auff das lengst biss pfingsten machen.

Der neu Cardinal von Florens ist vnderwegen, soll die kunfftig woch einreytten, kombt wol gebuttzt, die Florentiner hie risten sich zu ainem kostlichen gegenritt, mann sagt der Hertzog geb im 3000 gold. Cronen den monat zu verzeren, ist ain feiner junger Herr, studiert wol.

Der Nuntius Apostolicus ist am mittwoch nach essens verruckt, zeucht gestracks gen Wien.

Yettzt ist mir anzaigt worden, es werd Graff Friderich von Boromaeo nach Osteren gen Mayland ziehen, vnd aldo hochzeytt seiner schwester mitt dem Don Caesare Gonzaga zu halten.

Sonst wayss ich yettzt nichs.   Thue   mich   etc. Datum zu Rom am 23. tag Martii 1560.

---

15) **1560.   30.** *März.   Rom.   Otto   an   Albrecht.* *Schreibt über die Abreise des kaiserlichen Gesandten, über seine Verständigung mit dem Cardinal von Trient, über Vergebung der Dompropsteien zu Eichstädt und Augsburg.*

E. L. zway schreiben, das ain von dato 12., das ander den 15. Martii, hab ich am 28. ejusdem gar wol sammentlich empfangen, vnd kan mich abermals fir war nitt gnuegsam bedancken, dass E. L. sich nitt allain also zuuil mitt schreibung aigner handt bemuet, sonder och das si in allen dingen, so ich an si vertreulich langen lass, so gutthertzig, vernunfftig vnd gewegen sich gegen mir vernemmen lassen.

Souuil Graff Scipion antrifft, ist er treffenlich wol abgeschiden, vnd ist och mitt sondern grosser vertreulichaytt der Bapst. Nuntius, S[r.] Stanislaus Hosius, abgefertigt, also das

alle ding noch dem allerbesten standen, Gott hab lob, vnd
geb gnad, das dise beharlich vnd notturfftig ainigkaytt diser
zwayer obristen heubter der betriebten Christenhaytt zu nuttz
vnd wolfart, wie onzweyffelich zuuerhoffen, kommen müg.

Dann mein beschwerung über den Cardinal von Trient
belangent, findt ich warlich E. L. gutthertzigen treuwen ratt
den besten zu sein, vnd lass si wissen, das eben am 28. ob-
gemelten tag ettwan 7 stundt zuuor, er E. L. brieff mir
vberantwurt, der von Trient vnd ich vnns aller misstrauwen
vnd anders, so zwischen vns durch anheltzung ontreuwer
leutt firgangen, gantzlich verglichen vnd veraineget etc.
Es sendt sachen, die sich ettwan onwisseten dingen anzetlen
vnd durch den feindt des fridens angericht werden, bitt E. L.
welle mir verzeyhen, das ich si mitt disem haderwerck be-
mieth hab etc.

Souuil den von Gumbenberg antrifft, lass si och wissen,
das ich die sach bey dem von Graffneck och dohin gericht,
das die Thuemprobstey im Gumbenberger seim begeren nach
bleiben wirt, also das derselbig wild krieg och gericht [16]).

Es send och ain Thuemcapitel vnd ich der Thuemprob-
stey vnd aller irrungen halb gar wol vertragen, bleybt der
von Berg bey der possess, vnd ich lass dem Thuemcapitel
alle ire priuilegia wider hie confirmieren.

Das E. L. in irem ander schreiben vermelden, wie si
die zeytlungen sambt der contrafet vnd titlen empfangen, her

---

[16]) Otto hatte sich bemüht, seinem Domherrn v. Grafeneck,
den er seinem Kapitel zur Domprobstei Augsburg vorgeschlagen,
aber gegen Marquard von Berg nicht hatte durchsetzen können,
die Domprobstei zu Eichstädt zu verschaffen. Aber einer von
Gumppenberg, Domherr zu Augsburg, glaubte nähere Ansprüche auf
diese Domprobstei zu haben, und es begann darob zwischen Otto
und dem von Grafeneck einer-, und dem von Gumppenberg ein
hitziger Streit, der endlich mit Hilfe Herzog Albrechts, welcher
sich bei Otto für den von Gumppenberg verwendete, zu Gunsten
dieses Letztern verglichen wurde. Gumppenberg wurde durch
Albrecht in einem Schreiben dd⁰. München 19. April 1560 von
diesem für ihn günstigen Ausgang in Kenntniss gesetzt.

ich gern, bittend, E. L. sey onbeschwert, souuil ir ge-
legen, was zeyttungen auss dem Reych mir ettwan mitt-
zuthaylen.

So sag ich dem Allmechtigen lob vnd danck, das die
onruew ettwas gestillet, vnd das man sich gegen den on-
billigen firnemen diser leut gefasst gemacht, dann es wol
von nötten, nitt zuuil vertrauwen. Der heuratt mitt Don Caesare
Gonzago vnd des Boromaei schwester ist schon beschlossen
vnd publiciert, so ist man taglich Her Fortunati von Matrutsch
gewertig.

Die Bapst. Hayl᷑ ist wider wol auff, aber das Podagra
hatt ir Hayl᷑ hefftig angriffen gehabt.

Man will sagen, es werde ir Hayl᷑ noch vor Osteren
3. Cardinel machen, den von Gonzago, Don Francesco, des
Caesaris Bruder, Her Marx Sittich von Emps vnd den Erwel-
ten von Trient, auff pfingsten sollen mer werden.

Der jung Cardinal von Florens ist ain wolzogner feiner,
junger Mensch, ist yederman anmiettig, helt sich wol, hatt
gar ain Teutsche gestalt mitt ainem toscheten langen har,
helt sich in allem seim stat mittelmessig vnd andern gleich,
dann sein Her vatter nitt will, das er andere vbertreff, halt
ain stillen wolgezognen hoff. Datum zu Rom am 30ᵗᵉⁿ Tag
Martii 1560.

---

16) 1560. 6. *April. Rom. Otto an Albrecht.*
Persönliches.

P. P.   Es ist der Graff von Arch gar wol abgeschiden,
vnd sonst nimbt täglich das vertrauwen zwischen ir Hayl᷑.
vnd der Kaysl. Mt. zue.

Ich hab E. L. schon danck zuegeschriben vmb ire so
guetthertzige Commendaticias, die hab ich och vberantwurt,
sendt ir Hayl. angenem gwest, hatt sich vil erbotten, Gott
well das E. L. freuntlichem begeren nach was würcklich
herauff volge.

Ir Hayl. hatt gutten willen, aber der durfftigen sendt vil, es gleckt kämbs den nechsten fräunden, Gott schicks zu allem besten nach seinem willen, ich bin ainmal wie dem andern E. L. obligiert, vnd hoff dannocht noch was mitt der zeytt.

Mein Herr vnd bruder von Trient hatt sein legation im so offt versprochen och noch nitt, wirt erst nach Österen hinauss ziehen, ir lieb helt si gantz vertreulich mitt mir, Gott hab lob.

Wiewol mir E. L. zu kostlich zu ainer bottschafft, noch dannocht kan ich nitt vnderlassen, mich gegen E. L. frauw muetter, gemahel vnd der von Schwartzenberg zuerbietten dienstlich vnd fräuntlich bedancken, und mich E. L. vnd iren gnaden vnd ir gantz dienstlich vnd guetthertzig befellen vnd erbietten. Bleib vnd bin E. L. ain Gott will danckbarer diener etc. Datum zu Rom am 6. tag Aprilis 1560.

---

17) 1560. 13. *Apr.* *Rom. Otto an Albrecht. Beant-wortet Briefe des Herzogs.*

P. P. Gester abentz am Charfeyrtag hab ich zway E. L. schreiben, so si am 26. vnd 29. Martii mit aigner handt sambt eingeschlossen zeyttungen mir zugeschickt, empfangen, vnd sag erstlich E. L. gar auff das höchst danck, das si mir so offt vnd fräuntlichst schreiben, aber fir war es ist ye zuuil, das E. L. sich aigner handt also bemiehen, es were gnug, wans sis ihren dienern befellen. So bedanck ich mich och der vberschickten relation des Electi von Trient vnd des von Künigstain, vnd wie der Franzosen art ist wer zusorgen, wie E. L. schreiben, wann schon si vnd ich hineinzogen, es wer nitt vil mer aussgericht worden. Si haben aber ye nitt recht, das si mit worten die fräuntschafft wellen zuuersten geben, vnd dem Reych solche stattliche bistumb, stett, land vnd leutt betrüglich vorhalten.

Sobald ich zu meim Herren von Trient kommb, will ich
E. L. clagen treulich aussrichten, bedanck mich an ir lieb
statt. Gott hatt gnad geben, das der heuratt mitt her For-
tunato, wie ich vor schon geschriben, wider bestettigt
worden.

Ich will och ewr lieb befelch des frommen Morons halb
och verrichten, gedenck es werde E. L. sein schreiben des-
halb zukommen.

Souil den von Gumbenberg antrifft, ist derselbig krieg
och gericht, nitt von des seins ongegrinten firgeben wegen,
sonder das ich lieber rueb will haben, dann mitt solchem
zanck vil zu schaffen. Aber ainmal soll mir E. L. glauben,
das der von Gumbenberg gar kain Jus nie gehabt noch in
ebigkaytt v̈berkommen hett, wann ich nitt wolt etc.

In dem andern E. L. hab ich vernommen, wie E. L. mit
irem Currier magior ain capitel gehalten von wegen das
ich vermeldet, wie ich derselben seyd des Conclaue halb
wochenlich geschriben vnd nitt wissen kindt, ob E. L. meine
schreiben worden, item das E. L. mit eigner handt alle ver-
antwurtet etc. Darauf lass ich E. L. wissen, das mir
all ir schreiben wol worden, aber dazumal, do ich solchs
geschriben, hab ich noch derselben kains gehabt, seydher
aber nach vnd nach send si mir alle worden, dergleichen
hoff ich werde E. L. die meinigen och worden sein. Wie
ich E. L. nehermals och geschriben, so befindt ich, das
solche bayder seyltz verlangen daher kommen, das auff yedes
schreiben zum baldesten in 4 wochen, aber das merer thayl
in fünff och sechs wochen kommen kan, derhalb offt aim die
weyl lang wirt, es kan aber vor fere des wegs nitt anderst
sein, es kommen dann extraordinari glegenhaytten, die sich
selten begeben, also das fir war ich nitt kindt ander vrsach
erfinden, vnd in allweg ist ye onuonnotten, das E. L. sich
gegen mir entschuldigen, sonder verwundere ich mich vnd
ist zuuil, das E. L. mir so offt aigner handt schreiben, ich
wayss vnd kanns nitt verdienen.

Was diso wochen neuws herkommen, schick ich E. L.

hiemitt, ist wenig. Die von Emps werden bald hie ver-
rucken, so glaub ich der Nuntius Apostolicus werd zu E. L.
kommen auff Osteren. Hiemitt etc. Datum zu Rom am
hayligen Osterabent 1560.

---

18) 1560. 20. *April. Rom. Otto an Albrecht.*
Berichtet, welchen Erfolg die Empfehlung des Herzogs
für ihn beim Papste bisher gehabt.

P. P. Ewr lieb schreiben von dato 2. Aprilis hab ich
sambt dem eingelegten zettel der leuff halb wol empfangen,
bedanck mich gegen E. L. gantz dienstlich irer also fräunt-
lich continuirung mitt schreiben; hab heutt ir Hayl^t aber-
mals auff das best commendiert, darauff hatt ir Hayl^t treu-
hertzig sich vernemmen lassen, si sey E. L. fräuntlich vnd
sonderlich wol genaigt, welle in kürtze iren vetter den von
Emps zu E. L. abfertigen, vnd hatt sich erbotten, in allem
E. L. allzeytt hilfflich vnd beystendig sein, darauff ich ir
Hayl^t in E. L. namen bedanckt vnd dargegen E. L. och
erbotten etc.

Was sonst E. L. firschrifft fir mich bey ir Hayl^t er-
schossen, hab ich E. L. nehermals zum thuyl geschriben.
Seydher hatt ihr Hayl^t mir bey dem Datario monatlich hundert
gold Cronen verordnet, vnd heutt darnebent sich erbotten, in
kürtz mit gelegenhaytt mich bass zu bedencken. Gott well
gnad haben, das es mir ergange, wie E. L. alls mein treuw-
hertziger Fürst mir gonnen.

D. Selden hab ich schon auff mainung wie E. L. ratt
geschriben, verhoff soll nichs schaden etc. Datum zu
Rom am 20. tag Aprilis 1560.

---

19) 1560. 27. *April.* *Rom.* *Otto an Albrecht.*
Nachrichten.

P. P. Ich hab abermals E. L. schreiben vom dato
8. Aprilis wol empfangen, vnd gern gehört, das ir all meine
schreiben so wol zukomen, als die irige mir. Ich befinde,
wie ich vor och in ander schreiben vermeldt, das kains ver-
loren, aber wol ettwan leychtlich, wie sich in solchen felen
zutregt, ettlich auffgehalten worden, kann nitt wol anderst
sein von wegen ferre des wegs.

Was dissmals nrouws, schick ich hiemitt. Der von Trient
ist gester mitt 25 Postrossen gen Neapolis geritten, hatt den
kaysl. Orator mitt im gefert. Man sagt, s. L. praticier ain
heuratt zwischen ainer reichen mächtigen Fürstin von Arra-
gonia vnd her Hannibal von Emps.

Die kaysl. Mt. hatt die von Emps Graffen zu Hohen-
Emps gemacht.

Gester hatt die Bapst. Hayl. die Legation Bononien vnd
Romandiole irm Nepoten dem Cardinal Boromeo geben, dem
von Trient die Legation Marchiae Anconitanae, dem von
Serbellanio, so man yetlz Cardinal S. Georgii hayst, die Le-
gation Camerin, dem von Vrbin die von Perusa, vnd dem von
Ferrar die von Viterbo, also das die Legatione all nur den
reichen worden; sonst hatt ir Hayl. 17 Cardinelen, darunder
ich och ainer bin, 100 Cronen all Monat. Doch hatt ir Hayl.
geordnet, das die Legationes dissen Cardinalen nur zway
jar sollen gelihen werden, vnd darnach well si ander darzu
benennen. Gott schick all ding zu seinem gefallen.

Man ist der spanischen bottschaff auff künfftig wochen
gewertig, alsdan soll man vom Concilio deliberieren vnd be-
schliessen. Man vermaint, es kindte an kuinem ort bass dunn
zu Trient continuirt werden.

Der Cardinal Moron bedanckt sich gegen E. L. irs
gratulierens vnd offeriert sich zu derselben diensten, der-

gleichen bedanckt sich der von Trient ires mittleydens vnd
hatt mir verhayssen, E. L. selbs zu schreiben.
Datum zu Rom am 27. tag Aprilis 1560.

---

20) 1560. 4. Mai. Rom. Otto an Albrecht. *Beantwortet
sein Schreiben, berichtet über die Ankunft der fran-
zösischen und anderer Botschaften.*

P. P. E. L. schreiben abermals aigner milter handt
von dato den 19. Aprilis hab ich wol empfangen, vnd be-
danck mich E. L. beharlichen fräuntlichs schreibens, wol
Gott ich wüst nur, wie ichs gnugsam kindte vergleichen.

M. h. von Trient vnd ich sendt Gott hab lob gar wol
verainiget, verboff soll an mir entlich nitt erwinden, das also
langwirg vnd immerwerig bleyben soll.

So hab ich ye och von hertzen gern gehört, das Do-
minus Hosius Nuntius bey E. L. gewest, dann ich wayss, das
bayd E. L. wol consoliert worden seyend ex maturis
Catholicis Colloquiis.

Gumbenbergers handlung ist meinthalb schon richtig
vnd nach sein begern gericht, allein wer gutt er fier vir, vnd
liess in die sach nitt also stecken in die lenng.

So hör ich von hertzen gern, das die sorglichen leuff
sich dismals so wol gestilt haben. Gott der allmechtig well
gnad verleyhen, domitt kunftiglich alles vbels verhiett bleybe.
Dissipet Deus gentes, quae bella volunt.

Was neuws dismals, schick ich hiemitt, vnd darueber
lass ich E. L. wissen, das gester die Francesisch Bottschafft
bey mir gwest, welcher mir ausstrucklich auff mein fleyssig
fragen bestendeglich gesagt, es habe sein kunig sambt der
regierung der Religion vnd sedition halb solche stattlich
ernstlich firsehung thuen durch die ganz Cron, das S. kunigl.
W. sich entlich nichs mers besorgen durffe, vnd hab gele-
genhaytt, alle redelsfierer nach vnd nach irn verdienen nach

11*

zu straffen, vnd die gmain settz sich nitt mer darwider, vil weniger der Adel. Er sagt, si besorgen sich gar nichs mehr, vnd sey inen zu ainer warnung gnueg gwest, domitt si auff kunfftig zeytt ir schantz bass warzunemen wissen [37]; beruembt sich och gar vast, wie kunig Philipp gar nachbeurlich vnd wol an inen in iren nötten gethan hab. Am donerstag haben si ir Consistorium alhie gehabt, vnd sendt gar stattlich vnd ansenlich erschinen. Heutt haben die Ge-

---

[37] Seit dem Tode Heinrich II. ward der französische Hof von steten Factionen beunruhigt. Die Guisen, Oheime der Maria Stuart, der jungen Gemahlin Franz II, führten das Staatsruder. Sie waren der ältere Zweig des nach Frankreich verpflanzten lotharingischen Fürstenhauses, und hatten sich um Frankreich ausserordentliche Verdienste erworben. Franz, der ältere der beiden Brüder, zeichnete sich durch Feldherrntalente, und sein Bruder Karl, Kardinal-Erzbischof von Rheims und Bischof von Metz, gewöhnlich Kardinal von Lothringen genannt, durch geschickte Behandlung wichtiger Staatsgeschäfte aus. Diesen gegenüber standen zwei Prinzen von Geblüt, Anton von Bourbon, König von Navarra und Herzog von Vendome, und dessen Bruder Ludwig, Prinz von Condé; sie waren die einzigen, dem regierenden Hause Valois in männlicher Linie verwandten Mitglieder des königlichen Hauses, und nur zu sehr geneigt, ihrer Eifersucht gegen die Guisen Raum zu geben und ihrer persönlichen Vortheile willen den Staat zu beunruhigen. Dazu kamen Katharina von Medicis, die Mutter des schwachen Königs Franz II., eine äusserst herrschsüchtige Frau, und mehrere andere Parteien unter dem Adel, die hinwider alle sich der Religion und der auf dem religiösen Gebiete herrschenden Aufregung als eines Werkzeuges bedienten. Seit Franz I. hatte sich die neue Lehre bei Hofe sowohl als in der Hauptstadt und in den Provinzen sehr ausgebreitet, die blutigen Auftritte zu Cabrieres und Merindol, und die Hinrichtungen, die Heinrich II. zu ihrer Unterdrückung befohlen, reizten den Sektengeist, statt ihn niederzuschlagen. Aehnliches ereignete sich unter der Regentschaft der Guisen, und der Ehrgeiz der Bourbonen brachte unter den Hugenotten bald darauf die berühmte Verschwörung zu Amboise zu Stande, welche vom Prinzen von Condé beseelt, und von de la Renaudie, einem hugenottischen Edelmanne, geleitet, von den Guisen aber zu rechter Zeit entdeckt und blutig unterdrückt wurde.

nueser ir Consistorium; auff die künfflig wochen kommen die
Venidisch vnd Spanisch bottschafft, item die 3. hertzoge, der
von Ferrar, Parma vnd Vrbino personlich. So zeucht Bapst.
Hayl[t.] vetter Conte Friderico Boromeo erstlich gen Vrbino,
sein heuratt mitt des Hertzogen Tochter aldo zu beschliessen,
volgens gen Maylandt auf seiner schwester hochzeytt, welche
dem S. Don Caesari Gonzagae vermehlet. So ist gutte hoff-
nung, mein h. von Trient werde den heuratt zu Neapolis fir
Graff Hannibal von Emps och erlangen, also das es vil hoch-
zeytten geben wirt. So wirt Graff Marx Sittich bald von
hinnen verraysen vnd ettlich keiueten der kunig von Böhem
werd och zu E. L. gen München nach volbrachter hochzeytt
mitt dem herrn Fortunato von Madruttz vnd seiner schwester
kommen.

Hiemitt etc. Datum zu Rom am 4. tag May 1560.

─────────

**21) 1560. 11. Mai. Rom. Otto an Albrecht. Schreibt
über des Papstes Gesinnung gegen den Herzog.**

P. P.   E. L. gantz fräuntlich schreiben mitt aigner
handt von dato den 22. Aprilis hab ich empfangen, vnd kan
mich warlich solcher fräuntlich continuation nitt gnuegsam
bedancken, vnd wolt Gott ich kindtz vmb dieselb verdienen.

Dise tag, wie ich bey Bapst. Hayl[t.] in ettlich sachen
meins herren des Churfürsten von Cöln betreffend gewest, do
hatt ir Hayl[t.] ain gar hertzlich treuws nachfragen nach E. L.
gehabt, vnd E. L. auff das höchst beriembt vnd gelobt, mitt
anzaigung, das ir Hayl[t.] in alleweg irn nepoten hern Marx
Sittich in kurtz zu E. L. gen München schicken werd, vnd
ir Hayl[t.] welle E. L. in lieb vnd layd kain zeytt lassen,
sonder in allem derselben beystendig sein. Ich hab anstatt
E. L. mich diser vatterlich wolmainung auff das vleyssigist
bedanckt, vnd darüber allerlay weytter anzaigung E. L. halb
gethuen, die ir Hayl[t.] gmiett besettigt haben, vnd sich
gern, das si also gutthertzig gegen E. L. beharret.

M. h. von Trient ist necht spatt wider von Neapoles
herkommen, vnd soll die heuratz handlung nitt gar on hoff-
nung sein. Ich bin och gewisser zuuersicht, ir Hayl^{t.} werde
ire Teutsche vetter all 3. wol versorgen, vnd hern Marx
Sittichen gwisslich sambt dem erwellten von Trient zu Car-
dinal machen.

Was sonst dissmals hie vnd anderswo von zeyttungen
verhanden, schick ich hiemitt sambt des Frantzesischen ora-
tors oration, die er im Consistorio gehalten, vnd was sich
weytter zutragen wirtt, soll E. L. onuerhalten bleyben etc.
Datum zu Rom am xi. tag May 1560.

---

22) 1560. 18. *Mai. Rom. Otto an Albrecht. Schreibt*
seine Meinung über Fortsetzung des Conciliums
von Trient.

P. P. E. L. schreiben vom 29. Aprilis hab ich alhie
am 16 tag diss wol empfangen, vnd sag E. L. vmb ir selbs
aigner handt schreiben gantz dienstlichen treuwen danck.

Was sonst dissmals neuws alhie ist, schick ich E. L.
hiemitt.

Sonst hatt mir der h. Nuntius zugeschriben, wie eerlich
vnd wol E. L. in gehalten, was si och mitt ain anderen ver-
treulich gehandlet, vnd souil das Concilium antrifft, ist Bapst.
Hayl^{t.} in ernstlicher berattschlahung desselbigen zu Trient zu
continuieren, vnd allain verzeucht ietzt ir Hayl^{t.} auff der
Rom. kaysl. Mt. resolution. Ir Hayl^{t.} wirt och das Concilium
nitt wol kinden in die leng einstellen von wegen das nitt
allain vnser Teutsch Nation, sonder och die andere dessen
onuerzüglich notturfftig, vnd zu stillung aller schwebender
gefar ist ye kain sicherer oder gwisser remedium dann das
Concilium. Doch sag ich dass nitt darumb, das man nitt
zuuor wol bedencke, wie des Concilium angefangen, gehalten
vnd beschlossen werden müg, vnd ich bin och entlich der

mainung, das man das Concilium on ain vorgeende starcke
gewisse puntnus vnd ainhellige intelligens aller Catholischen
nitt wol werde ins werck bringen mügen, darum aber will
ich gern andere verstendige hören reden. Ich merck aber
wol an allen orten souil, das der böss gayst nitt feyren wirt,
hindernus oder auffzug einzuwerfen, vnd das man mer von
den wegen disputieren, dan zur sach mitt ernst greyffen
wirt, so lang biss wir alle gutte gelegenhaytt versaumen, vnd
den widersacher mitt vnser saumseligkaytt alle ir gelegen-
haytt machen werden. Gott von himmel erbarms, der geb
vnns sein gottlich gnad, damitt wir ainhelliglich ainmal zum
Concilio kommen mügen. Ich trag grosses fürsorg, wan man
vorm Concilio erst wider ain Reychstag halten solt, das durch
disen verzug die ander Nation verdrussig, vnd dannocht vn-
sere widersacher wenig zu besuechung des Concili vermügt
mechten werden, dann ir brauch ist allain die sachen zu
hinderen vnd auff zuziehen, vnd hatt man yettz vil Reychs-
tag her wol gesehen, das man bey inen kain volg hatt.
Yetz wer eben die zeytt, das Concili zu halten vnd nitt
lenger auffzuhalten, wan man och ernstlich darzuthett, so
kindt man sich wol ains stattlichen deffensiff puntz zu hal-
tung des Concili vergleichen. Solchs schreib ich gutthertziger
mainung, vnd bitt E. L. welle mir verzeyhen. Hiemitt
thue etc.

Datum zu Rom am 18. tag May 1560.

---

23) 1560. 20. *Mai. Rom. Otto an Albrecht. Gibt
Nachricht vom Siege der Türken über die christliche
Flotte bei Dscherbe* (14. *Mai* 1560).

P. P. Wie wol ich nitt gern böss zeyttungen schreib,
noch dannoch soll ich nitt vnderlassen, E. L. alle ding wie
sie send anzuzaigen. Heut send von Neapolis Sicilia vnd
mer orten zeyttungen kommen, wie die Türckisch Armada

die vnser antroffen soll haben am xi. diss monatz, vnd soll
die Türckisch den sig layder erhalten haben mitt grossem
onwiderbringlichen schaden der Christen. Es sollen von
fünffzig Galeren nur 14 daruon kommen sein, vnd biss in
die 40 schiff sambt den anderen Galeren vnderlegen sein,
die zum thayl zu grundt geschossen vnd die vbrig all von
Türcken gefangen worden. Es sollen auch der Viceroy auss
Sicilia, der Duca Medina Celi Obrister vber vnser Armada,
gefangen sein. Item Don Andreotta Doria, S. Flarinnio (?)
Stabio Sauello, vast all Obrist, haubt vnd befelchs leutt, ist
vil geschitz, gutt vnd munition zů grundt gangen och ver-
loren, Gott erbarms. Die Türckisch Armada solle nach dem
sig gestracks auff Malta gefaren sein, vnd soll Malta in
grosser gefor ston, dieweyl wenig ritter, munition och andere
notturfft darin bliben, dann alls auf Tripoli verschickt.
     Es sagen hie die verstendige, vnsere anen vnd vranen
haben in vil jaren kain schedlichere zeyttung wider die
Christen gehabt, dann durch diss werde der Türck ain her
des mers sein, vnd kind man sich des schaden an schiffen,
Galeren, munition vnd leutten in langer zeytt nitt wol er-
holen. Wie aber alle sach in specie ergangen, sobald mans
hie haben wirt, will ich E. L. in particular nach leng zu-
schreiben. Gott der allmechtig welle vnns armen Christen
gnedig sein vnd diss schades ergettzen. Etlich sagen, der
Viceroi vnd der Doria seyendt nitt gefangen, sonder seyend
in die Insel Zerbes gewichen, so sollen 17 galeren daruon
kommen sein. Die Bapst. Hayl¹· hatt heutt verordnet, das man
volck in die besatzung an mer thuen soll, dann wan die
Armada wolt, so mecht si Rom wol vberfallen, Gott behiett
die Christenhaytt ³⁸). Was deshalb weytter einkommen,
schick ich E. L. hiemitt, vnd thue etc.
     Datum zu Rom am 20. tag May 1560.

---

³⁸) Ueber diesen Sieg der Türken s. Hammer, Geschichte des
osmanischen Reichs, Bd. 2. Pestb 1840. S. 301. Die christliche

24) 1560. 25. Mai. Rom. Otto an Albrecht. Spricht mit Eifer für Fortsetzung des Conciliums.

P. P. E. L. schreiben von dato 6. München hab ich alhie am 23. wol empfangen, vnd durch hern Hanns Jacob Fugger E. L. schreiben ains an die Bapst. Haylt., welchs ich stundt an hinauff zu ir Haylt. aigner handt geschickt, vnd sobald ich die antwort bekom, bleybt si onuerhalten.

Das E. L. gen Wien gefordert, hab ich gantz hertzlich gern gehört, dann ich erkenn E. L. hohen verstandt vnd guetthertzigkaytt dermassen, das si nitt allein vnserm vatterlandt, sonder gemainer gantzer Christenhaytt vil nutzlichs aussrichten wirt kinden; bedanck mich och in sonderhaytt E. L. erbiettens, vnd bitt, si well mich der Rom. Kaysl. Mt. vnser aller gnedigisten herren zum besten vnderthenihglist befellen, dergleichen och kunigl. Würde auss Böhem, vnd meim hern, dem Ertzhertzogen Carolo.

Ich wayss wol, das ich E. L. die befürderung des hochst nottigen Concilio nitt befellen darff, dann ich si nie anderst erkannt, dann darzu genaigt vnd willig, wo aber deshalb von wegen vorstehend gefor, dere man sich muesse beym gegenthayl beforen vnd besorgen, ettwan auffzigige bedencken firfallen, so welle E. L. das best thuen, domitt man ee auff weg gedenck, denselben gefaren stattlich zu begegnen, dann von derselben wegen ain solchs hochst notturfftigs werck als des Concilium zu verziehen.

Ich bekenne, das die intimation, celebration vnd execution des Concili on ain mechtige, stattliche vnd beharrliche

---

Flotte bestand fast ausschliesslich aus spanischen Schiffen, die mit Land- und Seemannschaft und Proviant sehr wohl ausgerüstet und zu einem Zuge gegen die Raubstaaten in Nordafrika bestimmt waren. Aber die türkische Flotte warf sich unversehens auf sie und vernichtete mit Ausnahme weniger, die unter Andreas Doria noch Zeit zur Flucht fanden, fast sämmtliche Schiffe. Die geretteten Galeeren flüchteten sich auf die Insel Dscherbe, wo sie von den Türken hart belagert wurden.

bewerung vnd gewaffneter firsehung nitt in das werck ge-
bracht werden mügen; aber ich kan nitt gedencken, wan man
solchs darumb wolte einstellen, das dardurch die geforen
solten gemindert werden, dann ye lenger man mitt diser
ainiger hoylsamer artzney verzeucht, ye onheylsamer die
kranckhaytt wirt, vnd ainmal hatt schier zu lang zuegeschen,
vnd wann yettzige gegenwirtige gelegenhaytten och solten
aufgeschoben werden, so mecht Gott billich mer zu zorn
dann barmhertzigkaytt bewegt werden.   In causa Dei non
tam humanae prudentiae, quam diuine prouidentiae aliqua
sunt tribuenda.

Die lang erfarung yettzt vil jar her hatt vnns wol zu
erkenen geben, was schadens vnd schier eusserist gefor das
lauieren, temporisieren vnd verschonen layder nitt allain in
das Reych sonder och in die gantz Christenhaytt gebracht
hatt.   In vertrauwen gegen Gott, vnd nitt in der forcht der
widerwertigen, sollen Religionsachen mit warem glauben,
ongezweyffelter hoffnung vnd onerschrocken hertzen angc-
griffen werden; wir miessen mitt der liebo Gottes bewaffnet
vnd im vertrauwen Christi behertziget werden, so kan vnns
kain menschlicher gwalt, ja och der teuffel macht nitt hin-
deren, die eer Gottes wider auffzurichten.

Ich besorg nichs alls den verzug, durch welchen die
widersacher gesterckt vnd gelegenhaytt bekommen werden,
ir ongehorsame vnd halsstarrigkaytt zu bekrefftigen. — Von
disen dingen aber lass ich mich weytter ein, dann mein
firnemen gewest; bitt E. L. wells mir verzeyhen vnd mitt
meiner ainfalt, doch guetthertzigkaytt, fir gutt nemen.

Souil des hern Cardinals Moron brieff antrifft, hatt S. L.
mir wol anzaigt, si well schreiben, aber mir noch der zeytt
kain brieff geben.

Was dissmals neúws vorhanden, schick ich hiemitt, vnd
hör sagen, die niderlag der Christlichen Armada sey gresser
als man bekenne, Gott wells ergetzen.

Die heuratt mitt der Signora de Monte alto, darumb
mein her von Trient zu Neaples gewest, gatt fir sich, si

bringt hern Hannibal Emps 8000 Cronen einkomen, vnd souil
gegenheuratzgutt einkommen hatt die Bapst. Hayl¹· fir ge-
dachten Hannibal och versprochen, sollen vmb consens in
Hispania geschriben haben. Her Marx von Emps, wie
mein her von Triendt anzaigt, wirt och ob 8{00 Cronen
einkommen bekommen, er wirt noch die künfftig wochen auff
sein gen Emps, aldo die hochzeytt seiner schwester zu hal-
ten, volgentz wirt er zu E. L. gen München ziehen, vnd E. L.
sambt derselben gemahel (deren er ain vererung bringt) in
namen Bapst. Hayl¹· haimsuechen, darnach zu der Kays. Mt.
Mein her von Trient wirt och biss montag oder afftermontag
von hinnen auff sein.

Man berattschlagt yetlzt hie die intimation des Concili,
vnd wart allain auff der Kaysl. Mt. resolution. Hab´ diss
schreiben gen Wien wellen schicken, bitt E. L. lasse mich
wissen, ob es ir zukommen vnd wohin ich die künfftige
schicken soll. Datum zu Rom am 25. tag May 1560.
(Praes. Wien 20. Juni.)

**25) 1560. 8. *Juni. Rom. Otto an Albrecht. Berichtet
die Gefangensetzung des Cardinals Caraffa und seiner
Parthei, zeigt die beschlossene Fortsetzung des Con-
ciliums an, und schreibt seine Gedanken über die
deutschen Läufe.***

P. P. E. L. schreiben von dato den 20. May hab ich am
6. Junii wol empfangen vnd sag E. L. billichen dienst-
lichen danck.

Der Bischoff Delphino ist hie, aber nitt wol auff, hab
im E. L. grues anzaigen lassen vnd ermanen E. L. zu
schreiben. Desgleichen hab ich och bey im angehalten von
wegen der peel (?), daruon E. L. gross Cantzler schreibt, thuet
er sich gleichwol entschuldigen und sagt, weil zway andere
fertigen lassen vnd E. L. schreiben.

Sonst soll E. L. wissen, wie gester der Cardinal Caraffa, Cardinal de Neapoli, vnd der Hertzog von Pagliano in das Castell gelegt sendt worden, vnd mitt inen vil ire diener, Cammerling vnd Secretari, ettlich sendt entloffen. Es ist och gefangen worden der Graff von Liffa, der hertzogin seligen von Pagliano bruder, vnd Don Leonardo de Cardine, welche bayd die hertzogin haben vmbbracht, item man hatt weytter eingelegt Don Caesare Pancratio, der zu zeytten Pauli III. hie Gubernator gewest, in somma die Neapolitaner habens vbersehen. Man sagt von grausamen dingen, vnd das vil geltz beym Cardinal von Neaples gefunden soll worden sein, wie E. L. in den eingelegten zeyttungen sehen mag. Es ist ain schlechte kurtzweyl, solche spectacula zu sehen, der Cardinal Caraffa ist zu ruer [39]) mitt der maur an maim hauss gesessen. So bald man in von Palatio, aldo er in das Consistorium geritten, in das Castell gefiert, ist der Gubernator, fiscal vnd profoss mitt starcker gewerter handt in sein hauss bey mir eingefallen, den hertzogen aldo vom bett auffgehebt, vnd in ainer decktten kutschi den nechsten (weg) cum fustibus et laternis in das Castell gefiert, volgens bayde heuser des Cardinals Caraffa vnd Neaples den gantzen tag ausgesuecht, yetz leutt yetz truchen darauss gefiert, der gemain man ist hefftig zugeloffen, hatt yedermann wolgefallen, hatt von morgen biss in der nacht geweret [40]).

---

[39]) zunächst anstossend.

[40]) Die vorzüglichsten Anklagen galten dem Cardinal Caraffa, als habe er seinen Oheim, Pabst Paul IV., beständig zum Krieg gereizt, den Bruch des Waffenstillstandes zwischen Spanien und Frankreich und zuletzt den sogenannten Neapolitanischen Krieg gegen Rom veranlasst. Ausserdem wurden der Cardinal und seine Mitgefangenen vieler während des Pontificats Paul IV. und des Neapolitanischen Kriegs verübter Verbrechen angeschuldigt; unter Andern wurde dem Herzog von Pagliano die Ermordung seiner Gattin und ihres Liebhabers vorgeworfen. Pagliano hatte etliche Tage vor seiner Gefangennehmnng mit königlicher Pracht und umgeben von einer grossen Anzahl reich geschmückter Reiter seinen Einritt gehalten, Cardinal Caraffa aber an dem nämlichen Tage,

Heutt helt mein her von Trient ain gross Panquet allen Colunneser, darzu er die Donna Johanna Arragonia geladen, den Cardinal S^u Fior, Juliano Caesarin vnd alle feinde der Caraffa, in somma S. L. ist Salamanca am hoff, sagt täglich well weg, vnd kan nit abschaiden. Die Bapst. Hail^l- soll Galesi vnd Sorrano einnemen lassen, vnd man vermaint, es werd dem hertzog v̂bel am leben vnd dem Cardinal am gutt ergon. Si haben vil anhettzer vnd wenig vertheidiger.

Ir. Hayl^l- ist wol auff, Gott hab lob, hatt am montag alle bottschafflen beysammen gehabt vnd sich erklert, das si entlich willens das Concilium zu halten, wart allain auff kaysl. Mt. vnd bayder kunig Hispania vnd Franckreych resolution.

E. L. wayss sich irs thayls wol zu halten, vnd das ainig nottwendig remedium on verzug zu befurderen, dann durch auffschub wirt die gefor nur ye grösser vnd onheylsamer, experientia magistra, in causa Dei non est desperandum. Es werden och dem widerthayl nitt all anschleg fir sich gon kinden. Wan gaystlich vnd weltlich inen die sachen recht angelegen sein liessen, so wurden si kain gefor ansehen vnd dapfferer zue der sach thuen. Ich hab ain gross mittleyden mit vnserm armen vatterland, das sowenig leutt darin, die die sach recht gutt mainen och verstanden. Wolt Gott, wir hetten vil hertzog Albrechten und hertzog Hainrichen. In somma, videmur omnes somno oppressi, pericula magis quam decet timere et remedia minus curare.

   a   b   c   d   e

Tolerantia, Conniuentia, Omnia tandem perdent.

Es entschuldigt ainer sich auff den andern, vnd fallen bayd in die grueb, die wir vnns mitt vnsern forchtsamen

---

an welchem er vor 5 Jahren den Purpur empfangen, ins Gefängniss wandern müssen. Übrigens war er derjenige, welchen Paul IV. im Jahre 1556 nach Fontainebleau geschickt hatte, um Heinrich II. zum Bruch des Waffenstillstandes zu bewegen. Das Bündniss mit Frankreich zur Eroberung und Theilung Neapels war grossen Theils das Werk des Cardinals Caraffa und der andern ehrsüchtigen Neffen Paul IV.

onmunteren rattschlegen machen. Ist nitt ain blag, das man
nitt verston will, ye mer man tolleriert, ye mer man verleurt?
Wolt Gott, es thetten alle fürsten wie E. L., vnd liessen die
sach nitt zu weytt kommen. Gott vom Himmel schick sein
gnad vnd barmhertzigkaytt, es last sich sonst eben ansehen,
alls well es alls sammentlich zu grunt gon, vnd will nie-
mantz sein schuld erkennen, Deus prospexit de Coelo, si est
qui faciat bonum, et non est inuentus. Mich dunckt, an allen
enden vnd ortern thue man schlechtlich zu solchen wichtigen
hendlen, vnd mecht leychtlich das vbel die ongehorsam vnd
ongestimme der rebellion so gwaltig vberhandt nemen, das
yederman domitt zu schaffen haben wirt. Thue mich etc.
Datum zu Rom am tag 8. Junii 1560. (*Praes. zwischen
Ipps u. Grein am schiff,* 28. *Junii.)*

---

26) 1560. 15. *Juni. Rom. Otto an Albrecht.*
Betrachtungen über die Zeitverhältnisse.

P. P. Ewr lieb zwai schreiben von dato den 30. May [41])
vnd 1. Juny hab ich am 13. wol empfangen, vnd darff sich
E. L. entlich gegen mir gar nitt bedancken, das ich derselben
bey Bapst. Hayl'., was ich yeder zeytt kan, guttwillig auss-
richte, dann ich, mein bruder vnd alle vnsere verwanten
haben in vil weg von E. L. souil guttz vnd gnad empfangen,
das wirs nitt verdienen kinden. Gott wayst och, das ich
gantz girig in allem, so firfelt, E. L. trewhertziglich mit
gantzem gutten willen zu dienen, dann ich mich sollchs gantz
schuldig erkenn. Vil weniger ist von nötten, das sich E. L.
entschuldigt irs nitt schreibens mitt aigner handt, dann ich

---

[41]) An diesem Tage hatte Albrecht von München aus an Otto
geschrieben, dass es jetzt in Teutschland so ziemlich still sei; eigen-
händig könne er nicht schreiben, da er vor seiner Abreise nach
Wien noch Geschäfte von Wichtigkeit abzumachen habe. Uebri-
gens bedanke er sich, dass ihn der Pabst in so gutem Andenken
behalte.

wol ermessen, das E. L. onzweyffel gar vil zu schaffen, vnd beuorab yettz vor irem auffbruch.

Ich her och gern, das E. L. willens, mitt dem Nuntio merere kundtschafft zu machen, ist warlich ain treffenlicher man, vnd wer gutt bey disen zeytten, das wir seins gleichen vil hetten an leben vnd an der leere. Was dann das Concilium antrifft, hab ich nehermals E. L. was onuerstendigs doch gutthertzig geschriben; bitt E. L. wells nitt verargen, dann ainmal sich ich clarlich, das on ain General-Concilium ye der Christenhaytt nitt kan geholffen werden, vnd wan man schon auss forcht dasselbig vnderlast, sihe ich nitt, das die secten dardurch gemindert, sonder layder taglich gemert werden, vnd auff das lest also stillschweigent nichs anderss darauss nottwendiglich eruolgen kan, dan gwisser vndergang aller Catholischer.

Solte nitt besser sein, wir thetten noch der zeytt, dieweyl die Catholici noch in gutter anzall send, all vnser best darzu, vnd settzten vnser trost in Gott, der wird vnns in ainer so gerechten sach nitt verlassen vnd vil ee zu hilff kommen, dan wan wir auss forcht der zeyttlichen gietter weder sein eer noch vnser seligkaytt retten wollen. Mein grösst sorg ist, das Gott zu grimmigen zorn vber gaystlich vnd weltlich höbter von wegen irer zuuil nachlessigkaytt bewegt werd. Gott hatt die obrigkaytt nitt von riebigen lebens wegen geordnet, sonder zur straff der ongehorsam. Zu vnser zeytten ist dohin kommen, das die obrigkaytt mitt irer farlessigkaytt zu aller rebellion gelegenhaytt, anraytlzung vnd weyl vnd zeytt geben.

Die Bapst. Haylt., souil ich vernimb, wirt das Concilium miessen continuieren, dann sonst worden die wünckel Conciliabula vberhandt nemen, vnd mechte grosse zertrennung von der ainigkaytt der Kirchen leichtlich darauss eruolgen, welche darnach in vil jaren nitt wider zuuergleichen. Ir. Haylt. wart auff der Kaysl. Mt. resolution.

Wan ich alsdann deshalb oder anders schrifftwirdigs erfar, soll E. L onuerhalten bleyben.

Der von Trient ist am xı tag diss monalz zu morgen
gar frie eylendz haim nach Trient verritten, vnd soll die
Bapst. Hayl^t., och die S$^{ra.}$ Donna Johanna, mitt im ser vbel
zufriden sein, das er vor entlichem beschluss des heuratz
verritten. Es soll alle ding biss auff kunig Philipps Consens
vnd des freulins bewilligung gestert abgeredt sein.

Was sonst neuws verhanden, wirt E. L. hiebey finden.

Hab yettzt zwo wochen meine brieff an E. L. gen Wien
dem Nuntio Apostolico geschickt, disen schick ich hern
Hanns Jacob Fugger. Thue mich etc.

Datum zu Rom am 15 tag Junii 1560.

(Praes. Hafnerzell 4. Julii 1560.)

---

27) 1560. 22. *Juni. Rom. Otto an Albrecht. Berichtet*
Neuigkeiten, auch Persönliches; betrachtet die
Zeitläufte.

P. P. E. L. schreiben von dato München den 8. Junii
hab ich am vergangen mittwoch wol empfangen vnd lass
E. L. wissen, wie das seyd vilerlay zeyttungen von der insel
di Zerbi einkommen, welche all yeder zeytt ich E. L. vber-
schickt, vnd wie wol der schad ettwas klainer ist dann im
anfang einkommen, noch dannocht send 20 galeren verloren
vnd ettlich nauen.

Die kunigl. W. auss Hispania wie man schreibt soll beym
Kunig auss Franckreich erlangt haben, das er die Franzesisch
galern ir K. W. leyhen will. So sagt man, es werde S. Don
Garzia di Toledo Obrister vber die galeren werden vnd ain
armada anrichten, die gutten leutt in der insel Zerbi zu
retten. Gott well, das si zeytt gnueg kommen. Es ziehen
taglich vil knecht auss Teutschland herein, die nimbt der
Viceroi auss Neapolis all an. So schreibt man, Don Alberico
von Laudron werd ain regiment knecht zu diser armada an-
nemen. Gott geb den Christen sig.

Was sonst sich allenthalb hin vnd wider zutregt, das schick ich E. L. hiemitt, vnd continuir nach vnd nach wochenlich.

Mein gar schmertzlich kranckhaytt hatt sich Gott hab lob zu besserung geschickt, vnd hab vor 2 tagen wider angefangen auss zu wanderen, bin ob 6 wochen ingelegen.

Man sagt vir gwiss, die Bapst. Hayl* well nach dem ersten regen im Augusto gen Bononi ziehen. Don Caesare Gonzago soll ain gar stattlich hochzeytt mit ir Hayl* schwester dochter gehalten haben. Ich hoff, her Marx von Emps werde gar bald zu E. L. kommen, kann nicht schaden E. L. wellen mich ein sonderlich befellen, es helff als vil es mag, so bin ich desto mer E. L. verobligiert.

Mich verlanget seer nach vnserm vatterlandt, besonders wan gwisser bestendiger frid darin were.

Man schreibt fir gwiss, wie die Lutherischen in Franckreich, Engelland vnd Teutschlandt ain satten verstandt mitt ain anderen haben, also das hinden nach miessen all mit inen och Lutherisch werden (das Gott nitt well) oder durch das Concilium, verbwntnus vnd gutte vertreuliche aller Catholischer gegenverstandt vnser ware Religion beschitzen vnd beschirmen. Ich halt glatt nichs auff das lauieren, Gott kanns nitt erleyden, die Kaysl. Mt. wirt eben das domitt gewinnen, das ir Mt. geliebter her bruder Kayser Carle. Ich settz in kainen zwayffel, wan wir recht darzu thetten, es were noch allen dingen wol zu helffen. Wir verlieren aber alle occasiones vnd wenen, es soll dem vbel mitt zuesehen vnd nitt mitt dareinsehen geholffen werden. Prouidendo et non turpiter conniuendo stabiliendae sunt res. Mit der weyss ist zu besorgen, Gott werd die recht gayssel, den Türcken, ainmal vber vnns schicken, welcher yettz frid mitt dem Sophi hatt, mitt nitt weniger gefor der gantzen Christenhaytt, vor welcher vnns alle der allmechtig bewahre. Datum zu Rom am 22. tag Junii 1560.

---

28) 1560. 26. Juni. Rom. Otto an Albrecht. Hat für die spanischen Werbungen einen Musterungsplatz zu Füssen bewilligt.

P. P. Den nechsten Sambstag hab ich E. L. alles, was hie neuws gwest, zugeschickt, vnd yetlzt bey diser post, so der kunigl. W. aus Hispania bottschafft hinauss schickt, hatt E. L. weytter zu empfahen, was seydher firgangen.

Die k. W. hatt mitt mir souuil gehandlet, das ir derselben nitt hab kinden abslahen lassen, ain musterplatz zu haben, darauff Graff Alberich von Ladron 3000 Teutsch knecht annemen vnd herein fieren soll, vnd volgens werden si mitt ainer neuwen stattlichen armada zu rettung etllicher belegerten in der insel Zerbi auff das mer sitzen, Gott geb in glück vnd sig.

Ich bitt E. L. welle auss irem fürstenthumb mitt prouiandt denen von Fiessen auff den musterplatz zu steur kommen, das will ich verdienen, darzu kombt es gemainer Christenhaytt vnd den belegerten vilen eerlichen teutschen vnd andern gutten kriegsleutten zu gutten.

An sant Johans tag hat man wider ain bischoff gefangen, Il vescouo di Gaiazza genannt, man sagt er soll gutt Caraffisch sein.

Morgen soll Consistorium gehalten werden. Was sich zutregt, schreib ich weytter zu. Datum zu Rom am 26. tag Junii 1560. *(Praes. Hafnerzell.)*

---

29) 1560. 29. Juni. Rom. Otto an Albrecht. Beklagt die Zeitverhältnisse und die Muthlosigkeit und Unentschiedenheit der katholischen Häupter.

P. P. Dise gegenwertig wochen hab ich E. L. schreiben nitt empfangen, kan wol ermessen von wegen ires abwesens. Sonst far ich wochenlich für, vnd was yeder zeytt verhanden, schick ich E. L. ordenlich, gedenk och also allzeytt williglich zu beharren.

Ich kan E. L. nitt verhalten, das ich vber die mass bekimmert vnd schier wolte, ich were nitt mer in der welt, dann ich befinde an allen orten, das weder gaystllich noch weltlich irem ampt, berueff och schuld (darumb wir all yeder in seiner mass vor dem hohen tron Gottes rechenschaflt thuen miessen) gnueg thuen. Es feyrt in den sachen Christi yederman, yeder sich seiner schamt, nemo querit quae Dei sunt, der ain hofft, der ander fürcht im zuuil, der tritt sicht zu etc. Nemo fungitur suo offitio, sed quod peius est, quisque sibi blanditur in sua negligentia, culpam omnem in alium et nemo in se ipsum reijcit, et omnes diserte de rebus publicis loquimur, dum nil nisi priuata curant. Parcat nobis omnibus deus etc. Tempus esset nos de somno surgere, causam Dei fideliter tractare, aliquid prouidentiae diuinae, non prudentiae humanae tribuere omnia. Es darff layder niemants dem andern nichs auffhöben. Ich sich och kain ander remedium, dann das ich auss aller thuen vnd lassen nitt onzeyttlich sorg, wir werden die Kirch vnd das Reych verlieren vnd Gott werds andern geben. Ist nitt zu bewainen, das die grössten heubter auss forcht, klainmiettigkaytt vnd farlessigkaytt nitt allain fir sich selbs nichs thuendt, sonder hinderen och ander, vnd wellen also zusehentlich den ketzern, Türcken vnd hayden thir vnd thor auffthuen, och der weyl vbrig gnueg lassen, domitt si vberhandt nemen, vnd wir gar vndertruckt werden? Das vermag die menschlich weyshaytt, kainer will die sach angreyffen, ain yeder verschont seins lust, seins guttz vnd seiner gelegenhaytt. Wann wir alt histori, die bibel vnd anders lesen, so befinden wir, das auss solcher negligens, forcht vnd conniuens nie was guttz eruolgt. In causa Dei gehört ain ander hertz, gmiett vnd dapfferkaytt darzu. Es statt vbel, das die obrigkaytt durch die finger sicht. Non est abbreuiata manus Domini, non deessot nobis Deus, si nos nobismet ipsis non deessemus. Ich sag och vor Gott vnd der welt, das niemantz an souil vbels

12*

schuldig ist, dann die es weren haben sollen vnd nitt gethon
haben, vnd last sich eben ansehen, als well si Gott erst
straffen mitt verblendung ir vernunfft vnd mitt zaghaytt irer
hertzen.

Was ich schreib, das main ich gutt, vnd verhoff, es solls
mir niemantz verübel haben, dans Gott wayst, das solche
sachen mich trewhertziglich anfechten, vnd das ich gern
souil an mir armen onuerstendigen ist, an allen orten gutt-
hertziglich manen vnd warnen wolt.

Wir hetten noch zeytt, glück vnd vorthayl gnueg, wann
wir nur mer fleyss, hertz vnd willen hetten. Aber mitt di-
ser klainmiettigkaytt werden wir all occasion, all glück vnd
gelegenhaytt auss der handt lassen, vnd Gott wayst, wie wir
wider darzu kommen werden mügen. Judas interim non
dormit. Ach Gott, wie kan doch ain solche onbetrachtlichaytt
bey vnsern öbristen heubtern sein, das si das ent nitt be-
dencken, das necessarie ineuitabiliter ex ista socordia et
negligentia eruolgen muess, nemlich vnser aller vndergang
vnd solcher fortgang aller Gottes vnd vnser feind, das si
vnns vnser nachlessigkaytt wol verdienter weyss vmb das
lauieren, conniuieren vnd temporisieren den gewonlichen lon
vnd straff geben werden. O es sendt ettlich die mainen, es
werde allain über die gaystlichen aussgon, vnd si wellen irn
thayl och darbey bekommen, oder aber zum wenigisten irs
thails sicher blayben. Ich sorg aber, ir rayttung werde inen
felen, vnd wan si schon vorn ketlzer sicher vermainten zu
sein, so sendt den onglückheligen guttgeyttzigen noch souil
layder in vnser landen, das si der Türcken nitt erwarten
werden dürffen, vnd doppelt straff wol gewertig vnd gewiss
sein mügen. Disem allen wer noch wol rath zu finden,
Gott wurd vnns nitt verlassen, wann wir das vnser darzu
thetten.

Hie sag ich offenlich, wie es an im selbs ist, wer wol
von notten ain gaystlich vnd weltlich reformation, die würck-
lich volzogen wurden. Darneben aber vnd schier mer wer
von nötten, dieweyl das übel vnd die ongehorsame allenthal-

ben so gwaltig im auffnemen sendt, das die gutthertzigen zu
volziehung der reformation vnd haltung des Concili ain treuwe
vnd vertrawtte intelligens mitt ain anderen machten, vnd
zu auffrichtung, pflantzung, haltung vnd beschirmung des
Concili, der reformation vnd aller gutter firnemen sich statt-
lich bewaffenten vnd stercken, dermassen das si nitt gehin-
dert mechten werden. Wo das nitt beschicht vnd auss
blinder forcht vnderlassen bleybt, so ist nitt zu zweyfflen,
vnser widerwertige werden inen diss vnser zaghaytt inen
wol wissen zu nutz machen, vnd ir vorhaben desto bass zu
werck bringen nobis dormientibus. Man hatt yettzt ob
40 Jaren mitt inen tractiert, getaglaystet vnd inen alles zu-
gesehen, was si nur immer erdencken haben mügen, was
aber darum gewonñen, haben sich wenig zu beruemen.
Wann nun die augenscheinlichen exempla, was Kayser Carolo
inuictissimo begegnet, vns nitt mouieren, was soll man mer
darzu sagen? Die Religionsachen miessen anderst gehandlet
werden, vnd mer Gott dann die menschen angesehen werden,
nondum restitimus vsque ad sanguinem, es send yettzt allain
delicati Martyres, es will niemantz die herte nuss beyssen,
ja wir wollen warten, bis von im selbs gutt wirt. Aber
mittler weyl kan Gott nitt ongestrafft lassen, die den gegeben
gwalt missbrauchen, vnd der bosshaytt nitt allain zusehen,
sonder durch solche negligens zu merung vnd sterckung
verursachen.

Bitt ewer lieb welle mir vmb Gottes willen verzeyhen,
vnd irs thayls als ain loblicher standhaffter fürst wie bisher
an enden vnd orten, da es erschiessen mag, alles befurderen,
das der sach zu gutten kommen mag, domitt der armen
Christenhaytt geholfen werden mag. Hiemitt etc.

Datum zu Rom am hayligen Sant Peter vnd Pauls tag 1560.

---

30) 1560. 21. *Juli*. *München*. *Albrecht an Otto*.
Antwort auf den vorhergehenden Brief.

Hochwirdigster in gott ratter, besonder lieber her, freundt
vandt geuatter. E. L. schreiben aus Rom vom 29. Junii
nechst ist mir zw meiner alherkunfft wol geantwort worden,
vnd das E. L. darin melden, das sy ein wochen meine schrei-
ben nitt empfangen, ist allein der vrsach beschehen, wie
E. L. selbs schreibt, das ich nitt anhaims, sonder vnder-
wegen gewest; mir sein aber sonst alle E. L. schreiben wol
worden, wie E. L. aus meinem jüngsten werden nun mer
verstanden haben.

So vil aber E. L. ietzig schreiben anlangt, da khan ich
mich wol brichten, das E. L. mir baldt nach einander zw
drey oder 4 maln eben disses handels halber, das Concili
belangendt, geschriben, darauff ich gleichwol E. L. khuntlich
zw mermal beantwort, vnd mich auff der Kayserl. Mt. reso-
lution an die B. H. referiert, aus welcher resolution E. L.
vmbstendt vnd gelegenhait aller sachen wol abnemen mögen.
Dieweil aber E. L. guethertziger meinung die sachen mit
höchster beschwernuss ires gemuets dahin versten, das vn-
sere geistliche vnd weltliche hohe oberkheit iren anbeuolhnen
ambtern vnd berueff hierin nitt ein genuege thuen, inen die
sache Cristi lassen wenig angelegen sein, sonder mer auff
ir eigne schantz sehen, etwo zuuil hoffen oder fürchten, oder
zw weitt zwsehen durch lauieren, conniuieren, temporisieren,
dardurch dann die khirch vnd das reich gar von vnns ver-
loren vnd ad alienos transferiret werden möcht, das auch
vnnser oberste heubter auss furcht, khleinmuetigkheit, far-
lessigkheit, nitt allein für sich selber nichts thuen, sonder
auch ander nichts thun lassen, vnd was des dings noch
weitter mit langer ausfierung in E. L. schreiben vermeldt
würdt, so weis ich gieichwol nitt, was die B. H. sambt euch
hern Cardineln des vorstenden Concili halber gesint sein,
anderst dann das ich von E. L. zum offtermal hab verstanden,
wie ir B. H. nichts anderst begerte vnd trachtet, dann wie

man zw eim general Concilio khomen möchte, doch dasselb
mitt ratt vnd zuthuen ander Cristenlicher Potentaten vnd
heupter, wie ich dann bey mir darfür acht, das ir heiligkheit
noch der meinung sein werde. So vil dann mein hern, die
Kaysl. Mt. belangt, soll E. L. gewisslich darfür halten, das
ir Kaysl. Mt. so mitt grosser begir vnd verlangen das offt-
gemelt Concili fürderte, als welcher Cristlicher Potentat sein
mag, wann ir Kaysl. Mt. allein die weg wüsste, wie man
fruchtberlich darzw khomen möchte, vnd was guets vnd nutz
darin aussrichten. Dann ir Kaysl. Mt. fuern nitt vnbedecht-
lich zw gmiet, wie es auff den zweyen angefangnen aber nitt
wol volenten Concili zw Trient ergangen, vnd bedencken,
do es noch einstmals solte also gen, das man one frucht von
dem ietz vorsteenden Concili mueste weichen, das vileicht bey
disen vnseren lesten vnd geferlichen zeitten so baldt nitt mer,
oder vileicht gar nitt zw ein andern Concilio möcht ge-
schritten werden. Derhalben etwa rattlicher sein soll, denen
wichtigen handlungen mit fleiss statlich nachzwgedenken, ob
schon darüber ein zeitt leufft, dann das man also vnbedacht
ein solchs hoch vnd gross nutzlichs werk vnderstee anzw-
fahen, so auch zu kheinem anfang, vil minder zw dem endt
zwbringen, dahin es anfangs guethertzig gemeint. Vnd hatt,
mitt guetter warheit zu schreiben, bey ir Kayl. Mt. die mei-
nung, wie zvm tail in diesem oben, vnd in E. L. noch lenger
guetter meinung aussgefuert wirtt, gar nitt; dann sovil weis
ich, darffs auch reden vnd schreiben wo ich will, das mein
her die Kaysl. Mt. weder leib, guett, bluett, königreich, landt
oder leutt nitt ansehen wurtt, sonder dises alles in euseriste
gefar setzen, ja auch den tot nitt darüber scheuhen, wann sy
allein wüste dardurch friede, rwe, ainigkheit, vergleich der
Religion in der Cristenheit zw machen vnd zw erhalten, wie
dann noch vil mer hoher vrsachen contra möchten ange-
zogen werden, wann schon dess alles obgenent nitt verschont,
das man dancht zw dem vil gemelten Concili nitt rwig
khomen möchte, es sey dann das man zuuor wol betracht,
wie die einfallenden hinderungen abzustellen, die sich nitt

wöllen in spetie (wie wol die notturfft erforderte) schreiben
lassen, zw welchen allen man dancht mues zeitt vnd weil
haben, wie E. L. als ain hochuerstendiger selber zuermessen
haben. Das hab ich E. L. guetter wolmainung auff ir ver-
treuwlich schreiben danocht melden wöllen, damit sy sehen,
das noch ander mer guetthertzig sein, die auch gern sehen,
das es wol zwgieng, vnd thue mich daneben zw E. L.
diensten freuntlich erbietten. Datum München 21. Juli 1560.

**31) 1560. 6. *Juli. Rom. Otto an Albrecht.*
*Neuigkeiten.***

P. P. Ich hab abermals auff die vergangen wochen kain
schreiben von E. L. empfangen, gedenck vrsach ires abwe-
sens. Sonst schick ich hiemitt alles, was dissmals forhan-
den, vnd lass E. L. wissen, das mein langwirige geschwer,
deren ich zway gehabt, gar wol zu besserung schicken, vnd
das ain schon gar gehaylt. Es send fruchten vom Conclaue,
vnd sendt hie vil leutt kranck daran gelegen.

Zu hoff sagt man, her Hannibal von Emps heuratt soll
fir sich gon, aber von Neapolis schreibt man, die sponsa hab
die sach in ain bedacht genomen vnd bisher nitt bewilligen
wellen, so soll och kunig Philipp nitt zufriden sein, das sein
onersucht m. h. von Trient solche heuratt praticiert. So ist
gwiss, das die Bapstl. Hayl᷑ vnd die hertzogin Dona Johanna
gar vbel zufriden, das der von Trient vor entlichem beschluss
verruckt.

Vil Cardinäl ziehen von hinnen in ettlich viel flecken,
vnd fliehen die hieige hitz. Ich hoff, ich will mich hie wol
behelffen mitt gottes hilff.

Es sicht nitt yederman gern, das man hie so scharpff
handlet, vnd man gibt nitt der Bapst. Hayl᷑, sonder ettlichen
particular leutten, so regieren, die schuld, et noster Triden-
tinus non caret suspitione, ist mir layd.

Von Concilio hör ich leyder kain wort mer, weder hie noch von anderen örtern. Gott schick all ding zum besten. Hiemitt etc. Datum zu Rom am 6. tag Julii 1560.

---

32) 1560. 13. *Juli. Rom. Otto an Albrecht. Eifert für Fortsetzung des allgemeinen Conciliums.*

P. P. E. L. schreiben von Wien de dato den 21. Junii hab ich gester alhie wol empfangen, vnd hab gern gehört, das E. L. meine 2. worden, hab wochenlich all meine andere hern Hanns Jacob Fugger zuegeschickt, gedenck werden alle zu rechter zeytt E. L. nach vnd nach zukommen.

Was das Concilium belangt, ist der beschayd von der Rom. Kaysl. Mt. an die Bapstl. Hayl[t.] gelangt, vnd ist ettlich Cardinälen, darvnder ich och gewest, rattzweyss firgehalten worden. Nun befindt sich, das onzweyffel ir Kaysl. (Mt.) die sach gutt mainen, aber es ist nitt ain klain mittleyden mitt ir Mt. zu haben, das ir Mt. die Religion sachen mer auff menschliche prudentiam dann göttliche firschung setzen, vnd hoffen dardurch cunctando et conniuendo vil zu gewinnen, so doch das contrarium onuermeydlich darauss erston mecht; vnd ist zu besorgen, ir Mt. werden gegenwirtige occassiones vnd gutte gelegenhaytt versaumen, vnd dem vbel der weyl lassen so gar vberhandt zu nehmen, das darnach kain remedium mer sein kan. Gott well durch sein gnad zu hilff kommen.

Nun ist es eben so weytt kommen, das gemain Christen-haytt des Concilii notturfftig, vnd kan kain verzug mer leyden. Wo nun die kaysl. Mt. vnd die stendt des Reychs erst jar vnd tag darauff dencken wellen, vnd ir selbs hayl verziehen, so kan man der Bapst. Hayl[t.] nitt verübel haben, wann si anderen gedrangten Christen ausserhalb Teutscher Nation das ainig hochst nottig Concilium anderstwo bewilligten. Ainmal ist ir Hayl[t.] frey beraytt, ionerhalb Teutscher Nation das Concilium, wie sich geburt, zu halten; wann man aber das selbig nitt will, vnd andere Nation kinden desselben nitt lenger geratten, was soll man thuen? Christus Jesus venit omnes saluos facere, neque propter eos, qui salui fieri noluerant, aduentum suum distulit. Germania nostra grauiter decumbens respuit medicinam, et morbum dilatione magis aggrauat. Numne propterea reliquae nationes sine medicina destituendae? O Gott vom himmel erbarm sich vber vnser geliebt vatterlandt, das vbel hatt bey vnns schon so gar vbergwaltigt, das wir die zeytt vnd das ort vnserer haylung onwissender dingen nitt mer erkennen oder zu lassen.

Wann nur aussfierlich vnd nach menschlicher vernunfft firtraglich bedacht wirt, das Concilium kan nitt sein, die Confessionisten werdens nitt gedulden, si werden sich gwaltig darwider settzen, si werden den vorstraych gwinnen vnd och vnsere landt vnd leutt einnemen, vnd dem fass den boden gar auss stossen, darauff frag ich, warum mugen die Confessionisten nitt leyden, warumb wellen si sich des gwaltz vnderston? Nemlich darumb, das si gwiss wissen, das auff ainem allgemain freyen waren Concilio ir ongrunt, ir betrug vnd ir verfierung onwidersprechlich auffgehebt, entdenckt, vnd aussgelegt werden muess, darumb fliehen si es billig. Qui male agit, odio lucem habet. Si wolten nitt, das ir hendel an tag kemen, ee wellen si durch onuerursachte muettwillige auffruer ir hayl versuechen vnd alle ding vmbstossen. Soll nun dargegen die gaystlich vnd weltlich obrigkaytt die handt in tayg stossen, vnd denen leutten, die falsch leer fieren, irs gefallens zuesehen? wie kindte dardurch Gott nitt erzirnt werden? O wann wir alle zu Rom, zu Wien vnd anderst wo betrachteten, was fir rechenschafft wir vor Gott vmb den saumbsall vnd onueranttwurtliche hinlessigkaytt vnd verzagte klainmiettigkaytt gwisslich geben werden miessen! Die alte Bäpst, Kayser, Kunig, Fürsten, Bischoff vnd alle Christgleubigen haben von der Religion willen all ir hochaytt, macht, reychthumb, landt, kunigraych, fürstenthumb, leyb vnd leben gesettzt; wir aber wellen mitt schlaffen, essen, trincken, spilen, miessigon, pracht, wolust, kurtzweyl vnd aigen-

willigkaytt nur vnserer sachen ausswarten, es gang wie es
will mitt der Religion, justitia vnd friden, non quaerentes
quae Dei sunt, et quia humanae innitimur prudentiae, huma-
nis perdimur stultitiis.

Man mecht sagen, es kan kain Concilium och nichs mer
helffen, die sach ist zu lang angestanden. Darauff sag ich,
es ist allweg zeytt gnueg, wann man in gottlicher hoffnung,
bestendigen waren glauben vnd inbrinstiger liebe die sach
angreifft. Gott wurd sein krafft, sein gnad vnd wolfart dar-
zu onzweyffenlich geben.

In solchen vnd dergleichen verzweyfflleten gefaren hatt
die Catholisch kirch allweg das ainig remedium Concilii ge-
neralis gebraucht, wider welchs der teuffel, die secten, kettzer
vnd scismatici all ir hochsten listen, macht vnd böschaytt auff
das eusserist gebraucht, aber allweg durch Catholische war-
haytt krefflenglich vbersiget worden. Concilium est remedium
sacratissimum, est salutaris medicina Dei, quae praeter ra-
tiones naturales supranaturaliter ex vi et potentia diuina per
Spiritum sanctum omnem potestatem diaboli et haereti-
corum semper extinguit et superat. Ad hoc debent intre-
pide omnes Christi fideles in extremis periculis recurrere,
aduersus concilium legitime congregatum portae inferorum
non praeualebunt. Je mer die Confessionisten dasselbig
fürchten, ye mer sollens die Catholischen, die in warer ainig-
kaytt vnd bestendigkaytt des glaubens sendt, begeren, suechen
vnd befürderen.

Gott wurcket in dem Concilio, vnd on das kan kain frid,
kain sicherhaytt in der kirchen oder im Reych auffgericht
werden. Es soll och nitt darumb eingestelt werden, das es
dem oder dem andern nitt gefelt; dann wan man die wider-
sacher will hören, so werden si sich in ebigkaytt nimmer
mitt den Catholicis de loco, tempore et modo vergleichen.
Soll man darumb gar still ston vnd von irer wegen die gantz
Christenhaytt in der gefor stecken lassen? Der verzug ist
spottlich, schedlich vnd nachtheylich, vnd soll die recht-
gleubige kain schwere, kain gefar hinderen, sonder wir sollen

Gott vertrauwen, es werden den ketlzer nitt all anschleg fir
sich gon. Man kan wol gwiss weg vnd verstentnus finden,
dardurch den auffrierischen praticken der widerparthey wol
kan begegnet werden. Darumb bitt ich E. L. vmb Gottes
willen, si well der Kaysl. Mt. den verzug vnd die forcht
aussreden, vnd ir Mt. vergwissen, quod in tali causa Deus
non derelinquet suam M$^{tem.}$ Ir Mt. greyff nur dapffer darauff,
vnd neme exempel von iren loblichen Catholischen vorfaren,
qui parua manu saepe immensam multitudinem superarunt.
Ir Mt. wissen, das die Catholici ain gutte sach haben, die
sollen ir Mt. souil an ir ist beschitzen, vnd sollen sich vor
den Confessionisten, qui malam causam habent, 'gar nicht
besorgen. Ir Mt. soll dise occasion des Concilii nitt ver-
schiben oder hinderen, ne deterius quid contingat. So fer
aber ir Mt. ze Trient oder andern ort in Germania nitt ge-
fielen, so seye ir Mt. nitt darwider, vnd lass in Italia oder
anderswo halten. Ir Mt. schicke die irige darzu, vnd be-
furdere, dass andere Catholici och darzu kommen mugen.
Wann die Confessionisten darwider wolten durch auffrueren
hindernus anrichten, so gedenck ir Mt., warvmb si von Gott
das schwert empfangen vnd angenommen, sueche hilff vnd
rath nitt allein bey den Catholicis Germaniae, sonder bey
allen anderen, so dem Concilio anhengig. Ir Mt. wirt zeytt
gnueg haben, die Lutherische werden ir firnemen nitt sobald
in firgang bringen kinden, das man inen nitt noch zeyttlich
gnueg kinde begegnen. Hierzu gehört hertz vnd gmiett,
fleiss vnd bestendigkaytt [42]).

---

[42]) Kaiser Ferdinand und auch einige andere kalholische Fürsten
fanden es nämlich nicht gerathen, das Concilium von Trient fort-
zusetzen; auch zweifelten sie, ob es von den Protestanten beschickt
würde. Sie hielten es für besser, dass ein neues Concilium an einem
andern Orte zusammen berufen, oder lieber gleich gar an die Refor-
mation des geistlichen Standes gegangen, und einiges von den alten
Kirchensatzungen nachgelassen werde. Ueberhaupt war Ferdinand
damals voller Bedenklichkeiten, und in seinen alten Tagen gegen
die neue Lehre und ihre Anhänger manchmal nur zu milde und

Wann es vmb land vnd leutt zu thuen wer, so ist ye-
derman bald rüstig; wann aber die sach Gott antrifft vnd sein
Religion, warumb sollen wir klainmiettig oder zaghaft sein?
Ich bitt, E. L. welle mir nichs verübel haben, ich hett mir
fírgenommen, nichs daruon mer zu schreiben vnd Gott die
sach zu befellen, wayss aber nitt, wie ich in ain so lang
villeicht überflissig vnd onuerstendig, doch warlich treuw vnd
guttbertzig geschwetz geratten. Gott geb vnns Teutschen sein
gnad, mer hertz vnd verstandt. — Sonst was dissmals news,
hatt E. L. hiemitt vnd allweg wochenlich. Thue mich etc.
Datum zu Rom am 13. Tag Julii 1560.

**33) 1560. 20. *Juli. Rom. Otto an Albrecht. Neuig-
keiten. Beklagt sich über das Benehmen der
Glaubensgegner.***

E. L. gantz vertreulich schreiben aigner handt von dato
im schiff den ersten Julii hab ich alhie am 18. wol empfan-
gen, vnd bitt E. L. anfenglich auff das aller vertraulichst,
E. L. welle mir hinfiro an von meines schreibens wegen kain
danck sagen etc. Souuil der 3 Cardinelen vnd des von
Paliano gefengnus betrifft, findt man leutt alhie, die es loben,
vnd die es schelten, vil och verhoffen noch, die Bapst. Haylt-
solle mer zu der barmhertzigkaytt, dann zu der scherpffe
lestlich bewegt werden; es wirt es aber alles die zeytt zu
erkennen geben. Man examinirt si gar embsig vnd on vn-

---

nachgiebig. Dessbalb konnte er sich mit den Absichten Roms nur
schwer und erst nach vielem Zögern befreunden. Diese Zaghaftig-
keit, diese Furcht vor den Protestanten und diese Unentschieden-
heit darf aber nicht dem Kaiser allein vorgeworfen werden; sie
war eine Schwäche auch der meisten übrigen weltlichen und geist-
lichen Fürsten, die der Kirche noch anhingen. Gegen diese
schwankende und unentschiedene Haltung ereifert sich daher Otto
mit der ganzen Stärke seines energischen Charakters und seines
Glaubenseifers.

derlass, doch kan noch niemantz hören, warauff. Der Cardinal Caraffa soll sich manlich vnd onerschrocken erzaigen, der von Paliano, sein schwager Conte de Liffa vnd Don Leonardo de Cardene sollen die mort an des von Paliano gemahel bekant haben, der Cardinal von Neapoli soll in crimine furti [43]), falsificationis literarum Apostolicarum, vnd consensus in mortem Ducissae de Paliano anklagt, aber noch nitt conuinciert sein. Mit dem Cardinal Monte ist noch nitt procediert worden, Gott schick alle ding nach dem besten.

Des Concili halb hab ich auss sonder vertreulichaytt schier zu libere E. L. ettlich mal geschriben, vnd setz gar in kainen zweyffel, das E. L., wie si dann mitt dem Nuntio geredt, auffrecht vnd gutt mainet. Ich glaub aber och, wann E. L. gantzlich bricht, was nitt allain im Reich Teutscher Nation, sonder an andern orten firfallen well, so wurde E. L. ir Haylt fir entschuldigt haben, das si mitt der continuation nitt lenger stillstande. Aber es soll der Delphin mitt antwurt zu der Rom. Kaysl. Mt. bald abgefertigt werden, deren wirt E. L. onzweyffel nach lengs thaylhefftig gemacht.

Ich bedanck mich von E. L. vberschickten biechlins, darin ainmal gar fisierlich glosen sendt. Nun auss demselben biechlin, wie E. L. melden, vnd andern handlungen och praticken mer, domitt die Confessionisten an allen ortern vmbgont, ist entlich zu beschliessen, das man sich zu inen nichs guttz hatt zuuersehen, vnd das si weder durch Concili oder Reychshandlung zu der billichaytt sendt zu bewegen; dann si wider vnns dermassen verbittert, das durch kain weg bey inen rueb zuuerhoffen, dann man geb inen alles zu, was si truttzlich erbochen wellen. Gott vom himmel schick den weg seiner gottlichen ainigkaytt, dann bey disen leuten wirt kain auffhören sein, so lang biss yederman thuett, was si wellen.

Ist nitt zu erbarmen, das si also erdichten, alls praticier

---

[43]) Er soll am Todestage Papst Paul IV. einige Gegenstände heimlich aus dessen Gemach entfernt haben.

man wider si krieg, welchs entlich fir war bissher nitt be-
schehen? Wann aber ires schmehens, schandens, auffruer vnd
auffstandt anzurichten nitt allain bey inen, sonder och in
ander Nation gar kain endt sein will, wen wolten hindennach
si nitt tringen vnd zwingen, sich ad defensionem wider si
zu richten? Wer kan inen trauwen, wan si so beharlich
souuil onwarhaytt zuuerbitteren den ainfeltigen, gemainen
man, allenthalb onuerschembt aussgiessen, vnd nitt auffhören,
biss si die vbrige Catholicos och vndertrucken kinden?

Mir ist layd, das gaystlich vnd weltlich obrigkaytt
so lang zugesehen vnd souiler occasion nitt allain zum
thayl schon versaumbt, sonder noch taglich versaumen mitt
onwiderbringlichen schaden gemainer Christenhaytt. Solchs
aber will ich Gott befellen, der, hoff ich, werd zu seiner
zeytt sein gnad vnns allen mitthaylen, damitt wir in rueb
leben kinden. Aber ainmal wirt von notten sein, das die
Catholici sich bass hinfir mitt ainanderen vergleichen, vnd
ain allgemainer defension nachdencken.

Das die Rom. Kaysl. Mt. E. L. vnd dero selb gemahel
so gar wol vnd lustig tractiert, hab ich mitt sonder wolge-
fallen gern vernommen; das mich aber E. L. auss irem gutten
beharlichen gmiett gegen mir ir Mt. bestes fleyss befollen,
ways ich mich nitt gnuegsam zu bedancken.

Ich hett gern gesehen, das der von Emps sambt dem
von Matrutsch lenger hetten bey E. L. sein mügen; so mir
dann E. L. was der dancksagung halb von wegen der Bapst-
lichen vereerungen befellen werden, will ichs treulich vnd
willighlich nach meim besten verstand verrichten.

Datum zu Rom am 20. tag Julii 1560.

(Praes. Geissenfeld 4. Aug.)

---

34) 1560. 27. *Juli*. *Rom*. *Otto an Albrecht*. *Klagt über die Nachgiebigkeit des böhmischen Königs (des nachmaligen Kaisers Maximilian II*.) *gegen die Protestanten*.

P. P. E. L. schreiben von dato München den xɪ. Julii hab ich nechsten mittwoch wol empfangen, hab och darauss mit sondern freden gern vernommen, dass E. L. nach ir glücklicher rayss sambt irem gemahel so wol wider haim kommen sendt, hab och gar gern gehört, das E. L. so wol, so stattlich mitt gutter herlicher tractation vnd lustigem wolhalten empfangen vnd abgefertigt worden send etc.

Wol bitt ich E. L., si welle irem so guttwilligen erbietten nach befellen, domitt sobald es sein kan ain relation, wie es zu Wien zuegangen, gestelt werdt, die will ich warlich gantz gern hören, vnd wiss Gott das ich in taglich bitt, das die loblichen heuser Österreich vnd Bayrn allzeytt wol standen an glück, fröd, friden vnd aller wolfart, vnd wan ich zu bayder eer, nutz vnd auffnam wüste rathen vnd zu helffen, so wolt ich ongespart leybs vnd guttz ain Gott will allzeytt willig, onuerdrossen, treuw vnd auffrecht erfunden werden. Das soll sich E. L. zu mir die zeytt meins lebens versehen vnd im werck onzweyffelich befünden.

Was das Concilium antrifft, wirt ir Hayl᷑ den Episcopum Delphinum mitt anttwurt auff ir Mt. schrifft gen Wien die künfftig wochen abfertigen, vnd sich souuil immer sein kan mitt ir Mt. als ainem Catholischen Kayser vergleichen. Aber was in den begerten zuelassungen der artickl *Communionis sub vtraque et Conjugii sacerdotum* so hefftig angehalten, kann ausserhalb des Concilii nitt gehandlet werden; welchs ich E. L. vertreulich melde, vnd kan doch aber in guttem onuerlettztem vertrauwen E. L. nitt onangezaigt lassen, das si warlich bey Bapst. Hayl᷑ et toto collegio Cardinalium ain gar hohen prayss, lob vnd eer erlangt, darumb das man warhafftiglich vernommen, wie stattlich, ernstlich, Catholisch vnd treulich E. L. mitt der kunigl. Würde auss Böhem gehandlet, vnd erbarmdt mich warlich von grundt meins hertzens, das die kunigl. W. sich nitt anderst bedencken. Gott vom himmel wolle sein kunigl. Würde zu dem alten waren rechten weg wider bringen in die alten catholischen fuesstapffen sein so hoch beriemten voreltern, welche grosse fürstenthuemb, reych vnd kayserthuemb in ainigkaytt der Catholischen Röm. kirchen bekommen vnd gehandhabt. Was aber die trennung vnd scisma bisher onfelich allzeytt mittbracht, sicht man im Constantinopolitanischen kayserthumb vnd souuiler mechtiger griechischer völcker, welche all nach abfal von der Römischen kirchen in das grausam joch der Türckischen tiranney gefallen. — O wie nach ist vnsern landen solchs erschrœcklich joch! O wie seer streytten vil darnach, vnd ist schier so weytt gebracht, das der onschuldig mitt dem wol schuldigen in gleicher gefor stande! Gott komb vnns allen zu hilff, dan der bogen ist schon gespannen, flagella et sagittae sunt sine numero, sed nemo percipit corde. Omnes fingunt sibi securitatem, et negligentes ac somniantes oppressionem quasi meritum praemium expectant. — Ich hette mir abermal gantz aigenlich firgenommen, von disen sachen nichs zu schreiben, so wayss ich aber nitt wie es kombt, das ich mich nitt enthalten kann, von disen dingen doch warlich vnd gwislich treuwhertziglich vnd wolmainend zu schreiben, vorauss gegen E. L., welche ich dermassen in allen iren thuen vnd lassen erkennt, das ich lieber gegen derselben alls gegen yemantz mein hertz aufflhue, bittendt E. L. welle mir verzeyhen.

Sonst was dismals neuws vorhanden, werden E. L. hienebent erfaren.

Die Bapst. Haylt. ist in ernstlich praeparation, nach assumptionis beatae Mariae virginis gen Bononia zu ziehen mitt ettlichen wenigen, alls nemlich 12 Cardinälen, vnd vber 2. monat nitt ausszubleiben. Ich soll och in der verzaichnus sein, mir ist aber noch nichs verkindt, vnd bin noch nach eingenommer kranckhaytt so schwach, das ich bass rueb alls

vil raysens bedurfftig, will aber meins verhoffens mich nach
aller gelegenhaytt mitt irer Haylt· wol vergleichen.

Man sagt, der von Emps sey von Wien schon wider
erfordert; so soll m. h von Triendt och bald kommen. Was
ervolgt, wirt die zeytt zu erkennen geben. Hiemitt thue ich
mich etc. Datum zu Rom am 27. Julii 1560.

(Postscriptum.) Ich lass E. L. vertreulich wissen, wie
ich gern ain Collegium Sociotatis Jesu wolt auffrichten. Bitt
E. L. welle onbeschwert sein, mir vertreulich zu schreiben
die condition, besoldung vnd anders, wie si E. L. auffge-
nommen zu Ingolstatt vnd München, och was si schuldig;
das statt mir vmb E. L. dienstlich zuuergleichen.

Datum ut in literis.

---

35) 1560. 3. *August. Rom. Otto an Albrecht.*
Wochenbericht.

P. P. Heutt acht tag hab ich E. L. alles, was dozumal
verhanden, zugeschickt, vnd was seyd weytter verhanden,
hatt E. L. hiemitt zu enpfahen.

Die Bapst. Haylt· ist seyd dem vergangen Sontag mitt
ainer Tertiana beladen gwest, ain tag vmb den ander; ist
gutte hoffnung, ir Haylt· soll mit Gottes hilff bald geledigt
werden. So bald das fieber ir Haylt· verlast, ist si vor-
habens, in des Cardinals Su· Angeli palatium von verenderung
des lufftz halb zuziehen. Man sagt och noch, die rayss gen
Bononia werd irn firgang haben, oder doch zum wenigisten
biss gen Perusia, dohin solle der hertzog von Florens ir
Haylt· haimzusuchen vnd allerlay wichtiger sachen zuuerrich-
ten kommen.

Es hatt ir Haylt· schwachaytt des Nuntii Delphini abfer-
tigung gen Wien bisher verlengert, aber ich hoff, er soll
bald abgefertigt werden. Hiemitt thue etc.

Datum zu Rom am 3. Augusti 1560.

---

36) 1560. 10. *August. Rom. Otto an Albrecht. Ueber Fortsetzung des Conciliums.*

P. P. Ich hab am vergangen Mittwoch der hayligen sant Aphra tag zway schreiben E. L. handt von dato München den 21. vnd 22. Julii wol empfangen, vnd sag E. L. grossen danck, das si sich souuil bemiehen, schick E. L. och hiemitt, was dismals verhanden.

Souuil aber E. L. anttwurt des Concili halb antrifft, soll si wissen, das E. L. zeyttliche notturfftige bedencken sambt iren zum thayl aussgefierten vrsachen entlich als christlich vnd wolbedacht wolgefallen, hab och dieselben an enden vnd ortern, do si hingehören (doch E. L. onuermeldt) firbracht, hoffe och, die B. H. solle zum thayl souuil immer müglich weg suchen, sich mitt der Kaysl. Mt. in den firnemisten puncten vergleichen. Schicken derhalb ir Hayt⋅ den bischoff Delphinum mitt anttwurt auff der Röm. Kays. Mt. vnsers allergnedigisten herrens schrifft, mitt entlicher resolution, das ir Hayl⋅ ires befollen amptz halb ye nitt vmbgon kinden, das Concilium zu continuieren, vnd soffer alsdan fir gutt angesehen wirt, des ortz halb enderung firzunemen, wirt ir Hayl⋅ an ir och nichs erwinden lassen.

Souuil dan die zeytt antrifft, verhoffte ich es mechte der termin auff der Röm. Kaysl. Mt. ansuechen vnd E. L. guttbeduncken och so lang angesettzt werden, das darzwischen ain Reychstag stattlich aussgeschriben, versamblet ynd volbracht werden mag. Aber ainmal befindt ich, das hie nitt zu erhalten noch fir thuenlich angesehen werden will, mitt der continuation oder indicieren lenger still zu ston. Ich hoffe aber, wan alsdan die Kaysl. Mt., die stendt des Reychs, vnd andere christliche Potentaten was notturfftig vnd geburlich begeren werden, si solten bey der Bäpst. Hayl⋅, welche entlich dise ding sincere, candide, juste et paterne gutt mainen, yederzeytt nach gelegenhaytt souuil immer müglich willfarigen beschayd erlangen.

Es wirt och zum handel nitt wenig dienstlich sein, das

13*

vnnser frommer herr vnd Kayser wie E. L. so begirlich,
guttwillig vnd treulich ir dise sachen angelegen lassen sein,
vnd das ir Mt. alls ain warer Catholischer Kayser weder
ir leib, guet, pluet, kunigreich oder lender nitt ansehen
werdet, wie E. L. schreibt, vnd ir Mt. zuzutrauwen. So hatt
man hie in sonderhaytt auf E. L. och ain grosse hoffnung,
vnd gedrost man sich derselben entlich gar vil. Also wan
man ainander nur recht verston will, vnd sammentlich zu
der sach wie zu hoffen greyffen, so wirt Gott der allmechtig
noch sein gnad darzu schicken, vnd vil hindernussen, die im
anfang sich notturfftiglich erzaigen, abstellen. Das hab ich
E. L. auss gutter vertreulicher wolmainung auff derselben
schreiben wollen anzaigen, bittend mir diss vnd ander ver-
treulichkaytt nitt in onguttem auffzunemen, sonder gwisslich
darfir achten vnd halten, das ichs gutt main.

Ich hab och von E. L. empfangen den vergiff, wie
stattlich, eerlich, frölich, mitt lust, triumph vnd fröd E. L.
vnd derselben gemahel gehalten vnd tractiert worden ist zu
Wien. Gott der allmechtig bewar E. L. allzeytt vor allem
vbel sambt allen iren verwanten.

Sonst hab ich ain schreiben von E. L. an die Bapstl.
Hayl. empfangen, das hab ich am vergangen donnerstag
vberanttwurt, vnd wie wol ich nitt gwist was darin, so hab
ich dannoch ir Hayl. E. L. sachen auff das best commen-
diert, welche allweg sich gantz gutthertziglich gegen E. L.
erbietten, vnd sobald ich die anttwurt hab, schick ichs onuer-
züglich. Hiemitt etc.

Datum zu Rom am sant Lorentzen tag 1560.

---

37) 1560. 17. *August. Rom. Otto an Albrecht.*
Beantwortet die Erinnerungen, die der Herzog gegen
sein, des Cardinals, Benehmen gemacht hatte.

P. P. E. L. schreiben aigner handt, dess ich mich auff
das hochst thue bedancken, hab ich am 13. diss empfangen,

vnd hab entlich gantz gern gesehen, das E. L. mir so treu-
hertzig vertreulich auff meine schreiben geantwurt. Soll vnd
kan darauff nitt vmbgon, auff ettlich angezogen artickl E. L.
wider gutthertzig zu beantwurten.

Erstlich, das E. L. melden, das mir alls ainem gayst-
lichen bass geburet, dise ding ir Mt. nach leng mitt allerlay
vmbstenden nach der leng schribe, vnd das ichs personlich
thette, darauff gib ich E. L. mitt gruntlicher warhaytt zu
erkennen, das ich in diser Religionsachen nitt allain mitt
yettziger Kaysl. Mt., sonder och mitt Kayser Carle allzeytt
vnd so offt ich bey ir Mt. audientz gehabt, nie vnderlassen
hab, ir M^{ten} irs kaysl. amptz zu ermanen, vnd bey inen auff
das hochst anzuhalten, domitt si Gottes sachen vir all ir
aigen sachen onangesehen aller gefor fir die hand nemen etc.
Dasselbig aber hatt nitt allzeytt das angesehen gehabt, wie
die nott gewest wer. Vnd wan ich schon zu zeytten mitt
Gottes hilff was nutzlichs vnd notturfftiglichs firbracht, so
hatt mir es ettwan ain falscher würffel gelingen vmbgeschla-
gen, wie wol in spetie ausszufieren were etc. Darumb hab
ich yettzt bey E. L. fürnemlich alls bey ainem bestendigen,
anselichen, gottfirchtigen fürsten angehalten, das ich verhofft,
si solt mer ansehens dan ich haben.

Zum ander, das mich hinauss auff mein residentz gen
Dilingen thuen solte, vnd von dannen dise ding erinneren etc.
Darauff wiss E. L., das ich auff ertrich an kaim ort lieber
sein wolt alls zu Dilingen. Ich hab och von dannen auss
nie vnderlassen, allzeyt zue schreiben, reden vnd predigen,
was main mainung gwest, vnd hatt mich kain gefor zu ainem
stummen gemacht; ja wan och die gantz welt aldo were, so
wolt ich auss forcht in causa Dei nichs schweigen, vnd
souuil alls an mir armen schwayss ist, alles guttz befur-
deren vnd selbs personlich thuen. Es weren och alle meine
handlungen, so ich von 44. jar her biss yettzt auff allen
versamblungen vnd Reychstägen geübt, clar mitt bringen,
das ich vnd D. Conrad Braun absentes et presentes nie ain
blatt fir das maul genommen, sonder allweg vor der Kaysl.

Mt. vnd allen stenden publice et priuatim die lautter grunt
warhaytt firbracht, vnd souuil an mir gwest, befurdert vnd
erinneret hab; was es aber erschossen, kinden sich E. L.
zum thayl selbs wol erinneren.

Fir das tritt, das E. L. fräundlich melden, wan si vnd
ander Catholici sehen, das ich gegenwirtig vnd dauss sowol
alls zu Rom so eyfferig erinnerette, das si nitt gezweyffelt,
die Kaysl. Mt., E. L. vnd der ander klain catholisch heufflin
wurden sich in die sach schicken, das die gantz Christen-
haytt sehen solt, das si das thetten, das si schuldig weren.
Darauff sag ich, das mir nitt zweyffelt, Gott der allmechtig
werde zu seiner zeytt der kaysl. Mt., E. L. vnd allen anderen
Catholischen, wann si die sach behertzlich vnd dapffer an-
greyffen vnd berattschlagen werden, mer glück, wolfart, sig
vnd aussrichtung verleyhen, dann man yettzt menschlich
sehen och erkennen kan. Ich will mich och hiemitt vor
Gott vnd der welt gegen E. L. verpflichten, wann ich ver-
gwüst, das man pro defensione et conseruatione Ecclesiae
catholicae das thuen will, das wir all schuldig seyend, das
ich yederzeytt vnd allweg mich personlich gegenwurtiglich
allen enden vnd orten, do es von notten sein mecht, oner-
schrocken erzaigen, erscheinen vnd dermassen erweysen will,
das E. L. vnd die gantz welt sehen soll, das ich kain forcht,
kain gefor, ja den tod mich nitt erschrecken wolt lassen,
das ich zu meinem lieben vatterlandt nitt williglich leyb,
bluett vnd gutt setzen wolt, das soll E. L. sich zu mir ent-
lich vnd onzweyffenlich versehen.

Fir das viert, das E. L. melden, das mir von wegen des
höhen amptz der Protection Imperii fürnemlich gebüre, die
beschwerliche obligen meins vatterlandtz zum hochsten lassen
angelegen sein, darauff sag ich, das ich mitt Gott bezeugen
kann, das ich mir zuuor vnd yettzt die zeytt meins lebens
nichs höher hab lassen anligen, dan die religion sachen, vnd
wie mein vatterlandt widerumb mechte zu ainigkaytt der
kirchen gebracht werden. Wölte och dess vil wissen nach
leng anzaigen, was ich an allen orten bey allen Potentaten,

zu allen zeytten, ja allweg deshalb fir mühe, onrueb, arbeytt, gefor, verfolgung, onkosten vnd jamer vnd nott vberstanden; nitt wenig soll mir E. L. trauwen, bin ich noch vnd ye lenger ye mer onuerdrossenlich vnd onerschrocken genaigt, willig vnd beraytt. Souuil aber die Protection antrifft, so soll E. L. wissen, das die kaysl. Mt. der recht ainig obrist Protector vnd ich allain ain minister, diener vnd sollicitator der Protection bin, vnd hoffe mein hiesein zu diser zeytt, alldieweyl im Reych nichs gehandlet, sey vnserm vatterlandt nitt onnutzlich; dann man darff hie so wol als in Teutschlandt vnd schier mer anmaner vnd erinnerer, Gott erbarmbs, an allen orten ist des onfleyss nur zuuil.

Lestlich das E. L. melden, ich wells nitt anderst verston, dann das E. L. gutt maine, darauff sag ich, ich erkenne gwisslich E. L. aigenschafft, loblich, fürstlich, catholisch, bestendig, hertzhafft vnd wolmainend gmiett, also das ich ab in nie kain zweyffel gehabt, och noch nitt hab, vnd wolt Gott ich kindte vnserm armen vatterlandt mer dergleichen fürsten wünschen, so wurde es bald bass ston.

Dargegen och soll mir E. L. enttlich glauben, das ich in disen Gottessachen nichs rede oder schreib, des ich nitt allzeytt on forcht wolt helffen thuen vnd in das werck ziehen; dann ich wayss, das Gott die, die in fürchten vnd in ine ire hoffnung diemittiglich settzen, och seiner Kürchen in lieb vnd laydzeytten bestendiglich anhangen, nie verlassen hatt, och nitt verlassen wirt, quia Ecclesia Dei viui est columna et firmamentum veritatis, aduersus quam nec portae inferorum praeualebunt. So finden wir in der gantzen Bibel, och latheynen, griechischen vnd aller sprachen historien, das Gott allweg denen, die im geuolgt, enttlich in aller trübsal hülfflich vnd beystendig gwest ist. So kinden wir an vnser Religion, welche so lang vnd wol herbracht ist, kain zweyffel haben, vnd haben och nitt vrsach, von ettlicher ergerlichen leubens wegen auff ain ander seytten ad sinistram vel dextram zu gehen; dann wir sehen wo wir hin wellen, so ist es allenthalb dermassen geschaffen, das layder kainem der ander vil wayss auffzuheben.

Solchs hab ich auff E. L. guttmainendt schreiben och gutter mainung wider zu antwurt geben wellen, vnd bitt si well mir nichs verübel haben.

Sonst was neuws, schick ich hiemitt. Die B. H. ist wider bass auff.

Es send der Cardinal Arriano vnd Trani gestorben, vnd ligen zwen, Bertrandus vnd S^{ti} Georgii Cerbellonius, vast kranck.

Des Concili halb ist der will gutt vnd grecht bey Bapst. Hayl^t, aber wie allenthalb die anttwurt so langsam hin vnd wider gangen, so hett ich sorg, man wurde die Confessionisten nitt vbereylen. Mich dunckt, es gange alls an allen ortern zu langsam.

Der Episcopus Delphinus soll die künfftig woch auff sein. Gott well, das er sich mitt der Kays. Mt. vnserm allergnedigisten herren wol vergleichen müg nach gemainer notturfft vnd wolfart. Hiemitt thue etc.

Datum zu Rom am 17. tag Augusti 1560.

---

38) 1560. 24. *August.   Rom.   Otto an Albrecht.* Berichtet über den Prozess gegen Cardinal Caraffa und andere Neuigkeiten.

P. P. Ewr lieb schreiben von dato dem 6. Augusti Abensperg hab ich am 22. wol empfangen, vnd sag derselben irs aigen handtz schreiben grossen danck. Was E. L. der gefangen im Castell halb schreibt, ist viler ansenlicher leutt mainung och. Man hört aber, wie ir Hayl^t. gar hefftig auff si verbitteret sey, vnd heutt hab ich gehört, man werd den von Paliano vnd den Cardinal Caraffa gwisslich thötten, vmb das er vberwisen soll sein, das er des kriegs, so Bapst Paulus 4^t. gefiert, vrsach gwest sey; sagen, si finden vil falsch brieff, deren aber der Cardinal nitt bestendig, vnd sagt

frey, man kindte in mitt recht nitt thödten, hofft och, ir Hayl'.
soll im nitt onrecht thuen lassen, aber der anhettzer send
zuuil; in somma, ir sach ist gar sorglich, ich hab warlich
ain gross mittleyden mitt inen, wayss nitt, wie es noch gon
wirt. Man hatt mich och wider den Cardinal Caraffa exami-
niert, auff ettlich brief vnd schreiben von Margraff Albrecht
seliger vnd des Friderichen Spetten, ich hab ir handt vnd
pettschafft wol erkant, aber sonst hab ich nichs befunden,
dan das Margraff Albrecht vmb ain bundt mitt dem Papst
Paulo III. angehalten, aber nichs erlangt, er hatt si erbotten,
vil reutter vnd knecht ir Hayl'., wo si hin will, zu fieren,
doch soll man inen ir Religion frey lassen; der Spaett aber
ist onuerrichter sachen von Rom aussgeschafft worden, also
das si dardurch nichs erheblich kinden probieren [44]). Man
examiniert vnd procediert auff das scherpffischt sine remis-
sione, vnd blagt yederman mit diser sach. Gott vom him-
mel schick ain mittel, es ist mir die weyl lang darbey, vnd
E. L. schreibt ainmal die worhaytt.

[44]) Markgraf Albrecht von Brandenburg-Culmbach, bekannt
durch seine grässlichen Raubzüge gegen die Hochstifte Bamberg
und Würzburg und die Reichsstädte in Franken, schickte im Mai
1556 den Ritter Friedrich Spät, einen heillosen Ränkemacher, nach
Rom, um dem Pabste Paul IV. bei etwa ausbrechendem Kriege ge-
gen Spanien seine Dienste gegen gute Bedingungen anzubieten.
Spät wurde aber, wie man glaubt auf Betrieb des Cardinals Caraffa
unglimpflich aus Rom weggewiesen, als er den Lohn der Dienste
seines Herrn — die Preisgebung der geistlichen Stifte in Franken —
andeutete. Dessungeachtet kam er im August desselben Jahres
abermals nach Rom mit neuen Anerbietungen des Markgrafen
Albrecht, welcher mit Hilfe des päbstlichen Stuhles seiner Gegner
Herr zu werden hoffte, indem er über die Bischöfe in Franken und
über Nürnberg herzufallen, und zugleich den Ernestinern in Sachsen,
welchen durch Churfürst Moriz die Chur und zwei Drittheile ihrer
Besitzungen entrissen worden waren, zur Wiedererlangung des
Verlorenen gegen gute Belohnung und im Bunde mit Frankreich
und dem Pabste zu verhelfen gedachte. Aber schon am 7. Januar
1557 war dieser fürchterliche Mann, der selbst von sich aussagte,
dass er mit dem Teufel im Bunde stehe, im Alter von 35 Jahren
den Folgen zügelloser Ausschweifungen erlegen.

Des Concili halb hab ich gutter maynung yederzeytt,
was mir firgefallen, E. L. zuegeschriben vnd ir gutthertzig
och vernünfflig anttwurt allzeytt gern gehört. Gott schick
alle ding nach der kirchen notturfft.

Der Delphinus wirt biss montag auff sein, hoff mechte
si villeicht mitt der Kaysl. Mt. vergleichen des ortz, der zeytt
vnd der mittel, vnd wirt all ding onzweyffel E. L. onuerbor-
gen bleyben.

Wie mich die sachen ansehen, so thutt man langsam vnd
schlechtlich allenthalb darzu. Gott wirt miessen sein gnad vnd
barmhertzigkaytt brauchen, sonst hab ich wenig hoffnung,
et haec confidenter.

Souuil die dancksagung der vereerungen antrifft, hab ich
solchs vor 14. tagen treulich verricht, vnd darnebent E. L.
schreiben eins, so mir on ain copey zukomen, vberantwurt,
darauff sagt ir Hayl⁺., si welle E. L. beantwurten.

Ich kan mich der gruessverrichtung, so E. L. derselben
frauw muetter, gemahel vnd der von Schwartzenberg also
guttwilliglich verricht, vnd derselben wider grues, och E. L.
so fräuntlichs erbiettens, nitt gnuegsam bedancken, thue mich
also E. L. sambt ir frauw muetter, gemahel vnd dan der von
Schwartzenberg gantz dienstlich vnd treulich befellen vnd
erbietten.

Was neuws dissmals, wirt E. L. hiemitt empfahen. Man
sagt hie souuil seltzam ding, die schreib ich E. L. nitt, die-
weyl si ongrunt sendt. Man sagt vnder anderm, Don Johan
Andrea Doria soll Tripoli eingenommen haben, Gott wolt das
war wer. Dargegen ist nitt klaine forcht, man hab die feste
in Zerbe mitt den gutten leutten, geschiz vnd munition ver-
loren, wer ain grosser schad aller gantzen Christenhaytt,
Gott well das nitt sey. Man sagt, es soll zwischen dem
hertzog von Florentz vnd kunig Philip ain missuerstandt ein-
gefallen sein, vnd ir kunigl. Würde welle Senis wider. So
sagt man, die Bapst. Hayl⁺. well von den Farneser Parma vnd
Placentz, das well kunig Philips och nitt gestatten. Ich glaub
deren kains, si weren och zum Concili nitt dienstlich, man

muess die leutt reden lassen, es hatt hie vil onriebig köpff, die nitt gern frid sehen.

Es ist och wol geredt worden, als hab ir Hayl'. den von Florentz wellen zu ainem kunig krönen, vnd das och kunigl. W. auss Hispania nitt gefellig, ich glaubs aber och nitt, dan der hertzog darff bass seiner sachen zu bestettigen, dan mer neyd vnd verfolgung auff sich zu laden.

Der Bapst. Hayl'. firgenommen raysen sendt dessmals all eingestellt, das sicht yederman gern. Man vermaint, ir Hayl'. werd auff künfftig cottember nur zwen Cardinal, den von Emps vnd Don Francesco Gonzago machen. Derhalb soll graff Hannibal von Emps ain haimliche post gen Trient abgefertigt haben, den Cardinal her zu forderen, domitt er zeyttlich bey ir Hayl'. vmb promotion des erwelten müge anhalten. Vil mainen, ir lieb werdten erhalten, vil setzen es in zweyffel, ich glaub aber, wan sein lieb kem, si werd erhalten, was si will, dan ir lieb kinden ire sach wol hindurch bringen.

Ich lass E. L. wissen, das ich ain so hittzige leber vnd ain so feycht haubt befindt, das ich nimmer on grossen catharr vnd fluss bin, derhalb auss ratt ettlich gutter ertzt hab ich mich ergeben, in dem namen Gottes die chur des holz anzunemen, aber nichs desto weniger will ich E. L. wochenlich ain Gott will schreiben.

Ich versich mich die künfftig woch die purgation vnd biss montag vber acht die chur anzufahen. Gott verley mir nach seinem gottlichen willen, was mir an sel vnd leib das best sey. Hiemitt thue etc.

Datum zu Rom am 24. tag Augusti 1560.

---

39) 1560. 31. *August. Rom. Otto an Albrecht. Was den Zeitläufen gegenüber Noth thue.*

P. P. E. L. schreiben von dato den 13. Augusti Abensperg hab ich am 28. alhie wol empfangen, vnd bedanck

mich E. L. beharlicher guttwilligkaytt gegen mir. Gott woll,
das ichs verdienen kindt. Es sendt mir och all E. L. schrei-
ben bisher ordenlich worden, dergleichen zweyffelt mir nitt,
hab E. L. die meinige och empfangen. Allain muess man
allzeytt mitt gedult deren gwertig sein, dann zum wenigisten
ain monat oder fünff wochen verlauffen, ee man antwort
wissen mag, doch nach vnd nach erfindt sich, das nichs
aussbleybt.

Der Delphin soll morgen auff sein. Gott woll, das er sich
mitt der Kays. Mt. notturfftiglich vergleiche. Er hatt befelch,
alls mitt E. L. zu communicieren. Die Bapst. Hayl'. hatt
ainmal des Concili halb ain grecht gmiett, vnd begert nichs
hohers, dann alles zu thuen, das si schuldig seyen; si er-
bietten sich och, all ir macht, gwalt vnd ansehen zu der
Kaysl. Mt., E. L. vnd allen Catholischen treulich zu settzen,
och andere Christliche Potentaten dohin zuuermügen, vnd an
gelt, leutten, och alle notturfft irs thayls nichs erwinden zu
lassen.

Ich sag E. L. in der warhaytt, das ich nitt anderst
noch der zeytt mercken kan, dann das ir Hayl'. entlich gutt
mainet, vnd wan man ir recht begegnet, so mecht man mer
guttz schaffen, dann sich sehen last. Darzu gehört aber
grosse gehaim vnd gwisses vertrauwens, vnd so nur der
Kaysl. Mt. gmiett och also gutthertzig vnd willig, so dunckt
mich, es sey kain ding nie so schwer gwesen, wan mans in
gottlichem vertrauwen dapffer vnd ordenlich angreyff, man
hab durch die gnad gottes ettwan ain ringerung gefunden,
vnd weg erlangt, sich vor den geforen zum thayl zu schittzen
vnd weren.

Wann Gott dise vnsere obriste vnd von im geordnet
obrigkaytt nur also an vertrauwen vnd gutthertzigkaytt ver-
ainiget, so ist nue kain zweyffel, er werd och inen bayden
alle gnadt, hilff, trost vnd beystandt mitthaylen, domitt si on-
angesehen alle gefor irm ampt vnd berueff stattlich nach-
kommen werden mügen, vnd das souuil desto mer, das och
E. L. alls ain fürnemist glid der catholischen christlichen

Kirchen vnd des haylichen Reychs so wolmainendt, willig vnd
beraytt ist, sambt noch vilen gutthertzigen, gehorsamen stcn-
den, die noch der zeytt in zimlichen gutten vermügen seyendt,
vnd meins erachtens gehörte hierzu nichs anders dan ver-
treuwlichs tractat vnd gespräch, domitt man ain anderen hie
vnd daussen wol vnd recht verstinde, biss man alle vmbstendt,
mass vnd form erwegen, erkennen vnd nach notturff̄t firsehen
mecht, souuil immer müglich. Wan nur also ain yeder sein
gebür laystet, so soll man das v̊brig Gott befellen vnd seiner
diuinae prouidentiae, cui semper magis est confidendum,
quam humanae prudentiae. Dann wie man bisher cum ista
conniuentia, dissimulatione et tolerantia gehandlet, hatt das
v̊bel gwisslich mer zunemen alls abnemen miessen; darumb
soll man andere fridliche weg fir die hand nemen, vnd wan
die trauw, gefor, pratick vnd muettwill der widerwertigen
ye nitt auffheren wolt, wer wolt vnns verv̊bel haben, wann
die Catholici sich solum pro defensione verainigen, vnd was
vnns an menschlicher macht abgieng, auff Gottes hilff ver-
trauwen settzten? Geschicht das nitt, tunc dormientes et
volentes peribimus, vnd kinden niemant schuld geben dann
vnser klainmiettigkaytt vnd negligentiae; darumb wir och
gwisse schwere rechenschafft am jungsten tag quisque pro
suo onere geben werden miessen. Thetten wir aber souuil
wir mechten vnd kindten, so ist kain zweyffel, Gott wurd
vnns gwisslich scheinbarlich zu hilff kommen, wir mügen
seiner barmhertzigkaytt vnd seiner onfelliger verhayssung,
so er seiner kirchen gethan, sicherlich wol vertrauwen; ja
wan och die gantz welt vnd das hellisch her wider vnns
were, der hoffnung, des glaubens vnd vertrauwes bin ich,
vnd will nichs hie helffen rathen, das ich nitt daussen, do es
zu allergeforlichisten ist, welle personlich helffen verrichten;
vnd kan ich nitt hinauss reytten, so will ich mich hinauss
fieren lassen, vnd ain Gott will, mich alls ainem bestendigen,
onerschrocknen Catholico wol anstatt, yederzeytt in lieb vnd
layd erfinden lassen. Bitt E. L. wellens von mir nitt anderst,
dann wie ichs main, gutt verston.

Sonst wirt E. L. auss meinem vorigen schreihen nue
mer wol vernommen haben, das der Bapst. Hayl^t· rays gen
Bononia oder Perusia gar eingestelt. Ir Hayl^t· hatt yettzt
zwen tag das podagra gehabt, doch hofft man besserung.
Was sonst neuws hin vnd wider, werden E. L. auss einge-
legten auisen vernemen.

Gott seye denen, so in der Insel Zerbi also ritterlich
gemarteret, gnedig vnd barmhertzig ⁴⁵).

Her Marx von Emps soll von Wien, wie mir her Hanni-
bal albie anzaigt, erfordert sein, vnd wie man sagt, soll er
dise cottember Cardinal werden vnd nebet im der Don Fran-
cesco Gonzaga. Sonst ist die red mancherlay, ain thayl
sagen, man werd biss in die 12 machen, die ander mainen,
es werde dismals bei disen zwayen obgemelt bleyben. Was
ich weytter vernim, bleybt E. L. nach vnd nach zu seiner
zeytt onnerhalten.

Ich sag E. L. grossen danck vmb den bricht der Jesui-
ter halb, vnd vir war si thuend ain gottgefellig nuttzlich gutt
werck daran; wolt Gott es thettens vil Gaystlich. Gott wirtz
E. L. reylich hie vnd dort belonen. Ich standt yettzt in
handlung mitt irem obristen Probst, och ain Collegium socie-
tatis Jesu in mein stifft auffzurichten, verhoff soll was gantz
aussrichten. Hiemitt thue etc.

Datum zu Rom am lesten tag Augusti 1560.

---

40) 1560. 3. September. Rom.   Otto an Albrecht.
Ueber Fortsetzung des Conciliums und die Reformatio Germaniae.

P. P. Vergangen sambstag hab ich E. L. alles zuege-
schriben vnd vberschickt, so dazumal verhanden; die weyl

---

⁴⁵) Die Christen, welche der Niederlage durch die Türcken
entronnen waren und mit etlichen Schiffen sich auf die Insel
Dscherbe geflüchtet hatten.

aber heutt die Niderlendisch Ordinari weg gatt, hab ich weytter, was sich seydher zutragen, och schreiben wellen. Der Bischoff Delphinus ist gester morgens auffgewest, wirt sich souuil müglich befürderen vnd sein weg den nechsten gen München zu E. L. nemen, vnd auff ir Hayl¹· befelch alle sein werbung vnd tractation mitt derselben stattlich vnd gnuegsam conferieren, also das E. L. alle gelegenhaytt gnueg-sam hatt, alle notturfft mitt im zu handlen. Ainmal haben wir yettzt ain grosse gelegenhaytt, die weyl Bapst. Hayl¹· gegen der frommen Kaysl. Mt. vnd E. L. so gar wol behertzigt vnd genaigt ist, vnd das gwisslich ir Hayl¹· an ir nichs erwinden wirt lassen.

Ir Hayl¹. werden och hie entlich mitt der Reformation nitt feyren, vnd hoff, Gott soll sein gnad darzu geben. Dergleichen wer gutt, das in Teutschlandt och beschehe, dan dardurch mecht ain trostlicher anfang dem Concilio gemacht werden.

Ich hab ain solch hochuertrauwen zu E. L., das ich alles, was mir in disen dingen zufelt, derselben vertreulich zuschreib; dann ich hab ye vnd allweg bey derselben befunden, das si fir ander Catholisch fürsten ir die Religionsachen hatt lassen angelegen sein, vnd ettwan vil mer fir sich selbs darin gehandlet vnd befurdert, dann layder wir Gaystlich selbs; darumb dan si von Gott onzweyffel reychen lon bekommen werden. Nun sicht E. L., das des Concilium abermals zum wenigisten auff ain jar verzogen will werden; were gutt, E. L. befurderte abermals bey Bapst. Hayl¹. vnd Kaysl. Mt., das man bey vnns Gaystlich mitt ernst vmb ain wurckliche reformation anhielte. Das mechte meins erachten auff das fieglichst geschehen, wann ain Reychstag furderlich an ain gelegen ort gelegt wurd, vnd das darauff den Gaystlichen in sonderhaytt personlich zu erscheinen der reformation halb geschriben wurde; alsdan kindte die Kaysl. Mt., E. L. vnd andere gutthertzigen, och ain Bapstlicher Legat, alls Moronus, alle nottwendigen befurderungen gegenwirtiglich darzuthuen. Sonst

besorg ich, werden wir langsam reformieren, vnd on disen
weg hoff ich wenig besserung.

Wan es nur E. L. och fir gutt ansehe, so mecht si yettzt
dem Delphino stattlich vndersagen, was an der Reformation
gelegen, vnd im aufferlegen, das er die Bapst. Hayl⁴. bette,
das si die Reformationem Germaniae an die hand neme etc.,
wie dan E. L. vil bass thuen kan, dann ich ir schreiben
wayss. Bitt E. L. hab mir nichs verübel. Deus scit, quod
nil me mouet, nisi honor Dei et amor patriae, dieweyl entlich
gwiss ist, das vil ᵛbels durch ain rechte würckliche refor-
mation hinweg genommen mechte werden. Bitt och, E. L.
welle mich gegen niemantz vermelden, dann es mechte nitt
yederman gefellig sein.

Wann ich nur sehen wirt, das zu der Reformation oder
anderm gutten vorhaben ain weg verhanden, so will ich mich
furderlich hinauss thuen, vnd ain Gott will meins thayls, souuil
immer an meiner person, wurcklich alles thuen vnd lassen,
das zu wurcklicher volziehung alles guttes sein mag. Was
sonst neuws verhanden, schick ich hiemitt, vnd thue mich etc.

Datum zu Rom am 3. tag Septembris 1560.

**41) 1560. 19. *Sept. Starnberg. Albrecht an Otto.
Antwort auf den vorigen Brief.***

P. P. E. L. schreiben vom 3. ditz sambt den zeittungen,
darumb ich E. L. fruntlichen danck sag, hab ich wol em-
pfangen, vnd will allso des herrn Delphini gewerttig sein,
auch gern, wie albeg, alles dasjhenig helffen befurdern, so
zu erhalltung vnd aufpauung vnser alltn catholischn Religion
dinstlich sein mag. Vnnd souill die Reformation anlangt, hallt
ichs warlich auch für ain nothwenndig nutzlich werckh, so
dem Concilio vorgeen soll. Aber furwar mich gedunckht, es
soll dieselb Reformation erstlich a capite et membris ange-
fangen werden, so wurde sich darnach das ᵛberig selbs re-
formiern; dann ich trag sorg, do man in Germania schon

lanng den clerum reformier, vnd die Capita (die dann kein Reformation leidn künten) nit, so werde der sach nit mit geholffen; zw dem so dunckht mich, das eben zu Rom so wol vnd mer der Reformation von nötn seie, alls bei vnns, will nit sagn der glaubenssachn halber, sonder von wegen des exemplarischn lebens; dann E. L. solle gwislich darfür hallten vnd glauben, das das ergerlich, frech, sträflich leben der Geistlichen nitt allein bei vnns, sonder vberal in der ganntzn Christenhait nit die geringst vrsach ist, vnnd noch, des grossen abfalls in alln khunigreichen vnd lannden, vnd in der warheit wol souil, wo nit mer, dann man mit der ler schadn gethan. Dann E. L. neme nur das exempl, das allenthalben auf dem lannd ganntz vngeschickhte vngelerte briester vnnd seelsorger sein, die das arm volckh (do sy schon für ire personen Catholici sein) nit können vnnderweisen; wann sy aber dannoch aines gutn wanndels vnnd lebens weren, so wer wol zuuerhoffen, das sy durch dasselbig möchten vil erhalltn, das allso alles miteinander wegfellt, vnnd wiewoll die exempla seindt odiosa, so hab ich doch sorg, wie es vnnder den gemainen geistlichn zuegeth, allso sei es auch respectiue nit minder vnnder den hohen geistlichen; derhalben warlich der Reformation hoch von nötn, allein das mans dahin richte, damit sy frucht vnd nutz schaffe. Was ich darzue guts vnd nutz kan ratn vnnd helffen, daran wirde ichs nit erwinden lassen. Ich bin noch für vnd für in der visitation in meim lanndt in statlichn werckh, welches auch ain gute preparation ist zu ainer künftigen Reformation, wiewoll mirs vil leut vbl auslegn, vnnd meine eigne vnderthonen selber nennens nur ein Inquisition, wie dann der tropff der Melanchton vnd ander mer gantze tractätln haben lassen im trugkh ausgeen. Aber ich kans nit achtn, wil in dem vnd andern thun, was ich kan vnd vermag, vnnd mir Got genad verleiht. Bit E. L. welle mir diss mein schreiben nit zu vngut nemen, dann ichs gegen E. L. vertreulich vnd gut maine.

Datum Starnberg 19. September 1560.

42) 1560. 7. *September.* **Rom.** *Otto an Albrecht.*
Berichtet über einige päpstliche Anordnungen und
Anderes.

P. P. E. L. schreiben von dato den 19. Augusti hab
ich wol empfangen, vnd nachdem ich die vergangen wochen
E. L. zwaymal geschriben von allem das alhie, ist onvon-
nötten solchs zu repetieren.

Am vergangen mittwoch hatt ir Hayl⁺. Consistori gehal-
ten, vnd darin allen bischoffen, die nitt empter haben, on-
nachlessig mitt ernst zu der residens irer bistumb hinweg
geschafft, also das si in aller ristung sendt, vnd zu endt diss
monattz von hinnen all verraysen miessen, vnd hatt kainer
deshalb gnad erlangen mügen.

Dem Cardinal von Mantua ist die Legatio Campaniae
gegeben worden.

Die Gubernia ettlicher flecken, so vnder die Legationen
von alters her gehörig, vnd yettzt ettlichen Cardinelen im
Conclaue zugethaylt worden, hatt ir Hayl⁺. den Cardinelen
genomen, vnd wider vnder die Legationen gestossen, also
bin ich vmb mein statt Sᵗᵃ· Genes gehayssen och kommen.
Ir Hayl⁺. vertröst wol, si well vnserm yeden was bessers
dargegen geben; Gott well das es geschehe, die reychen
haben all legationes, vnd die armen gangen leer auss.

Speyr vnd Eystett seind confirmiert worden, vnd hoff an
der tax och was herauss zu bringen.

Man sagt, es werd dise nechst cottember die Bapst. Hayl⁺.
kain neuwen Cardinal machen.

Mein her von Triendt soll die ander woch herkommen,
wie sein Agent alhie sagt, in willens ir Hayl⁺· zu bewegen
ad creationem Cardinalium, presertim nepotis.

Will gern hören, wie des Delphini aussrichtung E. L.
anmiettig sein welle; in somma man mues ettwas thuen, E. L.
wirt mein gmiett schon wissen, vnd soll bey mir an der
execution kain mangel haben, vnd thue mich etc.

Datum zu Rom am 7. tag 7bris 1560.

_____

43) 1560. 28. *September. Rom. Otto an Albrecht.*
Ueber den Caraffischen Handel und das Concilium.

P. P.   E. L. gantz fräuntlich schreiben von dato den
11. Septembris hab ich gester alhie wol empfangen. Lass
E. L. darauff zur antwurt wissen, wie E. L. schreiben an die
Bapst. Hayl^{t.}., die Cardinal Moron, Farnes, Sta. Fior, Boromeo
vnd mich von dem postmaister vberantwurt, hab aber noch
der zeytt kain antwurt bekommen mügen. Der process wider
die Caraffa soll schon beschlossen sein, vnd ir Hayligkaytt
wirt denselben inen den Caraffa et terminum defensionis zu-
stellen und ernennen. Mittlerweyl hör ich lasse der Kunig
auss Hispania ernstlich fir si handlen durch seine Oratores,
vnd soll deshalb in kurtz ainer vom hoff her kommen. So
bedancken sich nitt allain die Caraffischen, sonder firwar gar
vil ansenlich leutt, das E. L. also fürstlich vnd mittleydlich
fir si geschriben, bringt E. L. alhie bey mengem gross lob
vnd gunst. Ich vernimb aber, ir Hayl^{t.} sey durch der Caraf-
fischen widerparthey so hitzenglich angehettzt, das man nitt
klaine sorg tragt, der Cardinal Caraffa vnd Duca de Pagliano
werden das leben, vnd der von Neaples die dignitet vnd pfriende
verlieren. Deshalb bin ich gebetten worden, E. L. vnderthe-
niglich vnd fräuntlich zu bitten, si well ir firbitt noch ain-
mal mitt ernst an ir Hayl^{t.} schrifftlich langen lassen, och dem
von Trient, Cardinal von Ferrar, so seydt kommen, deshalb
schreiben, vnd och dem Cardinal Carpi als Decano Collegii
schreiben.

Wann dan E. L. mir die schreiben an ir Hayl^{t.} vnd dise
Cardinal sambt den copiis zuschickt, will ich gern ain treuwr
sollicitator sein, sed periculum est in mora. E. L. thue noch
das best, statt ir alls aim loblichen christlichen fürsten wol
an, bringt derselben ain gutten rueff, es felt kain baum vom
ersten straych, aber lestlich ist zu hoffen, E. L. firschrifft
werden wol erschiessen vnd ain gutt endt ac pium exitum
mittbringen vnd erlangen.

14*

Des Concili halb wirt E. L. hieige resolution auss den
aingelegten zeyttungen wol vernemen. Ich gang nitt auss,
bin bey disem beschluss nitt gwest, wolt gern sehen, man
betrachtete die gantz notturfft vnd griffe die sach mitt denen
mittel, die zu friden vnd vergleichung dienlich weren, an.
Gott verleyhe sein gnad darzu.

Hab och firwar ain hertzlich mittleyden mit meim lieben
vetter Othainrichen gehabt, vnd hœr vast gern, das sich sein
sach zu besserung schickt.

Mein schwachaytt schickt sich wol nach eingangner chur
des holtzwasser, vnd ist mir vast layd, das E. L. nitt wol
auffgewesen; ich hielt och gwisslich dorfir, das E. L., so och
hefftig flissig vnd ain hitzig leber, die chur des holtzwasser
firtrefflich nutz vnd approppriert sein solt; es hilfft dem ma-
gen, der leber vnd dem haubt; ist ain seer nutzliche chur,
wer sich darin vnd darnach wol helt mitt der abstinens.
Gott aber verley E. L. solche gesundhaytt, das si diser vnd
ander chur nitt bederffen. Hiemitt thue etc.

Datum zu Rom am 28. tag 7.ᵐᵇʳⁱˢ 1560.

----

44) 1560. 5. October. Rom. Otto an Albrecht.
Antwort auf des Herzogs Schreiben vom 19. Sept.

P. P. An zwayten dis monatz hab ich zway E. L.
schreiben, das ain von dato 16., das ander 19. Septembris
wol empfangen, sag E. L. vmb die früuntlich bemiehung
grossen danck. Verhoff och, es soll nue mer der bischoff
Delphin bey E. L. gwest sein, von welchem E. L. alles, was
des Concili halb sich zutregt, nach lengs vernommen haben
werden. Zweyffelt mir och gar nitt, E. L. werde ires thayls
wie allweg alles guttz helffen befurderen vnd ins werck
richten.

Souuil och die reformation a capite anzufahen betrifft,
vertrösten ir Haylᵗ· vast wol, verhoff och, es sellen die würck-
lichen volziehungen bald eruolgen. Tempus est, nos a somno

surgere, vnd ich glaub entlich, das ain christlich reformation
der gaystlichen onglaublichen nuttz vnd frucht gwisslich mitt
sich bringen mecht; will och zu Gott hoffen, er sell mir gnad
geben, souuil an mir ist, nichs˜erwinden zu lassen; wolt och
Gott, es thette hierin yederman wie E. L., welche onange-
sehen aller difficultet vnd widerwertigkaytt dapffer irs thayls
zu der sach thuett in irem furstenthuemb, welchs gwisslich
on disen E. L. bestendigen fleyss schon och hinüber were.
Gott im himmel wirt E. L. onzweyffel deshalb gar reylich
belonen. Es solto och die loblich E. L. exempla mer fürsten
vnd och die bischoffe vnd andere obrigkaytten zu merem
fleyss bewegen. Es verdient och E. L. deshalb bey Gott vnd
allen gutthertzigen lob, preyss vnd danck, vnd kinde E. L.
nitt bass beruembt werden, dan das Melanton vnd andere böse
tropfen ir onwar maul an E. L. alls ain vesten velsen reiben.

Wann ich verhoffte, mit meiner gegenwirtigkaytt in meim
stifft in reformatione vnd anderen nöttigen fürschungen was
nutz zuuerrichten, so wolt ich kain stund hie verlieren.

Ich sihe och wenig grundz aines bestendigen fridens,
all die weyl die Landtspergisch buntnus nitt gesterckt vnd zu
handthabung fridens defensiue gemert werden will. Gott
verzey es dem von Mentz. Fir war man greifft vnd sicht,
das dannocht der yettzig Landspergisch Bundt, wie einzogner
er ist, bisher den friden erhalten, vnd onzweyffel wo er nitt
gwest, so mecht mengen in vnser landen übel gwart sein
worden. Wan er och bass vnd sonderlich an Rein mechte
extendiert werden, so wolt ich gutter hoffnung sein, es
sollte ain bestendiger frid in Germania lang erhalten mugen
werden.

Die Bapst. Hayl⋅ ist entlich willens, so bald die antwort
von Kaysl. Mt. kombt, mit indicierung des Concili fir zu-
faren; Gott geb sein gottliche gnad, domitt es mitt frucht
vnd gemainer wolfart recht angefangen, ordenlich hantgehabt
vnd christlich volzogen werde.

Was dissmals neuws alhie, wirt E. L. hiebey befinden.
Ains kan ich nitt vnderlassen, wie ettlich aussgeben, alls hab

ich bey E. L. vmb die commendation brieff fir die herren Caraffi procuriert, so doch E. L. solchs aigner bewegnus on mein ainiche anmanung gethuen; zu dem wan ichs schon sollicitiert, so sollt mans doch nitt verübel haben. Es gatt seltzam zu, vnd sendt der anraitzer gar vil. Wann E. L. mer schreibt, so schreib si dem von Triendt och, vnd dem Cardinal Carpi. Hiemitt thue etc.

Datum zu Rom am 5. Tag Octobris 1560.

---

45) 1560. 12. Oct. Rom. Otto an Albrecht. Bewirbt sich um ein neues Fürschreiben des Herzogs an den Pabst.

P. P. E. L. schreiben von dato den 24. Septembris hab ich am 9. diss alhie wol empfangen, vnd bedanck mich ires schreibens. Souuil danne Sant Genesi antrifft, ist mir noch gar nichs darfir worden; ich wartt mitt grosser geduld der gnad. Wann E. L. nitt beschwerlich wer, mich ir Hayl^{t} noch ainmal stattlich zu commendieren, so wolt ich hoffen, es wurde was mitt der zeytt erschiessen. E. L. mechte erzelen lassen, wie ich grossen onkosten, gefor, muehe, kriegsplünderung nam, verjagung, sorg vnd nott offtermals von wegen des stuels zu Rom vberstanden, och noch vil verfolgung leyden miess etc. Item wie ich allzeytt von ir Hayl^{t} alles guttz, libs hinauss E. L. vnd allen Chur vnd Fürsten schreibe, och in der Religion sachen vil nuttzlich anmanung vnd befurderung thue etc., wie ich och E. L. vnd den Catholischen fürnemlich angenem vnd lieb sey, also das E. L. ir Hayl^{t} bitte, mich mitt ainem gaystlichen einkommen oder pension oder ain ebige prouision vätterlich versehen wolte, in anschung, das ich solch schon verdient vnd noch verdienen mag, wie och solchs ir Hayl^{t} in mer weg zu gutten raichen müg, wie dann E. L. im wol wayst zu thuen etc. Darüber och mecht E. L. dem Cardinal Boromeo och in sonderhaytt schreiben,

das er bey der Bapst. Hayl⁺· ain gutter befurderer sein
wölt etc. E. L. verzeyhe mir, das ich si also bemiehe; ich
sehe wol, das man hie nitt gern vil gibt, es mues nur ge-
worben sein.

Sonst verwundert mich, das der Delphin so lang auss
ist; ich gedenck aber, er soll nue mer bey E. L. gwest sein.

Ir Hayl⁺· beharren noch auff dem, das sie die suspension
Concilii Tridentini wolle auffheben, vnd so alsdan die er-
scheinende Patres fir gutt ansehen wirt, den locum zu en-
deren vnd transferieren, soll bey inen ston.

Mein her von Trient soll sein kauff vmb die margraff-
schafft Soriano vnd Galesi gesster beschlossen haben, vnd die
künfftig woch possess nemen. So haben och ir Lieb ain
schönen pallast alhie kaufft, schicken sich zu ainem be-
harlichen wesen alhie, ist bey ir Hayl⁺· gar wol daran.

Hiemitt etc. Datum zu Rom am 12. tag 8.bris 1560.

---

46) 1560. 15. *October. Rom. Otto an Albrecht.* Neuigkeiten.

P. P. Was sich seydt sambstag zutragen, hab ich heutt
bey der ordinari Niderlendischen post hinzuschicken wellen,
vnd bitt E. L. welle mitt disem wenigen dissmals fir gutt
nemen.

Die Bapst. Hayl⁺· will mitt der intimation des Concili
stillston, so lang vnd biss antwurt von der Rom. Kays. Mt.
vnserm allergnedigisten herren kombt, dero man sich bald
versicht. Man hofft, ir Hayl⁺· von ir mainung, das Concili zu
Trient zu beharren, zu bewegen, das gen Bisantz ⁴⁶), och
ander gelegen ort, do die Germani, Galli vnd ander nation
fieglich wol hinkommen mugen.

Man sagt hie von gar vil neuwen Cardinalen, vnd sellen
dise in der zall sein: Her Marx von Emps, der Electus von

---

⁴⁶) Besançon in Frankreich.

Trient, Don Friderico Gonzago, Don Francesco Ganzago, Don Inigo de Peslara, Don Francesco do Este, Don Luys de Toledo, Prior de Roma Saluiati, Mons. Vercelli, Mons. di Pesaro, il vescouo de Viterbo, Sarripante vescouo di Salerno, vescouo Warmiensis, vescouo di Modena, Patriarcha de Aquilegia.

Ain thayl vermainen, man werdt all der intimation Concili machen, vnd villeicht nitt souuil, Gott geb, das man all ding gutt mache.

Man schreibt, Franckreych werd in allweg mitt dem National firfaren, die sect hatt gar zu heftig vberhand genommen. Gott well sein kirch in guttem befelch haben [47].

Souuil die Caraffa antriffl, soll E. L. wissen, das ich in gar grossen verdacht bin, als hab ich die brieff, so E. L. hereingeschriben, sollicitiert, vnd wirt mir verwisen. Nun wissen E. L. wol, das ich nichs darumb gwist, biss mir ir schreiben worden. Ich frag aber nichs darnach, wan mir E. L. was befilcht, so will ichs treulich yederzeytt verrichten.

Hiemitt thue etc.

Datum zu Rom am 15. tag 8.bris 1560.

---

47) 1560. 19. *October. Rom. Otto an Albrecht.* *Wochenbericht.*

P. P. Ewr lieb schreiben von dato Greunwald den 1. Octobris hab ich allhie am 17. empfangen, vnd sag E. L. billig grossen danck vmb ir so fräuntlich schreiben.

---

[47] Die Versammlung der Notablen zu Fontainebleau (Aug. 1560) hatte nämlich die Zusammenberufung eines Nationalconcils auf den 10. Januar 1561 beschlossen. Dieses wollte Katharina von Medicis, welche damals die Geschicke Frankreichs leitete, zusammentreten lassen, wenn der Pabst ihrem Begehren, eine den Neugläubigen und zumal den Protestanten in Deutschland unverdächtige und selbstständige Synode zu versammeln, sich nicht fügen wollte.

Mich verwundert seer, wo der Delphinus so lang vmb postiert, och ob er villeicht ain andern weg auff Wien zu genommen. Es gangen warlich allenthalb alle ding gar langsam von statt, Gott schick sein barmhertzigkaytt.

Mein ber von Trient last E. L. sein fräuntlich dienst gantz treulich zuerbietten, thuell sich derselben befellen, hatt den kauff vmb Galesi vnd Soriano schon beschlossen, sendt gar lustig vnd wol och herlich erbauwen, wirt taglich possess nemen, send nur ain tagrayss von hinnen.

Souuil E. L. schreiben von wegen der Caraffa antrifft, befindt ich warlich, das noch vast übel vnd schier on hoffnung standen.

E. L. schreiben send überantwurt, vnd ich bin auff das hochst zu hoff eintragen, all hab ichs procuriert, wie ich E. L. jungst och geschriben.

Thue mich etc.

Datum zu Rom am 19. tag 8.^bris 1560.

---

48) 1560. 26. *October.* *Rom.* *Otto an Albrecht.* *Neues aus Frankreich und über die Caraffische Sache.*

P. P. E. L. schreiben auss Starenberg von dato den 8^bris. hab ich vorgester wol empfangen, vnd mitt grossem hohen verwundern vernommen, das der Delphin sein selbs anzaigen vnd befelch gmess, wie mir dozumal zuuerston gegeben, nitt gen München zu E. L., ee er gen Wien kommen; ich wayss och wol, das er ain brefe vnd befelch an E. L. gwisslich hatt, warumb es aber von im noch nitt beschehen, kan ich nitt wissen. Es verwundert och mer leutt, das er so lang vnder wegen bliben.

Die Bapst. Haylt. wart och mitt grossem verlangen auff die anttwurt der Kaysl. Mt. vnsers allergnedigisten herren resolution des Concili halb, welchs ir Haylt. in all weg zu

halten vorhabens ist, vnd sobald die antwurt von Wien
kombt, mitt der verkindigung nitt lenger zuuerziehen.

Auss Franckreich sendt vor 3. tagen schreiben kommen,
das in fal das Concili General verkindt vnd in würcklicho
volziehung komme, das der National eingestelt werden soll.

Der Kunig zeucht gen Orliens, aldo beschreibt er vil
kriegs vnd befelchs leutt. So sagt man, Kunig Philip schick
im zehen tausent zue fuess vnd 1500 pferdt zu stillung der
rebellion; was erfolgt gibt die zeytt.

So soll der von Vendosme, so man Kunig von Nauarra
nennet, sambt sein brueder dem Cardinal Vendome vnd dem
Cardinal Arminiac zu der kuniglich würde mitt grosser die-
muett ziehen, vnd sich in ir Kunigl. W. gehorsam begeben
wellen, also das man sich versicht, die rebellion soll bald
gestillet werden; Gott der allmechtig geb frid an allen
ortern [46]).

Gester bin ich im Consistorio gewest, do hatt ir Hayl'.
ernstlich zu der reformation ermanet, vnd ist vorhabens die-
selbig nitt einzustellen.

Von den neuwen Cardinalen sagt man nichs weytters
dissmals, was aber hinfir eruolget, schreib ich E. L. allzeytt.

M. her von Trient ligt yettzt ettlich tag am podagra,
schickt sich aber zu besserung, hatt die kauffhandlung schon
richtig gemacht.

Wann E. L. ire schreiben, so sie weytter des Caraffa
halb herein thuen will, nitt schon geschickt, so ist besser, si
schicke dem kaysl. postmaister Johan Antonio de Taxis alhie,
vnd beger von im, das er von vnns allen anttwurt schick.
Ich vernimb, der Caraffa sach stand bei ir Hayl'· gar übel,
vnd es mechte inen nitt wol ergon; si haben vil feindt vnd
hittzig anstiffter. Ich sorg, kommen mir die brieff, so werd

---

[46]) Anton von Bourbon, König von Navarra, hatte sich aus
Missvergnügen über die Allmacht der Guisen den Hugenotten an-
geschlossen. Seine Gattin, Jeanne d'Albret, gehörte denselben noch
entschiedener an, und hatte bereits viele Gemeinden in Béarn ge-
gründet.

ich noch mer verdacht, darumb wer gutt, si kemen dem ob-
bemelten postmaister oder aber des Cardinals vettern Don
Fernando de Sangre, welcher sein gantz sach fiert. E. L.
wayst im wol recht zu thuen.

Datum zu Rom am 26. tag 8.ᵇʳⁱˢ 1560.

(Postscriptum.) Hiemitt schick ich E. L. ain antwurt von
Cardinal Farnes, welcher sich E. L. hoch befilcht.

---

49) 1560. 2. *November. Rom. Otto an Albrecht.* Ueber Fortsetzung des Concilium.

P. P. E. L. schreiben sambt den brieffen vnd copeyen
an die Bapst. Haylⁱ· vnd die Cardinel Carpi, Trient, Farnes,
Ferrara vnd Boromaeo empfangen, hab aber bisher dieselbigen
nitt gelegenlich kinden vberantwurten, will der occasion erwar-
ten, vnd zweyffelt mir nitt, ich werd ain gutt capitel verdie-
nen. Ich will mich aber entschuldigen, das ichs ye nitt sol-
licitieret, vnd ich soll vnd kan E. L. ain solchs ja och ain
grossers nitt abschlahen, vnd vmb willfarige antwurt auf E. L.
begeren vnd repetierung anzuhalten nitt vnderlassen; was
dann eruolgt, schreib ich nach lengs.

Der Röm. Kaysl. Mt. anttwurt auff des Delphini werbung
ist vor 7. tagen kommen, dem gleich, wie mir E. L. ettwan
geschriben. Aber der Delphinus hatt in seinem schreiben die
sach der continuation vnd des ortz zu Trient vil ringer ge-
macht, dan sich in ir Mt. antwurt befindt, welche sambt des
Warmiensis nebenschrifft vnd des bieygen kayserlichen Ora-
tors hierin yettz gegeben instruction gar gleich, vnd nitt
also wie der Delpbin hin vnd wider fir geben.

Ir Kaysl. Mt. widerratten die continuation, och den plattz
Trient, vnd schlahen Insprugg fir. Darauff vnd vil ander
artickl in ir Mt. schrifft begriffen haben ir Haylⁱ· den depu-
tierten Cardinalen befelch geben zu gedencken, vnd irn ratt-
schlag zum beldisten zu geben ermanet. Ich befindt, das der

merer thayl bey der continuation och approbation Concilii
Tridentini beharren. So will Insprug och nitt vilen leutten
gefallen, Gott schick es zum besten, Gott wayst, das ich
treuwlich mane, schreybe vnd bericht, aber die alten Patres
vnd sonderlich die Theologi vnd Canonisten sagen bestendig-
lich, es kindt sine praeiudicio Religionis et scandalo nitt be-
schehen. Was resoluiert, will ich ¦E. L. fürderlich wissen
lassen.

Vnd wir seyhen biss Montag des Hertzogs von Vrbino,
biss Mittwoch am morgen des Hertzogs von Florens, vnd
nach mittag der Hertzogin einritt gewartig; man richt sich
vast auff si zue im Bapstlichen Pallast. Wolt Gott, das E. L.
och ettwan ainmal mitt gutter gelegenhaytt vnd occasion
herkommen sollen. Hiemitt thue etc.

Datum an aller seelen tag in grosser onrueb 1560 jar.

---

50) 1560. 9. *November. Rom. Otto an Albrecht.*
Persönliches und Neuigkeiten.

P. P.   E. L.   schreyben von dato den 23. 8brs. hab ich
heutt wol empfangen.

Wol ist mir treulich layd, das E. L. des halss fluss halb
nitt wol auffseyen, verhoff aber soll nue mer besser worden
sein. Ich hab och vor diser zeytt ain stetten kalten sched-
lichen fluss in halss vnd die prust gehabt, vnd hatt mich die
chur des holzwassers, welchs ich sambt ainer strenger diet
45 tag ordenlich vnd dultenglich genommen, Gott hab lob,
nitt allain von fluss erledigt, sonder och im magen, haubt
bekreffliget vnd in den glider onglaublich gesterckt, och die
leber vnd ander vitalia gerainiget, vnd also fortificiert, das
ich mich in 20 jaren nitt bass befunden habe, vnd seltz in
kain zweyffel, wanns E. L. och ainmal versuechte vnd mitt
patiens ordenlich neme, si wurde wunder gar grosse bes-
serung an gesundthaytt empfinden. Es muess aber E. L. in

vnd nach der chur fleyssige abstinens haben, ich mains treu-
lich vnd gutt.

Mich wundert ser des Delphini, das er bey E. L. nitt
erschinen, verhoff es soll noch geschehen; was sein auss-
richtung, zweyffelt mir nitt, E. L. werde es gutt wissen
haben.

Des Concili vnd Reformation halb wer gutt, das ainhel-
liger vergleichung vnd befurderung erhalten werden mecht.
Ir Hayl*. stecndt im werck, die intimation Concilii vnd vol-
ziehung der reformation in gang zu bringen.

Mann kann noch nitt wol vernemen, warum der hertzog
von Florens herkommen sey, man imaginiert vil ding, die
wol sobald nichs sendt etc. Die machung der neuwen Car-
dinal ist diser zeytt stiller worden. Thue mich etc.

Datum zu Rom am 9. tag 9^{bris} 1560.

---

51) 1560. 16. *November.   Rom.   Otto an Albrecht.*
Was   der   Cardinal   von   der   Haltung   der   Protestanten
bezüglich   des   Conciliums   erwarte.

P. P.   E. L. schreiben von dato den 24. Octobris hab
ich gester alhie wol empfangen, sage derselben gar grossen
danck vmb die literas commendatitias fir mich an die Bapst.
Hayl*. etc. Hab dieselbigen dem kaysl. Orator sambt dem
brieff an Cardinal Boromaeum zuegestellt.

Ich hab och E. L. schreiben fir den Cardinal Caraffa
durch den Cardinal Boromaeum lassen antwurten, ist nitt
vbel angenomen worden vnd mir gesagt, ir Hayl*. werd E. L.
deshalb schreiben. Hiemitt schick ich des von Trient ant-
wurt.

Souuil das Concilium belanget, hatt ir Hayl¹. am ver-
gangen donnerstag in der Congregation vnd am freytag
gester in dem Consistorio sich entlich resoluiert, des Concilium
zu Trient aldo zu indicieren, vnd sich dohin erklert, si
welle sich darin christlich, fridlich vnd schidlich souuil immer
müglich erzaigen, vnd gegen mengen, vnd sonderlich den
Confessionisten, vätterlich, treuhertzig, senfftmiettig vnd der-
massen erweysen, das si an hörung vnd erwegung irs fir-
bringen, och erhaltung, souuil mitt Gott immer sein mag,
der artickl, die nottwendig sein werden, das si vor Gott
vnd der wellt kain billiche klag haben mögen. Es ist och
ir Hayl¹. vorhabens, nebet Kaysl. Mt. gesanter ain Nuntium zu
den Confessionisten zu schicken, vnd in der giette alls, was
zu uorberayttung des Concili von nötten, mitt inen zu hand-
len. Wollt Gott, E. L. sollt selbs hören vnd sehen, wie
entlich treuhertzig, inbrünstig, auffrecht, on betrug oder
gefar, ir Hayl¹. es mainen. Wann och die Confessionisten
selbs personlich zugegen, so sollten si billich dessen ain
gefallen vnd beniegen haben, wie ich dan bey inen mich ge-
trösten wolt, wann allain die aigensinnig zu dief eingebildet
misstreuw vnd verbitterung nitt in iren hertzen were. Si
derffen sich och ye kains kriegs versehen, dann vnsers thayls
ist kain gedenken, firnemmen, zuberayttung, och ratt-
schlahung deshalb mitt dem wenigisten. Das si aber vber
alles erbietten, so man inen thuen wirt, vnd vber das vol-
kommenlich gnuegsam glaytt, so inen angebotten, in irem
verstockten feindlichen vorhaben zuuerharren, vnd zu ent-
schittung der execution, dero si sich besorgen, den vorstraych
an die hand nemen wolten, vnd mitt auffrierischen empörung
die Catholicos perturbieren, so wist ich nichs anderst, das
nottwendig darauss eruolgen mecht, dann do si vermainen,
die Gaystlichen in vnsern landen irs gefallen vnderzutrucken,
das si dusselbig nitt allweg nach iren anschlegen beharlich
hinaussbringen werden, sonder wurden sich vnd das gantz
Teutschland in eusserist gefor bringen, das fremb Nation ge-
zwunngen wurden, irem vorhaben nitt also stillschweigen

zuzusehen; dergleichen och wurden dardurch Moscauiter ja och Türcken gelegenhaytt erschen vnd bekommen, mitt irer auslendischer grosser macht vnns all Catholische vnd Confessionisten zu vberziehen. Das ist mein gross sorg vnd enndtlich Deo etiam permittente nichs gwissers. Wir haben och dessen layder mer alls ain exempel, was auss solchem abfal der Religion vnd zwispalt ainer Nation yederzeytt eruolgt; deficiente enim Ecclesia non possunt subsistere Imperia. Gott im himmel well sich vber vnns arme Teutsche erbarmen, vnd sein gayst der ainigkaytt verleyhen!

Wann nun den Confessionisten so wol mitt dem friden, wie si firgebent, were, so statt es yettz bey inen fridlich vnd schidlich zu handlen, Gott vnd der gerechtigkaytt zuuertrauwen, ir sach nottwendiglich firzubringen, mitt christlicher lieb, nitt mitt hass oder feindtschafft mitt den leutten zu handlen, es wirt inen nichs onbillichs, ongerecht oder onfieglichs begegnen. Wollen si aber nur doben, wuetten vnd onbesinter weyss den lerma anfahen, so hielten si nur zu, das das bad nitt vber si aussgang; die Catholischen werden innerhalb vnd ausserhalb dem Reych von Gott vnd der wellt mer hilff vnd beystandt haben, dann man maint, darzu werden die ausslendische der schlappen in iren lendern nitt gern erwarten, vnd werden vil lieber den Catholischen im Teutschlandt zu hilff ziehen, dann von ander leutten vber- zugs gwertig sein. Der frid statt bayden thaylen bass an, vnd dardurch kan man vil ee zu rechtmessiger vergleichung kommen, dann durch entpörung vnd vergwaltigung. O wie gandt souuil firschleg in dergleichen kriegen vnd anschlegen hinder sich! Wann solchs bayderseyttz stattlich bedacht, so wurden wenig leutt zu krieg lust haben; daruor well vnns der Allmechtig bewaren.

Ir Hayl^t. last ain Jubileum verkinden, biss wittwoch, freytag vnd sambstag soll man fasten, betten vnd allmuesen geben durchauss in gantz Rom; volgens am Sontag morgen vber acht tag will ir Hayl^t. barfuess sambt der gantzen Cleresey ain procession andechtiglich halten, vnd ain ampt de spiritu sancto singen lassen, vnd volgens die bullam intimationis publicieren, vnd denselben tag in die gantz Christenhaytt ausschicken.

Gott verleyhe sein himmlischen segen, darzu alle nottwendig erschiesslich aussrichtung mitt seinem gottlichen friden vnd verainigung. Amen.

Datum zu Rom am 16. tag 9^{bris} 1560.

Einige Bemerkungen, welche Herzog Albrecht eigenhändig zu vorstehendem Briefe machte, lassen entnehmen, dass er mit den Ansichten und Hoffnungen, welche Otto in demselben aussprach, nicht durchweg einverstanden war.

---

52) 1560. 23. *November. Rom. Otto an Albrecht.* *Wochenbericht.*

P. P. Dise woch hab ich von E. L. kain schreiben empfangen, zaig ich derselben darumb an, domitt si dessen ain wissens hab; gedenck E. L. sey mitt andern geschefften verhindert worden.

Was sonst dissmals neuws allhie, schick ich derselben hiemitt, dergleichen och Bullam Jubilaci so aussgangen, will die ander Bullam intimationis auff kunfftig woch och schicken.

Morgen wirt die procession vnd communion irn firgang haben. Gott geb gnad, das alle ding wol angefangen, gehandlet vnd geendet mügen werden. Ainmal maintz ir Hayl^t· treuwlich, gutthertzig, vnd hatt nichs alls Gottes eer vor augen vnd den gemainen nutz der Christenhaytt. Der Hertzog von Florens ist noch alhie, vnd man sagt noch nichs von seim hinwegraysen, verwundert vil leutt, was die handlung sey, dorumb er herkommen.

Von der Caraffa sach send vnderschidlich vrthayl, der ain maint, es wer inen vbel, der ander maint wol ergon, man wirtz nun mer bald sehen.

Moron ist wieder herkommen von Maylandt, ist in aim grossen ansehen bey yederman.

Man sagt, vor weyhenecht sollen ettlich neuw Cardinal gemacht werden.

Der Kunig von Nauarra hatt ain bottschafft hergeschickt zu Bapst. Hayl., die soll obediens seinerhalb thuen; er ist noch nitt aussgangen.

Man wirt bald die Breuia indictionis Concilii ausschicken. Hiemitt thue etc.

Datum zu Rom am 23. tag 9bris 1560.

---

53) 1560. 30. *November. Rom. Otto an Albrecht.*
Ueber die Caraffische Sache, das Concilium und die Anwesenheit des Herzogs von Florenz in Rom.

P. P. E. L. schreiben von dato des 11. Nouembris hab ich alhie heutt wol empfangen, vnd darff vir war gegen mir gar kain verantwurtung, das si ir rayss halb nitt geschriben; dann ich nitt beger E. L. zu bemiehen, vnd schreib derselben nicht desto weniger all wochen mitt einschliessung alles, was verhanden, vnd hör von hertzen gern, das dasselbig E. L., wie si melden, zu gefallen raycht.

Der Caraffa halb hab ich E. L. alle sach, wie es mitt den schreiben ergangen, ordenlich zuegeschriben; die Bapst. Hayl. vnd all Cardinäl, den E. L. geschriben, haben sich vernemen lassen, si wellen E. L. beanwurten; wan mir ettwas deshalb zuegestelt, so wills ich ordenlich vberschicken. Sonst ist die sag der Caraffa halb mengerlay; ettlich hoffen, aber der mererthayl zweyfflen, vnd ain thayl wolent, das inen vbel gieng; man wirt aber bald des aussgang sehen. E. L. lest schreiben ist bey mengen für ain fürstlichs, vernünfftigs,

wolgestelt, stattlichs schreiben gelobt worden; Gott well, das
es E. L. loblichs gmiettz halb gleichermass hie erschiesse;
die Caraffische send danckbar gegen E. L. gar wol zufriden.

Wie es des Concili halb geschaffen, hab ich E. L. nach
vnd nach yeder zeytt alles berichtet. Nun hatt ir Hayl.
heutt im Consistorio solenniter publiciert, wie ich derselben
hiemitt zwo copien mittschick, vnd E. L. soll mir glauben,
das ir Hayl¹· die sach gutt maint, vnd von allen sachen von
neuwen wirt lassen hören, reden, handlen vnd aller mensch-
lichen müglichaytt verainigen, vergleichen vnd beschliessen,
vnd wie ich darfürhalt, maintz ir Hayl¹· gegen dem Teutsch-
landt fürnemlich vnd der gantzen Christenhaytt gutt, si wirt
och bald die Legatos erkleren vnd ire leutt gen Trient ab-
fertigen ⁴⁹).

Dergleichen wirt ir Hayl¹· on weytter verzug der Rom.
Kays. Mt., vnserm allergnedigistem herren, allen Chur vnd
fürsten im Reich, vnd allen kunigen und potentaten in der
gantzen Christenhaytt die neuw intimation furderlich zue-
schicken. Es wirt och ir Hayl¹· die Augspurgischen Confes-

----

49) Nachdem Kaiser Ferdinand wegen der Wahl des Ortes, wo
das Concilium abgehalten werden sollte, nachgegeben hatte, wurde
am 29. November 1560 die Bulle zur Ansagung des Conciliums
ausgefertigt. Der Pabst erklärte in derselben das Concilium nicht
ausdrücklich als eine Fortsetzung des im Jahre 1552 unterbrochenen;
es geschah dieses, um dem Wunsche des Kaisers und Frankreich,
die ein neues Concilium wollten, zu genügen. Um aber auch
Spanien und Florenz, welche die Decrete des vorigen aufrecht er-
halten und dasselbe fortgesetzt und geschlossen sehen wollten, zu
befriedigen, suchte der Pabst in einer zweiten aus Anlass des Con-
ciliums gleichzeitig erlassenen Jubiläums-Bulle demselben den
Charakter eines fortgesetzten beizulegen. Ferdinand und Katharina
von Medicis, als Regentin Frankreichs, protestirten zwar gegen
diese Absicht des Pabstes, aber ohne Erfolg. Auch wurden so-
gleich Nuntien ernannt, welche die Bulle zu den Fürsten der Chri-
stenheit tragen sollten. Auch die Protestanten Deutschlands liess
der Pabst zur Theilnahme am Concilium einladen, und schickte zu
ihnen den damals am kaiserlichen Hofe befindlichen Nuntius Del-
phino und den Bischof von Zackynth, Franz Commendone.

sion verwanten och ersuechen, vnd sich gegen inen giettig erkleren. Gott well, das es allenthalb wol erschiess vnd das des schedlich vnd hinderlich misstreuwen hinweg genomen, vnd zu bayden thaylen eingestelt. So wer wol zu hoffen, was guttz, fridlichs vnd fruchtbars mitt Gottes hilff zuuer-richten. Ich will gern so allt werden, das ich im werck alle ding verricht sehen müg; Gott der allmechtig verleyhe sein gnad darzu Der Hertzog von Florens ist noch hie vnd soll, wie man sagt, biss auff das neuw jar bleyben, hatt das fieber zwaymal gehabt. Man sagt mancherlay, warumb er hie sey, vnd ich glaub, wenig wissen den grunt. Ir Hayl^t helt ine gar werd vnd schön, vnd bewilligt im, was er begert. Man sagt, er hett gern sein schwager Don Luys de Toledo zu ainem Cardinal, des soll och gwiss sein. Darneben sagt man och, wie er fürnemlich vnd mitt grossem ernst den Prior von Rom N. Saluiati (des alten Saluiati bruder) hindere, domitt er nitt Cardinal werde. Die Kunigin auss Franckreych hatt gar ernstlich vir in geschriben, ist ir nach gefräundt, ain dapffer ansenlicher man, vor welchem sich der Hertzog besorgen soll, das er nitt Bapst werde, vnd der Florentiner libertet procuriere. — Es sendt sonst noch gar vil in hoffnung vnd vbung, diss nechstkünfftige cottember Cardinal zu werden.

Datum zu Rom am lesten tag Nouembris 1560.

---

54) 1560. 3. December. Rom. Otto an Albrecht.
Ueber Fortsetzung des Conciliums, und die Erledigung des erzbischöflichen Stuhles von Salzburg.

P. P. Nechst sambstag hab ich die Bullam indictionis Concilii nitt bekommen kinden, schick also E. L. hiemitt derselben zwo, vnd wirt dieselbig sambt ainem Breue beym Nuntio E. L. vnd anderen Chur vnd fürsten die Bapst. Hayl^t. selbs schicken; vnsere Theologi vnd Canonisten sind hefftig

15*

wider dise Bull gewest, hetten gern das wort *continuationis* hineinbracht.

Die Bapst. Hayl![t] last sich vetterlich mild vnd gutthertzig dermassen vernemen, das wol was guttz zuuerhoffen. Ir Hail![t]. werden zu den Protestis reden, och schicken vnd sich gegen inen erkleren.

Sonst ist ain schrecklich vnd mittleydlich zeyttung herkomen, wie mein her von Salzburg [50]) auff dem geiayd in gegenwirten E. L. durch den gwalt gottes angetroffen, von pferdt herabgefallen vnd tod bliben am 17. tag 9![bris]. Gott sey seiner lib gnedig vnd barmhertzig, vnd tröst all glaubig seelen. Solche neuw zeyttung hatt der Paumgarter meim herren von Trient auff aigner post zuegeschriben; ich bins warlich treulich erschrocken. Ex hoc vere apparet, quam incerta, uana et fallax sit vita nostra. E. L. alls ain verstendiger erfarner fürst wells mitt gedult annemen, dann solchs send casus mundi, quibus nemo martalium potest resistere. Gott im himmel beware E. L. vnd alle ire verwanten vor allem übel.

Souuil aber den Ertzstifft antrifft, ist mir kain zweyffel, E. L. alls ain christlicher Catholischer fürst werd zu beförderung ainer tauglichen wal an ir nichs ermanglen lassen, domitt wider ain gottzferchtiger catholischer Ertzbischoff erwelt oder postuliert werden müg; das wirt onzweyffel Gott dem allmechtigen angenem, vnd E. L. bey mengen ruemlich vnd loblich. Was dan ich zu beförderung der confirmation vnd expedition thuen wirdt kenden, erkenne ich mich schuldig von wegen der hiegen protektion, die ich durch E. L. bekommen hab.

Datum zu Rom am 3. tag X![bris] 1560.

(Postscriptum.) Ich bitt, E. L. welle onbeschwert sein zuuerordnen, das mir der gantz fal, wie es mitt meim herren von Salzburg seligen ergangen, zuschreiben lassen. Es ist

---

[50]) Michael Graf von Khüenburg, Erzbischof von Salzburg.

vir ain Gott gefelliger, grechter, treuer vnd frommer Ertz-
bischoff gwest. Ach Gott, ich hab ain gutten herren vnd
fräundt verloren; Gott gnad im in ebigkaytt!

---

55) 1560. 6. *December. Rom. Otto an Albrecht.*
Concilium, Herzog von Florenz, Caraffische Sache.

P. P. Ich hab E. L. am vergangen Afftermontag alles,
was sich hie zutragen, zueschriben; dieweyl aber ain aigner
currier gen Jnsprug von hinnen hatt sollen abgefertigt wer-
den, hab ich nitt vnderlassen wellen vnd E. L. noch ainmal
schreiben, samb überschickung der Bulla concilii etc. Man
gibt hie fir gwiss auss, dass die Kaysl. Mt. ab dem platz
vnd zeytt wolzufriden.

Der Cardinal von Mantua soll Legat werden.

Der Hertzog von Florens ist noch hie, vnd hatt in das
fieber gester verlassen. Man sagt vilerlay von sein so lang
hie bleyben, vnder anderm sagt man, er sey hie fürnemlich
den Saluiati zuuerhinderen vnd seine leutt zu befurderen;
item das er durch die Bapst. Haylt. vmb die wittfrauw auss
Portugal, Kunig Philips schwester, für sein son werbe; item
das er och durch ir Haylt. mit Kaysl. Mt. vmb belehnung der
statt vnd herschafft Senis, welchs ein lehen des Reychs ist,
handlen well lassen; item das er in seinem fürstenthumb well
ain indultum ad collationes seu nominationis ettlicher bistumb
vnd beneficien welle aussbringen; item das er sein schwager
den Don Louis de Toledo well zu ainen Cardinal machen;
item das er mitt ir Haylt. ain vertreulich verstand in fall der
kriegsleuff machen well, vnd anders vil mer. Gott wayst,
was war ist, ainmal wirt vil darzu geredt.

Von Caraffen redt man taglich verzweyfflicher, vnd ist
die gmain sag, man werde den Cardinal vnd Duca de Paliano
tödten, vnd den Neapolis priuieren. Man hatt Don Fernando
de Sangre, irn vettern, och gefangen, vnd haben yettzt nie-
mantz, der sich irer will och darff annemen; Gott helff inen.

Der Nuntius, welcher die Bullam indictionis hinauss-
fieren soll, wirt bald verraysen.

Ettlich sagen, man werde vir den von Emps vmb fir-
schrifft zu befurderung bewerhen in stifft Salzburg.

Gott wayst, das mir meins herren von Salzburg selingen
gelinger todfal (wie man sagt) gar hertzlich layd ist. E. L.
sey daran, domitt wider ain gottzferchtiger catholischer man
erwelt werd. Hiemitt thue etc.

Datum zu Rom am 6. tag X^{bris} 1560.

---

56) 1560. 7. December. Rom. Otto an Albrecht.
Wochenbericht.

P. P. Dise gegenwirtige woch hab ich E. L. bey der
Niderlendisch ordinari post am afftermontag vnd am donstag
bey ainer extraordinari geschriben von allem, das sich zu-
tragen. Seydher hatt sich nichs anders zutragen, dan das
man gwiss kuntschafft bekommen, wie der Türck auff das
künfftig jar ain gwaltigen zug auff dem mör firnemen will;
derhalb zu beschitzung der Christenhayt Kunig Philips vor-
habens ist, mitt hilff Bapst. Hayl^t. vnd der cleresey in Hispa-
nia die christlich Armata mitt 80. neuwen galern zu stercken.
Die von Multa haben och hilff begert vnd besorgen sich nitt
wenig; man wirt auch auff weg gedencken, wie man inen zu
hilff vnd rettung in fall der nott kommen kindt.

Die Bapst. Hayl^t. last sich vernemen, wann das Con-
cilium zu Trient ye den Christlichen fürsten nitt solt gefellig
sein, so sey ir nitt zuwider, das desselbig nach gefallen der-
selben transferiert werde. Aber ainmal heharrt ir Hayl^t.,
das si all ding sincere, christiane, paterne et benigne hand-
len well.

Man sagt, der hertzog von Florens werd biss montag
haim. So kombt morgen des von Vrbino tochter, Conte
Friderici Boromaei gemahel; die soll dem Cardinal Farnes
lites mouieren von wegen Cameria, welchs dem Cardinal

frembd dunckt, vnd hett sich es nitt versehen. **Es send casus mundi.**

Von Caraffa helt man fir gwiss all ir sach fir desperiert vnd sorgt, man werd bald mitt inen firfaren. Ir vetter Don Fernando do Sangre ist wider ledig worden, ist ain feiner waydlicher betriebter alter man. Thue mich etc.

Datum zu Rom am 7. tag X^{bris} 1560.

---

57) 1560. 14. December. Rom. Otto an Albrecht.
Wochenbericht, besonders über den Herzog von Florenz.

P. P. Ich hab von E. L. zway schreiben, des ain von dato den 19., vnd das ander den 25. 9^{bris} an sant Lucia abent wol empfangen, vnd souuil mein aufferlegten befelch, so E. L. mir gethuen der Caraffa halb, thue ich fir war was muglich; aber es ist bey vilen nitt vast grosse hoffnung. Gott well ir Hayl^t gmiett zu giettigkaytt milteren. Ich hab E. L. ain ausszug seins process zuegeschickt vor 14 tagen, wird den nue mer empfangen haben.

Souuil des hertzogs von Florens einritt antrifft, so hab ich desselben E. L. zwen vnderschidlich truck zuegeschickt, darin alle circumstantiae nach lengs eingelebt, vnd och ain fuetterzettel all seins gesindtz. Er ist noch alhie vnd lören die bösen leutt ir meuler hefftig. Er wirt auss der binden wol vnd treffenlich gehalten, man sagt es gangen taglich ob 600 Cronen vber in, das fieber hatt in verlassen, ist wol auff, man hört och noch von kaim auffbruch, doch vermainen vil, er ziehe vor weyhenecht nitt weg. Was ich seiner Liebden halb erfaren, hab ich E. L. nach leng zuegeschriben, wills hinfir, was mich weytter anlangt, och thuen.

Ich hab och nitt gern vernommen, das sich im Reych solch onuersehen lermen also zuetragen, vnd sonderlich so nahe bey E. L. Höre doch gern, das dieselb vnd hertzog Christoff Kaysl. Commissari darzu verordnet; zweyffelt mir

nitt, si werden was guttz aussrichten vnd die sach ver-
tragen [51]).

Gester send neuw zeyttung herkommen, wie der kunig
Franciscus in Franckreych och gestorben [52]). Gott sey im
gnedig vnd geb, das alle ding bey inen fridlich zuegangen,
vnd das nitt dardurch das Concilium ain auffschub bekomm.
Es soll och der Cardinalis Bertrandus, so diser zeytt zu
Venedig gwest, och gestorben sein. Es gatt immert ainer
nach dem ander, also ist die menschaytt, vnd derffen all wol
gnad von Gott, vt vigilemus, quia nescimus diem neque boram.

Am donnerstag ist Doctor Johann Kellenbeck, Salzbur-
gischer rhatt, auff der post zu mir kommen mitt brieffen vom
neuwerwölten her Hans Jacob Kuen vnd des Thuemcapitels,
welchs mich ersuecht, alls Protector die confirmation electionis
zu erlangen, welchs ich inen bewilliget, so bald das decretum
electionis vnd andere notturfft firbracht, zum besten zu fur-
deren. Ich hör och, es seyen schon die gesante vnderwegen.
Ich kan des frommen abgestorben herren nitt vergessen,
Gott sey im gnedig, vnd behiett E. L. vnd vnns alle vor
allem vbel. Ich hoff aber, es sell sich der yettzt erwelt och
wol halten, bitt E. L. welle ine in guttem befelch haben.
Thue mich etc.

Datum zu Rom am 14. tag X^bris 1560.

(Postscriptum.) Von des Hertzogen von Florens so lang
hiebleyben will vil geredt werden, vnd sagt man, das er in
handlung stande, sich zu aim kunig crönen vnd machen zu
lassen, vnd derhalb werden souuil posten hin vnd wider zu
kunig Philippen pro consensu geschickt; vil vermainen, der
kunig Philip werd es nitt bewilligen, es sey dan sach, das
der heuratt zwischen ir kunigl. W. schwester, der wittfrauw

---

[51]) Wahrscheinlich die Streithändel der Grafen von Oettingen
mit Schertlin von Burtenbach.

[52]) Er starb am 5. December 1560, und hinterliess sein Reich
in einem Zustande gänzlicher Zerrissenheit. Seine Mutter Katha-
rina von Medicis bemeisterte sich der obersten Gewalt während der
Minderjährigkeit ihres zweiten Sohnes, des neunjährigen Karl IX·

von Portugall vnd des von Florens son sein firgang hab. Es
vermainen och vil, der Hertzog solt solchs nitt begeren, die
welt aber last ire dick nitt; was eruolgt, schreib ich yederzeytt.

Vor 3. tagen ist ain ansenlicher Spanier in des hertzog
von Florens vorcammer gefangen worden, die vrsach wayst
man nitt, allain das man vermaint, er hab was wider den
hertzog geredt oder geschriben.

Der kunig auss Franckreych soll noch nitt gestorben
sein, aber soll gar in nötten ligen. Gott schick was gutt
ist. Die franzesisch potschafft sagt, es werde kain sonder
enderung geben, doch mecht der von Lothringen vnd Guisa
nitt allain beim brett bleyben, wie ander sagen.

58) 1560. 21. *December. Rom. Otto an Albrecht.* *Wochenbericht über Verschiedenes.*

P. P. E. L. schreiben von dato den 6. Decembris hab
ich alhie am 19. wol empfangen, vnd repetiere, das mir E. L.
promotoriales an die Bapst. Hayl[t.] meiner person halb zu ent-
lich gröstem wolgefallen raichen, bedanck mich deren auff
das höchst.

Causam Caraffiorum belangent ist das pasquet mitt den
tritten fürschrifften dem Sigr. Ferrante de Sangro zukommen,
ich hab aber mein brieff noch nitt bekommen, der Cardinal
Farnes, Trient und Ferrar haben E. L. schon geanttwurt,
dergleichen sagt och der Cardinal Boromeo, wie die Bapst.
Hayl[t.] E. L. vor lengst beantwurt, wem aber der brieff worden,
ist mir nitt wissent. Ir sach statt noch vast zweyffelich, ich
hoff aber entlich, E. L. souuil feltigs neuws schreiben soll
was guttz erhalten.

Das Concilium belangend hab ich E. L. allzeytt alle sach
clar zugeschriben, vnd seyen hie och leutt gwest et illorum,
qui etiam valde dubitarunt. Gott aber im himmel wirt noch
sein gnad darzuthuen, vnd der Bapst. Hayl[t.] gutten grechten
inbrinstigen vatterlichen fürsatz in wurcklich erschiesslich
volziehung bringen. Es bewilligt och ir Hayl[t.], an ir person,

wanns die nott vnd zeytt erhayschen wirt, entlich nichs zu
lassen, vnd darzu mag gar vil befürderung thuen die fleyssig
vnd gutthertzig erscheinung der erforderten vnd ersuechten
Potentaten vnd stende.

Souuil den Nuntium antrifft, der neben der Kaysl. Mt.
gesandten zu den Confessionisten ziehen soll, haben sich dess
ir Hayligkaytt auff der Kaysl. Mt. guttachten resoluiert, vnd
ist hie deshalb bey dem mererm thayl vil bedencken vnd
zweyffel firgefallen; aber lestlich, dieweyl es die Röm. Kaysl.
Mt. vnser allergnedigister herr also gerathen, hatt ir Hayl. in
dem namen Gottes versuechen, vnd sich gegen allen menniglich
vatterlich fridlich gutt vnd treuwhertzig declarieren wellen,
vnd haben gleichwol irer hieigen bischoff ain abfertigen
wellen, vnd sich vor Gott vnd der welt in aller giette der-
massen erweysen, das billig darauss ain anfang erwachsen
mecht zu hinlegung hassiger feindlicher verbitterung, ver-
dachtz vnd schedlichs misstrauws, domitt zu allen thaylen in
christlicher lieb vnd sanfftmiettigkaytt zusament geschickt,
yederman ain anderen notturfftiglich anhören, verston vnd
erkenen mecht, domitt auss gnadenreycher verhengnus Gottes
des allmechtigen ain christliche vergleichung in allen wider-
wertigen, vor augen schwebenden zwitrachen gesuecht, ge-
troffen vnd ainhellig beschlossen wurd. Darzu lassen sich
ir Hayl. ausstruckenlich bestendiglich vernemen, das si dem
Concilio sein freyen firgang on ainiche hindernus lassen well,
das si och alle würckliche befürderung in allen puncten irs
thayls, ja och mitt darstreckung irs leybs vnd lebens zu thuen
gantz willig, begirig vnd beraytt sey. Gott verley ir Hayl.
darzu glück vnd gnad, vnd ich settz in kainen zweyffel,
wanns die nott erforderen wirt, si personlich zu erscheinen
sich gar nitt beschweren. Jetzt ligt es alls daran, wie gutt-
hertzig sich die eruorderte erweysen werden. Gott welle
der ganzen Christenhaytt zu nutzlicher aussrichtung bey allen
thaylen durch seinen hayligen Gayst christlich lieb, gutt-
hertzigen, fridlichen vnd vertraglichen sin verleyhen, vnd alle
verbitterliche arckwenige misstreuw zu allen thaylen hinweg-

nemen; dan on das ist wenig fruchtbare aussrichtung zuuer-
hoffen.

Ich bedanck mich E. L. vberschickter zeyttungen vom
Moscowiter, vnd trag ain billich mittleyden mitt den Lyff-
lender; dann vir war inen ser vbel gatt, vnd ist zu be-
sorgen, wan man nitt anderst darzu thue, es mechte sich
noch weytter vnd geforlicher einreyssen [53]). Das der Mos-
coulter solt der Bapst. Hayl⸱ her was geschriben haben, och
in glaubenssachen sich was erbotten, ist noch der zeytt nitt
beschehen; wol sagt man, er werd es thuen wie zuuor tem-
pore Clementis vii. vnd Julii iii. och beschehen; aber ich
glaub, er wurd dissmals souuil alss zuuor aussrichten. Dann
der kunig von Polen vnd ander alhie geben solchen bricht wider
in, das wenig hoffnung zu gutter aussrichtung mitt inen; was ich
aber vernim, bleibt E. L. allzeytt von mir onuerborgen [54]).

Dise cottember ist on creation nouorum Cardinalium
firgangen, vnd kan man nitt hören, wann ir Hayligkaytt neuw
machen welle. Die so girig darzu send, haben nitt wenig
schmertzen empfangen, miessen aber also patientiam haben;
vil vermainen, man werde sobald nitt vil machen.

Der hertzog von Florenz ist noch alhie, halt sich vnd
all sein gesindt in die klag geklaydet von wegen des Kunigs
Franciscy absterben.

[53) Die Liefländer hatten dem Czar Iwan Wasiliewitsch II.
eine Art herkömmlichen Tributs, der Zins des rechten Glaubens
genannt, verweigert. Iwan, darüber und durch Zurückhaltung der
aus Deutschland verschriebenen Künstler aufgebracht, setzte den
Liefländern hart zu. Diese wandten sich an den Kaiser um Hilfe,
aber umsonst. Der Ausgang dieses Kampfes war für Liefland
äusserst traurig; Polen nahm den einen Theil dieses Landes, den
andern behaupteten die Russen. Der Heermeister Gotthard Kettler
ward Herzog von Curland und Semgallien.

[54) Unter Iwan Wasiliewitsch II. wurden wirklich mehrere,
aber fruchtlose Versuche angestellt, die russisch-griechische Kirche
mit der römisch-katholischen zu vereinigen. Nur der Jesuit Anton
Possevin, der bei dieser Angelegenheit gebraucht warde, brachte
einige in Polen wohnende Griechen zur Vereinigung mit der römi-
schen Kirche.

Was in Franckreych des neuwen regimentz halb vorhanden, werden E. L. onzweyffel belder wissen; domitt aber ich nichs vnderlass, schick ich derselben, was deshalb hie vernommen wirt.

Ich schick och des von Nauarra oration, so sein gesanter alhie in prestanda obedientia vor acht tagen, wie zuuor geschriben, gethon. Seyd der kunig von Franckreych gestorben, hatt er von neuwen sich der Bapstlichen Hayligkaytt in Religionsachen ganz gehorsamlich vnd bestendiglich erbotten; Gott schick alle ding zu guttem endt.

Der von Florentz soll kunig Philips antwurt erwarten, was mitt dem heuratt zwischen der wittfrauwen auss Portugal vnd seim son zuuerhoffen. Hie vermainen vil, es werd weder die wittfrauw noch kunig Philippus dareinwilligen, die Florentiner aber haben gutt hoffnung; was eruolgt, gibt die zeytt.

Mir felt treuwhertziger ainfeltiger mainung ein, ob nitt gutt were, das zwischen Ertzhertzog Ferdinand oder Ertzhertzog Karle vnd der lesten wittfrauw auss Franckreych, welche ain erbin in Schottlandt ist, och ain heuratt gehandlet wurde; die Kaysl. Mt. aber vnd E. L. werdens wol erwegen kinden.

Hiemitt schick ich E. L., was dissmals vorhanden, vnd bitt, si welle mir dise onflettige tintenklitter in Gottes namen verzeyhen; wann ich der weyl hett, wolt ich den brieff gern wider vmgeschriben haben. E. L. neme mitt mir alls ainem faulen, schlechten schreiber fir gutt. Hiemitt thue etc.

Datum zu Rom am 21. tag X^{bris} 1560.

---

59) 1560. 28. *December. Rom. Otto an Albrecht.*
Ueber Fortsetzung des Concilium und die Stimmung
der Protestanten gegen Rom.

P. P. E. L. schreiben von dato den 11. Decembris hab ich alhie am hayligen sant Stephans tag wol erhalten. Wünsch E. L. anfanglich sambt ir frauw muetter, gemahel

vnd allen verwanten von Gott dem allmechtigen durch das
neuw geboren kindle Jesum Christum ain glickseligs freuw-
lich vnd fridlich gutt neuw jar, vud das si Gott vor allem
übel beware.

Des Concilium halb befind ich noch nitt anderst, dann
das ir Hayl^t. ainmall recht vnd gutt maint, vnd was ye des
die firnemist hindernus sein solt, das mans zu Trient indi-
ciert, so wolt ich glauben, das an ir Hayl^t. nitt erwinden
wurde, des Concilium anderstwohin zu transferieren auff
rechtmessig ersuechen vnd vergwissen, das mans besuechen
wolt. Das aber die Confessionisten den vorstraych vermai-
nen zu haben, vnd der execution nitt wellen erwarten, haben
si warlich nitt recht; dann von hie auss och von allen Ca-
tholischen gibt man inen warlich kain vrsach zu onrueb, och
auffruer; fahen si aber was on grunt an, so hoffe ich es soll
on grunt wider zergon, vnd niemantz mer schaden alls
inen [55]). Ich sag E. L. mitt bestendiger gottlicher warhaytt,
das der Bapst. Hayl^t., meim herren von Trient vnd mir ent-
lich gwalt vnd onrecht geschicht, dann fir war von kainre
execution, alls mir Gott helff, bisher gedacht, mann lebt och
hie fridlich, vnd ist kain sin noch gedancken noch onfriden;
wellen aber die Confessionisten ir onriebig Euangelium mitt
muettwilligem auffruer vertheidgen, so mechtz noch durch
schickung des allmechtigen über irn halss hinauss gon. Es
wirt Gott vom himmel disen trutz vnd onwarhaytt nitt ge-
dulden mügen. Ainmal hatt sich ir Hayl^t. gantz loblich
souuil gediemiettigt, das sie inen selbs schreibt vnd zu inen
schickt mitt warhaffter erklerung sein vatterlichen gmiettz;
wurden si solchs verachten, vnd mitt vergwaltigung der
Catholischen was nach haylichs firnemen, so mechten si ain
schlaffenden hundt vir war inen zu wenig nutz erwecken.

---

[55]) Man glaubte damals, dass die Protestanten ihren innern
Streitigkeiten, namentlich dem aufs Höchste entbrennenden Sacra-
mentsstreit, dann den ärgerlichen Händeln wegen Synergismus und
des herzoglich Jena'schen Confutationsbuches, entsagen und sich
mit vereinter Kraft gegen Rom wenden werden.

Es darffte das brangen gar nitt, wann man gesinnt were was mitt dem schwert gegen inen zu handlen, man findt wol weg darzu; da ist aber kain sin oder gedancken darnach, vnd mag E. L. mitt gruntlicher warhaytt anzaigen, das ir Hayk. och all Cardinal alhie allain zu frieden, giettigkaytt, senfftmiettigkaytt gwislich gennigt seyend. Es hatt aber E. L. alls der hochuerstendig zu erachten, wurden die Confessionisten sich diser giettigkaytt missbrauchen, vnd die Catholicos in Germania disturbieren och nöttigen, man wurd dannocht lestlich gedrungen, auff rettung zu trachten, vnd hett allain sorg wir wurdens mitt schaden zu spatt bey vnns innen werden vnd nitt glauben, biss der schad geschehen wer. Mein gnedigister her, die Rom. Kaysl. Mt., E. L. vnd andere gutthertzigen sölten rigel vnderstossen, dieweyl ainmal die Confessionisten die onwarhaytt firgeben, vnd mitt solchem trowen allain auffruer zu erwecken gedencken, dardurch vnser vatterlandt in eusserist nott gebracht mag werden, Wann ich das wenigist anderst mercke, wolt ichs E. L. entlich nitt verhalten, dan ich hab ain solchs grechtz vertrauwen zu E. L., das ichs ir onanzaigt nitt kindt lassen.

Heutt am morgen ist der hertzog von Florens hinweg, vnd hatt von ir Haylt., was er begert, erlangt; was ich in specie erfar, zaig ich E. L. an. Es sendt vil Cardinal mitt im hinauss. Man sagt, er hab lestlich hewilligt, das der Saluiati Prior de Roma Cardinal werde. Der Caraffa halb hoffe ich vnd ettlich gutthertzig noch, aber es ist vast misslich, vnd man vermaint, der hertzog von Florens hab mer verbittert dann firgebeten. E. L. hatt das irig thuen, vnd wirt derselben bey hochen leutten zu grossem lob aussgelegt, es sendt aber der verhettzer zuuil. Hiemitt etc.

Datum zu Rom am der hayligen onschuldigen kindlins tag 1560.

243

V.

Beiträge zu einer historisch-archäologischen Beschreibung des Landcapitels Agenwang.

Von

Adalbert Grimm,

Stadtkaplan bei St. Moriz in Augsburg.

Einleitung.

a) Topographisch-statistisches.

Die Landschaft, welche das Landcapitel **Agenwang**
umfasst, liegt im **Donaugebiete**, und dehnt sich westlich
der Stadt Augsburg nach Norden und Süden aus. Es ist
ein Hügelland, in welchem die Flüsse **Schmutter**, **Zusam**
und **Roth** weite Thäler bilden. Breite, mit ausgedehnten
mächtigen Waldungen bekleidete Bergrücken, die von Süd
nach Nord sich erstrecken, und mit dem **Kobelberge** in
einer Spitze enden und abfallen, scheiden diese Landschaft
vom Flussgebiete der **Wertach**, und bilden nebst einem
niedrigen, ausgedehntem, mit Ackerfeld bestellten Hügel-
rücken, der vom Kobel an noch $1\frac{1}{2}$ Stunde weiter nach
Norden sich erstreckt, bis er dann in der Lechebene sich
verflacht, die natürliche Ostgrenze des Landcapitels Agen-
wang. Im Westen schränkt die Zusam in ihrem Laufe von
Breitenbrunn bis Wörlenswang das Gebiet des Capitels ein.
Im Süden und Norden mangelt aber eine natürliche Gränze,
der Capitelsbezirk zieht sich vom **Zusammenflusse der
Schmutter und Neufnach** bei Fischach im Süden über
das Thal des Rothbaches gen Norden hinaus bis zu den
Quellen der Laugna, in den waldreichen Gegenden um
Adelsried und Bonstetten hin. Ungefähr 5 Quadratmeilen
misst der also umgrenzte Flächenraum.

Die Bevölkerung gehört dem schwäbischen Volksstamme an; sie beträgt 15,000 Seelen, und bewohnt 2 Märkte, 55 Dörfer und Weiler, und 22 Einöden. Diese Einwohnerschaft ist in 27 katholische Pfarrsprengel eingetheilt; dieselben sind meist klein, dennoch aber oft über mehrere Orte ausgedehnt. Nur zwei derselben, Horgau und Zusmarshausen, zählen über 100(', einer aber, nämlich Breitenbrunn, sogar unter 200 Seelen   Protestanten leben nur wenige einzelne Familien in den Orten Aystetten, Gailenbach, Rettenbergen, die in die protestantische Pfarrei heil. Kreuz in Augsburg, und zu Wörlenswang, die nach Burtenbach eingepfarrt sind.

Juden wohnen in Fischach, wo sie ein eigenes Rabbinat mit Synagoge haben, und in Schlipsheim, die zum Rabbinate Kriegshaber gehören.

Ackerbau ist der Hauptnahrungszweig der Bewohner dieses Bezirkes, und wird mit grossem Fleisse betrieben. Man hält sehr viel Zugvieh, die Rindvieh- und Schafzucht wird veredelt, hebt sich immer mehr und steht in gutem Verhältnisse zum vorherrschenden Ackerbau. Der Boden ist meist fruchtbar, besonders in den Thälern und niedrigen Erderhebungen, sehr ergiebig zumal im Zusamthale und in der Reischenau; in den höher gelegenen Orten aber sandig, und in den waldumschlossenen Rodungen feucht.

Die wohlbestellten Aecker bedecken meist die Abhänge der waldbekrönten Hügelrücken, die sich in oft halbstundenlanger Ausdehnung sanft gegen die Thalsohle verflachen, oder sind an und auf niedrigen, hügelartigen Erhebungen gelagert. Blumige Wiesenteppiche breiten sich an den langsam sich hinschlängelnden Flüsschen aus, und erfreuen durch ihr saftiges Grün. Die Höhen sind überall mit Wäldern gekrönt, in welchen die Fichte mit mächtigem Wuchse der herrschende Baum ist. In einzelnen Distrikten ist das Laubholz, Eichen, Buchen dominirend. Föhren und Birken mischen sich besonders in sandigen Bezirken dem Fichtenwalde bei, und bringen lichtere Schatten in dessen Dunkel.

In den Mooren ist die Zwergkifer und Birke einge-
wuchert.

Die niedlichen, freundlichen Dörfer, deren Häuser sich
unter Obstbäumen bergen, sind gewöhnlich am untersten
Abfalle der langgedehnten Hügelabhänge, nahe der Thalsohle,
doch selten in derselben gelagert. Zuweilen sieht man die
Dörfer auch in tiefen Einbuchtungen, welche die Hügelreihen
unterbrechen, halb versteckt. Einzelne Dörfer, Weiler und
besonders grosse Einödhöfe bilden gleichsam Oasen in den
grossen Wäldern, welche auf den Scheiderücken sich lagern.
Die Bauart der Häuser bietet wenig Eigenthümliches: die
meisten sind mit Ziegeln gemauert, da Bruchsteine in diesen
Gegenden nicht zu finden, zuweilen in Fachwerk gebaut, sie
sind schmal, aber je nach dem Besitze mehr oder weniger in
die Länge ausgedehnt. Ueber dem Erdgeschosse ist manch-
mal noch ein zweites Stockwerk aufgebaut. Der Giebel an
der Schmalseite, ein gleichschenkliges Dreieck bildend, das
durch einen bis drei Wasserschlagsimse quer gegliedert ist,
kehrt sich immer gegen die Strasse. Vorn sind die Woh-
nungen mit dem Eingange an der Langseite, dann folgen die
Stallungen, und bei Söldhäusern die Dreschtenne. In Bauern-
höfen aber sind die Kornscheuer und Tenne in einem grossen
tiefen Gebäude, Stadel, das im Hintergrunde des Hofes, der
sich an einer Seite des Hauses ausdehnt, nach seiner Lang-
seite sich dem Blicke darbietet, und je nach der Grösse
1 — 3 Einfahrtsthore hat. Diese Städel sind meist aus Holz
gebaut, und zuweilen noch mit Stroh bedeckt. Die Stroh-
bedachung war früher hier altherkömmlich und allgemein;
da sie aber bei Neubauten nicht mehr angewendet werden
darf, so wird sie immer seltener. Mit ihr verschwindet auch
der sonst häufigere Holzbau und dessen Eigenthümlich-
keiten.

Bauernhöfe von 100 — 300 Tagwerken Boden sind noch
fast in allen Ortschaften zu finden, obwohl seit einem halben
Jahrhunderte manches Gut zertrümmert wurde. Besonders
grosse Ausdehnung haben die Schlossgüter und Edelsitze

Elmenswang, Gailenbach, Hainhofen, Westheim, Aystetten.
Grossbegüterte Bauern bewohnen namentlich die Orte Medis-
hofen, Maingründel, Kutzenhausen, Werlenswang, Dinkel-
scherben, Häder, Batzenhofen.   In andern Orten ist der
Mittelstand vorherrschend, wie in Fischach, Rumoltsried; bei
andern der Kleinbesitz, wie in Margertshausen, Wollbach,
Deubach.   Wieder andere sind theilweise von Lohnarbeitern
bevölkert, die in der nahen Stadt Augsburg oder in den
ausgebreiteten Forsten Beschäftigung finden, wie Aystetten,
Hainhofen, Schlipsheim.   Der Wald ist überhaupt für Viele
eine reiche Quelle des Wohlstandes oder der Nahrung. Viele
Bauern und Söldner besitzen ausgedehnte Waldstrecken, aus
denen sie Holz auf den Markt bringen können, oder, wie in
Adelsried und Bonstetten, zu Kohlen brennen lassen.   Die
meisten Gemeinden haben reiche Schätze an ihren Gemeinde-
waldungen, und Zahlreiche finden Erwerb durch Holzschlagen,
Holzfuhrwerk, Holz- und Kohlenhandel, wie aus den reichen
Torflagern in den tiefen Niederungen des Zusam- und
Schmutterthales.

Ausser den genannten Erwerbsarten wurde früher viel
durch Spinnen von Baumwolle und durch Weberei verdient.
Ersterer Erwerbszweig hat nun ganz aufgehört, letzterer
wird noch in einzelnen Orten betrieben, doch werden die
Arbeitskräfte jetzt mehr auf die Oeconomie verwendet, ja
sind für diese namentlich in Orten, wo mehrere grössere
Bauern wohnen, nicht hinreichend.

Im Ganzen kann der Wohlstand ein mittlerer genannt
werden, in einzelnen Orten jedoch ein vorzüglicher. Die
Gemeinden in der Reischenau und einzelne angränzende haben
gar keine Armen, welche eine Unterstützung von der Gemeinde
beanspruchen oder bedürfen. Dazu tragen indess viel die
grossen Wohlthätigkeits-Anstalten bei, welche durch die
frühern geistlichen Besitzer und Corporationen, denen mehrere
der Ortschaften des Capitels angehörten, in der wohlwollend-
sten Weise gestiftet worden. In dem durch die Bischöfe von
Augsburg gegründeten Spitale von Zusmarshausen, im Dom-

capitelschen Spitale zu Dinkelscherben, und durch die Spital-
stiftung des Frauenstifts St. Stephan in Hausen finden die
armen und alten Unterthanen des ehemaligen Hochstiftes, des
Domcapitels und des Stiftes St. Stephan in Augsburg Auf-
nahme, Verpflegung und Unterstützung.

Den Verkehr in dieser Landschaft befördern ausser den
kleinern Strassenverzweigungen die Landstrasse, welche von
Augsburg über Burgau und Günzburg nach Ulm führt, und
die Eisenbahnverbindung zwischen diesen beiden Städten.
Die Eisenbahn zieht nördlich vom Kobelberge durch den
niedern breiten Hügelrücken in das Schmutterthal, hat in
demselben drei Absteigestationen: Westheim, Diedorf und
Gessertshausen, verlässt dann dieses Thal, einen Hügel durch
einen 30 Fuss tiefen, sehr langen Einschnitt durchschneidend,
tritt hierauf in die Moorgegend am Rothgraben mit der
Station Medishofen, und gelangt endlich in das weite Thal
der Zusam, wo sie westlich der Station Dinkelscherben un-
sern Bezirk verlässt. Die Landstrasse tritt südlich vom
Kobel über den Sandberg in das Schmutterthal, durchschnei-
det dasselbe quer, steigt nach Biburg auf, wo eine Post-
station, und fällt in stundenlanger mähliger Senkung in das
Rotthal, das sie bis nach Zusmarshausen, wo abermal eine
Poststation, durchzieht. Früher war jedoch dieser Strassen-
zug gen Ulm ein anderer, und folgte wahrscheinlich der
alten Römerstrasse. Nach dem Wegweiser des Niederländers
Johann Zeilbecke, der im Jahre 1499 durch Deutschland nach
dem heiligen Lande reiste, führte die Strasse von Ulm über
Jettingen und Agenwang, (wo von Deubach aufwärts noch
ein tiefer nun verlassener Hohlweg besteht), nach Augs-
burg [1].

---

[1] Mone, Anzeiger für Kunde der deutschen Vorzeit, Jahr-
gang 4, Karlsruhe 1835. S. 275: De Olms *(Ulm)* à Uttinghe
(Jettingen) 4 lieues, à Hangbavan *(Agenwang)* 2 l., à Oostborch 2 l.

16*

b) Historisches.

Der Bezirk des Capitels Agenwang gehört zu den frühesten Culturstätten unseres Landes. Die zahlreichen Funde römischer Alterthümer, welche in vielen Orten dieser Landschaft gemacht wurden, beweisen zur Genüge, dass zur Zeit, als die Römer in Augsburg eine Colonie besassen, auch die hiesige Gegend für römische Cultur zugänglich gemacht war. Römische Münzen wurden am Sandberge, in Diedorf und Annhausen, bei Biburg, Kutzenhausen, Zusmarshausen, Vallried, Wollbach, Wörlenswang, Steinckirch und in der Burgruine Wolfsberg etc. gefunden. In letzt genannter Ruine will man den Rest eines römischen Wachtthurms erkennen.

Die Römerstrasse von Augusta nach Guntia durchschnitt unser Gebiet von Ost nach West, und bildete mehrfache Verzweigungen. Von den Römern angelegt glaubt man die Verschanzungen bei Steinekirch auf dem Schlösselberg, bei Bonstetten, Werlenswang, dann auf dem Buschelberge und der Brennburg bei Fischach und Wollmatshofen. Den schlagendsten Beweis römischer Ansiedelung bieten die Ausgrabungen, welche bei Westheim im Schmutterthale $18^{51}/_{52}$ statt fanden. Als da bei Anlegung der Augsburg-Ulmer Eisenbahn ein Durchstich durch einen Hügel gemacht und das Erdreich bis zu einer Tiefe von 15′ ausgehoben werden musste, fand man erst eine Menge von Gefäss- und Ziegelscherben, dann die Umfassungsmauern von zwei 30′ von einander stehenden runden Brennöfen und andere Mauerreste. Unter der Menge von Scherben waren viele von Gefässen aus terra cotta, die zum Theil Inschriften und Stempel hatten, von welchen solche wie „Cobnertus fec." (fecit) auf den Namen des Verfertigers schliessen lassen. Auch ein grosses Ziegelstück mit einer verzogenen lateinischen Inschrift wurde gefunden. Ausser Ofenkacheln, Röhren, Graburnen, Krügen, Schüsseln und Teller-Stücken fand man viele unversehrte Formen und Mödel aus feuerfestem Thon zur Verfertigung von Grablampen, Schüsseln, Tellern und sonstigen Verzierungen. Auch mehrere Gräber, in welchen sich zertrümmerte Urnen fanden, wurden aufgedeckt [¹]). Dieser Fund zeigt klar, dass in diesen Thälern selbst römische Colonisten wohnten und Gewerbe des Friedens trieben.

Wie in andern von Römern beherrschten Landstrichen, wird auch in diesen Gegenden das Christenthum unter den Landeseinwohnern frühzeitig durch römische Colonisten und Soldaten bekannt worden seyn und allmählig Ausbreitung gefunden haben. Augsburg nahm ja schon im dritten Jahrhunderte Glaubensboten auf, und sein Boden wurde im Anfange des vierten Jahrhunderts durch das Martyrthum der heiligen Afra und ihrer Genossen für das Christenthum fruchtbar gemacht. Nach gewaltsamer Ueberwindung der Römer verschwand die römische Bevölkerung, — theils mochte sie erschlagen worden, theils nach Italien geflohen, theils in Knechtschaft gerathen seyn —, und mit derselben die christliche Religion. Nur spärlich mochte das Christenthum unter den Bezwingern der Römer, den Alemannen und Sueven wieder Wurzel schlagen können, um so schwerer, da diese bald von den Franken bedrängt, den Schutz der arianischen Ostgothen anzurufen sich gezwungen sahen.

Um die Mitte des sechsten Jahrhunderts erfochten endlich die Franken die Oberherrschaft über die Alemannen und Sueven, welche das Land östlich vom Rheine bis zum Lech und zur Wernitz inne hatten, und deren Gränznachbarn im Süden die Burgunder, im Norden die Thüringer waren. Das Heidenthum und der durch die Gothen eingeschleppte Arianismus wich allenthalben unter der Herrschaft der Franken; doch mochten die gewaltigen Kämpfe, in denen die alemannischen Volksherzoge noch 200 Jahre mit den Franken rangen, bis endlich Pipin den letzten dieser Herzoge Lantfried II. 748 gefangen nach Frankreich führte, den end-

---

[¹]) Jahresbericht des historischen Vereins für Schwaben und Neuburg 1851/52. Augsburg 1853. S. 6—8.

lichen Sieg- des Christenthums in diesen Gegenden ver-
zögert haben.

Augsburg hatte während dieser Zeit bereits seine christ-
lichen Hirten: Sosimus im sechsten, Wikterp im achten
Jahrhunderte sind sicher beurkundet; ihre Heerde dehnte sich
unzweifelhaft auf die so nahen Thäler des in Rede stehenden
Bezirkes aus. Die Kirche des heiligen Johannes des Täufers
in Dietkirch und des heiligen Martin in Horgau möchten in
dieser Landschaft zu den ersten gehören. Das Patronat des
heiligen Martinus, das in fünf, und des heiligen Stephan,
welches in vier Pfarrkirchen vorkommt, zeugen in diesen
Gegenden von der Herrschaft der Franken und ihrem Ein-
flusse auf die Christianisirung des Landes, sowie die Legen-
den zweier fränkischen Heiligen, der heiligen Adelgunde in
Annhausen und des seligen Albert in Wörlenswang auf
fränkische Erinnerungen hinweisen dürften.

Wie alle von den Franken errichteten Bisthümer, so
wurde auch das an den Gränzen der Herzogthümer Alemann-
nien und Bajoarien errichtete Bisthum Augsburg schon von
den Merovingern, noch mehr aber von den Karolingern Pipin,
Karlmann und Karl dem Grossen mit Ländereien reich dotirt.
Zu diesen gehörte nicht bloss der grosse Augstgau mit dem
Gauo Keltenstein, sondern auch ein grosser Theil des bis an
die Iller sich erstreckenden Burgaues, welch letzterem auch
der Bezirk des Capitels Agenwang angehört [*]).

Ausser diesen allgemeinen Andeutungen über den Be-
stand des Hochstiftes Augsburg in der Periode der Karolinger
fehlt es aus jener frühen Zeit fast gänzlich an einheimischen
Quellen, welche über die Geschichte des Hochstiftes Aufschluss
zu geben vermöchten, da wie bekannt Herzog Welf II., der
sich bei der zwiespältigen Bischofswahl Sifrids II. und Wi-
golds 1083 zum Schirmvogt von Augsburg aufgeworfen, die
Stadt überfallen, geplündert und alle Urkunden des Hoch-
stifts fortgeschleppt und so ihrem Untergange zugeführt hat.

---

[*]) v. Lang, Bayerns Gauen I. 75.

In den Zeiten des zwölften und dreizehnten Jahrhunderts, über welche bis jetzt bekannte Urkunden sparsames Licht verbreiten, finden wir die Dotations-Ländereien des Bisthums, in so weit sie in den Gränzen des Capitels Agenwang liegen, nach der damaligen Sitte theils an kriegsbereite Dienstmannen und bischöfliche Beamte als Lehen vergabt, theils an die zahlreich entstandenen Klöster mit und ohne Vorbehalt des Obereigenthumsrechtes verschenkt. Die Edlen von Viscaha, Annenhusen, Thierdorf, Agenwang, Husen, Batzenhofen, Wolfsberg, Zusameck, Horgau, die bischöflichen Kämmerer zu Wellenburg, die Vögte der bischöflichen Schirmburgen Hattenberg und Seifriedsberg finden wir im lehenbaren Besitze und in der Nutzniessung bischöflicher Güter und Rechte dieser Gegend. Ebenso die Klöster und geistlichen Corporationen Augsburgs und der Nachbarschaft, welche endlich nach dem Aussterben der genannten Familien Eigner fast aller Orte und Güter dieses Capitels wurden; aber auch bei diesen finden wir häufig noch das bischöfliche Obereigenthumsrecht anerkannt, auf welches erst in späterer Zeit allmälig verzichtet wurde.

Die Capiteleintheilung im Bisthume Augsburg ist uralt, und hat nur an den Landesgränzen in neuerer Zeit einige Veränderungen erlitten. Das Capitel Agenwang, im Herzen des Bisthums gelegen, hat demnach seit uralten Zeiten seinen Umfang nicht geändert, wohl aber war der Name nicht immer derselbe. So wird in einem Verzeichnisse der Landkapitel, welche an der von Bischof Peter von Augsburg 1452 gefeierten Diöcesansynode Antheil genommen, unser Kapitel unter dem Namen: *„Horgan"* aufgeführt [4]. Auch die Glaubenstrennung brachte keine Veränderung im Bestande des Capitels hervor, da die vom Rathe von Augsburg mehreren Pfarreien unseres Capitels aufgedrungenen Prediger sich weder halten, noch Erfolge erzielen konnten. Die Anzahl der Pfarreien kann jedoch zu Zeiten verschieden gewe-

---

[4] Mon. Boica XVI. p. 602.

sen seyn, da einige Pfarreien mit andern unirt, andere neu
gegründet wurden. Doch fehlen uns darüber, wie über
vieles Andere, ausreichende historische Daten, da bei der
Säcularisation die Archive des bischöflichen Hochstiftes,
des Domcapitels und der Klöster nach München abgeführt
wurden, überdiess Verluste erlitten haben und für locale
Forschung unerreichbar geworden sind. Das im Archive des
bischöflichen Ordinariats Vorhandene reicht selten über das
17. Jahrhundert hinauf, da ein Brand gegen Ende des
16. Jahrhunderts das ältere Archiv vernichtet hat.

Vor der Säcularisation 1803 bestand der Bezirk des
Capitels Agenwang in politischer Beziehung aus folgenden
Herrschaftsparcellen:

1) aus dem Hochstift Augsburgischen Pflegamte Zus-
marshausen;

2) aus den Domcapitelschen Aemtern Dinkelscher-
ben, Breitenbrunn und Annhausen;

3) aus den Besitzungen des Klosters Oberschönen-
feld;

4) aus Orten und Ortsantheilen der vormaligen Augs-
burgischen Stifte und Klöster St. Ulrich, St. Moriz,
Heil. Kreuz, St. Georg, St. Stephan, St. Katharina,
dann des Hospitals zum heiligen Geist und anderer
milden Stiftungen;

5) aus Antheilen des Klosters Fultenbach, des
Wengenklosters in Ulm, des Collegiums St. Peter
in Dilingen;

6) aus den Zugehörden des Pflegamtes Welden;

7) aus Patrimonialgerichts-Orten der Lehenherrschaft
Seifridsberg, dann der ehemaligen Ritter- und Insassen-
Herrschaften: Horgau, Deubach, Bieselbach, Aystetten, Gai-
lenbach, Heimberg, Hainhofen, Westheim, Othmarshausen,
Ried und Aretsried. Landeshoheit übte an vielen Orten die
österreichische Markgrafschaft Burgau.

Seit der Besitznahme dieser Landschaft durch die Krone
Bayern ist dieselbe nun ein Bestandtheil dieses Königreichs,

der Capitel-Bezirk gehört dem Kreise Schwaben und Neuburg
an, und ist den Landgerichts-Bezirken Z u s m a r s h a u s e n
und Göggingen, jenem mit 19, diesem mit 8 Pfarreien,
zugewiesen.

c) Archäologisches.

Nahe dem Schauplatze der grossen Völkerkämpfe, dem
Lech, wurde unser Bezirk fast von allen grossen Kriegs-
stürmen durchbraust und verheert. Ausserdem gab es hier
durch die so grosse Zersplitterung des herrschaftlichen Be-
sitzes und den oft schwachen Schutz des geistlichen Besitz-
thums, der durch eigennützige, nach Selbstherrlichkeit stre-
bende weltliche Vögte geübt wurde, sehr viel Stoff zu Fehden
und Verheerungen, dass es nicht zu verwundern ist, wenn
die Ausbeute für den Archäologen in diesem Bezirke eine
sehr geringe ist. Die Burgen sind gebrochen, ihre Herr-
lichkeiten verschwunden, Klöster und Kirchengebäude ihres
Schmuckes beraubt, die meisten Kirchen erst nach den Ver-
heerungen des dreissigjährigen Krieges, in einer Zeit des
Ungeschmackes und geringer Tüchtigkeit wieder neu aus
dem Schutte erstanden. So gross und nachhaltig waren in
diesem Bezirke die zeitweiligen furchtbaren Verheerungen,
dass unter ihnen selbst viele Orte gänzlich zu Grunde giengen
und nicht mehr gebaut wurden. So werden nur in dem
einen Bezirke, welchen das Landgericht Zusmarshausen in
unserm Kapitel einschliesst, 17 abgegangene Orte genannt.

Wir werden nun in den nachfolgenden Blättern nach
einer kurzen geschichtlichen Uebersicht jeden Pfarrbezirkes
die Reste christlichen Alterthums bei den einzelnen Orten
aufführen, auch den gegenwärtigen Zustand der Kirchen-
gebäude kurz darstellen; dann am Schlusse unserer Arbeit
die aufgefundenen Denkmale in Gruppen ordnen und nach
ihrem Werthe noch einmal überblicken.

Da die Urkunden der Stifte und Klöster Augsburgs und
der Nachbarschaft, denen die meisten Orte des Capitels ge-
hörten, bisher nur zum geringsten Theile in den Monumentis

boicis und den Regestis boicarum rerum veröffentlicht wur-
den, also die Quellen sehr mangelhaft sind, so kann auch
unsere historische Darstellung nur eine lückenhafte seyn.
Doch bei dem allgemein lautbaren Umstande, dass die Regi-
straturen der meisten Pfarreien gar keine Aufschlüsse über
die Geschichte derselben geben, möchte auch unsere so man-
gelhafte Arbeit nicht ganz unwillkommen seyn, und wenigstens
ein Baustein zu einer vollständigern, erst später, wenn die
Quellen vollständiger edirt sind, möglichen Geschichte werden.
Gerne hätten wir bei vorliegender Arbeit umfassende statisti-
sche Bemerkungen im Einzelnen aufgenommen. Allein da
für unsere Lande ein tüchtiges topographisch-statistisches
Werk, wie es z. B. Württemberg an seinen vortrefflichen
Oberamtsbeschreibungen besitzt, noch ein pium desiderium
ist, und wir selbst nicht in der Lage sind, die hiefür nöthi-
gen Forschungen vorzunehmen, so mussten wir darauf ver-
zichten.

Der Herausgeber des Archives, Herr Domcapitular
Steichele, hat zu dieser Arbeit uns nicht nur ermuntert,
sondern auch mit Rath und Hilfe thätig unterstützt, was wir
mit Danksagung auszusprechen uns verpflichtet fühlen.

In der Reihenfolge der zu beschreibenden Ortschaften
folgen wir den Flussgebieten der Schmutter und Zusam,
dann den in die Zusam mündenden Flüsschen Roth und
Laugna. Es zerfällt hienach das Capitel Agenwang in
folgende Flussthäler:

I. Schmuttergebiet mit den Pfarreien: Fischach,
Aretsried, Dietkirch, Depshofen, Willishausen,
Annhausen, Biburg, Hainhofen, Othmarshausen,
Aystetten, Tefertingen und Batzenhofen.

II. Zusamthal mit den Pfarreien: Breitenbrunn,
Ried, Ustersbach (drei Pfarreien, die mit der Capitel
Jettingen'schen Pfarrei Schönenberg die sogenannte Rei-
schenau bilden), Kutzenhausen, Häder, Dinkelscher-
ben, Steinekirch, Zusmarshausen, Wollbach und
Wörlenswang.

III. Rotthal mit den Pfarreien: Agenwang, Rumoltsried und Horgau.

IV. Laugnathal mit den Pfarreien: Adeltsried und Bonstetten.

I. Die Orte im Schmuttergebiete.

I.

Pf. Fischach.

In geräumigem Wiesenthale, da wo die langsam sich schlängelnde Schmutter das Flüsschen Neufnach aufnimmt, an der Südgrenze des Capitels, liegt das Pfarrdorf Fischach. Die Abhänge der umkränzenden Hügel sind zu Ackerland bestellt, die Höhen aber krönt üppiger Wald, in dem das grüne Laub der Eichen und Buchen von dem Dunkel der Tannen schaltirt ist. Der Ort hat 100 Häuser, 63 christliche, 52 jüdische Familien, 366 christliche, 281 jüdische Einwohner. Die Bewohner treiben ausser der Oekonomie viele Gewerbe, die Judenschaft unterhält einen lebhaften Gross- und Kleinhandel. *Viscaha, Vishach, Fiscon* — Vischach hiess der Ort in alten Zeiten. Ein edles Geschlecht, das mehrmal im Gefolge und Dienste der Bischöfe von Augsburg und ihrer Schirmvögte, der Grafen von Schwabeck, erscheint, besass grosse Güter in selbem, und giebt Veranlassung zu dessen früher Kunde. Volchwin de Viscaha bezeugt 981 die Schenkung eines Gutes zu Reichertshofen an das Kloster St. Ulrich zu Augsburg [)]. Die öftere Beiziehung zur Bezeugung wichtiger Verhandlungen, der Verkauf und die Schenkung mehrerer Güter mag des genannten Geschlechtes Bedeutung darthun. Eine Schenkung des Grafen Swigger von Schwabeck zur Kirche St. Peter in Augsburg 1067 be-

---

[)] Monumenta Boica XXII. 3.

zeugte ein Marcwart de Fiscon [6]); die Bestätigung des Klosters Ursberg 1130 ein Friederich von Fischach [7]).

Die Genehmigungsurkunde der Schenkung der Kirche zu Dietkirch an das Kloster Oberschönefeld bezeugte Albertus de Vischach, canonicus Augustensis, am 5. Februar 1255 [8]). Sigebot [9]) schenkte ein Gut an das Kloster St. Ulrich und Afra in Augsburg, Wambrecht [10]) verkaufte ein solches demselben Kloster etc. Die grössere Begüterung dieses Geschlechtes auch ausserhalb Vischach wird uns aus dem Spruchbriefe des Bischofs Hartmann vom Jahre 1286 bekannt, wonach die Wittwe Heinrichs von Fischach gegen Ulrich den Kämmerer von Wellenburg den Eigenthumsstreit über einen Hof zu Mühlhausen, 2 Höfe zu Hurlach, einen halben Hof zu Inningen und 1 Hof zu Pritriching gewinnt [11]). Der letzte bekannte Verkauf eines Gutes zu Vischach von Seite des genannten Geschlechtes geschah 1331 durch Cunrad von Vischach; er verkaufte dem bescheidenen Mann Heinrich von dem heiligen Grab seine Hofstätten und 4 Tagwerk Wismats [12]). Die Abtei St. Ulrich und Afra scheint Universalerbe aller Güter deren von Vischach geworden zu seyn: 1355 nämlich wurde einstimmig zum Abte dieses Klosters erwählt Johannes de Vischach von edlem Geschlechte, wie es in einer aus dem

---

[6]) M. B. 33 a, 7.

[7]) Braun, Geschichte der Bischöfe von Augsburg II. 73.

[8]) Dr. Theodor Wiedemann's „Urkundliche Geschichte des Frauenklosters Oberschönefeld" in Steichele's „Beiträge zur Geschichte des Bistbums Augsburg." Augsburg 1852, im Verlag der Carl Kollmann'schen Buchhandlung. II. Band. Seite 197.

[9]) M. B. XXII. 50. 53.

[10]) Ibid. 74.

[11]) Viaca von Dr. von Raiser. Urkunden-Sammlung Seite 8.

[12]) Regesta sive rerum boicarum autographa e regni scriniis in summas contracta. Opus cura C. H. de Lang inceptum et Max. Bar. de Freyberg continuatum. Vol. VI. 365. Cunrads v. Vischach Siegel an dieser Urkunde enthält zwei übereinanderstehende Fische, einer links, der andere rechts sehend. Von Raiser Mscpt.

15. Jahrhundert stammenden noch unedirten Chronik dieses Klosters heisst; er starb 1366. Er hatte 3 Brüder, Conrad, Richard und Albert. Die beiden ersten scheinen ihm im Tode vorausgegangen zu sein, jeder stiftete einen Jahrtag für sich im Kloster und vermachte, wie auch Abt Johannes selbst, Renten aus ihren Gütern zu Vischach ins Kloster. Der letzte Bruder Albert endlich, als „laicus et armiger" bezeichnet, schenkte alle seine Güter, die beträchtlich und weit zerstreut, namentlich in Vischach, Maurstetten, Stettwang, Weicht etc. lagen, dem Kloster St. Ulrich in Augsburg. Sein Leichnam fand 1368 im Kreuzgange dieses Klosters, wo auch sein Bruder der Abt begraben worden, die Ruhestätte.

Die obgenannten Güter in Maurstetten und der Umgebung von Kaufbeuren hatte Frau Mechtild, Herrn Ludwigs von Mursteten Tochter, als Morgengabe dem Chunrad von Vischach zugebracht, dessen Wirthin sie war [13]. Die Stammburg dieses edlen Geschlechts zu Vischach scheint schon frühe verlassen oder gebrochen worden zu sein; denn 1325 kommt der Ausdruck vor: „Driu tagwerk wismates unter dem Burgstall [14]". Ob diese Burgstelle im Dorfe selbst lag, oder da wo auf den nahen Höhen noch die Burgstellen Brennburg und Buschelberg bekannt sind, ist ungewiss.

Im 16. Jahrhunderte entstand durch den Augsburger Bürger Martin Horgacher auf dem Grunde von 4 Sölden abermals ein Schlossgut zu Vischach, das in kurzer Zeit vierzehn verschiedene Besitzer hatte, dann zerstört und niedergebrannt durch den Schwedenkrieg, 1664 von dem Kloster Oberschönefeld gekauft wurde um 1300 fl.; die Gebäude bestanden noch aus den Kellern und einem grossen Stück Mauer, die Gründe aus 4 Tagwerk Gärten, 17 Jauchert Acker, 36 Tag-

---

[13] Regesta Vol. VI. de dato 10. Februar 1323 und 11. und 30 November 1327.

[14] Verkaufsurkunde eines Guts in Vischach an St. Ulrich in Augsburg. M. B. XXIII. 54.

werk Wiesen, 8 Jauchert Holz. dazu noch 5 Gemeinde-
gerechtigkeiten etc. [15])

In Folge der Zeit erscheinen in Vischach begütert das
Hochstift Augsburg und durch dasselbe die nahe Schirmburg
Hattenberg, das Domcapitel Augsburg, und zwar schon im
11. Jahrhunderte; in einem Verzeichnisse der Domcapitelschen
Besitzungen steht: „in Fischaha prodium, quod dedit pater
Herlmanni Episcopi (1096—1133 regierte B. Hermann)
Rapoto comes" [16]); dann die Klöster St. Ulrich, Heil. Kreuz,
St. Georg allda, die Klöster Ursberg und Oberschönefeld [17]);
Burgau besass die Taferne und 3 Judenhäuser, deren Be-
wohner sich seit dem Jahre 1585, wo nur 3 Judenfamilien
da waren, bis 1803 über 200 Köpfe vermehrten, die in drei
Häusern zusammen wohnten.

Auch das Kloster Steingaden war im Besitze eines Hofes
in Vischach, welchen der Probst des Klosters Ulrich 1318 mit
Willen und Wissen des Bischofs Fridrich von Augsburg um
25 Pfd. gäber Augsburger Pfenning an Heinrich Drächsel,
Bürger zu Augsburg, verkaufte. Drächsel verkaufte denselben
1342 an Jakob den Kesselschmid, Bürger zu Augsburg. Hans
der Kesselschmid, Bürger zu Augsburg, verkaufte dieses Be-
sitzthum endlich 1366 um 50 Pfd. Augsburger Pfenning an
die *Capell zu sant Martin hie zu Auspurg*, zur Pfrund eines
Caplans. Der Hof giltete damals jährlich fünf Schffl. Roggen,

---

[15]) Oberschönefeldische Urkunden-Regesten, gesammelt vom
königl. Landrichter von Zusmarshauzen Max v. Beck und vom
königl. Regierungs-Director v. Raiser, Mscpt. 187 und Nachtrag
Nro. 46; in der Bibliothek des historischen Vereins in Augsburg
aufbewahrt.

[16]) Dr. v. Raiser Guntia S. 30.

[17]) Ursbergischer Besitz in Vischach wird in der päbstlichen
Bestätigungs-Bulle von 1209 genannt, apud Lünig III. 676. —
Vor der Säkularisation 1803 besass das Domcapitel in Fischach
12 Feuerstätten und grosse Waldung; St. Ulrich ½ Hof, 2 Sölden
und 3½ Feldlehen; Heil. Kreuz 13 Feuerstätten; St. Georg
5 Feuerstätten; Oberschönefeld 5 Höfe und 16 Sölden. Mscpt. vom
Landrichter v. Beck.

fünf Schffl. Haber und vier Schilling Pfenning Wiesgelt, und war ein freies unvogtbares Gut und rechtes Eigenthum. 1359 vertheilte Chunrat von Weilbach, Vicarier an dem Dom und Kirchherr der St. Martinscapelle zu Augsburg diesen Hof in 3 Theile, nämlich in 3 Hofstetten und 3 Gärten, und verleiht dieselben drei erbern Mannen zu Vischach [18]). Endlich besass auch das Kloster St. Nicolaus ausser der Mauer zu Augsburg ein kleines Besitzthum, einen Garten zu Fischach, den die Conventualin dieses Klosters, Frau Anna die Hofmeyerin, 1397 um 4 fl. ungarisch erkauft hatte [19]). Ausser andern Gütern zu Vischach gehörten zur Schirmburg Hattenberg auch die Advocatie über den Pfarr-Widum daselbst. Das Collationsrecht der Pfarrei hatte sich der Bischof vorbehalten [20]).

Um 1300 setzte sich Bischof Wolfhart in Besitz von Hattenberg, und nach mehrfacher Wiederverpfändung derselben kam die damit verbundene Advocatie 1455 an das Domcapitel in Augsburg mit Vorbehalt des Hochstiftlichen Collationsrechtes [21]).

Die Pfarrei zu Vischach scheint öfter mit andern Aemtern unirt gewesen zu seyn: so war 1342 Conrad v. Freiberg, Chorherr an der Cathedrale zu Augsburg, Kirchherr zu Vischach; 1490 war Georg Huber, Vicar an der Domkirche zu Augsburg, Pfarrer zu Vischach [22]); 1498 war Jakob von Khlingenberg, Canonicus Augustensis, rector ecclesiae in Vischach. Bischof Friedrich II. aber verwendete die Pfarrei Vischach 1498 zur Dotation des von ihm gegründeten Collegiatstiftes St. Peter zu Dilingen, wodurch das gesammte Kirchengut zu Fischach nebst dem Präsentationsrechte diesem Stifte einverleibt wurde, welches sofort dem Bischofe einen Vicarius

---

[18]) M. B. XXXIII a 430. b. 90. 388. 429.
[19]) Oberschönefeldische Regesten, Mscpt.-Nachtrag Nro. 30.
[20]) Hochstift. Urbar von 1316. M. B. XXXIV. b. 388.
[21]) Viaca 76. M. B. XXXIII. b. 353.
[22]) Geschichte von Oberschönefeld l. c. S. 223. 239.

perpetuus als Pfarrer präsentirte, und diesem aus den Pfarr-
gefällen eine Competenz reichte [23]).

Aus der Umgebung von Fischach sind noch die Namen
von folgenden früher bebauten Orten urkundlich bekannt,
und dienen zum Theil noch als Bezeichnungen von Flur-
marken: Der Kymenberg, zwischen Fischach und Mægerts-
hausen; Schalkenberg, Gramanshofen und Brün-
burg gegen Wolmatshofen zu; Treffsenweiler; endlich wird
als Holzmarke genannt der St. Michaelsberg bei Depshofen [24]).

In Mitte des Dorfes, auf künstlich erhöhtem Terrain,
steht die Pfarrkirche, ein Gebäude aus der Zeit nach dem
dreissigjährigen Kriege. Rund abgeschlossene, grosse Fenster
durchbrechen die Wände, und in gleicher Form schliesst auch
der Chor ab. 1753 wurde eine Reparation dieser Kirche
vorgenommen, durch welche sie reiche Decoration im Zopf-
geschmack erhielt [25]). Pilaster gliedern die Wände; die
Gypsdecke, in einem unförmlich gedrückten Segmentbogen
gesprengt, ist mit Wasserwellen und Blumen von Gyps und
mit Fresken bedeckt. Die Seitenaltäre wurden laut zweier
Chronologica 1760 ausgeführt. Den Choraltar schmückt ein
schönes Altarblatt, Christus am Kreuze; die Chorwände zwei
gut geschnitzte Statuen Mariä und Johannis; eine andere
schöne Statue des heiligen Sebastian ziert das Schiff; diess
Alles sind Werke der allerneuesten Zeit.

Ein 3′ hohes Vesperbild gothischen Styls, im 16. Jahr-
hunderte schlecht geschnitzt, ist jetzt ausser Gebrauch.

In die äussere Wand der Kirche eingelassen findet sich
ein Sandsteinrelief von 3′ Höhe 20″ Breite: Christus am
Kreuze darstellend. Christus ist mit 3 Nägeln angeheftet,
die Arme sind tief herabgezogen, so dass sie mit dem Quer-
holze des Kreuzes die Form eines Dreieckes bilden, der Leib
ist zusammengesunken, so dass beide Knie auf eine Seite

---

[23]) M. B. XXXIV. b. 323.

[24]) Mscpt. O.-Sch. Regesten Nro. 52. 184. 276. Regesta boica IV.
473. VIII. 31. M. B. XXXIV. b. 390.

[25]) Akten des bischöflichen Archivs.

ausbeugen; ein grosses Schaamtuch, das über die Knie reicht, verhüllt den Unterleib. Es ist diess die Form des Gekreuzigten, wie sie im 14. Jahrhunderte häufige Anwendung fand [26]). Maria und Johannes, die das Kreuz umgeben, sind an unserm Bilde kaum mehr kennbar.

Ein alter Bau ist der Thurm: In quadratischer Form von 17' Durchmesser steigt er zu ebenmässiger Höhe hinan, und schliesst mit gothischem Satteldach, im spitzen Winkel geformt, jeder der 2 Giebel mit 5 Zinnen gekrönt. Eck-Lesenen und je 4 Quergurten gliedern seine Flächen. Zu drei aneinander gekuppelte, durch schwache runde Mauersäulchen abgetheilte, spitzbogige Fensteröffnungen bilden auf jeder Seite die Schall-Löcher. Das Mauerwerk ist solid, 3' dick, weit gefügt. Im Erdgeschoss war ein Gewölbe, das jetzt ausgebrochen ist.

Drei Glocken sind im Thurme. Die mittlere von $3\frac{1}{2}$' Durchmesser und eben so viel Höhe, verräth durch ihre lange Form und die Majuskel-Buchstaben, mit denen die Namen der 4 Evangelisten an ihrem obern Rande geschrieben sind, dass sie in der ersten Hälfte des 14. Jahrhunderts, wenn nicht noch früher, gegossen worden.

Die grössere wurde 1783 von Valentinus Lissak in Augsburg gegossen. Am obern Rande steht: „*Dominus sonitu magno auditam fecit vocem suam, ut laudarent nomen sanctum Domini.*" Die Bilder: Christus am Kreuze und die unbefleckte Empfängniss Mariä schmücken ihre Flächen. Die kleinste und jüngste ist von Franciscus Kern in Augsburg gegossen. Die Pfarrkirche wird von der Sepultur für die ganze Pfarrei umgeben. Das rentirende Vermögen der Pfarrkirche beträgt 11,148 fl.

Vor dem Dorfe in der Ebene liegt eine kleine offene St. Leonhards-Capelle, in welcher die heilige Messe gelesen werden darf. Schon früher stand auf demselben Platze eine

---

[26]) S. Mittheilungen der k. k. Central-Commission zur Erforschung der Baudenkmale. Wien, 1857. Seite 261. Tafel X.

Bildsäule dieses Heiligen; da aber diese im 30jährigen Kriege zerstört worden, so liess Leonhard Plappert, Oberschönefeldischer Vogt in Vischach, diese Capelle 1669 auf eigene Kosten erbauen, in halbrunder Form 7' tief [27]). Diese Capelle hat ein Vermögen von 1097 fl.

Der Pfarrbezirk Fischach umfasst auser dem Pfarrdorfe das Dorf Wollmatshofen, das Schlossgut Elmiswang und 3 Häuser in Heimberg.

Wollmatshofen.

Dreiviertel Stunden südwestlich von Fischach, im engen Thale der Neufnach, liegt dieses Dorf, durch 37 Häuser, welche 37 Familien mit 226 Seelen enthalten, gebildet. Im 14. Jahrhunderte finden wir hier das Hochstift Augsburg und dessen Schirmvögte im nahen Hattenberg im Besitze vieler Rechte und Güter. Im Urbare des Bisthums Augsburg von 1316 werden unter den zum Castrum Hattenberg gehörigen Schutzrechten und Gütern in Wolfmanshouen folgende aufgezählt: *Molendinum X. solidos denariorum et I pullum. Item II aree ibidem II pullos. Item tria bona ibidem, que dicuntur sant-Katharinen guot, Vrsperger guot, Isenriches guot, sunt domni Episcopi et non sunt locata sed in presenti soluunt I libram denariorum. Item sunt ibi X tagwerck prati. Item in Gramneshouen* (abgegangener Ort, jetzt Flurmark bei Wolmatshofen) *I tagwerck prati. Item locus dictus daz hart. Item cultura Castri, que extendit se in universo ad XXX. jugera agrorum* [28]). Ob unter diesem Castrum die Stätte des römischen Castrums, das hier auf dem Schalkenberg vermuthet wird und die Brünburg heisst, oder ein mittelalterliches Castrum verstanden sei, kann nicht bestimmt werden [29]). In den Monumentis boicis kommt zwar anno 1130 ein Hoholdo de Wolmouteshouen, dann

---

[27]) Akten des bischöflichen Archivs.
[28]) Mon. boic. XXXIV. b 390.
[29]) Viaea 64.

1349 ein Kunrad von Wolmershoven, gesessen zu Hürnheim und begütert im nahen Tefertingen, endlich ein Heinrich der Wolmann von Deubach, begütert in Neffsried 1370 vor; es lässt sich aber nicht ermitteln, ob diese Beziehung auf unsern Ort oder die erwähnte Burg haben [30]). St. Ulrich in Augsburg kam durch die Erbschaft von der Familie von Vischach auch in Besitz von Gütern in Wolmanshofen (Wolpershouen) [31]). Auch Oberschönefeld besass hier Güter; 1269 kaufte die Abtissin Adelheid einen Hof in Wollmanshofen von Conrad von Grimmenstein [32]).

Im 17. Jahrhunderte war die Familie Wanner von Wolmatshouen im Besitze der Herrschaft Wolmatshouen und sass auf dem Schlosse daselbst. 1702 verkauften die Wanner'schen Erben das Dorf Wollmatshofen an das Wengenkloster in Ulm [33]). Auch waren im 18. Jahrhunderte die von Schnurbein dort im Besitze von Gütern und Rechten, welche sie durch den Domcapitlischen Obervogt in Bruitenbrunn verwalten liessen. Diesen folgten die von Stetten, welche bis 1848 hier ein Patrimonialgericht hatten. Der Zehent in Wollmatshofen gehörte, wie in Fischach, dem Stifte St. Peter in Dilingen.

Eine Kirche wird schon frühzeitig hier gewesen seyn. 1661 berichtet Hans Bonaventura und Hans Mattes und Hans Jakob die Wanner von Wolmatshouen Gebrüder, „dass es von alten Zeiten Herkommens gewesen, dass der Pfarrer zu Fischach des Jahres hindurch zu 14 Tag allezeit in dem Gotteshaus St. Jakob in Wolmatshouen ain haylig Mess gelesen, auch wohl zu h. Zeiten, alss Weyhenacht, Ostern und Pfingsten allda die Leüth zur Beicht gehört, auch Hochzeiten eingesegnet etc. Nach dem ersten Kriegswesen aber hat unser Vater Herr Hans Wanner selig mit etwas wenigs Bey-

---

[30]) M. B. XXII. 35. und XXXIII. b. 158. 159. 439.

[31]) M. B. XXII. 130.

[32]) Geschichte von Oberschönefeld l. c. 203.

[33]) Geschichte der adelichen Geschlechter in Augsburg von Paul v. Stetten S. 274.

17 *

trag von der Gemeinde den damaligen Pfarrverwesern jähr-
lich 10 fl. Baargeld dergestalt dargereicht, damit fürderhin
alle Woche das ganze Jahr hindurch ein haylig Mess gelesen
werde." Die obgenannten Wanner klagen nun beim bischöf-
lichen Ordinariate, weil der Pfarrer diese Messe zu lesen
vernachlässige. Dagegen wird dann erwidert, dass dies
von den Pfarrern von Fischach nicht pflichtgemäss, sondern
nur gutwillig, gelegenheitlich und gegen Entgelt geschehen
sei. Durch den frommen, aufopfernden Sinn zweier Männer
kam endlich die Gemeinde zu der Wohlthat eines eigenen
Seelsorgers. 1694 gab Herr Andreas Ruf, Pfarrer in
Aichen, 4000 fl. zur Begründung eines Beneficiums an der
Capelle zu Wollmatshofen Patron dieses Beneficiums wurde
das Wengenkloster in Ulm, von dem es heisst, dass
dasselbe 1724 das Beneficium gestiftet habe. Dem Obigen
nach könnte es aber etwa nur die Stiftung vermehrt und
verwirklicht haben, da der genannte Pfarrer Ruf eigentlicher
Stifter ist, welche erste Stiftung von Bischof Alexander Sigis-
mund auch bestätigt worden.

Dem armen Beneficium half in neuerer Zeit ein armer
Priester auf. P. Anton Rist, ehemals Prämonstratenser zu
Ursberg, wurde Verweser dieses Beneficiums. Da ihm sehr
lange die Competenz-Ergänzung zurückbehalten, endlich aber
ausbezahlt worden, so kam er zu einer Summe Geldes von
2214 fl., welche Summe bis zu seinem Tode, der 1838 er-
folgte, mit Zinsen auf 2733 fl. stieg; davon fundirte er nun
2482 fl. zur Aufbesserung des Beneficiums. Derselbe hatte
auch Vieles zur Erneuerung und Zier der ganz veralteten
Filialkirche verwendet [34]). Gegenwärtig wird in der Filiale
Wolmatshofen an Sonn- und Festtagen feierlicher Gottes-
dienst durch den Manual- und Schul-Beneficiaten abgehalten.

Mitten im Orte an der Strasse steht die Capelle, ein
roher Bau aus der Letztzeit der Gothik. Der massive Arcus
triumphalis, ein zugemauertes Spitzbogenfenster und die

---

[34]) Akten des bischöflichen Archivs.

7 spitzbogigen Kappen, welche in das rippenlose Tonnen-
gewölbe des Chores einschneiden, künden noch den gothischen
Styl. Dem schmalen Chor schliesst sich das Schiff in Qua-
dratform von circa 28' Länge und Breite an. Die Fenster
haben die frühere Spitzbogenform verloren, und sind nun in
Stich - und Rundbogen geschlossen. Ein neues, schlecht-
gebautes Kuppelthürmchen erhebt sich über dem Westgiebel.
Einige bessere Bildwerke haben sich in dieser armen schmuck-
losen Kirche noch erhalten. Auf dem Altar ist ein 5' hohes
Relief in einer Rundbogennische, ein Vesperbild in erhabe-
ner Arbeit darstellend. Der Leichnam Christi liegt auf einem
Rasen, über welchen ein weisses Tuch gebreitet ist, mit dem
Rücken an einen Steinhaufen gelehnt, über Christus beugt
sich die knieende Mutter, eine Hand presst sie im Schmerz,
der sich auch auf ihrem Gesichte spiegelt, an die Brust, mit
der andern erfasst sie eine Hand des Leichnams. Beide
Figuren sind sehr gut geschnitzt, besonders der Leichnam
Jesu von sehr weichen, edlen Formen. Wir glauben, dass
dies schöne Werk (das freilich durch späteres Fassen viel
eingebüsst) am Ende des 16. Jahrhunderts aus der Hand
eines Meisters hervorgegangen. In der Tabernakelnische
desselben Altares ist ein hohl gegossener Crucifixus von
Metall und vergoldet 10" hoch, ein gutes Werk des
17. Jahrhunderts; derselben Zeit mag auch eine Statue des
heiligen Sebastian angehören. Eine Madonna, 3' hoch,
mit stark vorgestrecktem Unterleib, über welchem das Kind,
von ihrer Linken umfasst, aufliegt, in der Rechten hält sie
einen Zepter. Der Faltenwurf der Kleider erinnert in seinem
eckigen Bruche an das Mittelalter, doch sind die Falten schon
kleinlicher und etwas geknittert; in der zweiten Hälfte des
16. Jahrhunderts zugleich mit der Capelle mag diese mittel-
mässige Statue geschnitzt worden seyn.

An der flachen Weissdecke des Schiffes befindet sich
ein Votivgemälde, in dessen Mitte oben das Vesperbild, wie
es auf dem Altare ist, auf einer Seite der Probst des Wen-
genklosters in Ulm mit einer Gruppe Augustiner Chorherrn

auf der andern eine Gruppe von weltlichen Herrn; neben
einem ein Wappenschild, worauf eine Bretze und die Jahr-
zahl 1721 gemalt ist.

Im Thürmchen hängen 3 kleine Glocken; 2 sind von Ignaz
Beck in Augsburg gegossen 1834, der Name des *Anton Rist*,
Beneficiaten, und das von Stetten'sche Wappen (ein Gemsbock)
mögen auf die Stifter dieser Glocken deuten.

Die dritte, mittelgrosse, hat diese Inschrift: „*Anno
MDLXXXII gus mich Peter Wagner in Augspurg.*"

Elmiswang.

Zwischen Fischach und Wollmatshofen, am rechten Ufer
der Neufnach, liegt am Abhange des diesen Fluss begleiten-
den Höhenzuges das Schlossgut Elmiswang, das mit einer
nahen Sölde und Sägmühle zur Landgemeinde Wollmatshofen
gehört. Der Höhenzug senkt sich hier zu einem breiten,
niedern, mit Ackerland bestellten Rücken herab, und endet
mit demselben am Punkte der Vereinigung des Schmutter-
und Neufnachthales. Den Ort Elmiswang finden wir nicht in
Urkunden. Ob das bei Wollmatshofen erwähnte Schloss eine
Beziehung zum jetzigen Schlossgut Elmiswang hatte, können
wir nicht angeben. 1689 war Christoph Deininger, Neubur-
gischer Obervogt, Besitzer von Elmiswang. Derselbe suchte
nach um die Licenz zum Messelesen in der dortigen Capelle [35]).
Später traten die Augsburgischen Kaufleute Gullmann, dann
die von Schnurbein und endlich die von Stetten in den Be-
sitz dieses Gutes, welch letztern es noch gehört.

Eine Capelle ist nicht mehr vorhanden.

Helmberg.

Abwärts von Fischach bis nach Wollishausen hin dehnt
sich das Schmutterthal zu bedeutender Breite aus. Wiesen
und Mäder überziehen weithin die Thalsohle, und selbst der

---

[35]) Akten des bischöflichen Archivs.

Wald, von den östlichen Hügelreihen herabsteigend, bedeckt grosse Flächen des Thales.

Drei Orte liegen hier am linken Ufer der Schmutter, Heimberg am Saume des weiten Wiesenthales, dann über diesem Weiler, weit zurück von der Thalsohle, auf der Höhe der Wasserscheide, Aretsried, und weiter abwärts auf derselben Höhe, aber näher unserm Thale, Raitenbuch. Heimberg, hart am Ufer der Schmutter gelegen, besteht aus einer Mühle, einem nach vorgenommener Zertrümmerung nur noch in seinen Resten bestehenden Bauernhofe, und zwei kleinen Sölden. Die Ackerfluren des Ortes dehnen sich hinter demselben gen Nordwest an der breiten Brust des Hügels aus, auf dessen unterstem Abhange der Weiler liegt, und dessen Haupt Wald bedeckt.

Zwei Pfarreien, nämlich Fischach und Aretsried, haben Antheil an diesem Weiler; die Mühle gehört in letztere, die andern Häuser in erstere Pfarrei.

Im 16. Jahrhunderte war Georg Vetter von Augsburg Eigenthümer des Ortes; 1539 kaufte Michael Mayer, etwas später Georg Wettle, 1560 Mathes Schellenberger in Augsburg diesen Ort; bei den Nachkommen des letztern blieb derselbe, bis 1686 Hieronymus Schellenberger Heimberg an den Grafen von Arco verkaufte [36]. Doch gehörte ein guter Theil davon fortwährend dem Domcapitel.

1734 wird Heimberg ein Schlösschen genannt, das dem Grafen von Arco gehörte [37]. Ueberreste dieses Schlösschens sind noch an einem der Söldhäuser, wo an einer Ecke der etwa noch 18' hohe Rest eines runden Thurms zu sehen, und ein Consolenfries an einer Wand dieses Haus selbst als

---

[36] Nach Paul von Stetten Geschichte der adelichen Geschlechter in Augsburg. S. 271.

[37] Verzeichniss burgauischer Besitzungen. Mscpt. in der von Raiser'schen Bibliothek des historischen Vereins in Augsburg.

einen frühern edlern Bau erkennen lässt. Der Sage nach wäre dieser Thurm ein Gefängniss gewesen.

Vor der stattlichen Mühle ist eine kleine offene Capelle, welche die Müllerseheleute 1852 erbaut haben.

2.
Pf. Aretsried.

Nördlich von Fischach schneidet in die Hügelreihe, welche die Schmutter auf ihrer linken Seite begleitet, eine Senkung ein, die sich allmählig aufwärts zieht bis zu dem Dorfe Aretsried, das auf der Schneide eines langgedehnten Hügels, der das Schmutterthal von der Reischenau trennt und die Wasserscheide zwischen Schmutter und Zusam bildet, liegt. In dieser Thalsenkung, tiefer gen Fischach zu, das $^3/_4$ Stunden von Aretsried entfernt ist, liegen einige Häuser „in der Hühle" genannt — eine Bezeichnung, passend für ihre Lage — die bis vor kurzem nach Fischach eingepfarrt waren, und erst 1857 zur nahen Pfarrei Aretsried gelassen wurden. Das Pfarrdorf zählt 51 Häuser und Familien mit 294 Seelen. Eine Filiale von Aretsried ist das Dorf Raitenbuch, das eine halbe Stunde gen Nordost entfernt, auf demselben Höhenzug liegt, aber seine Wasser mit Ausnahme eines Hofes nicht mehr der Schmutter, sondern den der Zusam zufliessenden Bächen zusendet. Endlich ist auch die Mühle in Heimberg nach Aretsried eingepfarrt.

Arnoldsried, „Arnoltesrieth," ist der rechte und ursprüngliche Name des Ortes. Ob dieser Name mit dem um 1150 öfter vorkommenden Arnolt, der als Kammerer und Viceadvokat unter den bischöflichen Beamten fungirt, in Beziehung steht, wäre möglich, doch ist es ungewiss. Der später verdorbene Ortsname lautet im 17. und 18. Jahrhundert auch Ober-Aretsried, zur Unterscheidung von Adelsried (Adelhartsriet), welches dann Unter-Aretsried heisst.

Bischöfliches Besitzthum haben wir auch hier ursprünglich. Die Bischöfe von Augsburg zogen diesen Ort zum Bezirke der bischöflichen Schirmvogtei Sifrieds-berg, welche in der, wie man glaubt, von Bischof Sifried III. (1208—27) erbauten und nach ihm benannten Burg gleichen Namens ihren Sitz hatte [38]). Dahin musste die Kirche Arnoltsriet für das Schutzrecht *(pro jure advocaticio)* ein Schäffel Haber bezahlen [39]). Zu Seifriedsberg wurde dann Arnoldsried immer gerechnet, und theilte alle Schicksale dieser Vogtei und späteren Herrschaft. Doch hatten auch die bischöflichen Vögte von Hattenberg Bezüge in *„Arnoltesrieth"* von einem Gute, genannt *Benninger*, 4 Metzen Haber und 1 Huhn [40]). Wahrscheinlich lag dieses Gut in der früher nach Fischach, das auch Hattenbergisch war, ein-gepfarrten Hühle. Mit Seifriedsberg kam Arnoldsried um 1270 an die Markgrafen von Burgau, welche in der Folge, auch nach wiederholter Veräusserung von Seifrieds-berg, immer ihre Rechte auf diesen Ort geltend machten [41]).

Einen grossen Theil der Güter daselbst erwarben die Klöster. Unter den Besitzungen des Klosters Ursberg, welche in der Protections-Urkunde Pabst Innocenz III. vom Jahre 1209 aufgezählt sind [42]), kommen auch solche in un-serm Orte vor. Oberschönefeld [43]) erwarb hier schon bald nach seiner Stiftung Güter. 1264 kaufte die Abtissin Adelheid von Heinrich dem Hofmayr ein kleines Gut um 7 Pfund Augsburger Münz, jedoch sollte das Kloster erst nach dem Tode der Hausfrau des Verkäufers in Besitz treten. 1373 stiftete der Augsburger Bürger Ulrich Hofmayr [44])

---

[38]) Viaca S. 77.

[39]) Bischöfl. Urbar. M. B. XXXIV. b. 390.

[40]) Ibidem S. 388.

[41]) Viaca 78.

[42]) Guntia S. 95.

[43]) Geschichte von Oberschönefeld loco cit. 201. 229. 238.

[44]) 1345 wird ein Ulrich Hofmeier in Augsburg des Kaiser Ludwig oberster Schreiber genannt. Regest. boic. VIII. 49. 348.

einen Jahrtag in Oberschönefeld, und gab als Fundation ein
Gut in Arnoldsried. 1264 überliess Heinrich, genannt Sum-
mer, der Abtissin Adelheid ein kleines Besitzthum in Ar-
noltsried [45]). 1482 kaufte die Abtissin Dorothea ein Güt-
lein in Arnoldzried. — St. Moriz in Augsburg erwarb
durch Kauf 1292 von Heinrich dem ältern und Heinrich dem
jüngern Markgrafen von Burgau einen Hof in Arnoldsried [46]).

Dem Kloster St. Ulrich in Augsburg wurde bei einer
Streitsache 1312 ein Hof sammt Zugehörden in *Arnoltzriet*
durch die Richter der curia Augustana zugesprochen [47]).
Im Laufe des 17. und 18. Jahrhunderts finden wir ausser
den genannten noch Heilig Kreuz, St. Georg und die
Jakobspfründe in Augsburg im Besitze von Gütern, Leuten
und Rechten in Arnoldsried.

Das Schutzrecht über die Kirche war bei Seifrieds-
berg; damit scheint sich später das Patronat verbunden zu
haben. Im bischöflichen Urbarium von 1316 jedoch heisst
es, dass das Recht der Uebertragung der Kirche dem Bischof
vorbehalten ist [48]). In der Verkaufsurkunde der Herrschaft
Sifritsperge von Seite des Marggrafen Heinrich von Burgowe
und seines Enkels Marggraf Heinrich 1293 an Bischof Wolf-
hart von Augsburg wird als Verkaufsobject auch der Kirchen-
satz in Arnoldsried genannt [49]).

Nach vielfachem Wechsel kam die Herrschaft Seifrieds-
berg mit ihren Rechten durch Verpfändung an das gräfliche
Haus Oettingen-Wallerstein. Dies geschah im Jahre
1668, und damit erlangte dieses Haus, da die Pfandschaft
nicht mehr eingelöset, vielmehr 1751 die Herrschaft dem-
selben gegen Erlag einer Geldsumme als Lehen übertragen
wurde, unter Anderm in Arnoldsried einen Ortsantheil und

---

[45]) Reg. boic. III 225.

[46]) Ibid. IV. 511.

[47]) M. B XXIII. 34.

[48]) *Ecclesiam Arnoltsriet confert Dominus Episcopus.* M. B.
34. b. 390.

[49]) M. B. 33. a. 215.

das Patronatsrecht über die Kirche [50]). Den Zehent per-
ceptirte zum Theil das Collegiatstift St. Peter in Dilingen [51]).

Die Kirche zu Aretsried, im erhöhten ummauerten
Friedhofe mitten im Orte, bildet den höchsten Punkt der Um-
gegend und blickt weithin über die Reischenau und das Zu-
samthal, wie auch über den Wald, der zwischen hier und
Fischach liegt. Im Jahre 1676 waren die Schäden des
30jährigen Krieges in dieser Kirche eben reparirt; die Altäre
nennt der damalige Visitator uralt (omnino pervetusta), es
waren also gewiss noch die alten gothischen Altarschreine;
1684 waren diese aber schon beseitigt worden und neue
durch Malerei geschmückte Altäre errichtet [52]). Diese alte
Kirche ist in neuerer Zeit abgebrochen und durch einen
Neubau ersetzt worden. Diess geschah 1828; am 25. Januar
dieses Jahres wurde an das bischöfliche Ordinariat berichtet,
dass auf das Vermögen der Kirchenstiftung die alte Kirche
abgerissen, und bei nächster günstiger Witterung neu erbaut
werde. Am 18. October desselben Jahres konnte die neu-
erbaute Kirche schon benedicirt werden. Dieser Neubau
zeichnet sich weder durch kirchlichen Styl, noch durch
Kunsttechnik und Zweckmässigkeit aus. Es ist ein lang-
gedehntes Gebäude aus vier wagerechten Mauern, von ge-
ringer, durch das niedrige Dach noch mehr verlierender
Höhe, das nur durch den dabei stehenden Thurm als Gottes-
haus gekennzeichnet ist. Der um 4 Stufen erhöhte Chor,
aussen unkennbar, ist dadurch gebildet, dass im Osten des
Gebäudes von dessen Breite auf jeder Seite ein Theil durch

[50]) Viaca S. 79.

[51]) In einem Visitations-Berichte vom Jahre 1676 heisst es:
Decimarum majorem mediam partem percipit parochus, alteram
Collegiata ecclesia S. Petri Dilingae;" ebendaselbst: Jus patronatus
penes praefecturam Zemetsbusanum (Ziemetshausen war damals der
Sitz des herrschaftlichen Beamten von Seifriedsberg).

[52]) Relatio localis visitationis capituli ruralis Agawang peracta
ex mandato R. Episcopi Joh. Christophori. Anno 1676 et 1684.
Akten des bischöfl. Archivs.

eine Wand abgegrenzt ist, wodurch für den Chor ein
schmälerer Mittelraum, der mit einer halbkreisförmigen
Wand, die aber nur im Innern gebaut ist, schliesst. Der
Eingang im Westen ist von 2 antikisirenden Pilastern flan-
kirt. Die 3 Altäre bieten eine unpraktische Anwendung an-
tiker Formen von schlechter Wirkung. An den 2 Seiten-
Altären bilden 2 Pilaster und ein wagerechter Balken darüber,
das Altarbild umfassend, den ganzen Altaraufsatz. Am
Choraltar erhebt sich über dem Architrav noch ein Giebel.
Der Tabernakel ist ein unverhältnissmässiger Bau, einen
offenen runden Tempel von 6 Säulen und Gebälk darüber
von 4' Durchmesser, horizontal abgeschlossen bildend. Die
Altargemälde, schon ältere Bilder, sind alle schlecht gemalt.

Die Wand- und Decken-Gemälde, durch den Maler
Hundertpfund von Augsburg ausgeführt, welche das Innere
würdig zieren, mildern den üblen Eindruck, den das Aeussere
des Gebäudes macht. Die Seitenwände des Langhauses bele-
ben die Bilder der 12 Apostel: je zu zwei und zwei zusam-
mensehend gruppirt, würdige, kräftige Gestalten, fast lebens-
gross al fresco aussgeführt. An der Einziehung der Ostwand
über den Seitenaltären sind 4 kleinere Bilder, freilich ohne
Zusammenhang mit der Architectur des Gebäudes gruppirt,
die Heiligen Joseph, Antonius, Franz Xaver und Johann von
Nepomuk darstellend.

Den flach gespannten Plafond ziert in guter Anordnung
ebenfalls malerischer bedeutungsvoller Schmuck. Die gross-
artig ausgeführte Darstellung der Verklärung Christi auf
Tabor deckt den Mittelraum, ein quadratischer Rahmen um-
schliesst dasselbe, ausserhalb desselben sind noch 6 kleine
Bilder, welche unter sich durch Ornamente verbunden und
nach aussen durch einen zweiten, grossen, viereckigen Rah-
men umgränzt sind. Diese 6 kleinern Bilder bringen einige
Hauptmomente aus dem Leben des Erlösers, nämlich den
englischen Gruss, die Geburt Christi, die Taufe Christi,
Christus am Oelberge, den Leichnam Christi im Grabe und
die Himmelfahrt Christi zur Darstellung. Diese Gemälde

kamen erst 20 Jahre nach Erbauung der Kirche zur Ausführung. Im Jahre 1846 bat die Pfarrgemeinde, aus dem noch 20,000 Gulden betragenden Kirchenvermögen die Kirche mit Gemälden schmücken zu dürfen. Der Voranschlag war auf 1220 fl. für den Maler und 300 fl. für Gerüst berechnet. Nach eingetroffener Bewilligung geschah die Ausführung.

Der Thurm, an der Südseite der Kirche, ist noch ein altes Gebäude, dem nur ein moderner hässlicher Hut in der Form einer kurzen vierseitigen abgekappten Pyramide aufgesetzt wurde. Derselbe ist vierseitig, hat 17' Durchmesser, 2' 9" Mauerdicke, wurde schon früher fast um die Hälfte erhöht und trägt kein Merkmal einer bestimmten Zeit oder bestimmten Styles; die ältere Hälfte ist ohne Gliederung, am Obertheile treten schwache Eck-Lesenen vor. Zwei Glocken hängen im Thurme. Die kleinere hat am obern Rande, von einem Laubwerkband umschlossen, die Umschrift: *„Franciscus Kern hat mich gossen Augspurg 1694."* Die Bilder Christus am Kreuz, die Mutter Gottes und der heilige Pankratius, der Patron der Kirche, zieren die Flächen. Die grössere ist nach der Umschrift des obern Randes von demselben Meister gegossen, im untern Rande ist die Jahrzahl 1714 und die Worte: *„A fulgure et tempestate libera nos domine Jesu Christe."*

Raitenbuch.

Dieses Dorf ist nordöstlich von Aretsried auf demselben Hügel gebaut, der die Wasserscheide zwischen Schmutter und Zusam bildet, und der eine halbe Stunde weiter in derselben Richtung sich hinziehend, vor Wollishausen zungenförmig endend, sich zur Ebene senkt. Seine weiten, fruchtbaren Ackerfluren dehnen sich an den Seiten dieses hier waldlosen, breiten und sanften Hügels aus, so dass sie gen Südost sich bis in das hier sehr ausgedehnte wiesenreiche Schmutterthal herabsenken, auf der entgegenliegenden Seite aber sich in die gesegneten Gefilde der Reischenau, zu welcher Raitenbuch der Lage nach gehört, hinein erstrecken.

Ein tiefer, sandiger Hohlweg. in welchem stellenweise festes
Gestein zu Tage tritt, führt von der Schmutterebene herauf
in das Dorf, von dessen Höhe man die ganze Reischenau
sammt Häder, Kutzenhausen, Agenwang bis an die Berge,
welche von Zusameck an dieses Panorama umsäumen, sowie
einen grossen Theil des Schmutterthales überschaut. 21 Häu-
ser mit eben so vielen Familien und 126 Seelen bilden die
Gemeinde. Die Häuser sind gut gebaut, meist zweistöckig.
Bei allen ist Grundbesitz, die meisten sind Sölden, doch
haben sich auch 3 grosse und etwa 4 kleinere Bauernhöfe
erhalten. Ausser der Bodenkultur sind auch die jenseits der
Reischenau sich ausdehnenden Torfmoore eine Quelle guten
Erwerbs. Mit Ausnahme zweier Höfe ist Raitenbuch nach
Aretsried eingepfarrt. Diese zwei grossen Höfe, die etwas
gen Norden vom Dorfe weggerückt sind, gehören zur Pfar-
rei Ustersbach. Ausser zwei offenen kleinen Capellen, die
einem der zwei letztgenannten Höfe angehören, ist hier kein
Cultgebäude. Bischöfliches Besitzthum war auch
hier in alter Zeit, dasselbe war zum Theil als Lehen an die
Edlen und bischöflichen Dienstmänner der Umgegend ver-
liehen, nach deren Aussterben es an die Klöster kam. In
der Zeit zwischen 1126 — 1179 übergab Trageboto de
Wolleibeshusen durch die Hand Kunrads von Erringen
zum Heile seiner und seiner Eltern Seelen zum Altare des
heiligen Ulrich in Augsburg sein Gut (predium) in
Raitenbuch [53]).

Zum bischöflichen Castrum Hattenberg mussten in
Raitenbuoch von 2 Gütern 9 Schäffel Haber, 18 Denare und
2 Hühner Vogtgefäll bezahlt werden [54]). Aus dem Erkennt-
nisse eines Streites über die Gerichtsbarkeit zu Ustersbach
und Sifridsberg [55]) 1459 erhellt, dass die von Raitenbuch
wenigstens zum Theil in das Sifridbergische Gericht zu

---

[53]) M. B. XXII. 57.
[54]) Urbarium episcopatus Augustani in M. B. XXXIV. b. 389.
[55]) Mon. boic. XXXIV. a. 509.

Ustersbach gehörten. Nach einer schon erwähnten Auf-
schreibung über die Burgauischen Besitzungen vom Jahre 1737
theilten sich das bischöfliche Domcapitel, dann die Klöster
St. Ulrich, Heil. Kreuz, St. Georg, Oberschönefeld, Seifrids-
berg, ein Herr von Aman in Augsburg, und Herr von Imhof
in die Herrschaft Raitenbuch. Die Bevölkerung bestand hier
und in der Umgegend nach der obgenannten Urkunde von
1459 theils aus „Eigenlut," theils aus „Freyzinsern," dem
Hochstift Augsburg ursprünglich zugehörend.

3.
Pf. Dietkirch.

Anderthalb Stunden abwärts von Fischach gestaltet sich
das Schmutterthal zu grosser Lieblichkeit. Der Wald ver-
schwindet wieder ganz aus dem Thale, und zieht sich auf die
Höhen der umsäumenden Hügel zurück. Diese Hügel selbst
wechseln in grosser Mannigfaltigkeit, bald Vorsprünge, bald
Thalbuchten und Senkungen bildend, bald mit breiten Rücken,
bald mit Kuppen abschliessend, die wieder abwechselnd mit
grossen Schlägen blinkender Birken, über welche mächtige
Eichen ragen, dann wieder mit weitgedehnten Fichtenwaldun-
gen, da mehr, dort weniger mit Laubholz gemischt, bedeckt
sind. Die Thalsohle selbst, durch welche sich der Fluss in
unzähligen Krümmungen windet, wird enger; sie behält die
nördliche Richtung bei mit geringer Neigung nach Osten.
Die Dörfer bauen sich an den sanften Abhängen, den Buch-
ten und Bergvorsprüngen. Diese Vorsprünge und Abhänge
dehnen sich hinter den Dörfern oft in halbstunden langen,
getreidereichen Flächen hin, und steigen dann erst zu den
Höhen auf.

In dieser Landschaft liegen nun zuerst am rechten Ufer
Malgershausen, das zu der entfernten Pfarrei Depshofen
gehört, dann weiter abwärts Dietkirch und Gesserts-
hausen, am linken Ufer, Malgershausen gegenüber,

Wollishausen. Letztere 3 Orte bilden den Hauptbestand-
theil der Pfarrei Dietkirch, welche im Ganzen 720 Seelen zählt,
welche 126 Familien bilden, die in 121 Häusern wohnen.

Der Sitz dieser Pfarrei ist im Mittelpunkte derselben, in
dem Weiler Dietkirch, der nur 6 Häuser mit 7 Familien
und 48 Seelen zählt. Hier ist auch das Schulhaus, dann
eine Mühle, ein grosses Bauerngut und ein Wirthshaus.
Dietkirch liegt mitten im wiesenreichen Thale, von der
Schmutter durch- und umflossen. Auf der Westseite seit-
wärts vom Thale über einer geringen Anhöhe, welche hier
das Schmutterthal von der Reischenau scheidet, liegen in
weiter Fläche, das „lange Feld" genannt, die Ackerfluren, sich
in die Reischenau hinein erstreckend.

Die Pfarrei Dietkirch, jetzt noch von bedeutendem Um-
fange, indem ausser den genannten Orten auch Oberschöne-
feld und die Einöden Engelshof, Katzenloh, Bronnen dahin
gehören, war früher noch ausgedehnter. Die ehemaligen
Klosterhöfe Scheppach und Weiherhof wurden erst 1824
ausgepfarrt, Kutzenhausen gehörte theilweise ebenfalls hieher.
In einem Berichte des Pflegers zu Dinkelscherben [56]) an das
Domcapitel vom 22. Februar 1753 heisst es: „dass in dem
Dorfe Kuzenhausen 1 ganzer und 3 halbe Bauern neben
4 Sölden, welche nach Dietkirch von uralten Zeiten her
pfärrig, von ihren Aeckern den Kleinzehent dem Pfarrer all-
dort abreichen müssen, auch dieser Ursachen wegen von dem
Kloster Oberschönefeld nicht nur Anno 1728 zu dem Diet-
kircher Kirchbau, sondern auch 1730 zu dem Schul- und
Messnerhaus und Anno 1746 zu dem dasselbstigen Pfarrhof-
bau um die von diessfälligen Zehentäckern betreffende Con-
currenz jederzeit, ob zwar ohne Effekt, angesonnen worden."
Die jetzige Filiale Wollishausen hingegen scheint in alter
Zeit ihre eigenen Pfarrer gehabt zu haben. Der alte Pfarr-
ort und jetzige Filiale von Ustersbach, Medishofen, ward zu
Zeiten auch von Dietkirch versehen, wie aus Visitations-Berichten

---

[56]) Acten des bischöfl. Archivs.

vom Jahre 1575 hervorgeht, in welchem die Kirche in Medishouen als annexa der Parochia Dietkirch angeführt wird. Die Pfarrkirche ist dem heiligen Johannes dem Täufer gewidmet. Die so einsame Lage dieser Kirche, zu der die Parochianen aus volkreichen Filial-Dörfern hinzu wallen müssen, das Patronat des heiligen Johannes des Täufers selbst, das meist in den ältesten Kirchen vorkommt, dann der Umstand, dass das im Anfange des 13. Jahrhunderts entstandene Kloster Oberschönefeld, wie es in der Confirmations-Urkunde von 1256 heisst [57]), in der Pfarrei *Dietkirche* gegründet wurde, letztere also schon vor dem Kloster bestand, lässt vermuthen, dass die Kirche zu Dietkirch sehr alt, ja die Tauf- und Mutterkirche der Umgegend war.

Die älteste historische Kunde zeigt uns zu Dietkirch eine Pfarrkirche mit Kirchensatz und Widum. Am 11. December 1254 schenkte Volkmar von Kemnat bei Kaufbeuren, bischöflicher Schirmvogt von Hattenberg, dem neugegründeten Cistercienser-Nonnenkloster in Oberschönefeld das Schutz- und Patronats-Recht über die Kirche zu Dietkirch. Am 5. Februar 1255 genehmigte Bischof Hartmann die von dem Ritter Volkmar von Kemnat gemachte Schenkung der Kirche zu Dietkirch, des Kirchensatzes und der Advocatie, und trat mit Consens seines Capitels alle und jede Gerechtsame seiner Kirche daran an das Kloster ab, jedoch unter der Bedingung, dass die Abtissin ihm, dem Bischofe und seinen Nachfolgern, stets einen tauglichen Weltpriester für diese Kirche präsentire. Diese Schenkung wurde von Pabst Alexander IV. am 23. März 1255 bestätigt. Dem Volkmar und seinen Nachkommen wurde vom Bischofe die Advocatie über das Kloster Oberschönefeld eingeräumt [58]).

Die Mühle und das Bauerngut zu Dietkirch (das Wirthshaus entstand erst in neuester Zeit), hatten verschiedene

---

[57]) Geschichte von Oberschönefeld l. c. 310.
[58]) Ibidem 195 etc. und 310.
Steichele, Archiv II.   18

Besitzer, kamen aber endlich auch an Oberschönefeld.
1348 verglich sich das Kloster Oberschönefeld mit Kunrad
dem Müller zu Dietkirch seiner Ansprüche wegen auf die
Mühle. 1542 verkaufte Ulrich der Müller zu Dietkirch seine
Mühle daselbst an Jakob Schrankenmüller zu Uttenhofen.
Derselbe Ulrich Müller verkaufte schon 1539 einen ewigen
Zins aus dieser Mühle an Hans Berchle, Priester am heiligen
Geistspital in Dilingen.

1350 verkaufte Elspet von Swinningen, Hansen des
Portners sel. Wittwe, ihren halben Theil des Hofes zu Diet-
kirch sammt der Vogtei an Marquard Gossenbrod. 1441
geben Leonhard Fry, Bürger in Mandachingen (Schwab-
münchen) und Greta Gossenbrotin, seine Frau, dem Kloster
Oberschönefeld ihren Hof mit der Vogtei zu Dietkirchen
zu kaufen; und noch in demselben Jahre erlässt der Bischof
von Augsburg dem genannten Kloster den Lehens-
verband über diesen erkauften Hof. 1515 verglichen sich
Oberschönefeld und die Vicarier in Augsburg über den
Aichhof zu Dietkirchen dahin, dass besagtes Kloster diesen
Hof zu verleihen, aber für die Jahresgült aus diesem Hof gut
zu stehen habe [59]).

Die alte 1723 abgebrochene Pfarrkirche hatte den
Chor im Erdgeschosse des Thurmes; noch sieht man im
stehen gebliebenen alten Thurme den jetzt theilweise unter-
mauerten arcus triumphalis in runder Wölbung mit breiter,
flacher, abgekanteter Leibung, der vom Schiff, das ebenfalls
wie an der Westseite des Thurmes zu sehen, viel kleiner,
circa 28' breit war, in diesen Chor führte. Nach Visitations-
Berichten von 1676 und 1684 war damals der obere Theil
und die Dachung des Thurmes sehr schadhaft, die Kirche
aber in gutem Stande. 1575 waren nur 2 Altäre hier, einer
dem heiligen Johannes, der zweite der seligsten Jungfrau
Maria geweiht. 1620 wurde nach einer vorhandenen, auf

---

[59]) Oberschönefeldische Regesten von dem Landrichter Max
Beck in Zusmarshausen, Nummern 160, 166, 168, 161, 163, 162, 167.

cino Bleiplatte gravirten Inschrift ein neuer Altar zu Ehren
des heiligen Johannis Baptistæ und aller Heiligen von dem
Weihbischof Petrus, Bischof von Adramyt, consecrirt. In
ihrer jetzigen Gestalt stammt die Pfarrkirche aus dem
vorigen Jahrhunderte. Ein einfacher Stein an der Aussen-
seite der Kirche, dem südlichen Kreuzarme eingemauert, gibt
sichere Kunde über die Erbauung derselben. Die Inschrift
in lateinischen Buchstaben lautet:

„Lapis iste angulari erat
positus regnante Maria
de Victoria Abbatissa
Ao. 1723 5to *Julii."*

Besagte Abtissin M. Victoria Farget (1722—1742) hatte,
„weil die ziemlich alt ausscheinende, jedoch noch lang dauernde
Kirche" zu klein, und besonders bei den Festen der in die-
ser Kirche florirenden Rosenkranz-Bruderschaft, welche 1676
über tausend Mitglieder zählte, die Menge der zuströmenden
Gläubigen nicht fassen konnte, abzubrechen und neu aufzu-
bauen beschlossen.

Sie stellte darum 1722 an das bischöfliche Ordinariat
Augsburg das Ansuchen, „aus Pyllichkeit" von der vermög-
lichen Filialkirche Wollishausen einen Beitrag angewiesen zu
erhalten. Der Kostenanschlag wurde auf 4382 fl. gemacht.
Von der Billigkeit des Materials und Lohns in jener, noch
nicht lang verflossenen Zeit, gibt dieser Kostenanschlag Zeug-
niss: die 130,000 *stain* war das Tausend auf 7 fl., die
30,000 *blaten* das Tausend zu 4 fl. 40 kr., *bauholz samt*
gristhölzer zu 150 fl., der Lohn der Maurer zu 600, der der
Zimmerleute zu 200 fl. veranschlagt.

Unter dem 13. Februar 1723 ertheilte das bischöfl. Ordi-
nariat seinen Consens zum Bau und bewilligte zugleich, dass
von der Rosenkranz-Bruderschaft zu Dietkirch, deren Capital
1181 fl. betrug, 681 fl., von der Filiale Wollishausen, welche
ein Capital von 3778 fl. hatte, 1824 fl. genommen werden
18*

dürfe, der Rest aber vom Kloster zu tragen sei **[*]**). Diese
von der Abtissin M. Victoria erbaute Kirche gehört zu den
bessern Bauten des modernen Styls. Sie ist ziemlich gross,
in Form eines regelmässigen lateinischen Kreuzes erbaut. Das
Kreuzhaupt bildet der quadratische Chor, die Querarme in
gleicher Form mit dem Chor laden zur Hälfte ihres Quadrat-
raumes über die Mauerflucht des Lang-Schiffes aus. Dieses
selbst, dem untern langen Kreuzbalken entsprechend, hat die
doppelte Breite des Chores.

Die Wände beleben Pilaster, die zu Paaren stehen, mit
korinthischen Capitälen geschmückt; die Fenster sind regel-
mässig, gross und weit, im Halbkreisbogen schliessend. Die
Gypsdecke, im stark gedrückten Bogen, lastet unschön auf
dem antikisirenden Architrav, der sich über den Pilastern an
den Wänden hinzieht. Am Triumphbogen, so wie an den
4 Altären ist das Wappen der Erbauerin M. Victoria Abbatissa
von Oberschönefeld. Die 4 Altäre, nicht frei von Zopf-
formen, gehören doch zu den bessern modernen Styls. Bei
dem Altar im südlichen Kreuzarme findet an der Stelle des
sonst üblichen Altargemäldes ein Sculpturwerk vom Jahre
1726, die Anbetung der Hirten darstellend, Platz; die Figuren,
ziemlich affectirt und beweglich, sind dennoch von besserer
Form, als die vielen andern zum Theil spätern Gemälde und
Statuen. Nur ein Kunstwerk hat sich in dieser Kirche er-
halten, leider dem Besucher unkenntlich gemacht durch un-
passende, hässliche Bekleidung, Perücke und Kronen. Es ist
dies die Statue der Mutter Gottes, jetzt als Patronin auf
dem Altar der Rosenkranz-Bruderschaft stehend, ein Meister-
stück des 15. Jahrhunderts.

Diese Statue ist fast 4 Fuss hoch; einen Fuss hat sie
auf den Mond, der in Form einer kurzen Sichel mit halbem
Menschenantlitz dargestellt ist, gesetzt; das Knie dieses
Fusses ist etwas vorgebeugt. Der Leib neigt sich in ange-
nehmer Schwingung stark zur Linken, die Hände sind zart

---

[*]) Akten des bischöfl. Archivs.

und gut gebildet, die Brust rund und ziemlich erhöht, der
Hals bedeckt, das Gesicht voll Adel und Schönheit, die
Stirne offen und hoch gewölbt, die Wangen voll, im Kinn
ein Grübchen; die Haare durch ein diademartiges Band zu-
sammengehalten und über die Schultern herabfliessend, so
bis zur Mitte des Leibes das Bild umsäumend. Ein reiches
Kleid, auf himmelfarbenem Grunde mit äusserst feinen erhabenen
Goldverzierungen geschmückt, umhüllt die hehre Gestalt. Der
goldene Mantel frei über die Schulter geworfen und von da
herabwallend, ist auf einer Seite an einem Endzipfel um den
rechten Arm geschlagen, und bedeckt, von da wieder abfallend,
auch den Vordertheil des Unterleibes. Das Jesuskind im
linken Arme ist nackt, das runde Köpfchen der Mutter Bild,
einen Arm reicht es der Mutter entgegen, mit der andern
Hand erfasst es lebhaft bewegt seinen eigenen Fuss.

Das ganze Bild macht einen sehr guten Eindruck; der
Faltenwurf ist einfach, ungezwungen, doch etwas eckig ge-
brochen. Das Bild mag dem Ende des 15. Jahrhunderts
angehören, und ist jedenfalls das Werk eines bedeutenden
Künstlers. Durch Uebermalung litten nur die Gesichter,
durch Verstümmelung die linke Brust der Mutter, welche
weggestemmt wurde, um dem Kinde ein Röckchen anziehen
zu können.

Der Thurm erhebt sich an der Nordseite des Chores
im Verhältnisse zur stattlichen Kirche zu mässiger Höhe. Den
alten, starken, viereckigen Unterbau von 21 Fuss Durch-
messer beleben Ecklesanen, welche jetzt zu Pilastern umge-
staltet sind. Diese Umwandlung, sowie die Erbauung des
achtseitigen Obertheils, den eine gerundete Kuppel abschliesst,
scheint vor der Erbauung der jetzigen Kirche, wahrschein-
lich kurz vor 1688, in welchem Jahre die oben angedeuteten
Bauschäden nicht mehr vorhanden und der Thurm reparirt
war, geschehen zu seyn. Das Geläute, 2 grosse Glocken,
schallt weithin durch das Thal. Die zweitgrosse von 44"
Durchmesser ist ein schönes Werk der Giesskunst. Die
Krone bilden sechs schön ausgeführte, bartige Menschen-

köpfe. Die Inschrift mit schönen, scharfen Minuskeln, auf
beiden Seiten durch Bogenfriese, deren Schenkel in Lilien
enden, eingefasst, enthält das ganze Ave Maria und die
Worte „*Steffan wiggant goss mich zu augsburg* 1484.“ Zwi-
schen den einzelnen Wörtern ist entweder ein Christuskopf,
oder das Bild der heiligen Anna mit den Kindern Jesus und
Maria, oder eine Glocke eingefügt. Die Seiten der Glocke
schmücken 4 kleine Medaillen, die 4 Symbole der Evan-
gelisten enthaltend.

Die andere noch grössere Glocke zeigt minder edle
Formen. Ihre Inschrift lautet: *Anna Maria Weinhardt*
Abatissa in Oberschönefeld Anno 1676. *Sancta Maria ora*
pro nobis. Sancte Johannes Baptista Patrone hujus Ecclesia
Dietkirch ora pro nobis. Gegossen durch Joanes und Stephan
Arnold Brüder. Die frühere Glocke war vom Blitz zerstört
worden.

Im dreissigjährigen Kriege, besonders von 1640 an, war
die Pfarrei lange hirtenlos und wurde theils vom Beichtvater
in Oberschönefeld, theils von andern kaisersheimischen Reli-
giosen, und seit 1646 vom Pfarrer Matthäus Winkler von
Annhausen versehen, dann folgten von 1650 nach einander
4 Pfarr-Verweser aus Kloster Kaisersheim, seit 1657 aber
pastorirten 3 nach einander folgende Pfarrer von Annhausen
auch Dietkirch, das erst 1667 wieder einen eigenen Pfarrer
in der Person des Christoph Leittenmair von Steinenkirch
erhielt, der bei dem damaligen Mangel an Geistlichen
23 Jahre alt die Pfarrei antrat, auf der er 1688 noch war.

Das Verhältniss zwischen dem Kloster Oberschönefeld,
dem die Pfarrei Dietkirch incorporirt war, und genannter
Pfarrei, deren Pfarr-Rechte sich auch über das Kloster, mit
Ausnahme der Seelsorge für die Klosterfrauen und die
Familiaren des Klosters erstreckte, war, wie aus den vielfachen
Streitigkeiten erhellt, selten ein erfreuliches [61]).

Den Grosszehent bezog das Kloster, selbst der Klein-

---

[61]) Akten des bischöfl. Archivs.

zehent war demselben 1261 durch die Richter der Curia Augustana nicht nur in *Gosershusen*, sondern in der ganzen Pfarrei Dietkirchen zugesprochen worden [62]). Doch 1676 erfreute sich der Pfarrer wieder im Besitze des Kleinzehent. Das ganze Jahreseinkommen betrug damals 200 fl. [63]).

Das rentirende Vermögen der Pfarrei beträgt gegenwärtig 9925 fl., das der Rosenkranz-Bruderschaft 1290 fl.

Wollishausen.

Flussaufwärts, eine kleine halbe Stunde vom Pfarrsitze, liegt das Dorf Wollishausen, das eine eigene Landgemeinde bildet, die dem Landgerichtsbezirke Zusmarshausen angehört. Die Häuser breiten sich theils unfern der Schmutter gegen eine mässige Erhöhung hin aus, theils sind sie in einem kleinen Seitenthale, das sich hier gegen Westen in die Reischenau öffnet und aus welchem ein kleines Bächlein fliesst, gebaut. Der Ort zählt 54 Häuser, 56 Familien mit 378 Seelen. Das reiche Ackerland erstreckt sich in die Reischenau, weitgedehnte Wiesen und grosse Waldungen ziehen sich der Schmutter entlang gen Fischach hinauf. Die Bewohner sind daher wohlhabend, wenn auch die grossen Gütercomplexe bis auf 4 noch vorhandene aufgelöst sind. *Woleibeshusa*, und vom 13. Jahrhunderte an *Wollamshusen* oder *Wolamshusen* ist der alte, urkundliche Name des Ortes. Die älteste Kunde von unserm in Rede stehenden Orte gibt die Aufzeichnung über die Stiftung des Klosters St. Stephan in Augsburg vom 23. April 969 [64]). Dieser gemäss hatte ein gewisser Jakob eine Hube daselbst dem heiligen Stephan zugeeignet: „*uяam hobam in Woleibeshusa, quam Jagob [65]) sancto Stephano pro receptione sue filie designauit.*"

---

[62]) Regesta von Lang. III. 163.

[63]) Relatio visitationis etc. von 1676.

[64]) v. Raiser Viaca, Urkundensammlung 1.

[65]) Ein Jagob kommt um dieselbe Zeit (985) als Advocatus des Bischofs Eticho von Augsburg urkundlich vor, bei Gelegenheit

In Woleibeshausen wohnte ein edles Geschlecht; auch war im frühen Mittelalter eine Burg daselbst, wie aus einer Urkunde des Klosters Schönefeld hervorgeht: „1486 kaufte die Abtissin Dorothea von der Augsburger Bürgerin Anna Holbein und deren Bruder das Erbrecht derselben an einen Acker, genannt der Burkstall in Wollishauser-Feld vor dem Holz, genannt der Höhenberg, zunächst bei Mayengründel gelegen, per 3 Jauchert, von Oberschönefeld erblehenbar, um 20 fl. rhn." [66]). Damals war also schon längst der Pflug über die Ruinen der Burg gezogen.

Die Edlen, welche sich von ihrem Sitze Woleibeshusen nannten, kommen häufig in dem Zeitraume 1126—1179 als Zeugen in den Urkunden des Klosters St. Ulrich und Afra in Augsburg vor. Zwölfmal wird ein Heinrich de Woleibeshuseñ als Zeuge in diesen Urkunden aufgeführt, sein Name steht immer mitten unter den Namen anderer Edlen und vor den Zeugen vom bürgerlichen Stande. Derselbe Heinrich kommt dann noch viermal zugleich mit seinem Sohne Heinrich als Zeuge vor.

Ausser diesen werden in jenem Zeitraum als Zeugen einzeln genannt: Marquard, Adelpreht und Konrad de Wolleibeshusen [67]).

Aber nicht bloss durch die oftmalige Zuziehung zu Zeugenschaften bei den Schenkungen Anderer documentirt sich das freundschaftliche Verhältniss dieser Familie zum Kloster St. Ulrich, sondern noch mehr durch die Vergabung eigener Güter an dieses Kloster.

In dem obgenannten Zeitraume schenkte Adalbertus de Wolleibeshusen dem heiligen Ulrich ein Gut zum Heile der Seele seines Sohnes Heinrich durch die Hand

---

eines Gütertausches desselben mit Bischof Albuin von Seben. Resch Annales Sabionens. II. 647.

[66]) Geschichte von Oberschönefeld, 238, und Urkundenregesten. Mspt., Nachtrag Nro. 43.

[67]) M. B. XXII. multis locis.

Ulrichs von Welden *(de Waldiu)* [68]). Dieser Adalbert, der mit dem obgenannten Adalprecht eine Person seyn kann, scheint der Vater und Grossvater der genannten beiden Heinriche gewesen zu seyn.

Ferner übergab Trageboto de Wolleibeshusen zum Heile seiner und seiner Eltern Seelen durch die Hand Kuonrads de Erringen auf den Altar des heiligen Ulrich sein Gut in Raitenbuch, in der Meinung, dass seine Brüder dieses Gut fortwährend haben sollen, und ihm selbst, so lange er lebe, alle Jahre das auf diesem Gut wachsende Getraide zu Nutzen komme [69]). Die beiden Heinriche von Wolleibeshusen sind auch Delegaten der Schenkung eines Gutes an das Kloster St. Ulrich von Seite Sigeboto's von Vischach (de Visca) [70]). Später geschieht keine Erwähnung mehr von diesem Geschlechte.

Die Erben der Edlen von Wolleibeshusen waren, wie es scheint, die entfernt wohnenden Truchsesse von Diesenhofen und die Ritter von Grimmenstein und Falkenstein, da dieselben im 13. und 14. Jahrhunderte als Besitzer von Gütern in Wollishausen urkundlich vorkommen [71]). Da diese Geschlechter aber ferne wohnten, so verkauften sie ihr Erbe, oder trugen es Andern als Lehen auf.

Cunradus, genannt Grimmenstein, Ritter und Dienstmann der Kirche des heiligen Gallus, und sein Bruder, Rudolphus de Valckenstain, verkaufen an Adelhaid, Abtissin des Klosters Oberschönefeld, ihr ererbtes Hofgut *(curiam suam haereditariam)*, in Wollashusen um

---

[68]) Ibid. S. 55.

[69]) Ibid. 57.

[70]) Ib. 50.

[71]) Die Truchsesse von Diesenhofen gehörten zu dem Adel im Breisgau und Thurgau. Ulrich, Truchsess von Diesenhofen, legte den ersten Stein zum Kloster Paradies bei Schaffhausen. Crusius schwäbische Chronik I. 552. II. 113.

Die Grimmenstein wurden dem allgäuischen Adel beigezählt. Ibidem II. 454.

26 Augsburger Pfunde, anno 1269 [72]). Johann von Ost-
hain, Ulrich des Osthainers von Elhenrieth Sohn, und dessen
Frau Katharina verkauften 1339 ihr Gut zu Wolamshusen,
nämlich 1 Hof, die Mühle, die Fischenz, 4 Hofstätten, Lehen
von dem Herrn Truchsässen von Diesenhofen, an
Kraft, Otto des Kraften sel. Sohn und seine Frau Katha-
rina um 70 Pfund Augsburger Pfenninge [73]).

1342 verkaufte Kraft dieselben Güter seinem Schwieger-
vater Cunrad dem Dahs, Bürger in Augsburg, und Ger-
trud seiner Frau um 71 Pfund Augsburger Pfennige [74]).
Cunrad der Dahs aber verkauft dieselben 1351 an seinen
Vetter, Johann den Dahs, und Elsbeth seine Frau um
60 Pfund guter und gäber Augsburger Pfennige [75]). Der-
selbe Johann der Dahs, Bürger in Augsburg, erkaufte auch
1354 von Chunrad von Baizwil, gesessen zu Baizwil,
und Agnes seiner Frau ihren Hof zu Wollamshusen als
Lehen der Herrn Johann und Ulrich Truchsessen
zu Diessenhofen, Ritter, um 35 Pfund guter und gäber
Augsburger Pfennige [76]).

1354 nehmen Johann und Ulrich, die Truchsässen
von Diessenhofen, die Lehenaufsendung von Conrad von
Baizwil und Hermann dem Osthaimer über das lehenbare Gut
zu Wollamshausen an, und belehnen damit auf deren Bitte
den Johann Dahs, Bürger in Augsburg, Söhne und
Töchter [77]).

Später finden wir die von Knöringen im Besitze eines
Theils dieser Güter. Agnes, Hilpolds von Knöringen

---

[72]) Regesta boica III. S. 331.
[73]) Oberschönefeldische Urkunden-Regesten. Manuscpt. An-
hang Nro. 12.
[74]) Ibid. Nro. 16.
[75]) Ibid. Nro. 20.
[76]) Gewähren dieses Kaufes waren: Swigger von Mindelberg
Ritter, Georg von Agenwang, Wilhelm Rapott, Chunrad Rapott, des
alten Rapotts Söhne, Bürger zu Büren (Kaufbeuren), Hermann und
Johann die Ostheimer, Vettern. Ibid. Nro 23.
[77]) Ibid. Nro. 24. und Regesta boica VIII. S. 306.

sel. Wittwe, machte mit Gütern zu Wolishausen 1414 eine Stiftung zum Altare der St. Jakobs-Capelle im Dom zu Augsburg [78]). Zu diesen zum St. Jakobsaltar gestifteten Gütern gehörte auch die Mühle, wie aus mehreren Bestandbriefen aus den Jahren 1540—1641 erhellt [79]). 1617 wechselte aber das Kloster Oberschönefeld die Mühle und mehrere Güter in Wollishausen vom Domcapitel in Augsburg gegen in andern Orten gelegene Güter ein. Dasselbe Kloster kaufte auch 1641 das vorher zu dieser Mühle gehörige Fischwasser [80]).

Noch andere denen von Knöringen lehenbare Güter in Wollishausen bezeichnen die Urkunden. 1399 verkaufte Cunrad der Offelin sein Lehenlein von dem Schragen (Knöringen), bestehend in 3 Tagwerk Wismad, 3 Jauchart Aecker, 1 Söld und 1 Aengerlein zu Wolmanshusen an Hermann den Nördlinger, Bürger zu Augsburg [81]). 1462 allodificiren Stephan und Jakob die Schragen zu Emmersacker, Söhne Albrecht's des Schragen, dem Hartmann Langenmantel zu Augsburg sein Gütlein zu Wollishausen [82]). 1506 kaufte dann Oberschönefeld dieses Besitzthum, das 1 Sölde und ein Bestandgütl inbegriff [83]).

Eine andere Adeliche, Adelheid von Hirsbach, war auch zum Besitz eines Gutes in Wollamshusen gekommen, das jährlich 3 Schäffel Waizen und eben so viel Haber diente; sie überliess dasselbe 1259 um 18 Pfund Augsburger Münze ebenfalls an Oberschönefeld [84]).

Ausser den obgenannten Schankungsgütern von den Edlen von Wolleibeshusen erwarb 1363 das Kloster St. Ulrich

---

[78]) Ibid. Nro. 215 der Sammlung.

[79]) Ibid Nro. 195.

[80]) Ibid. 214. 196. und Geschichte von Oberschönefeld. S. 275.

[81]) Ibid. Nachtrag Nro. 31.

[82]) Ibid. Nro. 41. Im Siegel der Knöring'sche Ring.

[83]) Ibid. Nro. 198.

[84]) Geschichte von Oberschönefeld 199.

daselbst auch durch Kauf ein Gut: „Georg von Aresingen
verkaufte an Herrn *Johansen Abt ze sant Vlrich* seine von
seinem Vater *ererbte hub div gelegen ist datz Wollamshousen
in der Reyschenaw, die der Schneyder von Wollamshousen
da inn haut vnd jährlich davon gibt ze gewonlicher gülte
zwen scheffel Roggen vnd zwen scheffel habern Augspurger
mezze nach herrengilt reht, und min hofstat datz Wollams-
housen, dovon git man jaerlich einen metzen öls, sechzig Augs-
burger pfenning vnd ain vasnaht hun. Beide sind vogtbaer
gen der Herrschaft von Hattenberg.* Zu Geweren setzte der
Verkäufer *seinen lieben Bruder hern Chunraden von Aeresin-
gen, Kirchherr ze Ottmaringen"* [85]).

Nach dem bischöflich Augsburgischen Urbarium war das
Schutzrecht über den ganzen Ort *Wolamshusen, aduocacia
totalis,* dem Bischofe zuständig; an die Schirmburg
Hattenberg mussten von 7 *mansis* und 11 *areis* Vogtge-
fälle entrichtet werden [86]), woraus auch hier auf bischöf-
liches Obereigenthumsrecht zu schliessen. Nach dem
Necrologium Augustanum hatte ein *Berchtoldus laicus pre-
positus noster* eine halbe Hube in Wollamshusen auch an
die Domkirche gestiftet [87]).

Besitzungen von St. Georg finden wir ebenfalls beur-
kundet; um 1154 überliess ein gewisser *Wernherus cellerarius
in ecclesia b. Mauritii* von den St. Georg gehörigen Gütern,
die ihm zur Nutzniessung eingeräumt worden, den Brüdern
im Kloster des heiligen Georg unter Anderm auch Güter
(beneficialia bona) in Wollaibeshusen [88]). 1282 verkauft
Heinrich von Hattenberg (ein Kemnater) dem Kloster St. Georien
in Augsburg die Vogtei aus einer Halbhube zu Wollams-
hausen [89]). Um 1408 kaufte Probst Geroldshofer von St. Georg
ein Recht auf 5 Schilling Heller, 1 Schaff Haber und 1 Henne

[85]) M. B. XXIII, 198.
[86]) M. B. XXXIV. b. S. 387.
[87]) Mon. boic. XXXV., 6.
[88]) Regest. boic. I., 217.
[89]) Ibid. IV., 776.

für 21 Gulden; Probst Henricus Kromber kaufte 2½ Güter in Wolmatshusen. Noch 1615 tauschte Probst Urban Braun Güter in Wollishausen ein [90]).

In der mehrfach erwähnten Geschichte des Klosters Oberschönefeld sind ausser den oben erwähnten noch mehrere Schenkungen und Erwerbungen von Gütern in Wollishausen an und durch jenes Kloster erzählt, die wir der Kürze wegen umgehen und nur erwähnen, dass, als die Abtissin Gertrud 1447 einen Hof zu Wollishausen eintauschte, Bischof Peter von Augsburg diesen Tausch als Lehensherr bestätigte und der Abtissin besagtes Gut als ein freies Eigenthum überliess [91]). Nach der schon erwähnten Aufschreibung der Burgauischen Güter von 1737, in der Dr. v. Raiser'schen Bibliothek befindlich, war damals die Herrschaft über Wollishausen gemischt, indem das Domcapitel, St. Ulrich, St. Moriz, St. Georg und Oberschönefeld daran Antheil hatten.

Wollishausen war in alter Zeit Pfarrsitz. 1271 kommt in der Urkunde, in welcher die Schenkung eines Zehnten in Wolamshusen, der dem Pfarrer von Mesishoven gehörte, und den derselbe dem Kloster Schönefeld schenkte, durch Bischof Hartmann bestätigt wurde, unter den Zeugen Hainricus Viceplebanus in Wollamshusen vor [92]). 1367 entsagte Hermann der Müntzinger zu Gunsten desselben Klosters auf seine Ansprüche an dem Widemhof zu Wolamshusen, behielt sich aber die Nutzniessung desselben auf Lebensdauer vor [93]). Damals waren also schon die Dotationsgüter dieser Pfarrei veräussert. Es scheint, dass die Gemeinde Wollishausen öfter Ansprüche wegen eines eigenen Pfarrers erhoben hat; denn 1474 sah man sich aufs Neue veranlasst, durch den päbstlichen Legaten Cardinal

---

[90]) Khamm V. 408, 406. 413 etc.
[91]) Geschichte von Oberschönefeld, 231.
[92]) Ibid. 317.
[93]) Ibid. 228.

Marcus, Patriarchen von Aquilea, die Unirung und Incorporation der Filiale Wollishausen mit Dietkirch zu Gunsten des Klosters Oberschönefeld auszusprechen [84]). Noch findet man in der Sakristei der Kirche zu Wollishausen Kirchen-Rechnungen des 17. Jahrhunderts mit dem Titel „für die Pfarrkirche zu Wollishausen," und im Volksmunde erhält sich bis jetzt die Sage, dass hier ein Pfarrsitz gewesen. In der Folgezeit hatte der Pfarrer von Dietkirch hier alle 14 Tage die heilige Messe zu lesen, an der Kirchweih, Peter und Paul, an den Festen des heiligen Nicolaus und Stephan Gottesdienst zu halten, die II. Messe zu Weihnachten da zu lesen; die Todten konnte der Pfarrer von Dietkirch hier begraben, ebenso Hochzeiten einsegnen, wenn er wollte [95]). Dieses Verhältniss besteht noch gegenwärtig, nur sind jetzt 52 Wochenmessen und die Todten werden nur in Dietkirch begraben [96]); im Visitations-Berichte von 1575 ist das Coemeterium noch erwähnt.

Die gegenwärtige Kirche in Wollishausen, auf einer Erhöhung, mitten im Orte, ist ein unförmlicher Zopfbau. Selbst die Umfassungsmauern sind ganz ohne organische Formen, abwechselnd Einziehungen und Ausladungen in wellenförmigen Linien bildend.

Diesen Formen entspricht auch eine Inschrift auf einem im Thurme frei liegenden Steine: „1747 fundamenta hujus sancta surexere in ipso sinu Jesu Christi." Dabei das Oberschönefeldische Wappen. Der Chorraum dient jetzt als Sakristei, über demselben erhebt sich der Thurm. In diesem sind 2 kleine Glocken, die kleinere 1729 gegossen mit dem Wappen der Abtissin M. Victoria, die grössere mit dem Wappen der Abtissin Maria Hildegardis von Oberschönefeld (1665—1722).

Die kleine Kirche birgt ein sehr altes Holzsculpturwerk

---

[84]) Oberschönefeld. Regest. Mscrpt. Nro. 201.
[95]) Akten des bischöfl. Archivs.
[96]) Pfarramtlicher Bericht von 1858.

von byzantinischem Typus, nämlich eine sitzende Madonna, freilich von roher Arbeit. Sie ist 33" hoch, sitzt auf einem Holz- oder Steinblock, der Oberleib ist sehr lang und schlank, Untergewand und Mantel liegen eng an, letzterer fällt in gerade gezogenen Falten, spitze Schuhe bekleiden die Füsse. Den Kopf, vom Schwanenhalse getragen, deckt ein Schleier und schmückt ein Diadem. In ihrem Schoose steht der Jesusknabe, im Alter von 3 — 4 Jahren dargestellt, von langer Statur, ganz gekleidet. Aus dem 13. Jahrhunderte mag dieses jetzt durch Kleidung und Fassung sehr entstellte Bild stammen. Ferners ist da ein heiliger Stephanus, $2\frac{1}{2}'$ hoch, das Haupt mit starkem Lockenkranz, mit Albe und Dalmatik bekleidet, ein mittelmässiges Schnitzwerk des 15. Jahrhunderts. Ein Salvator mundi aus derselben Zeit ist am Messnerhaus angebracht.

Die Kirche ist den heiligen Aposteln Petrus und Paulus gewidmet. 1510 wurde ein Altar in derselben consecrirt [97]). 1676 war die Kirche sehr von dem Kloster vernachlässigt worden, die Dachung und selbst der Fussboden waren zerstört, so dass der Regen durch den Thurm (in welchem 2 Glocken waren) drang und Alles verdarb. 1684 war jedoch die Kirche, mit Ausnahme des Thurms, hinlänglich reparirt. Damals war auch der alte, gothische Altarschrein noch in der Kirche. Bis 1688 war derselbe aber schon entfernt, die Kirche erweitert und der Thurm wieder hergestellt worden [96]). Das Vermögen dieser Kirche wird 1684 ein reichliches genannt; gegenwärtig besteht dasselbe in einem Kapital von 3260 fl.

Katzenloh, Einöde.

Dieser Ort, aus 2 Bauernhöfen mit ebenso viel Familien, die 24 Seelen zählen, bestehend, gehört der Landgemeinde Kutzenhausen an. Derselbe liegt eine kleine halbe Stunde

---

[97]) Oberschönefeld. Regest. Mscrpt. Nro. 199.
[96]) Relatio visitationis etc.

gen Nordwest von Dietkirch entfernt, erhöht über dem Schmutterthale, von 2 Seiten mit Wald umgeben. Katzenloh gehörte früher zum Amtsleben der bischöflichen Kämmerer, mit welcher Würde die Wellenburger, die Hohenegge etc. betraut waren [99]. Diese verkauften oder vergabten als Afterlehen den Ort wieder an Andere, wodurch derselbe an verschiedene Augsburger Patrizier-Familien, und endlich an Schönefeld kam.

Am 13. August 1341 verkaufte Heinrich der Holle, Goldschmied, Bürger zu Augsburg, sein Gut zu Katzenloch, das rechtes Lehen ist von Herrn Arnold dem Kammerer von Wellenburg, an Herrn Berchtold den Bacher, Bürger zu Augsburg, um 45 Pfund Augsburger Pfennig [100].

1394 verkaufte Stephan der Bach, Bürger zu Augsburg, sein Gut zu Katzenloch als Lehen von Herrn Andreas von Hohenegg an Heinrich den Häckel von Gessershusen, Bürger in Augsburg, um 72 Pfund Pfennige.

1436 verkaufen Hans, Bartholomä und Jakob Heckel den Hof zu Katzenloch als Lehen von dem edlen vesten Peter von Hohenegg zu Vilseck an Hans Lauginger, Bürger in Augsburg, um 222 Gulden.

1474 belehnte *Rudolf von Hohenegg zu Vilsegk*, des würdigen Stiftes zu Augsburg oberster Erb-Kämmerer, den Leonhard Lauginger, Bürger in Augsburg, mit einem Hof zu Katzenloch [101].

Am 16. März 1507 kaufte die Abtissin Barbara von Oberschönefeld von dem Augsburger Bürger Matthias Lauginger zwei Höfe zu Katzenloch, deren einer ein Lehen der Herrn von Hoheneck zu Vilseck war, um 860 fl. [102].

---

[99] Viaca 22.
[100] Regesta boica VII. 280.
[101] Oberschönefeldische Regesten, Mscrpt. Nro. 171. 173. und Nachtrag 42.
[102] Geschichte von Oberschönefeld l. c. 244.

Bei diesen Höfen ist gegenwärtig eine kleine offene Capelle, zu unsers Herrn Ruh genannt.

Brunnen, Mühle.

Unfern Katzenloh und nördlich von Dietkirch, hart an der Stelle, wo die Eisenbahn den niedern Hügel durchschneidet, der hier zwischen dem Schmutterthale und der Reischenau, und in seiner westlichen Verlängerung zwischen letzterer und Kutzenhausen die Gränze bildet, ist die ansehnliche Brunnenmühle, kaum ¼ Stunde von der Pfarrkirche entfernt. Dieselbe am rechten Ufer der erlenumsäumten Schmutter gelegen, bewohnt eine Familie mit 12 Seelen. Ausser dieser Mühle werden in früherer Zeit auch Höfe zu Brunnen erwähnt, die theilweise ebenfalls zum bischöflichen Kammeramte gehörten. 1351 verkaufte Berthold der Winkler, Bürger in Augsburg, seine 2 Höfe zu Brunnen, deren einer von Herzog Stephan von Bayern, der andere von dem Kammerer in Wellenburg lehenbar, an Otto und Jörg die Gollenhofer; Hermann der Kammerer von Wellenburg begab sich 1357 der Eigenschaft über den lehenbaren Hof zu *Prunnen in der Ryschnaw* für *Ott den Gollenhofer.* 1421 verkaufte Ludwig Stolzhirsch, Bürger in Augsburg, seinen Hof zu Brunnen, den der Müller baut, als rechtes Eigen dem Peter Bach, Bürger in Augsburg, um 122 Gulden. 1439 verkauft Conrad Bach seinen Hof zu Brunnen an Hans Lauginger, Bürger in Augsburg [103]). 1471 war Probst Johann vom Kloster Heil. Kreuz in Augsburg Besitzer der Mühle zum Brunnen [104]). 1560 bekennt Ulrich Bach von Katzenloh von Georg Weinhardt, Ueberreuter zu Ober-Schönefeld, für die diesem Kloster verkaufte Brunnenmühle 1110 fl. empfangen zu haben [105]). 1615 tauschte Probst Urban

---

[103]) Oberschönefeld. Regest. Mscrpt. Nro. 175. 176 172. 174.
[104]) Geschichte von Oberschönefeld, 241.
[105]) Oberschönefeld. Reg. Nro. 179.

Braun von St. Georg Güter in Wollishausen, Brunnen, die dem Hochwürdigsten Ordinarius eigen, ein [106]. Nach einem Verzeichniss der burgauischen Landestheile vom Jahre 1737 war Oberschönefeld und St. Georg damals im Besitze von Brunnen.

Auch bei der Brunnenmühle ist eine Feldcapelle.

Gessertshausen.

Flussabwärts, am östlichen Saume des hier breiten Schmutterthales, unfern der Mündung der Schwarzach und von dieser durchflossen, ¼ Stunde von Dietkirch, liegt dieses Dorf, welches 52 Häuser, 54 Familien, 312 Seelen zählt, und mit Dietkirch, Oberschönefeld und Engelshof eine zum königlichen Landgericht Göggingen gehörige Landgemeinde ausmacht. Die Häuser liegen zum Theil in der Ebene, die sich hier sanft erhebt, theils schmiegen sie sich einem Hügelvorsprung an, der, eine Ecke bildend, das Schwarzachthal abschliesst und sich gegen das Schmutterthal wendet. Auf der Kuppe dieses Hügels thront die Kirche; hinter derselben, so wie zu beiden Seiten des Dorfes, an weit ausladenden, sanften Abhängen, breiten sich die Aecker aus, hinter denselben ist der Wald; das Wiesenland aber dehnt sich gegen die Schmutter zu und im engen Thale der Schwarzach aus. Die Eisenbahn hat in Gessertshausen eine Haltstelle, die Strasse nach Krumbach, Mickhausen führt durch den Ort.

In Gessertshausen, früher Gozhereshusen, Gozhershusen, Gozzershusen, Gözzershusen, Goesershusen etc. geschrieben, finden wir bischöfliches Eigenthum, welches erst an verschiedene Geschlechter verliehen war, dann aber allmählig, mit Ausnahme der grossen, benachbarten bischöflichen Forste, an Oberschönefeld kam, welches Kloster bis zur Säcularisation im Besitze des ganzen Dorfes sammt Gericht, Zoll etc. blieb.

---

[106] Khamm V., 413.

Im 12. Jahrhunderte kommt in Verbindung mit den Edlen der Umgebung, den Viscaha, Woleibeshusen, Inningen, Schwabeck etc. in auf das Kloster St. Ulrich bezüglichen Urkunden mehrmal ein Reginhardus de Gozhereshusen [107]) als Zeuge vor. Doch ist es wahrscheinlicher, dass diese Edlen in dem 5 Stunden entfernten Ober-Gessertshausen an der Zusam, wo eine Burg beurkundet ist, sesshaft waren.

Gessertshausen hatte zur bischöflichen Schirmvogtei Hattenberg Gefälle zu leisten; im bischöflichen Urbarium von 1316 heisst es: *item forestarius in Göezhershusen* IV^{or} *metretas auene;* ebenso auch zum bischöflichen Amte Bobingen: „*Der Vorster ze Gaszershusen giltet X solidos denariorum vf sant Michels tage, zway hundert ayger ze ostren, XXX huenr die gewahsen sien daz sie gefliegen muegen an ainer layter von ainem sprozzen ze dem andern*" [108]).

Die bekannten Schönfeldischen Erwerbungen in diesem Orte sind folgende: 1270 gestattete der Vogt von Hattenberg Volkmar von Kemnat *(de Chominata)* seinem Lehensmann Ulrich Fundan, Bürger von Augsburg, auf eine halbe Hube in Gozhershusen zu Gunsten dieses Klosters verzichten zu dürfen. 1290 kaufte das Kloster von Albert von Gerrvt Besitzungen in Gozzershusen, welchen Verkauf der Lehenherr Alberts, Bischof Wolfhard, bestätigte.

1295 überlässt der Augsburger Bürger Chunrad der Obmann, der 2 Töchter im Kloster Oberschönefeld hatte, demselben 3 halbe Huben. 1293 verkaufte Siboto der Stolzhirsch, Bürger von Augsburg, dem Kloster fünf Güter in Gotzershusen um 90 Pfund Augsburger Pfennige, und Bischof Wolfard überliess 1296 mit Einwilligung seines Capitels die Lehenschaft auf diese Güter dem Kloster

---

[107]) Mon. boic. XXII., 53. 54. 78.
[108]) Mon. boic. XXXV. b., 388. und 406.

gegen einen jährlichen Zins von 6 Groschen [109]). 1293 hatte
Albrecht von Niffen dem Stolzhirsch das Eigenthum
von 3 Lehengütern zu Gotzershusen verkauft [110]). 1330 ver-
kaufte Siboto der Schongawer, Bürger zu Augsburg,
welcher Lehen in Gessertshausen von Ulrich von
Schönegg zu Afterlehen hatte [111]), dem Kloster all sein
Gut in Gösershusen, das er von dem Hochstift zu
Lehen hatte, nämlich 3 Höfe, 4 Sölden, die Tafern, Fischerei,
Holzwart und Dorfgericht, und Bischof Fridrich eignete
diese Güter dem Kloster. 1385 machte Branthoch von
Pferse mit dem Zehnten aus 2 Höfen zu Gessertshausen
eine Jahrtagstiftung nach Oberschönefeld. 1492 belehnte
Bischof Friedrich die Abtissin Dorothea mit 2 Hof-
stätten zu Gessertshausen. 1555 erhielt Oberschönefeld bei
Gelegenheit der Anwesenheit Kaiser Ferdinands I. in
Augsburg die Vergünstigung, in Gessertshausen zur Unter-
haltung der Brücke bei Dietkirch und der Strassen von jedem
durchfahrenden Wagenross 1 Heller Zoll- und Weggeld er-
heben zu dürfen. So war also das Kloster allmählig in den
Besitz des ganzen Dorfes und aller Rechte gekommen; selbst
der Kleinzehent wurde demselben durch das Chorgericht
in Augsburg 1261, als derselbe streitig gemacht wurde,
zugesprochen [112]). Nur [ein Hof gehörte dem Spital in
Augsburg [113]), und der Wald war grösstentheils im Be-
sitze des Hochstiftes geblieben. Das Kloster durfte
aber von Alters her die eigenen vnd andern Schweine in
die hochstiftlichen Forste in das „Gäcker" treiben. Die
Gessertshauser Bauern durften aus ihren Holzplätzen im
Gessertshauser-Forst so viel Holz nach Augsburg etc. brin-
gen, als sie mit eigenen Rossen führen konnten, gemäss
eines Vertrages mit dem Hochstifte, den sie aber oft über-

---

[109]) Geschichte von Oberschönefeld, 204. 212. 214. 215.
[110]) Regesta boic. IV. 527.
[111]) Regesta boica IV. 215.
[112]) Geschichte von Oberschönefeld, 220. 230. 239. 246. 258.
[113]) Oberschönefeld. Regesten Nro. 144. 157. 180.

traten. Heute noch haben die Gessertshauser nicht bloss einen grossen Gemeindewald, sondern auch Privatwaldungen.

Eine Kirche oder Capelle scheint in alter Zeit hier nicht vorhanden gewesen zu seyn; erst die Abtissin Barbara erbaute auf einem zum Kloster gehörigen Grunde die dem heiligen Leonhard geweihte Capelle; am 23. April 1507 hatte der Generalvikar des Bischofs Heinrich zu Augsburg unter Verwahrung der Pfarr-Rechte von Dietkirch zu diesem Bau die Erlaubniss gegeben [114]).

Diese Capelle mochte im Bauernkriege, wo die Gessertshauser selbst mit Andern der Umgegend 1525 das Kloster Oberschönefeld ausplünderten und noch mehr im Schmalkaldischen Krieg 1546, wo nicht bloss das Kriegsvolk, sondern auch die zur Eintreibung von Brandschatzungen ausgesandten bundesverwandtlichen Commissäre, und der im Namen des Schmalkaldischen Bundes die Kloster Schönefeldische Güter verwaltende Rath in Augsburg die Kirchen plünderte, um „die abgoterische Messe" so bälder abzuschaffen, verwüstet worden seyn [115]). Noch 1575 wird sie in einem Visitations-Berichte „tota prophanata" genannt.

Die Abtissin Barbara II. (1571—1601), welche mit grosser Thätigkeit die Wunden, die durch jene Kriegsläufte geschlagen worden, zu heilen suchte und überhaupt grosse Baulust zeigte, erneuerte auch die Leonhards-Capelle zu Gessertshausen wieder, und versah dieselbe unter Beihilfe ihrer Frauen mit neuen Altären [116]). 1728 wurde vom bischöflichen Ordinariate eine Licenz super renovatione et translatione capellae St. Leonhardi in Gessertshausen, und in demselben Jahre eine Licentia super jure celebrandi missas in eadem capella ertheilt [117]).

---

[114]) Geschichte von Oberschönefeld, 244.
[115]) Geschichte von Oberschönefeld, 249. 255.
[116]) Geschichte von Oberschönefeld, 266.
[117]) Oberschönefeldische Regesten, Mscrpt. Nro. 150. 151.

So weit reichen die uns bekannten historischen Notizen über die Capelle zu Gessertshausen.

Die gegenwärtige Leonhards-Capelle auf dem oben genannten Hügel hat ausser der schönen Lage nichts Ansprechendes.

Die ziemlich geräumige Capelle mit oblongem Schiffe und dem Chor in der Form eines halben Achteckes ist ganz roh, ohne jede architektonische Zier. Die Fenster, von verlängerter Quadratform, schliessen oben mit vortretenden Ecken und Bogen darüber. Der Bogen, welcher Schiff und Chor scheidet, ist gedrückt, die Decke in Schiff und Chor horizontal. Der Thurm auf der Nordseite, in der Chorecke, unten 4- oben 8eckig, mit einer Kuppel gedeckt, ist ebenfalls schlecht und roh gebaut. Ueber dem Triumphbogen stehen die Buchstaben M. V. A. Z. O. S. Maria Victoria, Abtissin zu Oberschönefeld, welche hiemit angedeutet ist, hat also nach dem Obigen 1728 dieser Kirche ihre jetzige Gestalt gegeben; sie regierte von 1722 — 1742. Die drei Altäre, den Heiligen Leonhard, Isidor, Antonius gewidmet, roh und unwürdig, mögen auch aus jener Zeit stammen. Einiges Bessere hat sich noch aus älterer Zeit gerettet, ist aber durch den Ungeschmack späterer Jahre fast ganz verdorben. Es sind dies 3 Statuen aus der Periode der Gothik, und ein Gemälde aus der modernen Kunst. Die Statuen stellen dar: 1) St. Barbara, 2′ hoch, der Kelch, den sie in der Hand hat, zeigt noch den mittelalterlichen sechskantigen Nodus; 2) St. Anna, 2′ hoch, mit dem Kinde Jesu und mit Maria, beide als Kinder auf den Armen. Beide Bilder, zwar roh und kunstlos geschnitzt, und durch Uebertünchung alles Ausdruckes beraubt, sind doch würdig, und unterscheiden sich vortheilhaft vor den neuern hässlichen und grotesken Statuen dieser Kirche; sie mögen der Zeit um 1500 entstammen; 3) eine Madonna (kaum aus der hässlichen Ueberschmierung des Gesichts zu erkennen, das Kind, welches ihr jetzt beigegeben ist, nicht mehr das ursprüngliche), diese Statue ist 4′ hoch, der Leib in geschwungener Haltung, die Brust stark ausgeprägt, die über die Schulter fliessenden Haare durch eine Stirnbinde zusammen gehalten. Das Gewand hat noch eine alterthümliche schöne Fassung mit grossen, bunten Blumen auf silbernem Grunde, der Mantel ist golden; es mag diese Statue etwas älter, als die beiden vorher erwähnten seyn.

Auf dem linken Seitenaltare zeigt das Altarblatt aus der theilweisen Ueberschmierung auch noch bessere Formen. Es ist diess ein Votivbild: in der Mitte steht der heilige Isidor, ihm zur Rechten kniet ein Ritter mit Stülpstiefel, Pluderhosen, ledernem Wamms, weissem Halskragen und schwarzem Mantel, die Hände betend gefaltet, hinter ihm ein Knappe, der das Pferd hält. Zur Linken sieht man unten 2 Wappenschilde, eines mit dem Halbmond nach unten gewendet und einem Stern darüber, das andere mit Farbenfeld. In der Ferne zeigt sich der heilige Isidor und Engel ackernd, dann eine Prozession, die zu einer Capelle wallt. Eine Inschrift sagt: D. Schankh, Maler, 1670. Die Zeichnung ist ausserordentlich correct, und das Ganze gut gruppirt. Weiter oben wurde dann später eine Trinität aufgemalt, in hässlicher Weise; Christus hält, gleich Zeus, die drohenden Blitze in der Hand.

Die zwei Glöckchen auf dem Thurme wurden 1618 und 1641 von Wolfgang und Christian Neidhart in Augsburg gegossen. — Diese Capelle hat kein Vermögen; es werden darin jährlich 2 Feste gehalten und monatlich eine Bruderschaftsmesse gelesen.

Das Cisterzienser-Frauen-Kloster Oberschönefeld.

Da wo das Flüsschen Schwarzach aus den engen, finstern Thalgründen der Stauden heraustritt, eine halbe Stunde oberhalb dessen Mündung in die Schmutter bei Gessertshausen, am Saume des Waldes, verborgen hinter dem breiten, fruchtbaren Hügelgelände, das hier zwischen Schmutter und Schwarzach lagert, und über welches nur ein Theil des Thurmes hinausragt, liegen die stattlichen Gebäude des genannten Klosters, von einer Mauer umschlossen. Innerhalb dieser Mauer sind die 3 Stock hohen Abtei- und Convent-Gebäude, die mit ihren 4 Flügeln einen Garten umschliessend, ein Quadrat bilden, dann die Kirche, ferner die Wohnungen der ehemaligen Beamten und Geistlichen, das grosse Hofgut (Bauhof) mit seinen weitläufigen Oeconomie-Gebäuden, das Bräuhaus, die Mühle, das Wirthshaus, mehrere grosse und kleine Hofräume, der sehr grosse Gemüsegarten und der Baumgarten.

Die Geschichte dieses Klosters ist in dem mehrcitirten Werke des H. Herausgebers des vorliegenden Archivs von Dr. Theod. Wiedemann quellenmässig beschrieben worden [118]), wesshalb ich hier nur die Baugeschichte und Beschreibung der noch vorhandenen Denkmale behandle. Die gegenwärtigen Abtei- und Convent-Gebäude wurden zwischen den Jahren 1705 und 1722 völlig neu gebaut. Die vorhergegangenen Kriegsverheerungen scheinen diesen Bau nöthig gemacht zu haben, obwohl erst um das Jahr 1596 die Abtei, und um 1607 das Conventgebäude neu, und zwar in anderer Stellung, als das alte Kloster gebaut worden war [119]).

Die erste Klosterkirche wurde am 24. Sept. 1262 eingeweiht. Zur grössern Verherrlichung dieser Festfeyer verliehen die Bischöfe von Augsburg, Würzburg, Eichstädt, Freising und Speyer Ablässe [120]). Dass diese Kirche sich bis zum Neubau der jetzigen erhalten, scheint aus der genannten Geschichte des Klosters hervorzugehen, da in der Zwischenzeit kein Neubau, sondern nur einige Veränderungen des alten erwähnt werden. Um 1520 liess die Abtissin Ursula I. den Chor der äussern Kirche neu wölben. 1607 liess die Abtissin Susanna die Kirche erhöhen und neu austäfern. 1663 wurde der im dreissigjährigen Kriege ruinirte Thurm der Klosterkirche höher aufgeführt und mit Kuppel und Kreuz versehen [121]).

---

[118]) Beiträge zur Geschichte des Bisthums Augsburg. Herausgegeben von Anton Steichele, II. 193—320. [119]) Ibidem 266, 275, 297. [120]) ib. 199. [121]) Ibid. 247, 275, 290.

Die Abtissin Maria Hildegardis Meixner unternahm endlich die durch die manigfachen Kriegsläufte oft verhoerte und theilweise zerstörte Kirche sammt dem Kloster neu zu bauen in den letzten 18 Jahren ihrer 32jährigen Regierung, vom Jahre 1704—1722; die Vollendung und endlich die Einweihung geschah aber erst unter ihrer Nachfolgerin Maria Viktoria durch den Weihbischof von Augsburg Jakob von Mayer, Bischof von Pergamum, am 25. Juli 1729 [122]).

Zwei Denkmale geben Zeugniss von dieser Erbauung: Am westlichen Ecke des nördlichen Kreuzflügels der Kirche ist ein Sandstein eingemauert mit der nicht mehr ganz lesbaren Inschrift: *Lapis fundamentalis positus fuit a Rogerio Caesareensi Abbate, regnante . . . des Anna Hildegardes jubilaea ac triginta sex annis Abbatissa.*

Das zweite Denkmal bietet das Epitaph der Erbauerin auf einer Steinplatte im Klostergange in der Nähe des Thurms, durch welchen dieser Gang führt. Es lautet: *Hier Liegt In diesem Grab der Grundstein des ganz neuen Kloster und Kirchengebäu. Reverendissima nobilis et gratiosa Dna Dna Maria Anna Hildegardis Meitznerin, 32 Abbatissa, que 55 annis Professa Jubilaea püssime vixit, XXXVII annis laudabilissime rexit, LXXIII annorum sue aetatis in tempore Pontificii Jubilaei beatissime obiit, XXIV. Mart. 1722. Requiescat ejus anima in pace divina. Fiat.*

Die Kirche ist dem nördlichen Flügel des Klosters in der Art eingebaut, dass mehr als die Hälfte derselben (die Laienkirche) über den an den erstern stossenden östlichen Flügel des Klosters hinaustritt, und auch die Nordwand der Kirche über die äussere Mauerflucht des nördlichen Klosterflügels ausladet; der durchlaufende Klostergang aber, im Innern dieses Flügels, setzt sich auch längs der südlichen Wand, der kleinern eingebauten Hälfte der Kirche (der Conventkirche), fort.

---

[122]) Ibid. 297.

148' beträgt die Länge der Kirche im Licht, davon kommen 94' auf die Laienkirche, 54' auf die Conventkirche. Letztere ist von ersterer nur durch ein Gitter und einige Stufen Erhöhung geschieden. Die Breite der Kirche beträgt 39', mit Ausnahme des Chores, welcher 30', und des Kreuzes, das 48' weit ist. Die Höhe wird 50' nicht übersteigen. Der Bau zeigt zwar keine künstlichen Formen und Glieder, aber doch einen ernsten, einfachen Organismus, der seinem Meister alle Ehre macht. Die Massen sind im Verhältniss zu Kraft und Last richtig vertheilt und auf das Bedürfniss reducirt. Wie bei gothischen Kirchen mit eingezogenen Streben, so legen sich auch hier im Innern der Umfassungsmauer Wandpfeiler an, die eine Dicke von 3' haben und 4½' vor die Mauer treten. Diese Pfeiler, 6 auf jeder Seite, liegen in einer Linie mit der Chorweite, unter sich aber haben sie verschiedene Abstände, je nach der Beschaffenheit des Gewölbes, das sie zu tragen und zu stützen haben. Diese Abstände wechseln zwischen 15 und 30', nur einmal, vor Beginn der Conventkirche, da wo zwischen ihnen von aussen und vom Kloster ein Portal in die Laienkirche führt, misst der Abstand nur 10 Fuss.

Der Chor bildet ein Quadrat von 30', ihn deckt ein muldenförmiges Gewölbe, das sich zwischen 4 Halbkreisbögen spannt. Dann folgt ein Pfeilerabstand von 15' und diesem das Kreuz, welches nur 4½' über die Breite des Schiffes ausladet. Eine schöne Kuppel in Halbkugelform von 30' Durchmesser deckt den Mittelraum desselben. Eine zweite, ganz ähnliche Kuppel überwölbt den Mittelraum der Conventkirche. Die übrigen Wölbungen zwischen den Kuppeln und die Pfeilerverbindungen unter sich sind alle im schön geschwungenen Halbkreise ausgeführt, mit breiten Bandgurten eingefasst. Dieselbe Ueberwölbung haben auch die weiten Fenster, welche die Wand zwischen den Pfeilern durchbrechen. Die Gewölbe sind fest, von Ziegelstein gebaut. Die Pfeiler der Kirche sind an der Stirnseite pilasterartig verkleidet, mit vergoldeten Capitälen, die in Etwas den korinthischen nachgebildet sind.

Einen reichen Schmuck der Kirche bilden die Fresco-Malereien, welche die Gewölbe füllen. Obwohl bald 100 Jahre alt, haben diese Gemälde eine Frische und Lebendigkeit der Farbenpracht erhalten, die überraschend ist und selbst bei neuen Fresken selten gefunden wird. Die Composition freilich verräth den Zopf, doch findet sich nichts Unwürdiges und Anstössiges vor. Joseph Hueber und Joseph Mages sind die Meister, deren Pinsel diese Kirche malerisch geschmückt.

In der Chorwölbung ist eine Darstellung nach Apocalypse K. 4 etc. Der Ewige auf dem Throne ist von den 4 lebenden Wesen und den 24 Aeltesten, welche durch 12 Heilige des alten und 12 Heilige des neuen Bundes repräsentirt sind, umgeben, die niederfallen und anbeten. Unter dem Throne des ewigen Vaters ist das Lamm, welches geschlachtet ist, ein Quell, der dessen Brust entfliesst, mag die durch den Opfertod erworbenen Gnaden symbolisiren. Ausser der Gemäldeumrahmung steht Johannes Baptista, von ferne hinweisend auf das Lamm. Im Schiffe findet sich dargestellt: der englische Gruss, dann in der Kuppel über der Kreuzung die Geburt Christi; dabei steht: *Joseph Mages invenit et pinxit* 1768; in den 4 Gewölbzwickeln unter der Kuppel die 4 Evangelisten. Dann die Flucht nach Aegypten, und in der zweiten Kuppel die Opferung Christi durch Maria im Tempel, dabei ebenfalls der Name des Meisters *Huber* 1769 [122]). In den Wölbungen, welche die Pfeiler verbinden, ist das Leben des heiligen Bernhard in einem Cyclus kleiner Gemälde zur Anschauung gebracht.

Die Altäre und andere neue Zier zeigt nicht viel künstlerischen Werth. Der reiche im Mittelalter vorhandene Kirchenschmuck ging schon längst durch die Plünderungen im

---

[122]) Der Maler Joseph Huber von Augsburg starb 1772; noch wird in Oberschönefeld ein Jahrtag für ihn gehalten.

schmalkaldischen und dreissigjährigen Kriege zu Grunde, wo
Raub und Verheerung so weit gingen, dass 1635 Alles bis
auf den letzten Nagel ausgeraubt wurde und das Kloster nur
mehr ein Steinhaufen war, auf dem Nesseln und Disteln
wuchsen. Wenig mochten die, lange Zeit und wiederholt in
grosser Noth im Exil lebenden Klosterfrauen von den geflüch-
teten Werthsachen mehr zurückbringen können [124]). Dazu
kam dann die Geringschätzung, mit der man in der Folge
mittelalterliche Kunstwerke entfernte und durch moderne er-
setzte. Verschwunden ist darum fast alles Alte, selbst von
den Grabdenkmalen der alten Abtissinnen und der Adelichen,
welche hier ihre Begräbniss-Stätte hatten: der Frase von
Wolfsberg, der Ritter von Agenwang und von Pferse, der
Burggrafen, ist keine Spur mehr zu finden [125]).

Einzelne Statuen von Holz und ein Ostensorium geben
allein noch Zeugniss von alter Kunsttüchtigkeit. Voran steht
unter diesen eine sitzende Madonna mit dem Kinde Jesus;
ein auserlesenes Kunstwerk, das sich auf einem Seitenaltare
in der Laienkirche befindet. Das Antlitz der Mutter ist von
wunderbar lieblichem, zartem und edlem Ausdruck, das
goldene Haar mit einem weissen Schleier leicht bedeckt.
Das schön schliessende Gewand ist blau grundirt und mit zar-
ten erhabenen goldenen Blumen besät. Der goldene, roth
gefütterte Mantel, mit Perlensaum, wallt über die Schultern
und fällt, indem die Falten in Dreieckform zusammenstossen,
über den Schoos hinab. Das Kind hat ebenfalls ein sehr
feines, liebevolles Kindergesicht. Dieses Bild, das wir der
ersten Hälfte des 15. Jahrhunderts zuschreiben, wäre ein
schätzbares Muster für Bildschnitzer, und insbesondere für
die noch so sehr vernachlässigte Fassmalerei. Der Sockel,
der diesem Bilde, das leider mit Kleiderlappen umhängt ist,
unterstellt, aber nicht damit verbunden ist, trägt die Jahrzahl
1506. Eine zweite Madonna ist im mittlern Gange der
Abtei, und gehört dem Ende des 15. Jahrhunderts an. Maria

---

[124]) Ib. 284. 286. 288.   [125]) Ibid. 201. 228. 229. 230.

steht auf dem Monde, der ein Menschenantlitz bildet, aber
sichelförmig sich bewegt. Ihr etwas breites Antlitz ist
freundlich, mädchenhaft, der Leib hat eine geschwungene
Haltung, der Faltenwurf ist grossartig angeordnet. Ferners
sind da zwei zusammen gehörige Statuen, von denen eine
im Gang unter dem Thurme, die andere im Capitel befindlich,
sie sind 3½' hoch. Erstere stellt dar den heiligen Bischof
Simbert, er trägt Buch und Stab, ihm zu Füssen ist ein
Teufel mit Ochsenkopf, der eine Glocke in der Hand hält;
die andere, ebenfalls ein Bischof mit Buch, worauf ein
Schweinskopf liegt. Die Gesichter beider wenden sich auf
die Seite einander zu; sie sind mit Albe und Dalmatik und
darüber der eine mit Mantel, der andere mit Casula bekleidet,
der Faltenwurf ist einfach mit eckigem Bruch, die Fassung
zum Theil bunt und blumig. Im Capitel befindet sich noch:
eine Statue des heiligen Ulrich, 3' hoch, gräulich durch
Neufassung verdorben, dann eine Heilige Drei (Jesus,
Maria, Anna), ihr gegenüber eine heilige Veronika, beide
2½' hoch aus dem Anfange des 16. Jahrhunderts, der Cha-
racter noch altdeutsch, die Formen weicher. Ein Relief, die
Gefangennehmung Christi am Oelberg, das aus einem
3' langen und 1½' hohen Solenhofer Stein gemeisselt, ist im
Klostergange neben der Kirche eingemauert, und stammt aus
der guten Zeit moderner Kunst im 16. Jahrhundert: eine
wilde Rotte mit Laternen und Stangen, schreiend und tobend
naht sich dem Heiland, hinter ihnen Judas mit dem Symbol des
Geizes, dann die Kriegsknechte, eben aus dem Thore tretend.
Ferner ist in der Kirche eine Grablegung Christi aus
weissem Marmor, nur 6" hoch: Joseph von Arimathea und
Nicodemus heben den heiligen Leichnam so eben in das
Grab, welches durch ein Gitterwerk, durch gothisches Maass-
werk gebildet (das aber fast zerstört ist) verziert wird, hin-
ter dem Grabe stehen Johannes und 3 Frauen; in den Anfang
des 16. Jahrhunderts mag die Entstehungszeit dieses nicht
sehr schönen Bildwerkes fallen.

In der Conventkirche ist nochmal eine Heilige Drei

4$\frac{1}{2}$' hoch, sitzend aus dem 16., dann eine ältere Madonna,
die durch Fassung verdorben ist, ferner auf dem Musikchor
an der Westwand ein Kasten mit doppelt bemalten Thüren,
Momente aus dem Leben Christi und Mariae darstellend, doch
mit geringer Meisterschaft, etwa im 17. Jahrhunderte gemalt.
Endlich befindet sich auf einem Altare der Kirche ein Cru-
cifixus, 20" hoch, mit grosser anatomischer Kenntniss gear-
beitet, aber durch Glasaugen und natürliche Haare verun-
staltet, ebenfalls ein gutes Werk älterer moderner Kunst.

Das Ostensorium zur Aussetzung des Kreuzpartikels ist
von Silber, 20" hoch. Am Fusse sind die 4 Symbole der
Evangelisten eingraphirt; ferner ein Mann, sicherlich der
Dedicator in bürgerlicher Tracht mit einem Spruchband,
worauf die Worte stehen: „*Maria. mr. gre. mr. mie. tu. nos.
ab. hoste. protege. in. hora. mortis. suscipe.* 1510.“ Ein stern-
förmiger nodus durch dreifach wechselnde Ueberecksstellung
quadratischer Körper gebildet, ziert den 4 kantigen stylus,
welchen endlich ein runder Knopf abschliesst. Aus diesem
erhebt sich dann ein vierkantiges Kreuz, dessen Flächen
nochmal die 4 Evangelisten en relief, und auf der Rückseite
die eingravirten Bildnisse der 4 grossen lateinischen Kirchen-
väter und die Muttergottes schmücken.

Endlich ist noch der Thurm zu erwähnen. Derselbe
legt sich der Südseite der Conventkirche an, und ist ganz in
den hier anstossenden Klosterflügel eingebaut, so dass die
Klostergänge in allen Stockwerken den Thurm durchbrechen.
Er hat einen Durchmesser von 18', und die Mauerdicke misst
unten 3' 4", höher oben 2'. Dieser eingebaute Theil ist der
Rest des alten Thurms; die höhere Parthie des Quadrates und
darüber errichteten vierseitigen Oberbaues mit abgeflachten
Ecken ist jüngeren Ursprungs, doch solid gebaut. Eine
Kuppel deckt den Thurm. Aussen sind die Wände der Kirche
wie des Thurmes ohne Zier.

Drei Glocken hängen in diesem Thurme. Die grosse von
3' 3" Durchmesser hat am obern Rande von einem breiten

Band aus Akanthusblättern eingefasst, die Inschrift: *„Maria Victoria Falqueten Abtissin* 1723." Fünf flache Relief zieren die Wandung der Glocke, ein Kranz umfasst die Namen der Giesser: *„Franciscus Kern und Johannes Weber in Augsburg haben mich gossen"* 1723. Am untern Rande steht: *„Verbum caro factum est et habitavit in nobis"* MDCCXXIII. Die zweite Glocke misst 32" Durchmesser, am obersten Rande steht: *„Johannes Josephus Kern in Augsburg hat mich gossen Anno* 1757." Darunter in einer zweiten Linie: *Maria Caecilia Abatissa.* Die Schrift fasst ein Kranz von Guirlanden ein. Am untern Rande steht; *„A fulgure et tempestate libera nos Domine Jesu Christe."* Die Bilder der heiligen Barbara, Afra, Vitus und das Wappen des Klosters schmücken, basrelief ausgeführt, die Wandung der Glocke. Ein umgekehrtes Salbeiblatt, wahrscheinlich das Zeichen des Giessers, ist an mehreren Stellen angebracht. Die dritte Glocke von 2' Durchmesser hat am obern Rande eine orthographisch fehlerhafte Inschrift in stark manierirten gothischen Majuskelbuchstaben des Inhalts:

„Laux. Zo..man. zuo. Augspvrg. gos.

annatomini 1508. *Laucs. Marcus. Mathevs. Yohames."*

Die einzelnen Worte sind durch je eine Blume getrennt. Einige Grabsteine von Abtissinen der letzten zwei Jahrhunderte sind von geringem Kunstwerthe. Historischen Werth hat ausser dem oben erwähnten der Erbauerin der Kirche, auch der der letzten Abtissin *„Frau Maria Xaveria Irmengardis Stichanerin XXXVI Abtissin des Stiftes Oberschönefeld. Sie starb den 25. Februar* 1803 *im 79 Iahre Ihres überaus tugendhaften Lebens und im 30 Ihrer eben so Leidens– als Ruhmvollen Regierung"* etc. Die Portraite sämmtlicher Abtissinen, die in einem Gange der Abtei hängen, wurden erst im 17. Jahrhunderte nach der Phantasie eines sehr mittelmässigen Malers angefertigt, und haben also nur die Darstellungen der letzten Abtissinen einigen Werth und Treue. Oberschönefeld zählte gewöhnlich 24—30 Frauen ausser der Abtissin, und 10 Laienschwestern. 1803 verfiel das Kloster der Säcularisation. Die Mobilien, Güter, Gebäude wurden versteigert, die Kirche und Conventgebäude aber den Conventfrauen aus Gnade auf Lebensdauer zur Benutzung zugestanden. 1836 genehmigte Se. Majestät König Ludwig die Wiederherstellung des aufgelösten Klosters, und räumte die Benutzung der Kirche, Gebäude und Gärten unter Vorbehalt des Staatseigenthums dem neuen Convente ein [126]).

Durch Kauf kam das Kloster wieder in den Besitz des Bauhofes mit 266 Tagwerk Aecker und Wiesen, dessen Ertrag neben der Mitgift der neu eingetretenen Frauen die einzige Subsistenz des Klosters bildet. Die übrigen oben angeführten Gebäude inner der Mauer sind im Privatbesitz. Gegenwärtig bilden die Klostergemeinde 1 Priorin, 8 Frauen und 5 Laienschwestern.

Die Seelsorge der Klosterfrauen obliegt dem vom Bischofe aufgestellten Beichtvater. Derselbe hält die Gottesdienste für den Convent, die noch vorhandenen Jahrtäge für die Wohlthäter, die Frühmesse an Sonn- und Feyertagen etc. Die Kirche hat, nach der vom bischöflichen Ordinariate unter dem 27. August 1839 für das restaurirte Kloster gegebenen Kirchenordnung, ihre ursprüngliche Eigenschaft als Klosterkirche beibehalten und ist sonach von der Pfarrei unabhängig und keineswegs als Filialkirche derselben zu betrachten.

Oberschönefeld bildet gegenwärtig ausser dem Kloster einen Weiler von 6 Häusern und 46 Seelen. Diese sind verbunden, den pfarrlichen Gottesdienst zu Dietkirch zu besuchen und den Pfarrer daselbst als ihren Seelsorger anzuerkennen. Der Pfarrer hat die Taufen, Copulationen und Seelengottesdienste für die Bewohner von Oberschönefeld in der dortigen Kirche vorzunehmen, die Provisuren von dieser Kirche aus zu besorgen, und die Leichen im Gottesacker zu Oberschönefeld zu begraben. Der jeweilige Klosterbeichtvater soll auf Ersuchen des Pfarrers den Filialisten zu Ober-

---

[126]) Ibid. 302. 307.

schönefeld in der Kirche daselbst die österliche Communion reichen; — gemäss Verfügung des bischöflichen Ordinariates vom 5. und 22. December 1828 [127]).

Die Klosterkirche besitzt ein rentirendes Vermögen von 8300 fl. Das Patrocinium wird am Feste Mariae Himmelfahrt gefeiert; das Fest des Ordensvaters St. Bernardus an dem auf den Festtag dieses Heiligen folgenden Sonntage mit grossem Volksconcurse.

Der Engelshof.

Tief in den Waldungen und von denselben umschlossen, eine halbe Stunde südöstlich von Oberschönefeld und 1 Stunde von Dietkirch, an der Neigung eines Hügels, unfern einem kleinen Bache, liegt das ehemalige St. Georgische Besitzthum Engelshof, das früher ein Schlösschen mit Oeconomiegut und Capelle bildete, jetzt aber in 2 Höfe aufgelöst ist.

Bischof Konrad von Augsburg verhalf den Brüdern zu St. Georgen zum Ankauf des Guts *Englishofen*, indem er den Verkäufern Walkung, Luitold und Eberhard, Gebrüder und Dienstmänner, eine Hube zu Inningen, die Hengstub genannt, übergab [128]). Dieser um 71 Talente 1151 vollzogene Kauf wurde von demselben dem Kloster auch bestätigt [129]). Im Jahre 1548 vertheidigte der Probst Wiedemann von St. Georg die Sache wegen einiger Wiesen in Jauzhofen (Name eines abgegangenen Ortes oder einer Flurmark) bei Engelshofen gelegen [130]). 1612 gab Probst Urban Braun von St. Georg für die jährliche, wegen des jus advocatiae et jurisdictionis zu leistende Last dem Bischof von Augsburg ein in Braitenbrunn gelegenes, mit dieser jährlichen Last in gleichem Ertrag stehendes Gut [131]).

In dem ansehnlichen, vom Kloster St. Georg erbauten Schlösschen hielten sich im Sommer immer einige Kloster-

---

[127]) G. v. O.-Sch. 306. [128]) Braun, Gesch. der Bischöfe von Augsburg. II. 107. [129]) Kham Hierarchia augustana, V. 404. [130]) Kham ibid. 410. [131]) Kham ibid. 413.

Steichele, Archiv II. 20

herrn zur Erheiterung auf. Den Mayerhof hatte das Kloster
meist in Erbpacht gegeben. Die Capelle des heiligen Erz-
engels Michael nennt ein Visitations-Bericht von 1684 eine
alte, und jetzt wieder neu hergestellte Capelle. Nach einge-
tretener Säcularisation des Klosters St. Georg verkaufte der
Staat sämmtliche Gebäude und Gründe um den geringen
Preis von 8000 fl. Die Waldungen aber wurden dem könig-
lichen Forstrevier Oberschönefeld zugetheilt. Bald kamen die
Gebäude in den schlechtesten Stand; die Capelle wurde 1834
abgebrochen; der Mayerhof in 2 Bauernhöfe aufgelöst.

Gegenwärtig wohnen dort 2 Familien mit 12 Seelen.
Diese sind reformirten Bekenntnisses und in die protestantische
Pfarrei Langenerringen eingepfarrt. Etwaige katholische
Dienstboten daselbst werden von Dietkirch aus pastorirt.

4.
Depshofen.

An dem Bache Schwarzach, der bei Schwabeck ent-
springt und in der Nähe von Gessertshausen in die Schmutter
fliesst, liegen inner der Gränzen des Capitels Agenwang
ausser Oberschönefeld noch Depshofen und Weiherhof. Das
Pfarrdorf Depshofen bildet den südlichsten Punkt des Ca-
pitels. Durch das enge waldige Schwarzachthälchen führt
der Weg von Oberschönefeld in einer Stunde in diesen
Waldort, der von allen Seiten abgeschlossen an der Nord-
gränze jenes waldigen, von engen Thälern durchschnittenen
Hügellandes liegt, das von Strassberg bis westlich nach
Balzhausen, und von Depshofen gen Süden bis über Wald hin
sich erstreckt, und im Volksmunde in der Ferne mit dem
Namen: „*in den Stauden,*" in der Nähe aber: „*die Holzwinkel*"
bezeichnet wird. Die ziemlich jäh abfallenden Hügel um den
Ort herum geben hier dem Thale eine Kesselform; doch fin-
det man auch in dieser Tiefung keinen ebenen Raum, so
dass jedes Haus des Dorfes entweder auf einem Büchel oder

in einer Senkung steht; die Häuser, 47 an der Zahl, sind aber meist wohlgebaut. Die sandigen Aecker auf Höhen und Bergabhängen von Wald umschlossen, gestatten nur den Anbau von Roggen und Haber; der Wieswachs ist gering. Obwohl desshalb die Landwirthschaft keinen reichen Ertrag liefert, hat sie sich doch auch hier gehoben, zumal jetzt das Wild keinen so grossen Schaden mehr macht, wie in frühern Zeiten, wo noch aus dem Jahre 1685 die Angabe vorliegt, dass in dieser Gegend selbst Wölfe in Schaafheerden fielen. Hingegen ist der Wald noch immer eine reiche Erwerbsquelle, da nicht bloss die Gemeinde 200 Morgen, sondern jeder Bauer und Söldner eine Strecke Wald eigenthümlich besitzt. Darum durften die Depshofer ihre Abgaben früher theilweise in Holz, statt in Getreide leisten, wie aus einer Urkunde vom Jahre 1364 erhellt, in welcher die Gemain des Dorfes *Tepzhoven* bekennt, dem Gotteshause zum heiligen Kreuz in Augsburg von jedem Lehen ein Fuder ihres eigenen Holzes, d. i. 13 Fuder zu geben und zu führen, statt 13 Metzen Roggen und eben so viel Haber, welche sie früher an das genannte Gotteshaus zu verabreichen hatten [132]).

Die älteste Geschichte von Depshofen ist unbekannt. Das Patronat des heiligen Martinus in der Kirche daselbst und der Umstand, dass das im 10. Jahrhunderte beurkundete Malgershausen Filiale von Depshofen ist, spricht für hohes Alter des Ortes. Ob, wie man schon vermuthet hat, das in der bei Malgershausen zu erwähnenden Translations-Urkunde genannte *Tatenhofen* unser Depshofen sei, können wir nicht bestimmen. In genanntem Orte besass heil. Kreuz 1150 eine Hube, welche dann wohl von dem Mitstifter des Spitals zum heiligen Kreuz, dem edlen Laien Malger, an besagtes Spital gekommen sein möchte und zu den *„alia quedam adjacentia loca,“* die er sammt dem Orte Malgershusen der Kirche der heiligen Maria in Augsburg schenkte, gehört haben [133]).

---

132) Mon. boic. XXXIII. b. 345.   134) Belege hiefür im folgenden bei Malgershausen.

20*

Bestimmt kommt unser Ort unter dem Namen *Tebeshouen*
vor in einer Urkunde Bischof Sibolo's vom Jahre 1241, kraft
welcher er ein nicht näher bezeichnetes bischöfliches Be-
sitzthum, welches an Eberhard von Richen (Hohenreichen)
verliehen war, (der es seinerseits an den Ritter Berchtold
von Alpershouen als Afterlehen übergeben, und das letzterer
an das Kloster heil. Kreuz verkauft hatte) besagtem Kloster
zu eigen machte, indem er auf das Obereigenthumsrecht
seiner Kirche verzichtete [134]).

Im Verlaufe der Zeit finden wir das **Kloster heil.**
Kreuz in Augsburg im Besitze des ganzen Dorfes. Die
Urkunden über die Besitztitel sind aber zur Zeit noch nicht
ermittelt.

Zur Burg **Hattenberg,** wo die bischöflichen Schirm-
vögte sassen, mussten nach dem bischöflichen Urbarium von
1316 „*in Tepshouen ailf halbhuob*" Gefälle bezahlen, und
zwar jede 3 Metzen Haber und 7 Denare [135]). Die Pfarrei
war dem Kloster heil. Kreuz incorporirt, Grossdecimator
blieb jedoch der Pfarrer; das Erträgniss überstieg 1676, nach
Angabe eines Visitations-Berichtes aus jenem Jahre, nicht
250 Gulden.

Die **Pfarrkirche** wurde von 1701 — 1702 grössten-
theils neu erbaut, und 1710 unter dem Titel des heiligen
Martin vom Weihbischofe von Augsburg, Johann Casimir
Röls, Bischof von Amyclä, geweiht. Die alte Kirche war,
wie es in einem Berichte des Vogtes, Kirchenpflegers und
gesammter Gemeinde zu Depshofen an das Vicariatamt zu
Augsburg vom Jahre 1698 heisst, „*eng, klein und baufällig;*"
darum baten die obgenannten: „*es möge das H. B. Vicariat*
ins Mittel treten, damit die Kirche gebaut werde, nachdem
sowohl der Prälat von heil. Kreuz, ihre Herrschaft und
Pfarrpatron, als ihr Pfarrer, der Decimator, die Schuldigkeit
zu bauen von sich schieben wolle." 1701 berichtet der
Pfarrer Johann Casimir Bleymann, dass nun auch der Chor

---

[134]) Regesta boica IV. 746.   [135]) Mon. boic. XXXIV. b. 388.

abgetragen sei und er den Tabernakel in die Sakristei, die zugleich das Glockenhaus sei, transferirt habe. Er bittet, den Gottesdienst in dem neu erbauten Langhaus usque ad reparationem Chori halten zu dürfen [136]).

Die Kirche, circa 70' lang und halb so breit, ist von sehr einfacher, schmuckloser Bauart, die Fenster schliessen mit Rundbogen, über Eckeinziehungen gespannt; eine flache Weisdecke zieht sich über das Schiff; eine im Segmentbogen gehaltene Gypsdecke über den Chor; auch der arcus triumphalis zeigt denselben Flachbogen. Die 3 Altäre von Gypsmarmor in hellem, lieblichem Farbenton, aber zopfiger Form, in Wellenlinien und Verkröpfungen sich gefallend, dienten früher in der Klosterkirche zu Wessobrunn, und kamen nach der Säcularisation und Abbruch jener Klosterkirche im Anfang dieses Jahrhunderts hieher. Nach dem mehrgenannten Visitations-Berichte von 1684 war damals noch der alte kleine gothische Altar vorhanden, da es heisst: „arula summa valde antiqua.“

Den Chorbau umgeben 4 Strebepfeiler, die 2 Fuss vor die Umfassungsmauer ausladen und etwa 16' hoch sind. Sie haben gute Gliederung aus Sockel, Dachschräge an der Hälfte ihrer Höhe, dann von da an Verjüngung mit Dreieckprofil und dem Abschluss durch eine Dachschräge, unter der sich das Dreieck wieder zum Quadrat auskragt, bestehend. An der Ostwand des dreiseitigen Chorschlusses ist deutlich ein zugemauertes Spitzbogenfenster zu sehen.

Dieser gothische Character des Chores mit Streben und Spitzbogen zwingt zu der Annahme, dass der 1702 erwähnte Chorbau kein totaler Neubau gewesen; indem der Chor, welcher übrigens im richtigen Grössenverhältniss zum Schiffe steht, Bauformen zeigt, die in jener Zeit, zumal in Augsburgs Umgebung, nicht mehr in Anwendung kamen; vielmehr weisen diese Formen auf das 15. Jahrhundert. 1702 mag aber dieser alte Chor etwas erhöht und neu bedacht worden seyn.

---

[136]) Akten des bischöfl. Ordinariats.

Der Thurm, in der nördlichen Ecke der Chorein-
ziehung sich erhebend, wird in den Berichten an das H. B.
Vicariat 1701 über den letzten Kirchenbau als bestehend
bezeichnet. Seiner Bauart nach gehört er der Periode des
Uebergangs vom gothischen Styl zur modernen Bauweise,
also dem 16. Jahrhunderte an. Es ist ein Pfeilerbau, die
4 Eckpfeiler von $1^1/_2'$ Dicke treten nach innen und aussen
vor die nur etwa 5" dicke Zwischenmauer und bilden nach
aussen $^1/_2'$ dicke Lesenen, die durch 5 Quergurte verbunden
sind; auf der Innenseite sind diese Pfeiler in jedem Stock-
werke durch Segmentbogen, auf welchen das Gebälk ruht,
verbunden. Ueber dem Erdgeschosse sind die Spuren eines
abgebrochenen Spitzbogengewölbes, das diesen untern Raum,
der als Sakristei diente, bedeckte. Oben bei den Glocken
hat der Thurm auf jeder Seite doppelte Schallöffnungen,
durch ein Säulchen mit modernem Kämpfergesims darüber
geschieden und im Rundbogen überwölbt. Ein Satteldach in
Form eines spitzen Dreiecks schliesst den Thurm. Erinnert
die Pfeilerconstruction, das Spitzbogengewölbe und hohe
Satteldach an die gothische Bauweise, so deutet das etwas
unsolide, schwache Mauerwerk, die Rundbogen und Kämpfer-
gesimse auf den Anfang der modernen Bauart.

Zwei Glocken befinden sich im Thurme; die grössere
nennt in der Inschrift des obern Randes Jahrzahl und
Giesser: „Anno MDCXXX per Wolfgangum Neidhardt in
Augusta." Auf der Mittelfläche ist das Wappen des inful-
irten Probstes von heil. Kreuz, als Herrn des Orts und
Patrons der Kirche: ein zweigetheilter Schild mit dem Jeru-
salemskreuz im einen und 3 Rosetten im andern Felde,
darüber Inful und Stab. Die Widmung und der Name dieses
Stifters selbst erklärt uns die Umschrift des untern Randes:
„Matthaeo, Marco, Lucae et Joanni evangelistis dicata sub
amplisso D. Ioanne Schal. sanctae crucae Augustae
Vindelic. praeposito et S. R. E. prothonotario aere opere
funda(ta)."

Die kleinere Glocke trägt dasselbe Wappen und die Inschrift; „*Wolfgang Neidhart in Augsburg goss mich* 1605."

Malgershausen.

Eine Stunde thalabwärts von Fischach, an sanft abfallendem zu fruchtbarem Ackerland bestelltem Hügelgelände, kaum $1/4$ Stunde von der Schmutter, gegenüber dem Dörfchen Wollishausen, liegt obgenannter Ort.

Madelgereshusen, Malgershusen ist der urkundliche Name dieses Ortes; ein Name, der mit dem seines ältesten bekannten Besitzers ursprünglichen Zusammenhang hat. Walgero, nach einer andern unstreitig bessern Lesart, Malgerus, (offenbar zusammengezogene Form von *Madelgero*, wie *Malgershusen* aus *Madelgereshusen* verkürzte Form ist), war dieser Besitzer. Dieser Madelgero schenkte seine *Villa Madelgereshusen* und andere beiliegende Orte zum Heile seiner Seele der Kirche der heiligen Maria in Augsburg zur Ehre des heiligen Kreuzes, zum täglichen Unterhalte von zwölf Armen. Darnach hat der heilige Bischof Ulrich für diese zwölf Arme ein Haus als Hospital in der Stadt eingerichtet, und Malgero's Stiftung vermehrt. Im Jahre 1150 wurde von Bischof Walther ein grösseres und bequemeres Haus zur Erquickung der Pilger und Armen mit einem Oratorium zu Ehren des heiligen Kreuzes gebaut und die alte Stiftung noch vermehrt und dahin übertragen. So erzählt die bei Gelegenheit dieser Uebertragung am 4. Sept. 1150 von Bischof Walther ausgestellte Urkunde [137]).

Als gegen Ende des 12. Jahrhunderts das Hospital heil. Kreuz in ein Kloster verwandelt und den vom Hamelberge übersiedelten Augustiner Chorherrn übergeben wurde [138]), kam mit den übrigen Hospitalgütern auch Malgershausen an das Kloster heil. Kreuz in Augsburg, unter dessen Herrschaft es bis zur Säcularisation blieb.

---

[137] M. B. XXXIII. a. 30. [138] Braun, Geschichte der Bischöfe von Augsb. II. 166.

Die **Advocatie** über Malgershausen war jedoch ein **Recht der Bischöfe** von Augsburg, deren Vögte auf der Schirmburg Hattenberg hier ebenfalls jährliche Gefälle an Getreide, Vieh und Geld, wie aus dem bischöflichen Urbarium von 1316 zu ersehen, erhoben [139]. Eingepfarrt ist der Ort nach Depshofen; der Umstand, dass die Filiale grösser als das Pfarrdorf, welches zudem durch einen unwegsamen Wald getrennt ¾ Stunden entfernt ist, hat in alter Zeit viele Streitigkeiten zwischen beiden Orten veranlasst. Die von Malgershausen behaupteten, dass ihre Kirche Pfarr-Rechte habe und in alter Zeit eine Pfarrkirche gewesen; 1479 hatte sich wirklich ein gewisser Leonhard Hofmayr von einem päbstlichen Legaten ein Mandat erschlichen, wornach er als Pfarrer von Malgershausen immittirt werden wollte. Dagegen aber protestirten der Probst von heil. Kreuz und der Pfarrer in Depshofen und appellirten nach Rom. Der als judex und commissarius in causa ernannte Anton Baumgartner, Domherr von Brixen, erkannte 1480 gegen Hofmayr zu Gunsten der Kläger, erklärte jenen für einen intrusus, amovirte ihn vom Besitze der Kirche und setzte den Pfarrer von Depshofen wieder in seine Rechte ein. In der dessfalls ausgestellten Urkunde heisst die Kirche in Malgershausen „*ecclesiae in Depshouen annexa, unita et incorporata, filialis nuncupata*" [140]. Im Jahre 1490 beschwerten sich die von Malgershausen abermals wegen Vernachlässigung der Seelsorge und des Gottesdienstes, und glaubten eines eigenen Pfarrers zu bedürfen. Bischof Friedrich liess eine Untersuchung anstellen, wobei befunden wurde, dass Malgershausen allezeit eine Filiale und Zukirche zu Depshofen, als der rechten Mutter gehörig, gewesen. Der Bischof beschied nun die Sache also, dass ein jeweiliger Pfarrer zu Depshofen je zwei Sonntage zu Depshofen, und den dritten Sonntag zu Malgershausen das Amt der heiligen Messe mit Predigen etc.

---

[139] Mon. boica XXXIV. b. 388. [140] Archiv des bischöflichen Ordinariats.

vollbringe und alle Wochen daselbst zweimal Messe lesen
sollte; dass die von Malgershausen zu österlicher Zeit die
heiligen Sacramente in der Pfarr- und Mutterkirche empfan-
gen sollen etc. Im Jahre 1494 hat endlich auch noch Pabst
Alexander VI. das Filialverhältniss der Kirche von Malgers-
hausen zu der Mutterkirche von Depshofen bestätigt [141]).

Doch hörten die Ansprüche deren von Malgershausen
dess Allem ungeachtet nicht auf: da stiftete 1776 M. Mag-
dalena Endele, die Wittwe des Bürgers und Buchhändlers
Joseph Endele zu Augsburg, ein Curatbeneficium nach Mal-
gertshausen mit einem Capitale von 7000 fl. sammt weitern
400 fl. für Unterhaltung des ewigen Lichtes; das Kloster
heil. Kreuz überliess dem Beneficiaten die Nutzniessung einer
kleinen Sölde, und baute für ihn an der Stelle der verfallenen
Söldwohnung ein anständiges Haus; der Pfarrer von Deps-
hofen überliess dem Beneficiaten allen Kleinzehent, die ge-
stifteten Jahrtage, die Stolbezüge von Hochzeiten, Leichen,
Kreuzgängen, Opfern, mit Ausnahme jenes, so an der Kirch-
weihe, am Patrocinium und in vigilia commemorationis ani-
marum, wenn an diesen Tagen der Pfarrer selbst den vor-
mittägigen Gottesdienst in Malgershausen halten würde, fallen
möchte. Für Ablassung dieser Pfarrgefälle solle die Ge-
meinde den Pfarrer mit jährlichen 40 fl. entschädigen [142]).
Durch diese milde Stiftung kam die Gemeinde zu der Wohl-
that eines eigenen Gottesdienstes an Sonn- und Festtagen,
und jene langen Streitigkeiten hatten ein Ende.

Eine Kirche muss, wie aus dem oben Gesagten erhellt,
hier schon früh bestanden haben. Noch sieht man an der
Westseite des Thurmes die Spuren des östlichen Dachgiebels
vom Schiffe der alten Kirche, deren Chor der untere Theil
des Thurms bildete. Deutlich ist im Thurme der ehemalige
Frohnbogen sichtbar, in Halbkreisform, der Schiff und Chor
vermittelt, und der jetzt, da nun der Thurm nicht mehr wie
früher über dem Chor, sondern neben demselben steht, unter-

---

141) Ebend. 142) Ebend.

mauert ist; auch die übrigen drei Wandbögen, über denen sich das nun abgebrochene Chorgewölbe erhob, dessen Scheitel etwa 18' vom Boden stand, sind im Thurme erkennbar. Diese alte Kirche war wohl nur zum dritten Theile so gross, als die jetzige nach einer Inschrift 1723 erbaute, sehr geräumige Kirche.

Die Wände der Kirche, von grossen in etwas gedrücktem Rundbogen geschlossenen Fenstern durchbrochen, verlaufen ohne Zier. Der Chorbogen, wie auch die Plafonde im Schiffe und Chor, spannen sich in einem unorganischen gedrückten Stichbogen über die Räume. Die in reinen Kreissegmenten über die Fenster sich hinbewegenden, auf aus der Mauer vorspringenden Trägern ruhenden und in den Plafond einschneidenden Kappen bringen etwas Leben in die Monotonie der Architectur. Der Chor ist dreiseitig geschlossen. Im Jahre 1842 hat ein Wohlthäter in Augsburg, Valentin Pracht zu Margershausen geboren, 2000 fl. geschenkt zur Ausschmückung und Renovation der Kirche; leider aber ist weder Schönes noch Würdiges durch diese Renovation geschaffen worden.

Vom alten, gewiss nicht hohen Thurme ist nur noch ein geringer Theil übrig; er hat 15' Durchmesser und $2\frac{1}{2}'$ Mauerdicke; der ganze übrige neuere Theil des Thurmquadrates und darauf gebauten Achteckes hat nur die Dicke eines Steines. Drei kleine Glocken hängen im Thurme: eine alte ohne Inschrift, zwei andere von roher Arbeit 1829 und 1830 von Anton Bletl in Augsburg gegossen.

Von alten Bildwerken ist noch eine sitzende M a d o n n a $2\frac{1}{2}'$ hoch aus dem 15. Jahrhunderte vorhanden. Es ist ein gutes Bild voll Leben und Bewegung; ein Theil des Schleiers, der über die eine Schulter herabfällt, ist lose über den Kopf geworfen, und deckt einen Theil des Haarschmuckes.

Die Kirche steht, etwas abgesondert durch einen Graben, auf einer kleinen Erhöhung. Sie ist den Heiligen Georg und Thomas geweiht.

Weiherhof.

Im engen Schwarzachthälchen, $^1/_4$ Stunde abwärts von Depshofen, liegt ein schönes Gut, eine Grangia des ehemaligen Klosters Oberschönefeld, nämlich der Weiherhof.

Diesen Namen bekam der Hof von einem ungefähr 15 Tagwerk grossen, seit etwa 30 Jahren trocken gelegten Fischweiher, welchen genanntes Kloster 1480 hier anlegte. In besagtem Jahre traf nämlich die Abtissin von Oberschönefeld einen Tausch mit dem Probste Johann Fuchs vom Kloster heil. Kreuz in Augsburg. Zur Anlegung eines Weihers zu Oberhofen überliess ihr der Probst so viel Boden in den seinen Hintersassen zu Depshofen gehörigen sogenannten Lindenmädern an der Grump (Schwarzach), als sie zu ihrem Vorhaben bedurfte; dagegen gab ihm die Abtissin einen Theil des Klosterangers an demselben Bache [143]).

Unter dem frühern Namen „villa Obernhouen" wird dieser Hof in Urkunden des Klosters Oberschönefeld mehrmals genannt; denn wie aus der Geschichte des besagten Klosters hervorgeht, war der Oberhof die Wiege desselben, und wurde es erst mehrere Jahre nach der Gründung in die Ausmündung des Thales verlegt und Schönefeld genannt [144]).

Das Kloster Oberschönefeld behielt den Oberhof meist zu eigener Nutzung, zuweilen liess es ihn auch durch Pächter bestellen. Bischof Hartmann hatte dem Kloster die Verpflichtung aufgelegt, wegen der bischöflichen Lehenbarkeit des Oberhofes jährlich auf Michaeli 1 Pfund Wachs an die Domkirche zu entrichten [145]).

Nach der Säcularisation gieng der Hof durch Kauf an Private über. So lange das Kloster Oberschönefeld bestand, wurde dieser Hof, ohne in einen Pfarrsprengel eingewiesen zu seyn, durch den Vicar von Oberschönefeld pastorirt und die Verstorbenen im Freithofe zu Oberschönefeld begraben.

---

[143]) Geschichte von Oberschönefeld, 239. [144]) Ebend. 193 etc.
[145]) Braun, G. d. Bischöfe II. 329.

Nach Aufhebung des Klosters wurde derselbe der Pfarrei
Dietkirch zugetheilt; 1825 aber endlich der viel nähern
Pfarrei und Gemeinde Depshofen zugewiesen [116]).
    Schon in alter Zeit war in Oberhouen eine Capelle.
Die gegenwärtig bestehende ist ganz klein, moderner schlech-
ter Bauart und hat ein Dachreiterthürmchen.

Scheppacherhof.

In Waldestiefe, eine halbe Stunde östlich von Depshofen,
liegt das ehemalige Kloster-Hofgut Scheppacherhof. Ein
kleiner Bach, der mehrere Weiher bildet, und in dessen
Nähe $^3/_4$ Stunden nördlich ein anderes Klostergut, der schon
beschriebene Engelshof liegt, durchfliesst das Hofgelände.
Bis zum dreissigjährigen Kriege war hier ein aus mehreren
Höfen und Häusern bestehender Weiler. Albrechtshofen
soll nach der Klosterchronik von Oberschönefeld der Name
dieses Weilers gewesen seyn. 1299 überliess Ulrich, Kaem-
merer von Wellenburg, als Aussteuer seiner Tochter Agnes,
welche Nonne in Schönefeld war, der Abtissin und dem
Convente daselbst Güter zu Albrechtshofen [117]). Im 15. Jahr-
hundert kommt der Name Scheppach von hiesigem Orte
vor. Um 1450 kam das Kloster Oberschönefeld in Conflict
mit dem Augsburger Bürger Heinrich Romer, der mit Schep-
pach belehnt war und grössere Strecken ausreutete, als ihm
gehörten. 1453 kaufte besagtes Kloster von Peter Romer
den halben Theil an dem Scheppach, den Oster- und
Westerscheppach, sämmtlich Lehen des Hochstifts
Augsburg, nebst Stallungen und Stadel um 200 fl. Der
Abtissin Barbara gelang es, in den Besitz des grössten Theils
von Scheppach zu kommen. Sie kaufte 1575 eine verliehene
leibfällige Bestandgerechtigkeit um 34 fl. an das Kloster
zurück; 1581 von Georg Riederer sein Haus, Hof und Gässle
zu Oberscheppach um 320 fl.; 1591 von Sebastian Knoll

---

[116]) Akten des bischöfl. Archivs. [117]) Gesch. von Obersch. 216.

eine früher dem Kloster giltbar gewesene Sölde zu Scheppach um 62 fl.; von Hans Welser, Stadtpfleger zu Augsburg, kaufte sie 3 Waldstrecken bei Scheppach um 2000 fl., und im selben Jahre von Leonhard Raffel um 152 fl. Anger und Mäder zu Scheppach. Es bestand also Scheppach aus mehrern Bezirken und Gütern, die aber im dreissigjährigen Kriege zerstört wurden, und deren Flurmarken bald Wald überwucherte und noch bedeckt. 1657 wandte die Abtissin Anna Maria ihre Sorgfalt auf das verödete Scheppach, und baute daselbst einen Hof von Grund aus neu auf. Seit dieser Zeit besteht nur mehr dieses eine grosse Hofgut, und wurde Scheppacherhof genannt [148]). 1601 hatte die Abtissin Walburga den Bewohnern des einsamen Weilers Scheppach eine schöne lauretanische Capelle gebaut [149]). Diese Capelle wird indess mit dem ganzen Weiler im dreissigjährigen Kriege das Schicksal totaler Zerstörung getheilt haben.

Die gegenwärtige, sehr vernachlässigte Capelle, deren Besitzer der Hofbauer, ist ziemlich gross. Das Schiff circa 35' lang und 25' breit, hat rund geschlossene Fenster und im Plafond das Wappen der baulustigen Abtissin von Oberschönefeld Maria Victoria Farget mit der Jahrzahl 1741, in welchem Jahre die Capelle wird neu gebaut worden seyn. Der Chor von gleicher Länge mit dem Schiff, aber nur 13' Breite, hat die bekannte Gestalt eines lauretanischen Hauses ohne Fenster mit Tonnengewölbe. In der Ostwand des Chores hat jetzt die steinerne Umrahmung eines französischen Kamins, das 5' hoch und 6' breit ist, und dessen Kanten Arabesken, Blumen-Ornamente, Wappenschilde zieren, und das die Jahrzahl 1547 trägt, Platz gefunden. Es dient nun als Untergestell für ein Madonnenbild von Holz geschnitzt. Dieses, 4' 9" hoch, zeigt eine schöne, edle, schlanke Gestalt: ein Gewand von Silberstoff, grün geblümt, mit einem goldenen Band gegürtet, umhüllt sie, darüber fällt ein goldener Mantel über die Schultern und den linken Arm geschlagen, und unter

---

[148]) Ibid. 235, 236. 262. 290. [149]) Ibid. 273.

dém Gürtel vorn zusammenfliessend, das Jesuskind ist ganz
gekleidet in Silber, Grün und Gold, es stellt die Füsse auf
die Falten des Mantels, von der rechten Hand der Mutter
unterstützt, und wird mit der linken umschlungen. Der Leib
der Mutter hat eine auswärts geschwungene Stellung, und das
rechte Knie ist bewegend vorgeneigt. Dieses gute Sculptur-
werk gehört noch dem 15. Jahrhunderte an. Ausserdem finden
sich hier von Holzsculpturen ein heiliger Sebastian $1\frac{1}{2}'$
hoch, nackt, mit lockigem Haar, noch an altdeutschen Charak-
ter erinnernd; dann 2 moderne gute Statuen von gleicher
Grösse wie obige, nämlich der heilige Ritter Georg und der
heilige Rochus, dem ein Engel das wunde Knie heilt, beide
wohl aus dem 17. Jahrhundert, endlich ein Vesperbild von
ähnlicher Arbeit. Die 3 Altäre von Stucco zeigen Zopf-
formen; der im Chor hat keinen Aufsatz, da die Madonna
an der Ostwand über demselben sichtbar ist. Ein schönes
Werk der Ziegelbrennerei ist der moderne Weihwasser-
Stein mit Consolenfries geschmückt. Ueber der Ostwand
der Capelle ist ein Dachreiterthürmchen, erst vier-, dann
achtseitig, mit Kuppeldach gedeckt. Früher wie der Weiher-
hof von Oberschönefeld aus pastorirt, wurde der Scheppacher-
hof nach der Säcularisation erst nach Dietkirch, und endlich
1824 nach Depshofen eingepfarrt. Das Kloster Oberschöne-
feld hatte das Hofgut zuweilen verpachtet, zuweilen selbst
bebaut; nach dessen Aufhebung kam es um den Spottpreis
von 5000 fl. an einen Privaten.

———

5.
Pf. Willishausen.

Nördlich von Dietkirch und Gessertshausen liegt die
Pfarrei Willishausen, die Dörfer Willishausen, Hau-
sen, Deubach und die Einöde Oggenhof umschliessend.
Deubach liegt Gessertshausen gegenüber, unfern der Schmut-
ter, in einer Einsenkung, welche die dieses Flüsschen be-

gleitenden niedern Hügel hier bilden; Hausen ganz nahe der
Schmutter am Abhange eines vorspringenden Hügels; Wil-
lishausen in einer Senkung, aus der ein kleines Bäch-
lein fliesst, zwischen besagtem Hügelvorsprung und einer
höhern Reihe waldbekrönter Hügel, welche von Westen her
ziehend hier auf einmal an die Schmutter herantreten, und
dieselbe in ihrem weitern Laufe fortan begleiten; Oggenhof
liegt am Ausgang dieses Thälchens, an der Abdachung eines
langgedehnten Hügels. Willishausen ist der Sitz des Pfarrers
und der Schule, hier ist auch die Begräbnisstätte für die
ganze Pfarrei. Der Ort zählt 24 Häuser, 26 Familien,
126 Seelen.

Willehalmeshusen, *Willamshusen* ist der ursprüngliche
Name des Pfarrdorfes, der wohl von einem seiner frühern
Besitzer herzuleiten ist, die sich ihrerseits wieder von diesem
Orte zubenannten. *Chunradus decanus de Willamshusen*,
wird in der wichtigen Urkunde über die Schenkung, welche
Bischof Hartmann, aus dem Geschlechte der Grafen von
Dilingen, mit seinen Stammgütern der Kirche von Augsburg
machte, als Zeuge genannt; de dato Augsburg 29. December
1258 [150]). Dieser Conrad wird in der grossen Reihe der
Zeugen nach den Canonikern der Domkirche und denen der
Stifter St. Georg, heil. Kreuz und St. Moriz aufgeführt, er
kann also kein Decan bei einem dieser Stifter, sondern mag
wohl Decan des Capitels, das jetzt Agenwang betitelt wird,
und in welchem sein Stammgut Willamshusen lag, ge-
wesen seyn. In einer Oberschönefeldischen Urkunde von
1271 wird wieder der Conradus decanus de Willehalmes-
husen neben den Plebani in Wollamshusen und in Mesishoven
genannt [151]). Seine Wohnung scheint derselbe in Augsburg
genommen zu haben; noch 1339 wird in einer ulrikanischen
Urkunde eines Hauses des Chunrad de Willishusen, das nahe
dem Kloster St. Ulrich lag, Erwähnung gethan [152]).

---

[150]) Mon. boic. XXXIII. a. 90. [151]) Geschichte von Oberschöne-
feld, Seite 317. [152]) Mon. boic. XXIII. 114.

Als Herren wenigstens des grössern Theils von Willis-hausen erscheinen später die von Lichtenstein, und nach diesen deren Erben, die von Knöringen und Biberbach. Zuletzt erwarb das Hospital zum heiligen Geist in Augsburg den ganzen Ort, indem es nicht nur 1441 das obgenannte Erbe kaufte, sondern auch jene einzelnen Güter, welche andere Edle und Patricier der Stadt Augsburg daselbst vom Bischof zu Lehen hatten, 1448 und 1458 durch Kauf, und ein Hofgut des Stiftes St. Moriz noch 1643 durch Tausch erwarb [153]).

Ueber die Gründung und das Alter der Pfarrei in Willishausen ist nichts bekannt. Im Jahre 1349 dotirte Konrad Onsorg von Augsburg mit dem Kirchensatze, Zehent und Widdum in *Wilhelmshausen* zwei von ihm in der Collegiatstiftskirche St. Moriz gestiftete Caplaneien und Vicarien der Allerheiligen-Capelle, und überliess besagtem Stifte das Präsentations-Recht [154]). Konrad Onsorg war Be-sitzer von Wellenburg [155]); demnach scheinen besagte Dotations-Güter Lehen gewesen zu seyn, welche die frühern Besitzer dieser Burg, die bischöflichen Kaemmerer von Wellenburg, von den Bischöfen zur Nutzniessung empfangen hatten [156]).

Die Pfarrkirche in Mitte des Ortes, auf einem kegel-förmigen Hügel, ist sammt ihrem Thurme ein ziemlich unso-lider Ziegelbau, in ihrer jetzigen Gestalt aus der Periode nach dem dreissigjährigen Kriege. Sie erhebt sich grössten-theils über den Fundamenten eines sehr alten Baues aus der romanischen Bauperiode. Die Stärke und Festigkeit dieser alten Reste, welche an der Nordseite 24' lang und 5' hoch

---

[153]) Hospital Augsb. Archiv nach v. Becks Mscpt. [154]) Braun, historisch - topograph. Beschreib. des Bisthums Augsburg I., 300. [155]) Visca 27. [156]) Einen der, wie erwähnt, später vom Hospital zu Augsburg erworbenen Höfe trug im 14. Jahrhundert ein Augsbur-ger Bürger, Meister Hans der Goldschmied, von dem bischöf-lich augsburgischen Speiseamt zu Lehen. Aus dem Spital-Archiv von M. Beck, Landrichter in Zusmarshausen.

sichtbar sind, das hier seltene Material, spärlich behauener Sandstein, sprechen für jene frühe Zeit. Später wurde das Schiff gegen Osten hin um 7' verlängert, und ein im Dreischluss abgegränzter 21' langer Chor angebaut. Dies geschah noch in der gothischen Periode, wie ein noch übriger Strebepfeiler von 2 Geschossen am Chore beweist. Im dreissigjährigen Kriege mag die Kirche in Verfall gekommen seyn; nach eingetretener Ruhe aber wurde sie wieder hergestellt. Doch geschah dieses erst am Ende des 17. Jahrhunderts; denn 1676 wird von der Kirche berichtet, dass sie wegen grosser Armuth in schlechtem Zustande sei, an vielen Stellen dringe der Regen durch die schadhafte Dachung. 1684 wird gesagt, die Kirche sei sehr eng, der Thurm drohe einzustürzen; 1688, die Mauern der Kirche seien so schadhaft, dass ihr Einsturz zu befürchten sei [157]). Das Schiff deckt eine wagerechte Gypsdecke; Chor und Chorbogen sind im Segmentbogen eingewölbt; die Fenster schliessen im Rundbogen. Ueber der östlichen Schlussmauer des Chores erhebt sich der unorganisch angebrachte und schlecht gebaute kleine Thurm, 2 Stockwerke hoch mit Satteldach schliessend. Die 4 Seiten des ersten Stockwerkes sind durch je 2 tiefe, durch Pfeilerchen getrennte Nischen, die in einem gedrückten flachen Bogen abschliessen, gegliedert; in ähnlichen Bogen und gleicher Zahl sind im zweiten Stocke die Schallöffnungen gebildet. Der Thurm ladet über die Mauer des Chores, auf der er sich erhebt, stark aus. Diese Ausladung ist durch 2 Pfeiler unterstützt, die früher Strebepfeiler des Chores waren, nun aber unförmlich verändert sind. Die 2 kleinen Glöckchen im Thurme wurden in Augsburg gegossen, eines im vorigen, das andere erst in diesem Jahrhunderte.

Die 3 Altäre stammen aus der Zopfzeit und bieten nichts Erwähnenswerthes. Eine Statue des Patrons der Kirche, des heiligen Martinus, als Rittersmann mit Waffenrock und Barett, einen Mantel überworfen, den er mit dem Schwerte

---

[157]) Akten des bischöflichen Archivs.

Steichele, Archiv II.   21

durchhaut, um denselben dem Bettler neben ihm zu geben,
befindet sich an einer Wand des Chores. Sie ist 3' hoch,
von naturgemässer Bewegung und dem 16. Jahrhundert ent-
stammend. Aus gleicher Zeit ist eine Statue des heiligen
Sebastian, circa 2' hoch, von altdeutschem Character, mit
krausen Haaren; der nackte Leib von Pfeilen durchbohrt
lässt sein Martyrium, der goldene Mantel um die Schultern
geworfen seine Glorie erkennen. Zwei jüngere Statuen der
heiligen Bischöfe Martinus und Ulrich, 4' hoch, sind
ebenfalls noch würdige Bilder von ruhiger Haltung. Die
zwei Altarblätter der Seitenaltäre, Gemälde aus dem vorigen
Jahrhunderte, die Herzen Jesu und Maria darstellend, kamen
1836 durch königliche Munificenz aus der Filialgemälde-
Gallerie zu Augsburg in den Besitz der hiesigen Pfarr-
kirche.

Im Innern an der Nordseite des Chores befindet sich ein
schönes Grabmal aus einer ovalen Steinplatte, in die eine
Inschrift mit einem Kranze von gut stylisirtem Laubwerk und
Wappen umgeben eingegraben ist. Joannes Antonius II.,
Fürstbischof von Eichstädt, hat 1742 dieses Denkmal seinen
Eltern, dem Herrn Joann Marquard L. B. de Bodmann, ge-
storben 1719, und der Frau Joanna Adelhaid, geborne von
Gemmingen, gestorben 1721, setzen lassen. Das zweimal
angebrachte Wappen der alten Familie von Bodmann ist vier-
getheilt, 2 Felder zeigen je einen Steinbock, je 3 flammende
Herzen füllen die andern 2 Felder.

Die Monstranz schenkte 1719 die Frau Theresia Freyin
von Leiden, geborne Freyin Schmidin von Schönbrunn, dem
heiligen Martin zu Willishausen und dem heiligen Gallus zu
Deubach.

Einen silbernen Kelch stiftete 1751 Vitus Holl, Schloss-
jäger in Deubach.

Ein altes Messgewand von Gold- und Silbergewebe
wurde bei der Säcularisation des Klosters Fultenbach von
Pfarrer Jakob Wagner um 70 fl. für die Pfarrkirche Willis-
hausen erstanden. An der Innenseite des Vordertheils trägt

es die Inschrift: *„Anno Domini 1549 Ratisbonae Frater Monobonus Calemita renovirt* [158]).

Hausen.

Ueber einen Hügelrücken gelangt man vom Pfarrdorf in einer Viertelstunde nach der Filiale Hausen, einem Dorfe von 23 Häusern, 27 Familien und 129 Seelen, das terrassenförmig an der Nordseite des genannten Hügels, dessen Kuppe die Kirche krönt, und dessen Fuss die Schmutter umschlängelt, gebaut ist. Das Dorf war ein bischöfliches Lehen, dessen Besitzer hier eine Burg erbauten. Des Burgstalles daselbst wird in den Urkunden des 15. und 16. Jahrhunderts mehrfach Erwähnung gethan. Ob die Besitzer dieses Ortes unter den vielen Edlen, die sich im 12. und 13. Jahrhunderte *„von Hausen"* zubenennen, begriffen sind, kann, weil sehr viele Orte diesen Namen führen, nicht bestimmt gesagt, jedoch als wahrscheinlich angenommen werden, weil hier eine Burg war, und in den bischöflich Augsburgischen Urkunden des 12. Jahrhunderts unter andern Edlen und bischöflichen Dienstmannen dieser Gegend sehr oft die Diepolde und Ulriche etc. *„de Husen"* als Zeugen vorkommen [159]).

Urkundlich erscheinen die Besitzer des bischöflichen Kämmereramtes und der Burg Wellenburg im Besitze der bischöflichen Lehen zu Hausen. 1314 übergibt Arnolt der Kammerer von Wellenburg seinen Hof zu Hausen, im Fall er von seiner Fahrt gen Frankfurt, die er mit dem Herzoge von Kärnthen macht, nicht wieder zurückkommt, dem Domcapitel zu Augsburg um seiner Seele willen [160]). In einem noch vorhandenen Vidimus eines Kaufbriefes [161]) vom Jahre 1377 werden unter Anderm als Bestandtheile des zu Wellenburg gehörigen und vom Bischofe von Augsburg als *„rechtz lehenn"* habenden Besitzes genannt:

---

[158]) Pfarramtlicher Bericht. [159]) Braun, Geschichte der Bischöfe von Augsburg, und M. B. multis locis. [160]) Mon. boic. XXXIII. a. 394. [161]) Monum boic. XXXIII. b. 492.

21 *

das Dorfgericht, die Vogtci und alle Ehehäften zu Hausen. Im Lehenbuche des Bischofs Peter von Augsburg, aufgenommen von 1420—1436, wird unter den Lehen, welche die damaligen Besitzer von Wellenburg, die Onsorg, vom Bischof inne hatten, ebenfalls das Dorfgericht zu Husen aufgeführt [162]). Endlich wird, als Jakob Fugger 1595 die Herrschaft Wellenburg kaufte und von Bischof Otto von Augsburg damit belehnt wurde, in dem dabei ausgestellten Lehenbriefe unter den Zubehörden zu Wellenburg das Dorfgericht zu Hausen und die Vogtei über 3 Lehen und die Felder daselbst genannt [163]).

Die verschiedenen Inhaber der Wellenburg und des bischöflichen Kammereramtes verloren nach und nach ihre Besitzungen in Hausen. Noch im 15. Jahrhunderte gehörten von den 11 Feuerstätten, die Hausen und Oggenhof damals zählte, $3^1/_2$ Höfe zu dem Kammereramte. 1454 hatte Anna Degenhartin aus dem Erbkammer-Amtlehen den Burgstall, $2^1/_2$ Höfe und den Wald Katzengehau im Besitz [164]). Im 16. Jahrhunderte war nur noch 1 Hof bei Wellenburg; alle übrigen Besitztheile, die in verschiedene Hände gekommen, brachte der Augsburger Bürger Hans Baumgartner an sich, der im Jahre 1564 den Burgstall, 5 Höfe und 5 Sölden besass [165]). Drei Höfe hatte derselbe von St. Georg in Augsburg erworben; dieses Kloster besass das älteste beurkundete Besitzthum in Hausen und dem nahen Deubach. Um 1154 nämlich überliess Wernher Cellerarius bei der Kirche St. Moriz in Augsburg von den ihm zur Nutzniessung überlassenen Gütern den Brüdern des Klosters St. Georg Güter *(beneficialia bona) in Husen, in Tudebach* [166]). Von Baumgartner kam Hausen 1574 an Sebastian

---

162) Aus dem vormaligen bisch. Archiv, mitgetheilt v. Raiser in Viaca, Urkunden-Sammlung II. Nro. 93. 163) Aus dem Fürstl. Fugger'schen Archiv mitgetheilt v. Raiser Viaca Seite 33. 164) Schertlin'sches Familien-Archiv nach v. Becks Mscpt. 165) Landgerichts-Registratur nach v. Beck. 166) Regest. boic. I., 217. Conf. Khamm Hier. augustana V. 404.

Schärtlin von Burtenbach, der endlich seine Besitzungen und Rechte daselbst 1591 an das adeliche Stift St. Stephan in Augsburg um 14,500 fl. überliess [167].

Die Kirche steht auf dem Buschelberge, nach der Tradition an der Stelle der alten Burg, mit einem angebauteu Hause. Die alte frühere Capelle wird in einem Berichte [168] als sehr klein und so ruinös geschildert, dass täglich ihr Einsturz befürchtet wird.

Eine Inschrift innen über der Thüre der Kirche, auf einer Metallplatte von 20" im Quadrat mit 8 Wappen umgeben, gibt Aufschluss über die Wiedererbauung derselben.

Sie lautet in lateinischer Schrift:

Anno MDCXCV

Sacellum istud

S. Nicolai Episcopi in Hausen

Sumptibus

Praenobilis Liberi Coenobii ad S. Stephanum

Augustae

Denuo Funditus Exstrui Curarunt;

Reverendissima et Perillustris Domina Domina Maria Susana Abbatissa ad S. Stephanum, nata Baronissa de Syrgenstain,

Nec Non

Perillustres ac Praenobiles Capitulares et Canonissae ibidem

Joanna Susanna ab Eyb

Maria Margaretha de Buebenhoven

Maria Rosa Baronissa de Prasperg

Maria Catharina Francisca Schliederin de Lachen

Maria Josepha Elisabetha ab Eyb

Maria Eva Rosina Baronissa de Bodmann

Maria Rosa Beatrix Baronissa a Freyberg.

Die Capelle ist etwa 48' lang bei entsprechender Breite. Das Schiff hat eine flache Weissdecke, die Fenster schliessen im Stichbogen ab; der etwas engere, im Halbkreis geschlossene Chor hat ein rundbogiges Kappengewölbe; derselbe

---

[167] Mspt. von M. v. Beck. [168] Acten des bisch. Archivs.

Bogen ist auch im Frohnbogen angewendet. Die Einrichtung
und Zier der Capelle ist arm. Das Bild des heiligen Nico-
laus, des Patrons, gut gemalt und noch aus dem 17. Jahr-
hunderte; aus derselben Zeit 2 Reliefe in Kupfer getrieben
und versilbert in Tafeln von circa 1' Quadrat, den Englischen
Gruss und die Geburt Christi darstellend; endlich ein Vesper-
bild, 2' hohe Statue von altdeutschem Character aus dem
16. Jahrhunderte, aber durch Fassung sehr verdorben, sind
die nennenswerthen Gegenstände.

Das Thürmchen nur klein kuppelbedacht, reitet zwischen
Schiff und Chor über dem Dach der Kirche. Das an die
Kirche angebaute Haus, einst ein redendes Denkmal des
Edelsinnes und der Wohlthätigkeit der Frauen vom Stifte
St. Stephan, war als Spital für alte und gebrechliche Unter-
thanen dieses Stiftes gebaut worden.

Leider ist dieses Haus jetzt an einen Hufschmied ver-
kauft, und so seinem Zwecke entfremdet. Das Stammver-
mögen der Spitalstiftung Hausen von 30,000 fl. ist noch vor-
handen; ein Theil der Zinsen wird gegenwärtig den Armen
zugewendet, der grössere aber admassirt, um mit der Zeit
den Stiftungszweck wieder erfüllen zu können [169]).

Oggenhof

wurde früher zu Hausen gezählt, und hat darum mit diesem
eine Geschichte. St. Stephan baute 1716 und 1724 zu dem
Einödhof 2 Sölden [170]). Jetzt ist, hoch am Hügel, ein Zie-
gelstadel gebaut, so dass nun 5 Häuser, 5 Familien und
19 Seelen sich hier befinden. Ein kirchliches Gebäude ist
nicht vorhanden.

Deubach.

Dieses Dorf besteht aus 49 Häusern mit 51 Familien und
224 Seelen; es liegt in einem kurzen nach Norden gewendetem

---

[169]) Pfarramtlicher Bericht.   [170]) Nach v. Beck Mspt.

Seitenthale, aus welchem ein Bächlein hervorrinnt, das der nahen Schmutter zufliesst; an letzterer ist auch die Mühle des Dorfes gebaut.

Das Kloster St. Georg in Augsburg war frühzeitig im Besitze, von Gütern in diesem Orte. 1151 erwarb es die halbe Mühle in *Tuderbach* [171]). 1154 kam es abermal zu Güterbesitz in *Tudebach* [172]). Probst Geroldshofer, erwählt 1402, kaufte Rechte in *Teubach*. Unter Probst Nicolaus Steiner, 1475 — 1479, veräusserte aber das Kloster 3 Huben sammt Wiesen in *Teübach* durch Tausch [173]). 1494 ist Georg Ulstatt zu Augsburg im Besitze dieses Ortes. 1569 war Hans Lauginger Inhaber desselben; dann folgen die Langenauer im Besitze, und endlich trat Adam Zech, Stadt Augsburgischer Rathsconsulent, die Herrschaft an. Sein Enkel Constantin wurde 1677 unter dem Namen Zech von Deubach in den Freiherrlichen Stand erhoben [174]). Die Besitzer bewohnten ein mitten im Dorfe in der Ebene gelegenes Schloss, das schon die Ulstatt im 15. Jahrhundert bewohnt haben sollen. 1565 soll dieses ältere Schloss umgebaut, und wenige Jahre später auch die Capelle durch Hans Langenauer erneuert worden seyn [175]), was 1684 abermals geschah [176]). Als der letzte Besitzer aus der Familie von Zech 1823 seinen ganzen Besitz veräusserte, schenkte er die Schlosscapelle, welche mit dem Schlosse durch einen 150′ langen Säulengang verbunden war, als frommes Vermächtniss der Gemeinde Deubach. 1832 wurde das ganze Schlossgebäude abgetragen; die Güter waren bereits zertrümmert, daher die vielen Kleingütler, welche jetzt den früher viel kleinern Ort bewohnen.

Zwischen Deubach und Kutzenhausen war der öfter in Urkunden erwähnte Weiler W i n d e n gebaut, dessen Name nur mehr als Flurmarke bekannt ist, und der frühzeitig schon verödete. 1285 schenkte Heinrich von Augsburg, welchen

---

[171]) Khamm hierarch. august. V. 404.   [172]) Regesta boica I., 217.
[173]) Khamm ibid. 407.   [174]) P. v. Stetten l. c. 193. 277.   [175]) Pfarramtlicher Bericht.   [176]) Acten des bischöfl. Archivs.

Bischof Hartmann in der dessfallsigen Urkunde *dilectum et fidelem nostrum* nennt, seine 2 Höfe in Winden dem Kloster Oberschönefeld. 1477 vertauschte dieses Kloster einen Einödhof Winden bei Deubach an Jakob Graegh, Bürger zu Augsburg, gegen einen ganzen Hof, zwei halbe Höfe, eine Sölde und einige Wismade zu Fischach[177]). 1485 werden bei einem Verkauf daselbst nur mehr G ü t e r, aber kein Hof genannt[178]).

Die dem heiligen Gallus geweihte K i r c h e steht an einer sanften Anhöhe. Das Schiff 18′ breit und etwa doppelt so viel lang, scheint der ältere Theil zu seyn; die Mauern sind sehr stark, zum Theil aus rohen Bruchsteinen gebaut. Der Chor ist ein gothischer Ziegelbau, mit viel schwächerm Mauerwerk, so dass, obwohl aussen Schiff und Chor eine Mauerflucht haben, der Chor im Innern doch 3′ breiter ist, als das Schiff; 4 rohe Strebepfeiler in 2 Geschossen aufsteigend, umgeben den Chor und stützen das Gewölbe. Dieses, ursprünglich ein Tonnengewölbe mit Rippen, in das 7 Schildbögen einschneiden, ist durch Herabschlagen der Rippen ganz verdorben, und der mittlere Schildbogen über dem dreiseitigen Chorschluss ganz beseitigt. Das alte Schiff hat an der Südseite mit Rundbogen schliessende Fenster, an die Nordseite stiessen früher Theile der Schlossgebäude an; im Chore sind Fenster im stumpfen Spitzbogen. Das Innere ist modernisirt, die flache Gypsdecke im Schiff ziert ein Gemälde, den heiligen Gallus darstellend, über das Schloss Deubach (ein weitläufiges Gebäude) schirmend seine Hände breitend. J. Huber hat 1765 dieses Bild, sowie das Altarblatt im Chor, ebenfalls den heiligen Patron Gallus zeigend, gemalt.

Eine schöne Arbeit von Künstlerhand aus der bessern Renaissance zeigen die Seitentheile der Kirchenstühle, welche in erhabener Arbeit mit Laubwerk geziert sind.

Der kleine Thurm, der Westfaçade angebaut, ist ein Bauwerk des vorigen Jahrhunderts, aus schwachem Backstein-

---

177) Geschichte von Oberschönefeld, 320. 239.   178) Mscpt. v. Beck.

mauerwerk, die untere Hälfte von vierseitiger, die obere von achtseitiger Form, mit einer Kuppel bedacht. Die 2 kleinen Glocken sind ebenfalls aus neuerer Zeit, 1789 und 1837 gegossen. Ein einfacher Stein in der Kirche bezeichnet die Grabstätten der Glieder des freiherrlichen Geschlechtes von Zech, das von 1579—1823 im Besitze des Schlossgutes Deubach war. An einem Privathause sahen wir eine schöne, 4' hohe Statue der Gottesmutter Maria, eine gute Holzsculptur des 14. Jahrhunderts. Der Leib hat eine starke Bewegung nach der linken Seite, die Gewandung verlauft in grossartig geordneten Falten, die in der Mitte des Leibes zum Theil in einer Bogenform zusammen laufen, zum Theil gerade abfallen. Das milde schöne Antlitz ist von den Haaren umflossen. Es mag dies dieselbe uralte Madonna seyn, die in einer Nische über dem Hauptportal des Schlosses gestanden haben soll.

6.
Pf. Annhausen.

Willishausen gegenüber, an der rechten Seite der Schmutter, liegt die Pfarrei Annhausen, aus den beiden Dörfern Annhausen und Diedorf bestehend.

Diedorf, nahe der Schmutter, am Einfluss eines Baches in dieselbe, ist theils in der Thalebene, theils am Abhange eines Hügels gebaut, und liegt 1 Stunde flussabwärts von Gessertshausen, hart an der Eisenbahn, die hier eine Absteigestation hat.

Annhausen, der Sitz des Pfarrers, liegt eine halbe Stunde seitwärts vom Schmutterthale, südlich von Diedorf, von Wäldern umgürtet am obgenannten Bache, der aus den Wäldern von Burgwalden [179]) und Reinhardshausen herkommt, ein schmales Thal bildend, und hier der Annhauserbach oder

---

[179]) Burgwalden biess einst Aettenhofen; noch heisst der Wald an der Schwarzach südlich von Annhausen das *Attenhofer Holz*.

die hintere Schwarzach heisst. Das Dorf besteht aus 58 Häusern mit 315 Seelen, es liegt im Wiesenthale; die Aecker dehnen sich an den untern Abhängen der umliegenden Hügel hin, eine spätere Rodung auf einer Erderhebung erstreckt sich gegen Nordost tief in den Wald hinein und wird auf 3 Seiten von Hügeln umgeben, die mit hohen Eichen, unter denen Tannen und Birken stehen, beholzt sind. Der Ort ist wohlhabend, da ausser reichlichem Ertrage der Fluren, so weit dies bei der etwas kalten Lage möglich ist, der Wald, in dem die Gemeinde als solche und die meisten Glieder derselben grosse Strecken besitzen, eine fast unerschöpfliche Erwerbsquelle bietet.

Der Ort Annhausen wird uns zuerst bekannt durch die Edlen, welche sich von diesem Orte nannten und hier ihren Sitz hatten. Im Walde gegen Oberschönefeld zu soll noch die Burgstelle an vorhandenen Mauerresten erkannt werden können [180]. Auch soll der Sage nach der erste Anfang des Klosters Oberschönefeld durch Glieder dieses edlen Geschlechtes veranlasst und bewirkt worden seyn. In einer Urkunde, welche Bischof Embrico 1067 über eine Schenkung an das Stift St. Peter in Augsburg ausstellte, wird *Volcman de Annehusa* unter den Zeugen, welche der Bischof seine getreuen, edlen Dienstmänner, *fideles nostri nobilesque viri nec non servientes nostri,* nennt, aufgeführt [181]. In den zwischen 1126—1179 ausgestellten Urkunden, die sich auf das Kloster St. Ulrich beziehen, kommt *Sigeboto de Annehusen* zweimal als Zeuge vor [182]. In einer Urkunde, welche Bischof Siboto für das Kloster Steingaden 1239 ausstellte, werden in der Reihe der Zeugen und nach den Canonikern unter den Clerikern vom Chore ein Dominus Hainricus de Zusemerhusen und ein *Hainricus de Annehusen* angeführt [183]. Ob dieser letztere aber noch ein Glied des obgenannten Geschlechtes war, oder diesen Beinamen nur geführt, weil er etwa von

---

[180] Mittheilung an den historischen Verein in Augsburg von dessen Mitglied Pfarrer Uhl in Batzenhofen. [181] M. B. XXXIII. a. 7 [182] M. B. XXII. 44, 72. [183] M. B. VI. 524.

Annhausen geboren, oder im Besitze der dortigen Pfründe war, ist unbestimmt.

In welchem Verhältnisse diese Edlen zu dem Orte Annhausen standen, ist unermittelt; gewiss jedoch, dass sie nach der oben angegebenen Bezeichnung Vasallen des Bischofs waren, und nach damaliger Sitte von diesem ihrem Herrn Lehen trugen. Nach dem frühen Aussterben dieses Geschlechtes fielen diese Lehen den Bischöfen wieder heim, und sie belehnten damit die Träger des bischöflichen Kämmereramtes. Diese finden wir im Besitze des Dorfgerichtes, der Vogtei über alle Güter, der Ehehäften, der Fischenzen, der Hirtschaft, der Taferne, der Schmidstatt, der Ziegelei, einer Holzmarke etc. Alle diese Rechte veräusserten aber allmählig die bischöflichen Kämmerer, so dass sie in verschiedene Hände kamen, endlich aber in der Hand des Domcapitels wieder vereint wurden. Im Besitze von einzelnen Gütern in Annhausen finden wir schon frühzeitig sowohl umwohnende Edle und Bürger von Augsburg, als das Domcapitel und die Klöster daselbst, bis zuletzt auch die Güter wie die obigen Rechte meist durch die Schenkungen seiner Mitglieder in den Alleinbesitz des Domcapitels kamen. Die nun folgenden Regesten mögen das Vorgesagte darthun.

Arnolt und Gottfrid, Brüder, Kammerer von Wellenburg, vergeben 1318 ihre Vogtei auf ein Gut zu Annhausen, das zum Gotteshaus St. Ulrich und Afra in Augsburg gehörig, an Chunrad und Bartholomä die Volkwinnen, Bürger zu Augsburg, um 20 Pfund Pfenning [184]). Dieselben verpfänden 1326 dem Berthold von Burgaw für eine Schuld von 68 Pfund Pfenning die Vogtei auf dem Hof zu *Annehousen,* der Herrn Heinrich des Kropfs ist [185]). Heinrich von Burgaw verkauft 1 Hof und 1 Sölde zu

---

[184]) Regest. boica V. 379. [185]) Bürge war Herr Herrmann der Khamrer von Wellenburg, Chorherr zu Augsburg, Arnolds Bruder. Zeugen: Herr Renhart, Pfarrer zu Berkhein, Chunrad v. Aychershofen, Probst zu Wellenburg. Regest. b. VI. 192.

Anehusen, die er von Herrn Arnolt dem Kammerer zu Lehen hat, 1341 um 40 Pfund und 6 Schilling Pfenning dem ehrbaren Manne Hr. Johansen dem Dahs, Bürger zu Augsburg [186]. — Arnold, K. v. W., Ritter, gibt 1346 dem Domcapitel zu Augsburg die Lehenschaft und Roggengilt aus einem Hof zu Annhausen, den Chunrad von Randegg [187] kaufte von Heinrich dem Kropf, um seiner Seele willen [188]. Hartman der Aunsorg, damals Besitzer von Wellenburg, verkaufte 1370 sein Vogtrecht über 2 Höfe und 1 Lehen zu Annhausen nebst dem Dorfrecht an Heinrich von Knöringen, Chorherrn zu Augsburg und Amtmann des Amtes zu Annhusen. Derselbe verkaufte im nämlichen Jahr seine Vogtei über 3 Höfe und 5 Selden zu Annhusen, die in das Amt gehören, das der Chorherr zu Augsburg, Burkart der Tettinger zu Annhausen von dem Domcapitel hat, an denselben [189]. 1372 eignen Bischof Johann und das gesammte Capitel dem Chorherrn H. v. Knöringen die Vogteirechte über die oben genannten erkauften Güter, wofür dieser hingegen seine *Aigenschaft* an dem Dorfe zu Wartberg aufgegeben hat [190]. 1377 verkaufte Hartmann der Aunsorg die Veste Wellenburg an Ludwig Püttrich und Ruger den Langenmantel; unter Zugehörungen werden in der Urkunde genannt: das Dorfgericht, die Ehehäffin, die Hirtschaft, die Täffer und die Schmitstatt zu Annhusen: *vnser rechts Lehen von dem Erwirdigen vnserm gnedigen hern hern Burkhartten, Bischoff und seinem Gotzhauss zu Augspurg* [191].

1403 verordnete Eglolf von Knöringen, Canoniker der Kirche zu Augsburg und Probst der Kirche zu

---

[186] R. b. VII. 311. [187] In demselben Jahre stiftet Chuonradus de Randegk, Canonicus, dieses erkaufte Gut, welches jährlich erträgt 4 Schäffel Korn, 4 Schäffel Haber, 10 Schilling Heller, 8 Hühner, 4 Gänse, zur Vicarie Allerheiligen und St. Anna im Dom zu Augsburg. M. B. XXX. b. 128. [188] R. b. VIII., 61. [189] M. B. XXXIII. b. 440. [190] M. B. XXXIII b. 452. [191] M. B. XXXIII. b. 492.

Speier, zu einem Jahrtag für sich, seinen Vater Cunrad und seine Mutter Adelhaid von Steppach dem Capitel zu Augsburg *advocaciam bonorum officii in Annhusen,* wovon jährlich dem Domcapitel zu reichen 3 Pfund Pfenning und 52$^{1}/_{2}$ Malter Korn [192]).

1413 verkaufte Nycolaus der Frey, Amman zu Weringen, und Diepolt, Anthoni, Willhalm, Ansshalm und Alexander die Frey, seine Söhne, dem Herrn Andreas dem Stecken, oberster Schulmeister und Domherr zu Augsburg, ihre Vogtei und Vogtrechte über die Güter zu *Annhawsen* und ihr Dorfrecht, Dorfgericht etc. allda um 104 fl. rheinisch [193]). 1475 wurde Georg Endorfer, Bürger zu Augsburg, der bereits Güter in Annhausen besass, mit dem Dorfgericht, Zwing und Bann und der Vogtei über einige Güter daselbst von dem Bischof Johann in Augsburg belehnt. Solche Belehnungen erfolgten 1479 für Achaz, 1507 für Stephan und 1520 für Georg Endorfer. Letzterer verkaufte seine Besitzungen, nämlich sein Haus, Gericht, Zwing und Bann, die Taferne, den Ziegelstadel, Sölden und Zugehörden zu Annhausen 1524 an den Domscholaster Veit Niederthor, wolcher dieselben dem Domcapitel gegen Auslösung einer Schuld von 2000 fl. schenkte. Das Domcapitel besass bereits 1492 nach dem Burgauischen Feuerstätte-Gulden-Verzeichnisse von den 34 Feuerstätten, die damals Annhausen zählte, 16. Achaz Endorfer besass damals 8, St. Ulrich 2 [194]), St. Georg 2 [195]), Leonhard Lang, Besitzer von Wellenburg, 3, und Ulrich Schmucker 3. Alle diese Güter kaufte und tauschte das Domcapitel allmählig an. Im bischöflichen Lehenverbande blieben nur noch 3 Halbhöfe, 4 Sölden mit 1 Haus, 1 Holzmark und dem Bache, und auch

---

[192]) Liber ordinationum M. B. XXXV. 185. [193]) Reg. boic. XII., 143. [194]) *Dns Ulricus de Norndorf Pfluch cognominatus* stiftete mit einem Hof in *Annenhusen* einen Jahrtag für seine Frau Irmingarde zum Kloster St. Ulrich. M. B. XXIII, 5. [195]) St. Georg besass schon im 12. Jahrhunderte 1 Hof und Sölde in Annhausen. Viaca 53.

diese Güter wurden bis 1803 von Seite des Domcapitels von dem Bisthum zu Lehen relevirt [196]).

In Annhausen war der Sitz eines Domcapitel'schen Gerichtsvogtes und eines Holzwartes.

Das Domcapitel finden wir auch schon frühzeitig im Besitze der Kirche in Annhausen. Sifrid, Bischof von Augsburg, bestätigte [197]) 1220 dem Capitel die durch Eberhard [198]), Erzbischof von Salzburg und einstigen Probst des Capitels in Augsburg, mit Bewilligung Bischof Udalskalk's mit dieser Kirche gemachte Schenkung, und Pabst Honorius bestätigte sie gleichfalls in demselben Jahre [199]). In dem Buche liber ordinationum, das der Augsburger Kirche angehörte, ist aber ebenfalls eine undatirte Schenkung der Kirche in Annhausen erwähnt, mit den Worten: *„Cunradus Vicedominus obiit, qui dedit ecclesiam in Annehusen"* [200]). In welcher Beziehung diese Schenkung mit der oben erwähnten steht, können wir nicht angeben.

Die Kirche steht fast am südlichen Ende des Dorfes, dem Thale der Schwarzach zu, auf einer Erhöhung. Sie ist ein neueres Gebäude von Ziegel, zu welchem viele ältern Tuffsteinquadern benützt wurden.

Der Chor, dessen Ostung rund abschliesst, ist 30' lang, 18' breit, das Schiff 57' lang, 35' breit. Die Fenster sind im gedrückten Bogen überwölbt, die Gypsdecke bildet einen unregelmässigen Segmentbogen, welchen die halbkreisförmigen Wölbungskappen über den Fenstern etwas beleben; sie ist

---

[196]) Viaca 53. [197]) Bischof Sifrid bestätigte, dass die 5 Kirchen, nämlich: Erringen, Annenhusen, Attenburen, Holzheim und Lebezingen zur Verbesserung der Präbenden der Canoniker, da dieselben durch verschiedene Unglücksfälle, besonders aber durch die schweren Gewaltthätigkeiten und ungebührlichen Erpressungen der Schirmvögte arm und unzulänglich geworden, dem Domcapitel einverleibt wurden. M. B. XXXIII. a. 58. [198]) Eberhard von Truchsen aus Kärnthen wurde 1196 Bischof von Brixen, und 1200 Erzbischof von Salzburg. Braun, der Dom von Augsburg, 203. [199]) Regest. boic. II., 106. M. B. XXXIII. a. 59. [200]) M. B. XXXV. 142.

mit schlecht gemalten Fresken und Gypsverzierungen bedeckt, letztere, eine Art Akanthusblätter bildend, sind gut stylisirt. Die Altäre und andere Einrichtung sind kunst- und geschmacklos. 1708, welche Jahrzahl aussen an der Chorwand ist, soll die alte Kirche abgebrannt und die neue gegenwärtige erbaut worden seyn. 1716 steht innen am Chorbogen; damals mag die innere Einrichtung vollendet worden seyn.

Der Thurm, welcher sich der Nordseite des Chores anlegt, ist ein ansehnlicher und älterer Bau, in quadratischer Form von 17' Durchmesser. Die 3' dicken Mauern zeigen auf der unverputzten Innenseite breite, offene Fugen, und sind fest verbunden. Im Erdgeschosse ist ein Spitzbogengewölbe ohne Gurten. Die Aussenwand ist über einem hohen Sockelbau an den Ecken durch Lesenen verstärkt, und durch Quergurten, die aus Kehle, Platte und Schräge bestehen, und sich auch um die Lesenen verkröpfen, in 4 Felder getheilt. Der Schall des schönen Geläutes dringt durch gekuppelte, hohe, im dreitheiligen Spitzbogen abschliessende, und durch runde Mauersäulchen getrennte Oeffnungen. Ueber diesem ältern Theile von 80—90' Höhe erhebt sich ein jüngerer polygoner Bau, dessen 8 Ecken Pilaster schmücken und den eine birnförmige Kuppel bedacht. Merkwürdig sind die Glocken in diesem Thurme. Die grösste von 43" Durchmesser hat in Majuskeln, von denen besonders die Ɛ den frühgothischen Majuskeln gleichen, am obern Rand die Umschrift: *Ave Maria gratia plena dominus tecum.* 1508 *Gos. mich. Maister Sebolt.* Die zweite, welche im Durchmesser 33" hat, umlauft am obern Rande zwischen 2 tauförmigen Bändern eine schöne Minuskelschrift des Inhalts: ✠ *anno. dom. m. cccc. l. ix. jar. in den. eren. sant. adelgunde. ward ich gossne. ihs. XPS. peter.* Zwischen jedem Worte ist eine Glocke als Trennungszeichen. Die dritte von 31" mit der Umschrift: *Ave Maria gratia plena dominus tecum benedicta tu.* Die Buchstaben haben dieselbe Form wie bei der ersten, die Krone besteht gleichfalls, wie bei jener, aus Köpfen, deren langer Bart in einen Zopf geflochten ist, darum wohl von demselben Giesser. Die vierte von 23" Durchmesser ist ein rohes Gusswerk, die Majuskelbuchstaben sind alle manirirt, ebenfalls das Ave Maria bis zu dem Worte *benedicta* aussprechend. Jahreszahl fehlt.

Noch im 16. Jahrhunderte war die Kirche wohl eingerichtet, versehen mit einer silbernen Monstranz, 3 silbernen vergoldeten Kelchen und reichlichen Paramenten. 1684 war noch der alte Altar vorhanden, *der älteste der ganzen Diöcese*, wie der damalige Visitator mit Bedauern anmerkt [201]).

Der Choraltar war 1575 zur Ehre der allerseligsten Jungfrau Maria, der heiligen Mutter Anna und der heiligen Jungfrau Adelgundis geweiht; letztere ist Patronin der hiesigen Kirche.

Der Leib dieser Heiligen ist jetzt auf dem nördlichen Seitenaltar zur Verehrung aufgestellt. Im Jahre 1496 wurden in der Nähe des Altars der heiligen Adelgunde die Gebeine dieser Heiligen in einem hölzernen Sarge, der von grossen Quadersteinen umgeben war, eingehüllt in einem braunen seidenen Tuche, gefunden. Hierauf wurden dieselben in einen steinernen Sarg gelegt und in den Chor übertragen, wo sie mit einer Steinplatte, auf welcher das Bild der Heiligen gemeisselt war, bedeckt, und mit einem Eisengitter umgeben, am Eingang des Chors in der Mitte standen. 1714 wurden sie abermals erhoben [202]), und in der damals üblichen, höchst unpassenden und dem alten kirchlichen Gebrauche, nach welchem Reliquien immer nur verschlossen, meist in kostbaren metallenen Gefässen und Schreinen der Verehrung ausgesetzt wurden, widersprechender Weise mit Seide und Flittergold umhüllt, und in der Gestalt einer auf dem Ruhekissen liegenden Person gefasst und in einem Glaskasten, der auf dem Altare steht, ausgesetzt. Ueber die 1496 statt gefundene Erfindung und Translation existiren 3 Documente: 1) die Abschrift einer ehe-

---

[201]) Acten des bischöflichen Archivs. [202]) Acten des bischöfl. Archivs.

mals vorhandenen Pergamenturkunde [203]); 2) eine in eine
Bleiplatte gravirte Inschrift [204]); 3) die Inschrift einer

---

[203]) Dieser Urkunde wird in dem mehrerwähnten Berichte von
1576 auch Erwähnung gethan; die Abschrift lautet:

„Anno a Nativitate Dni millessimo quadragentesimo nonagesimo
sexto praesidente Romanae ecclesiae Alexandro VI., Maximiliano
Rege Romanorum imperium gubernante, Praesule autem Augu-
stensi Friderico ex Comitibus de Zolleren, Vdalrico denique de
Rechberg de Hohenrechberg, decretorum doctore ejusdem ecclesiae
Augustensis Decano, aedis hujus et Officii Anhausen administratore
dignissimo, repertae sunt circa altare B. Aldegundis reliquiae, seu
ossa ejus in ligneo quodam sarcophago, magnis quadratis lapidibus
circumdata et panno serico fusco involutae, et in die XVIII. mensis
Octobris, quae erat dies sancti Lucae Evangelistae, ad chorum ec-
clesiae ejusdem in sarcophago sunt translata. Quicunque ergo
fidelium B. Aldegundem venerari conantur, a peccatis caveant, et se
in eodem loco operibus misericordiae, confessione denique et eele-
mosynarum largitione exerceant, ut meritis ejusdem virginis gra-
tiam et misericordiam in eodem loco a Dno nostro Jesu Christo ab
ejusque matre Virgine Maria intemerata obtineant hic et in per-
petuum. Testes ejus translationis et qui in praesentia fuerunt, hic
subsequuntur: Praefatus venerandus et nobilis vir Vdalricus de
Rechberg de Hohenrechberg, ecclesiae Augustensis Decanus, vene-
rabiles denique et nobiles viri Georgius de Hirnhaim, Jacobus de
Klingenberg, Berchtoldus et Marquardus de Lapide, Albertus de
Rechberg, omnes praefatae ecclesiae Aug. Canonici, Joannes Zieg-
ler, Joannes Graber, Joann Gutbrot, Adam Herz, praefatae eccl.
Vicary seu Socy chori, et Joannes Beck Lector ibidem, Ambrosius
plebanus in Hainhofen, Leonardus plebanus in Ottmarshausen,
Joannes plebanus in Willishausen, Wilhelmus de Reichartzhausen,
Joannes Rotenfelder tunc temporis vicarius in Dietkirch, duo fratres
Cystercienses, Confessores in Schönenfeld, nobilis denique ac
strenuus vir Georgius de Rechberg et Hohenrechberg miles, frater
praefati Dni Decani, et alias plurimi utriusque sexus fide dignis-
simi." In loco und im Archiv des bischöfl. Ord. [204]) Die Inschrift
auf der Bleiplatte in lateinischen Lettern lautet: „Anno 1496
mense Octobri decima septima die, et fuit tercia feria St. Luce, in-
terposita sunt ad tumulum istum ossa dive *virginis Adelgunde de
christianissimorum sanguine Regum Francie orte etc.*" Die Blei-
platte befindet sich jetzt im gläsernen Reliquienkasten.

Steinplatte im Fussboden neben dem St. Adelgundis-Altar [205]).

Nach diesen Documenten ist also der Leichnam, welcher 1496 erhoben wurde, der einer heiligen Jungfrau, die aus dem Geblüte der fränkischen Könige stammt; die hiesige Kirche feiert das Fest dieser Heiligen am 30. Januar, an welchem Tage auch die allgemeine Kirche das Fest der heiligen Jungfrau Adelgund oder Aldegund, Abtissin von Malbodium in Belgien feiert, mit welcher die in Annhausen 1496 erhobene Adelgundis nach gegenwärtiger Meinung, ferner nach vorhandenen Aufschreibungen aus dem vorigen Jahrhunderte, und dem angeblichen Ursprung aus fränkischem Königsgeschlechte [206]) eine und dieselbe Person seyn soll. Da aber in der Stadt Malbodium (Maubeuge an der Sambre) schon seit der Zeit des Königs Dagobert, unter dessen Regierung die heilige Aldegunde geboren worden, ein Kloster, das nachher den Namen dieser Heiligen annahm, sich befindet, und in der Hauptkirche daselbst, die unter dem Titel St. Aldegundis geweiht ist, ihre heiligen Gebeine in einem silbernen kunstvoll gearbeiteten Schreine und noch besonders ihr Haupt in einer äusserst werthvollen Capsa aufbewahrt und sehr in Ehren gehalten wird; da ferners in derselben Stadt noch eine sehr alte kleine Kirche, wo früher das Grab dieser Heiligen gewesen seyn soll, vorhanden ist; ausserdem daselbst dieser Heiligen noch 2 Capellen, in ganz Belgien aber viele Tempel zu Ehren geweiht sind; und da endlich in jener Stadt

---

[205]) Die Lapidarinschrift ist fast ganz ausgetreten. Folgendes liess sich noch entziffern: Da man zalt mccclxxxxvi jar — an sant lux tag — ist die bailig junkfraw — sant adilgundis — in dies staine grab — vor dem altar gelegt — die vil hundert jar — vergraben war ... — ...... — ... und ist — gelegen wie der stain anzaigt. [206]) Mehrere Autoren vindiciren der heiligen Adelgunde Abstammung aus königlich fränkischem Geschlechte; nach den Bollandisten hiess ihr Vater Walbertus, ihre Mutter Bertilia; einen gleichzeitigen Walbertus nennt der Scholastikus Fredegar „domesticus et dux des Königs Chlotar;" daher die Sage von der königlichen Abstammung. Vita Adelgundis apud Bolland. 30. Januarii.

drei Translationen dieses heiligen Leibes gefeiert werden,
von denen die erste im 7. Jahrhunderte, die zweite 1161, die
dritte 1439, immer in Gegenwart vieler hohen Personen und
unter wunderbaren Umständen statt fanden [207]), also dieser
heilige Leib dort immer geschätzt, verehrt und als ein kost-
bares Heiligthum bewahrt worden, so ist gar nicht denkbar,
dass der in Annhausen 1496 aufgefundene Leib jener der
heiligen Jungfrau und Abtissin Aldegundis seyn kann. Dazu
kommt noch, dass die 3 genannten vorhandenen Documente
nicht den geringsten Aufschluss geben über die Kennzeichen,
Ursachen, Umstände, aus welchen man damals geschlossen
hat, dass dies der Leib der heiligen Jungfrau Adelgundis
aus dem Geschlechte der fränkischen Könige sei. Auffallen
muss es, dass so viele würdige ehrenwerthe Männer, die
Zeugen jener Translation waren, jenen aufgefundenen Leib
für den der heiligen Adelgundis halten konnten und gehalten
haben. Einige Gründe hiefür könnten folgende gewesen seyn:
Es scheint diese Heilige in der Augsburger Kirche immer hoch
geehrt worden zu seyn. In einem handschriftlichen Calen-
darium des Domcapitels aus dem 12. Jahrhunderte ist auf den
30. Januar eingetragen: *Aldegundis virginis* [208]). In dem
Domcapitel'schen Besitzthum Annhausen war Adelgunde Patron
der Kirche, ihr war ein Altar gewidmet, ihr zu Ehren 1459
eine Glocke gegossen; wohl mochten auch Sagen im Volks-
munde gewesen seyn, dass in der Kirche der Leib einer an-
gesehenen oder frommen und ehrwürdigen Frau, Namens
Adelgunde, die nach und nach vom Volke identificirt wurde
mit der Person der heiligen Adelgunde, Patronin der Kirche,
begraben liege. Als dann, ob in Folge Nachgrabung oder
durch Zufall, ist unbekannt, dieser Leib, dessen seidene Um-
hüllung und sorgfältig angeordnete Begräbnisstätte in dieser
Dorfkirche schon ausserordentlich erscheinen musste, gefun-

---

[207]) Apud Bolland. ibidem, und Mabillon in act. Ss. ord. St.
Benedicti Tom. II. 742.   [208]) In der Hof- und Staatsbibliothek
zu München Cod. lat. bav. 2. copirt von dem Herausgeber des
Archivs.

22*

den wurde, und vielleicht auch ein Name oder sonstige Schrift
oder Umstand, den die treugläubige Sorglosigkeit jener Zeit
der kritisirenden Nachwelt aufzubewahren für unnöthig hielt,
Grund oder weitere Veranlassung bot, so mochten die er-
freuten Gemüther vom frommen Glauben erfüllt werden, dass
im entdeckten Leichnam jene fromme Frau, welche die Sage
allmählig zur heiligen Adelgunde gemacht, gefunden worden
sei, während dieselbe wohl ein Glied aus dem uralten Ge-
schlechte der Edlen von Annenhausen war, die vielleicht im
Rufe grosser Frömmigkeit gestorben und Veranlassung zu
der später so veränderten Sage gegeben hatte. Noch im
Jahre 1576 war ein Schriftwerk unter dem Titel: Registrum
D. Adelgundis, das in einer Truche bewahrt wurde, in Ann-
hausen vorhanden [209]). Dieses leider jetzt verlorne Docu-
ment hätte, wenn es nicht etwa eine blose Kirchenrechnung
war, einiges Licht in das Dunkel dieser Sache bringen können.

Diedorf.

Dieses Dorf zählt über 70 Häuser, unter diesen 10 Bauern-
höfe, mit 330 Einwohner.   Ministerialen der Bischöfe von
Augsburg waren die frühesten bekannten Besitzer desselben.
Die Namen Wolfrigil, Gotebold, Oudalricus, Adalpert
de Tierdorf kommen zwischen den Jahren 1126—1179
in ulricanischen Urkunden einigemal als Zeugen und Delegaten
von Schenkungen an das Kloster St. Ulrich in Augsburg vor [210]).
Wolfrigil, Gotebold und Routprecht von Tier-
dorf sind auch Zeugen der Traditionsurkunde, die in Gegen-
wart Bischof Sigefried II. von Augsburg über die Stiftung
des Canonicatstifts Habach am 25. Februar 1085 zu Augs-
-burg ausgefertigt wurde [211]).   Durch Schenkungen der ein-
zelnen Glieder dieser Familie und später durch das Aus-
sterben derselben kamen die Güter und Rechte zu Thierdorf
an verschiedene Besitzer.   Ein Wolftrigel von Tierdorf gab

---

[209]) Acten des bischöfl. Archivs. [210]) Mon. boic. XXII. 20, 26, 79.
[211]) Braun, Gesch. der Bischöfe von Augsburg II. 10.

ein Gut (predium) daselbst und 2 Huben in Wiler der Kirche zu Augsburg [212]).

In einem urkundlichen Verzeichnisse der Domcapitel'schen Besitzungen aus dem Ende des 11. Jahrhunderts wird ebenfalls einer Schenkung durch ein Glied dieser Familie Erwähnung gethan [213]), indem unter den fraglichen Besitzungen aufgeführt wird: „*in Husin hoba dimidia, quam dedit Gebehart de Tierdorf.*"

Später erscheinen die Besitzungen des Augsburgischen Domcapitels in Thierdorf bedeutend vergrössert. Heinrich von Schöneck, Bischof von Augsburg, gab dem Domcapitel einen Hof (curiam) in Tyerdorf zur Haltung eines Jahrtages für seinen Bruder und Vorgänger Ulrich v. Schöneck, Bischof von Augsburg [214]). Mit einem Theile der bischöflichen und Domcapitel'schen Güter daselbst wurde das Kloster St. Georg in Augsburg fundirt. Als nämlich 1135 Bischof Walther mit seinen Canonikern bei der Kirche des heiligen Georg zu Augsburg ein regulirtes Canonicatstift stiftete, verschafften sie dazu ein Gut zu Thierdorf mit aller Zubehörde zum Unterhalte der Religiosen [215]). Viele andere Güter waren als Lehen und Afterlehen an Adeliche und an Bürger von Augsburg übergegangen. Allmählig aber kam das ganze Dorf in den Besitz des 1243 gestifteten Frauenklosters St. Katharina in Augsburg. 1264 kaufte es von *Hainrich von Babpenheim* [216]), *imperialis aulae marscalcus,* dessen Schwestern in diesem Kloster lebten, seine Güter, darunter die Advocatie in Tierdorf, oie er vom Domcapitel zu Lehen hatte. 1298 erwarb es von Ulrich von Itenhusen einen Hof durch Kauf, den Albrecht Graf von Marstetten zu Lehen gegeben hatte und nun dem Kloster zueignete. 1278 verkaufte der Cleriker Hainrich, genannt Schrötelo, judex curiae August.,

---

[212]) Necrologium Augustanum in M. B. XXXV. 69. [213]) Mitgetheilt von Raiser in Guntia S. 30. [214]) Liber ordinationum in Mon. boic. XXXV. 166. [215]) Regest. boic. I. 139. der Stiftungsbrief bei Khamm hierarch. August. V., 418. [216]) Die Pappenheim waren Erben der Marschälle von Biberbach.

1 Hof (curiam) und Sölden (areas) in Tierdorf an St. Katharina [217]). 1279 stifteten Otto und Conrad de Werde 1 Hof als Seelgeraethe, und 1309 Conrad Hurlacher 2 Sölden für einen Jahrtag zu St. Katharina [218]). Andere Güter in Thierdorf kaufte dieses Kloster von den Augsburger Bürgern Zollner, Volkwin, Herbort im 14., und Höchstetter im 16. Jahrhunderte. 1602 erlangt das St. Katharinenkloster durch Tausch auch den Rest der damals noch Domcapitel'schen Besitzungen in Thierdorf, nämlich 3 Hofgüter und 3 Sölden; auch der St. Jörgisch Antheil [219]) war an St. Katharina übergegangen, so dass dieses Kloster zur Zeit seiner Säcularisation 1803 im Allein-Besitz des ganzen Dorfes sammt der Gerichtsbarkeit über dasselbe war, welches dann an Bayern überging [220]).

Die Kirche des heiligen Bartholomäus in Thierdorf hat pfärrliche Rechte [221]), eigenen Taufstein und Freithof; der Pfarrer von Annhausen ist verpflichtet, alternirenden Gottesdienst, Begräbnisse und Trauungen daselbst zu halten. Dieses Verhältniss und die lebendig erhaltene Tradition unter den Bewohnern Thierdorfs sprechen dafür, dass hier in uralter Zeit ein Pfarrsitz gewesen. Jedoch geben die Urkunden hierüber keinen Aufschluss, desto mehrfacher zeugen sie aber von den fortgesetzten Streitigkeiten der beiden Gemeinden Annhausen und Thierdorf wegen des Gottesdienstes und der Pfarr-Rechte.

Schon 1341 „bekennt Hermann der Kammerer von Wellenburg, Korherr bei dem Dom zu Augsburg und Kirchherr zu Annhausen, dass er von des Streites wegen zwischen der Kirche zu Annhusen und der Capelle zu Tyerdorf um den Gottesdienst sich mit dem Bischof Hainrich dahin verglichen habe, dass ein jeglicher Vicary zu Annhusen 2 Sonntage nach einander daselbst Messe singen, und dass die Leute von

---

217) Regesta von Lang IV. 665, 760, 772. 218) Mscpt. v. Raiser. 219) 1700 war noch Leonhard Abt St. Georgischer Vogt in Diedorf. St. Georgische Güterbeschreibung. 220) Viaca 52. 221) Braun, Beschreibung des Bisthums Augsb. I. 289. II. 357.

Tyierdorf zu den Messen gehen sollen; dass er aber an dem
dritten Sonntag zu Tyerdorf Messe singen und die Leute von
Annhusen dahin kommen sollen [222]." Dass aber dieser Ver-
gleich den Streit nicht beendet, beweisen die in den Char-
tularien von St. Katharina enthaltenen wiederholten bischöf-
lichen Consistorial-Urtheile von den Jahren 1352, 1392 und
1467 über dieselbe Sache [223]). 1352 wurde von den Rich-
tern des bischöflichen Gerichtshofes zu Recht erkannt mit
Bestätigung Bischof Marquards: villam et ecclesiam in Tier-
dorf equaliter et absque omni fraude, subtraccione seu
diminucione sicut villam et ecclesiam in Annhusen a sacer-
dote eorum communi, qui pro tempore fuerit, divinum
cultum atque officium percipere et habere debere decerni-
mus etc. Dasselbe Urtheil wurde 1392, obwohl die von
Annhausen sich auf den Vergleich von 1341 berufen, aber-
mals bestätigt. In beiden Urkunden behaupten die von Thier-
dorf von Pfarrer „quod unus sacerdos parochialis utrarumque
villarum ab antiqua et legitima prescripta consuetudine fuerit,
qui ambas Ecclesias earundem villarum inofficiavit pariter et
vicissim etc.," was durch das beistimmende Urtheil bestätigt
scheint.

Nachtheiliger für Diedorf war das 1467 gefällte Urtheil,
wo es heisst: Dieweil nach Veränderung der Zeiten auch der
Menschen Gesetz und Verordnungen verändert werden müssen,
so wollen wir, dass in der Pfarr- und Mutterkirch zu Ann-
hausen als in der Filialkirch zu Diedorf es nicht geschehen
kann, dass in dem Gottesdienst und Verwaltung desselben
eine Gleichheit gehalten werde etc. In diesem Urtheilsbrief
wird eine Urkunde erwähnt, nach welcher Bischof Hartwick
einen Hermann von Dierdorf, der des Ortes weltlicher Herr
gewesen und prätendirt habe, dass die Kirche zu Dierdorf
eine Pfarrkirche und keine Filiale sei, zurückgewiesen habe.
Da aber das Datum dieser Urkunde 1281 mit der Lebzeit des
genannten Bischofs nicht übereinstimmt, so ist dieselbe

---

[221]) Mon. boic. XXXIII. b. 82. Regest. b. VII. 301.   [22?]) Viaca 52.

verdächtig [224]). Doch wurde der Streit, welcher schon 1341
„ein Krieg von langer Zeit" genannt wird, auch mit dieser
Sentenz nicht beendet, sondern dauerte fort und fort, auch
unbeschwichtigt durch ein 1779 abermal gefälltes Urtheil,
und brennt bis jetzt in hellen Flammen.

Das Kloster St. Katharina stiftete 1716 einen eigenen
Priester, der aber keine Seelsorge zu üben hat, nach Thier-
dorf mit Vorbehalt des Rechtes der Bestellung desselben, und
baute 1718 ein schönes Wohnhaus für ihn neben der
Kirche. Die Mittel nahm das Kloster aus dem ihm zuge-
fallenen Erbe des bayrischen Kanzlers Bar. Wämpl. Der
Beneficiat erhielt jährlich 200 fl. [225]).

Die Kirche liegt auf dem höchsten Punkte des Ortes, weit-
hin im Thale sichtbar. 1676 waren in Diedorf die Folgen des
dreissigjährigen Krieges [226]) noch so merkbar, dass die Kirche
wie eine Ruine dastand, die Fenster waren zerbrochen und Diebe
konnten aus- und einsteigen; es wurde darum damals nur 2 oder
3mal jährlich celebrirt. 1684 war wieder ein Choraltar beige-
schafft, Seitenaltäre waren noch die alten da, auch waren
wieder einige Paramente vorhanden [227]).

1735 wurde die alte Kirche niedergerissen, der Thurm
jedoch blieb stehen, und im folgenden Jahr erstere neu er-
baut. Das Domcapitel gab zu diesem Bau 750 fl., weitere
Mittel beschaffte das St. Katharinakloster, die Leonhards-
Capelle etc. Der Maurermeister und Stuccateur war von
Ustersbach, der Zimmermeister von Deubach, die Maler und
Fassmaler von Thierdorf. Die Einweihung fand erst 1751
durch den Weihbischof F. X. Adelman von Adelmansfelden
statt [228]). Diese Kirche ist ein lichter geräumiger Bau von

---

[224]) Copien der genannten St. Catharinischen Urkunden.
[225]) Geschichte des St. Katharinenklosters. Manuscript v. Raiser.
[226]) 1632 wurde Diedorf zur Hälfte in Asche gelegt; noch 1654 la-
gen von des Klosters St. Katharina hiesigen und andern Besitzun-
gen 22 Höfe und 40 Sölden verödet. v. Raiser Mscpt. [227]) Acten
des bischöfl. Archivs. [228]) Aufschreibungen des Benef. Mathias
Gross von Diedorf.

circa 80′ Länge. Ein Plafond schwingt sich im Segmentbogen über Schiff und Chor, über den rundbogigen Fenstern Kappen bildend. Der Chorschluss ist halbkreisförmig. Die Zier und Einrichtung ist verkommen und bietet nichts Schönes, nur eine geschnitzte 5′ hohe Statue der Madonna aus dem 17. Jahrhunderte, ist, wenn auch von steifer Haltung und kleinlich geknittertem Faltenwurf, doch ein würdiges Bild.

Der Thurm, in welchem früher der Chor war und nun die Sakristei sich befindet, an der Nordseite des Chores, ist ein älterer Bau aus 3 Perioden. Das Erdgeschoss von $17^{1}/_{2}$′ Durchmesser und starkem Mauerwerke mit grossen Ziegeln und einem im Rundbogen geschlossenen 3′ hohem und 1′ weitem romanischen Fenster an der Ostseite (die lucida über dem niedern Altare im alten Chor) ist der älteste Theil. Dann kommt ein leichterer, weniger solider Bau aus der Gothik. Hier ist aussen an der Westseite der, nun nach Erbauung der neuen Kirche zugemauerte, spitzbogige arcus triumphalis, welcher den Eingang vom Schiff in den Chor bildete, sowie die Stelle, wo das Dach der alten Kirche an dem über dem Chor gebauten Thurm anstiess, sichtbar. Das Gewölbe des alten quadratischen Chores, ein Kreuzgewölbe mit Rippen, 19′ bis zum Scheitel hoch, ist ebenfalls noch im Thurme vorhanden. Ueber dem Gewölbe ist die Mauer nur mehr 1 Stein dick, und auf der Westseite über dem arcus innen noch durch Nischen geschwächt. Der achtseitige Aufsatz gehört der dritten Periode an; dieser Theil ist sehr schlecht und unsolid gemauert. Auffallend findet sich auch hier die Spitzbogenform in eingesprengten Mauerbögen vor. Drei Glocken hängen im Thurme. Die grosse wurde in neuerer Zeit umgegossen; die mittlere hat ziemlich unklare Minuskel-Inschrift: *anno m°. cccc°. l°. i. in. d. ern Maria hat gos(en) peter zotma gne(n)t.* Die kleinste ohne Jahrzahl hat in Majuskel-Schrift, die mit Ausnahme des Buchstaben E der lateinischen Uncialschrift gleich ist, die Worte: *Ave Maria gratia plena dominus tecum benedicta.*

Im Aeussern haben die gothischen Theile des Thurmes stark hervortretende Ecklesenen und ein Spitzbogenfries, dessen Consolen 2 übereinander ausladende Ziegelsteine bilden. Das neuere moderne Achteck hat ebenfalls Ecklesenen und trägt ein sehr niedriges Kuppeldach.

Die Capelle der Heiligen Leonhard und Wolfgang. Diese steht in der Ebene, hart an der Eisenbahn, misst circa 36' Länge und 20' Breite, und wurde 1766 gebaut, nachdem die an einem andern Platz gestandene viel kleinere Wolfgangs-Capelle, von der schon 1684 berichtet wird [229]), dass sie ganz vernachlässigt sei, keinen Altar mehr habe und Thurm und Decke einzustürzen drohe, wegen Baufälligkeit abgebrochen worden. Der Pfarrer Jacob Brand von Annhausen hatte 1759 in seinem Testamente 200 fl. zur Erneuerung dieser Capelle vermacht und so den Anstoss zum Bau gegeben, der durch Privat-Gutthäter und durch Hilfe des St. Katharinenklosters, welches das Bauholz in seinem Walde anwies, schnell gefördert wurde [230]). Die gegenwärtige Capelle ist ein geringes, schmuckloses Gebäude [231]).

Der Chor schliesst sich absidenartig dem Schiffe an. Die Fenster haben unförmliche Bassgeigenform, die Decke ist flach mit schlechten Fresken 1766 bemalt. Am halbkreisförmigen Chorbogen ist das Wappen des Katharinenklosters, ein viergetheilter Schild, in 2 Feldern das Bild der heiligen Katharina, im dritten das Rad, im vierten ein Patriarchalkreuz einschliessend; über dem Schilde das Bild der Mutter Gottes.

---

[229]) Acten des bischöfl. Archivs [230]) Aufschreibungen des damaligen Beneficiaten Mathias Gross von Diedorf. [231]) Das Material der alten Capelle wurde beim Neubau zum Grunde etc. verwendet. Der Schreiber bemerkt hiezu: „dass die neue Ziegelstein an Grösse, Veste und Dauerhaftigkeit den alten auf keine Nahe beikommen können zum handgreiflichen Beweis, dass die alten mehr Mühe, Fleiss und bessere Wissenschaft angewendet, als unsere heutigen Handwerker." Eine Klage, die heut zu Tage noch mehr gerechtfertigt erscheint.

Ueber dem Westgiebel erhebt sich ein viereckiges Dachreiterthürmchen mit 2 kleinen Glocken, die eine 1718, die andere 1747 gegossen.

6.
Pf. Biburg.

Da wo die Augsburger-Ulmer-Landstrasse, nachdem sie über den Sandberg geführt und das Schmutterthal quer durchschnitten, diesen Fluss selbst übersetzt, beginnt die Pfarrei, welche jetzt mit dem Namen B i b u r g bezeichnet wird, die aber früher *Biberin*, *Biber* hiess, und im Volksmunde noch Biber genannt wird. Die ansehnliche Mühle an der Schmutter, S c h l i p s h e i m e r - M ü h l e genannt, welche von 1 Familie mit 12 Seelen bewohnt wird, dann die wenig nördlich von der Mühle, am Einfluss des Biberbächleins in die Schmutter liegenden 3 kleinen Häuser, G r e p p e n h ä u s e r genannt, von 4 Familien und 22 Seelen bevölkert, gehören schon der Pfarrei Biburg an. Die Strasse steigt dann etwas aufwärts, durch das enge Thal des erwähnten Baches, das Tannen und Birken umsäumen, und führt in einer halben Stunde nach dem Pfarrdorfe, dessen Thurm schon im Schmutterthal sichtbar ist. Seitwärts von dem Thälchen gegen Nordost, nahe bei Schlipsheim, verborgen hinter einem Hügel, liegt noch eine hieher gehörige Einöde, N e u d e c k, die aus einem halben Bauernhofe und einem Gnadenhäuschen mit 2 Familien und 11 Seelen besteht.

Westlich von Biburg, und noch höher gelegen, dehnen sich in einer Ebene die sandigen Ackerfluren des Dorfes aus, von Wäldern umkreist. Die Flurmark gen Süden heisst *Asang*, der Eichen- und Tannenwald im Südwesten das *Lindach*, der grosse Wald, hier zunächst mit Tannen und Föhren bestockt, im Nordwest der *rauhe Forst* [232]).

---

[232]) Der rauhe Forst erstreckt sich von Rumoltsried im Süden bis Adelsried und Heretsried gen Norden, und von Schlipsheim und

Die Gemeinde selbst hat noch 100 Tagwerk unvertheilten Gemeindewald, an welchem die ältern Häuser, 38 an Zahl, Nutzung haben.   Die Häuserzahl wurde jedoch schon im vorigen Jahrhundert bedeutend vermehrt; die neuen Bewohner aber erhielten keinen Antheil am Gemeindenutzen und wurden darum *Blösslinge* genannt; sie nährten sich früher mit Baumwollspinnen, jetzt aber zum Theil von Feldwirthschaft, zu deren Erwerb die Zertrümmerung grösserer Güter, besonders des grossen Maierhofes, mochte Gelegenheit gegeben haben; zum Theil von Lohnarbeit, grösstentheils in den nahen Forsten.   Arme sind darum selten, und der Nahrungsstand ist ein mittlerer.   Die Anzahl der Häuser im Dorfe beträgt 74 mit 80 Familien und 365 Seelen.

Das königliche Forstamt Biburg hat seinen Sitz in Augsburg, hier aber ist ein Revierförster.   Dem grossen Verkehr durch zahlreiche Holzfuhrwerke, dem frühern bedeutenden Gütertransporte und den zahlreichen Reisenden ist es zuzuschreiben, das hier ausser einem grossen Wirths- und Bräuhause noch 3 andere Wirthshäuser sich befinden, was hier zu Land in einem Dorfe selten ist.

In den päbstlichen Confirmations-Urkunden der Besitzungen des von Kaiser Heinrich dem Heiligen und seinem Bruder Bischof Bruno von Augsburg 1019 gestifteten und von Bischof Embrico 1063—1077 verbesserten Stiftes St. Moriz in Augsburg, welche 1178 durch Alexander III., 1182 durch Lucius III. und 1207 durch Innocenz III. ausgefertigt wurden [233]), werden als St. Moriz'sches Besitzthum *ecclesia et villicalis curia in villa, que nocatur Biberin cum molendino uno* genannt.   Unter den Rechten, welche jenem Stifte in diesem und andern in diesen Urkunden genannten Dörfern

---

Hamel im Osten bis nach Horgauerkreut und Streitheim im Westen. Er besteht grösstentheils aus Nadelholz; in der südlichen Lage finden sich Buchen, Birken und Eichen mit Tannen gemischt. Sein Flächeninhalt beträgt 1050 Tagwerk.   [233]) Urkunden des Stiftes St. Moritz in Augsb. im königlichen allgemeinen Reichsarchiv, mitgetheilt von D. Steichele.

eingeräumt werden, ist auch das Präsentations-Recht begriffen, da es heisst: in parochialibus ecclesiis vestris vacantibus liceat vobis sacerdotes eligere et episcopis praesentare. Wahrscheinlich gehörte Biberin schon zu den ursprünglichen Dotationsgütern des Stiftes St. Moriz, da es in der ältesten bekannten päbstlichen Bestätigungs-Bulle vorkommt. Die Vogtei zu Bibern kam mit dem Hohenstaufischen Erbe an Bayern. 1345 verpfändete Kaiser Ludwig diese Schirmvogtei an Albert von Gerüte [234]). Fridrich von Elrbach, Probst, Johann Ygelbeck, Dechant und das Capitel St. Maurizen zu Augsburg kommen 1404 hinsichtlich der Vogtei über ihre Güter zu *Bybern*, welche von der Herrschaft von Bayern an Wilhalm von *Greut* verpfändet ist, mit letzterm dahin überein, dass derselbe jährlich für seine Vogtrechte von jedem Lehen zu Bybern 30 Pfennig und 1 Fastnachthuhn, und von jeder Sölde daselbst 8 Pfennig und 1 Fastnachthuhn erhalten soll [235]). 1421 verkaufen Wilhalm Grüter zu Strauss und Hertzenlut und seine Hausfrau ihre Vogtei und ihr Gericht zu Pyburg aus 8½ Lehen und aus 11 Sölden daselbst, die sie als Pfand des Kaisers Ludwig sel. ererbt hatten, an Heinrich Schmucker, Bürger zu Augsburg, um 50 Pfund Augsburger Pfennig. Mitsigler war der veste Fritz Burggraf [236]). 1499 bewilligte Herzog Albrecht von Bayern dem Stifte St. Moriz die Auslösung dieser Vogtei [237]).

Biberin gehört ebenfalls zum Länderbesitz der Bischöfe von Augsburg. Diese hatten die obgenannten Güter an St. Moriz geschenkt, und trugen in der Folge an ihre Vasallen Güter in diesem Ort als Lehen auf. 1369 verkaufte Chunrat der Alt, Metzger und Bürger zu Augsburg, seinen Hof zu *Bibern*, genannt der Widdumhof, Lehen vom Bisthum Augsburg, an Chunrat den jungen Mair, Bürger zu Augsburg [238]).

1492 besassen die Rehme, Bürger zu Augsburg, 9 Feuer-

---

[234]) Nach St. Morizischen und bischöfl. Urkunden in Viaca 58.
[235]) Reg. b. XI. 347. [236]) Regest. boic. XII. 372. [237]) Viaca 58.
[238]) M. B. XXXIII. 430.

stätten zu Bibern, und 1526 erhielt Anton Rehm von Augs-
burg noch 2 Höfe mit Zugehörde als bischöfliches Lehen.
Später kamen diese Besitzungen der Rehme an die Jesuiten
in Augsburg, von welchen 1643 St. Moriz dieselben erwarb,
und dadurch endlich in den Besitz des ganzen Dorfes mit
Ausnahme der ehemaligen Burgauischen Vogts- und Zöllners-
Sölden gelangte ²³⁹).   Dass hier ein adeliches Geschlecht
sesshaft gewesen, wird vermuthet ²⁴⁰).

    Die Mühle gehörte, wie oben erwähnt, zu den Stiftungs-
gütern von St. Moriz. Dieses Stift gab dieselbe zu Lehen.
1339 gab Cunrad der Schirchlin, Bürger zu Augsburg, dem
Gotteshause St. Moriz die Mühle an der Schmutter zu
Schlipsham in die Hand H. Rudolphs von Hürnheim, Dom-
dechants zu Augsburg, wieder auf. Der Urkunde sind die
Siegel der Stadt Augsburg und des Johannes von Itenhusen,
Vogts daselbst, angehängt ²⁴¹). Ueber die Einöden Greppen
und Neudeck fanden wir nichts Urkundliches.

    Bei Biburg fand kurz vor dem westphälischen Frieden ein
Treffen zwischen den Schweden unter Feldmarschall W ra n gel
und den Kaiserlichen, unter Feldmarschall Grafen v. Holz-
apfel, der hier fiel, statt, welches für letztern unglücklich
endete, so dass sie einen Theil der Feldkasse, die Kriegskanzlei.
dann 6 Kanonen, 358 Wagen und 1782 Mann verloren, und
nur die unter dem Feldmarschall L. Pompeji, Spork und Mon-
tecucull hinter der Schmutter und auf dem Sandberge postirte

---

²³⁹) Viaca 69. ²⁴⁰) Im 12. Jahrhunderte kommen Ovdalricus de
Biburch, Peringer de Biburch und Wolfhere de Piburch als Zeugen
in den ulrikanischen Urkunden neben einzelnen Adelichen der
Nachbarschaft, als den Wolleibeshusen und Gruonharteshouen und
vieler Andern von jenseits des Leches vor. Mon. B. XXII. 15, 29, 39.
Noch 1400 vergleichen sich die Rathgeben der Stadt Augsburg mit
Ulrich dem Muracher, dem Pyburger und dem Neusässer. Reg.
b. XI. 363. Ob aber dieses Geschlecht Beziehung auf unsern Ort
hat, und auf die jetzt angenommene Benennung desselben (Biburg),
kann nicht bestimmt angegeben werden. ²⁴¹) Reg. b. VII. 234.

Arriergarde den siegenden Feind aufhielt und die gänzliche
Niederlage hinderte [242]).

Die Kirche gehörte, wie erwähnt, St. Moriz, welches
den Widdumhof, wie aus den oben angeführten Regesten zu
schliessen, wohl als Afterlehen veräusserte. 1506 wurde von
Bischof Heinrich von Augsburg [243]) die Pfarrkirche zu
Biber der Custodie der Kirche St. Moriz in Augsburg unirt
und incorporirt [244]), mit Beistimmung und Willen des Decans
des Domcapitels zu Augsburg Wolfgang von Zilnhart, und
des Magister Leonhart Lauginger, Rector der Kirche in Biber,
und nach geschehener Incorporation erster vicarius perpetuus
derselben [245]). In der Folge geschah es zuweilen, wahr-

---

[242]) Oesterreich. militär. Zeitschrift I. B. 1.—3. Heft, Wien 1819.
[243]) Urkunde des Stiftes St. Moriz im königl. allgem. Reichsarchiv,
mitgetheilt von D. Steichele. [244]) „Quod custodia ecclesiae S. Mau-
ritii pro ornatibus, libris, calicibus, indumentis et luminaribus com-
parandis, ministris tenendis, ac fabrica et conservatione structure
chori ac aliorum edificiorum sumptuosas cogitur facere expensas,
quas propter paucitatem reddituum et proventuum sufferre non
potest nisi auxilio oportuno releuetur." [245]) Die Incorporation ge-
schah „cum omnibus et singulis reddituus, prouentibus, juribus et
obuencionibus suis vniuersis quocunque nomine censeantur, reser-
vata tamen pro vicario suisque successoribus in eadem ecclesia per-
petuis vicarijs congrua portione, ex qua commode sustentarj, hospi-
talitatem tenere ac episcopalia et archidiaconalia jura ceteraque
onera eidem ecclesie incumbentia supportare possint." Diese con-
grua portio wird also bezeichnet und bestimmt: „quod vicarius perpe-
tuus et sui successores domum, quam dictj decanus (Bartholomä
Ridler) et capitulum (scl. S. Mauritii) eis ordinabunt, quia hac
tenus ipsa ecclesia domo plebanali caruit, nec non omnes et singu-
las decimas minores vnacum obuentionibus de altarj ac stola re-
medijs et anniuersarijs habere debeant; ceterique redditus, census
et decime majores omnes et singule virtute incorporationis spectare
debebunt et cedere prefatis decano et capitulo nomine custodie
predicte, ita tamen, quod ijdem decanus et capitulum de hys octo
scaffas siliginis et sex scaffas auene necnon sedecim florenos Re-
nenses, item quatuor cumulos vulgo schober straminum auene et
totidem siliginis, item vnum plaustrum straminis jumentis subster-
nendi vulgo rittstro, sex saccos farraginis vulgo gsod auene et toti-

scheinlich in Zeiten wo Priestermangel war, dass die Pfarrei Biber vom Stifte St. Moriz excurrendo versehen wurde, und also kein vicarius perpetuus in Biber residirte.

Auf einem nach Osten abgerundeten, zum Theil künstlich angelegten Hügel [246]), in Mitte des Ortes ist die dem heiligen Apostel Andreas geweihte K i r c h e gebaut, vom Friedhof umgeben, zu dem von der vorbeiziehenden Strasse 34 Stufen hinaufführen. Die Kirche ist ein unansehnliches, dürftig ausgestattetes Gebäude. Der Chor, im Erdgeschosse des Thurmes befindlich, bildet ein Quadrat von circa 14'. Ein im Halbkreis ausgeführter Frohnbogen verbindet denselben mit dem Schiff, das 24' breit, 40' lang ist. Die Decken in Chor und Schiff sind flache Weissdecken. Ihrer Anlage nach ist jedoch diese Kirche sehr alt; später fand eine Erhöhung des Chores, Verlängerung des Schiffes um 15' und Umbau des Thurmes statt. Der untere Theil des Thurmes und ein Theil der Wände des Schiffes sind von behauenen Nagelfluhquadern, in fest gefügtem nur $1\frac{1}{2}'$ dickem Mauerwerk gebaut, dann folgt im Thurm solider alter Ziegelbau, weiter hinauf jüngerer Ziegelbau, und endlich ein sehr schlecht und zum Theil in Fachwerk gebauter achtseitiger Aufbau, den eine abgestufte Kuppel abschliesst. Wie ein Gemälde im Pfarrhofe von St. Moriz in Augsburg, das aus dem gleichbenannten Stifte stammt, zeigt, hatte dieser Thurm noch im vorigen Jahrhundert durchaus Quadratform, und war mit einer kurzen vierseitigen Pyramide bedacht. Von den Glocken wurde die grössere von $2\frac{1}{2}'$ Durchmesser 1811 von Agapitus Hubinger in Augsburg, die 2 kleineren 1828 von Anton Bletl in Augsburg gegossen. Jetzt hat dieselbe keinen nennenswerthen Schmuck, wenn wir nicht eine kleine Tafel von Zinn, in welche der englische Gruss eingravirt ist und die im 17. Jahrhunderte gemacht wurde, erwähnen wollen.

----

dem siliginis dare et persolvere debeant et teneantur prefato vicario et suis successoribus." [246]) Dieser Hügel wird als ein Römerhügel betrachtet. Viaca 58.

8.
Pf. Hainhofen.

Nördlich von der Augsburg-Ulmer Strasse, welche das Schmutterthal quer durchschneidet und nach Biburg aufsteigt, breitet sich die Pfarrei Hainhofen über die Thalfläche und an den auf beiden Seiten angränzenden Hügeln aus. Sie umfasst ausser dem Pfarrdorfe die Dörfer Schlipsheim und Westheim sammt den Einöden Kobel und Schmutterhaus, und gehört dem Landgerichtsbezirke Göggingen an. Die Seelenzahl erreicht fast 1000. Am linken Ufer der Schmutter theils in der Ebene, theils an die Hügel gelehnt, sind die meist kleinen Häuser des Pfarrdorfs Hainhofen gruppirt. Im Vordergrunde, nahe dem Flusse, liegt das stattliche Schloss der Freiherrn v. Rehlingen, dessen frühere Befestigungsmauern nun abgetragen, und dessen Gräben bis auf einen schmalen Wassergraben, der Schloss und Gärten umschliesst, ausgefüllt sind. Im Hintergrunde erhebt sich, auf einem Hügel thronend, die Pfarrkirche; in geringer Entfernung an der Südseite des Dorfes zeigt sich vom Friedhofe umgeben eine Capelle. Die das linke Schmutterufer begleitende Hügelreihe scheint hier, über Hainhofen, im Dachs- und Vogelberge den höchsten Punct zu erreichen; die Häupter dieser Berge sind mit schönen zum rauhen Forst gehörigen Waldungen gekrönt; die in kuppenförmigen Abstufungen sich neigenden Hügelabhänge zu Ackerland bestellt, das, weil sehr hoch gelegen, mühsam zu bearbeiten und sandig ist. Das öfteren Ueberschwemmungen ausgesetzte Wiesenland breitet sich an der Schmutter aus. Das Pfarrdorf zählt 64 Häuser, 76 Familien mit 338 Seelen. Ein Theil der Bewohner steht in mittleren Vermögensverhältnissen, andere haben ein mässiges Auskommen, wieder andere sind dürftig. Es befindet sich hier ein Bräuhaus, Mühle und mehrere andere Gewerbe. Die Schule für die ganze Pfarrei ist ebenfalls in Hainhofen.

Hainhofen besassen frühe die Reichsmarschälle von Biber-

bach und Pappenheim, übertrugen es aber als Lehen den
Kammerern von. Wellenburg, wie aus einem urkundlichen
Verzeichnisse [247]) der Lehen und Pfandschaften, welche die
Reichsmarschälle Heinrich und Hiltprand von Pappenheim
gemeinsam hatten, erhellt, da es heisst: „Der Kammerer hat
inne und niesst Hainhofen." Bei den Kammerern blieb auch
der Ort bis zum Verkauf ihrer Veste Wellenburg, worauf
dann derselbe als bischöfliches Lehen, in welcher Eigenschaft
auch schon die Biberbacher den Ort besessen haben werden,
erst an die Käufer der Wellenburg, dann an verschiedene
andere Augsburger Patricier überging. Ob die in Urkunden
vorkommenden de *Hainhofen* und *Hainhofer* [248]) je Lehen
oder Güter in diesem Ort besessen, konnten wir nicht ermit-
teln. Schon 1348 kam Hainhofen mit andern Wellenburgi-
schen Besitzungen durch Kauf an die Portner. In demsel-
ben Jahre gibt Arnold der Kammerer von Wellenburg die
Lehenherrlichkeit über das Dorf Hainhofen in die Hände des
Bischof Heinrich III. zurück [249]), und belehnte (wohl aus bi-
schöflicher Vollmacht) mit Hainhofen Johann und Jos die
Portner.

1391 siegelten die Portnerischen Töchter und Wittwen,
Anna die Rotin, und Margareth, Conrad des Lechsbergers
Wittib, auf ihrem Sitze Hainhofen eine Urkunde. 1462 ge-

---

[247]) Drusomagus von Dr. v. Raiser Seite 25. [248]) 1300 waren
Canoniker des Stiftes St. Peter in Augsburg Conradus und Henri-
cus de Hainhofen; von letzterem ist gesagt: „aedificavit domum an-
tiquam." 1303 schenkt ein Albertus dictus Heinhofer can. Ratisbon.
ecclesiae Güter an das Kloster St. Mang daselbst. 1406 machte nach
dem Necrolog. Aug. dom. Ulricus dictus Heinhofer capellanus ca-
pelle S. Katharine et socius chori eine Schenkung an das Dom-
capitel. 1490 — 1514 war Elisabeth von Hainhofen Aebtissin von
Edelstetten. 1543 kaufte Bischof Otto von Johann von Hainhofen
Güter im Allgäu. 1632 wurde eine Bürgerfamilie Hainhofer, die
seit 1370 beurkundet ist, von König Gustav Adolph in den Ge-
schlechterstand erhoben. Khamm l. c. II. 80. Reg. B. V. 32. M. B
XXXV,97. Dr. Raiser Beiträge für Kunst und Alterthum im Ober-
donaukreis 1830, S. 38. Braun Gesch. d. Bisch. v. Augsb. III. 494.
Stetten l. c. 293. [249]) Urkundenregister Nro. 87 in Viaca.

hört der Ort dem Leonhard Langenmantel, damals Bürger-
meister von Augsburg. Herzog Ludwig von Bayern ver-
brannte im Kriege mit der Stadt des Langenmantels Gut
Radau, und Hainhofen erwartete gleiches Loos; da sandte
des Bürgermeisters Gattin aus dem Schlosse dem Herzog einen
mit Perlen umwundenen Kranz, den er sehr gnädig aufnahm,
und seinen Leuten befahl, Hainhofen zu schonen. 1492 be-
sass Hainhofen der Tochtermann des obigen Langenmantel,
Hans Walter. Durch Heirath der Anna Walterin mit Ulrich
Sulzer kam der Ort an letzteren und seinen Sohn Georg.
Dann war Johann Paul Herwart Besitzer, der 1567 den Ort
verkaufte. Ferner finden wir als Besitzer einen Bernhard und
Gabriel Rehlinger; von letzterem kaufte Anton Fugger 1582
den Ort um 31,000 fl., verkaufte ihn aber bald wieder an
die Paller. Endlich kam Hainhofen, indem des letztern Toch-
ter Magdalena sich mit Marx Conrad Rehlinger vermählte, an
die Rehlinger, deren eine Linie den Namen Freiherrn von
Rehlingen von Hainhofen führte. Dieser Marx Conrad befand
sich während des 30jährigen Krieges in schwedischen Dien-
sten, wesshalb seine Güter auf kaiserlichen Befehl sequestrirt
wurden; in Folge des westphälischen Friedens kamen jedoch
die Rehlingen wieder in den Besitz derselben. Nach Erlö-
chen der obgenannten Linie traten die v. Rehlingen von
Kutzighofen als Erben ein. Nach der bayerischen Besitznahme
der diesseitigen Landschaft blieb den v. Rehlingen die Ge-
richtsbarkeit über Hainhofen, und es wurde ein Patrimonial-
gericht erster Classe errichtet, welches bis 1848 bestand [250]).
Ein Schloss stand in Hainhofen schon 1462, das gegenwär-
tige stammt aber aus neuerer Zeit.

Wie das Dorf, so war auch das Patronatsrecht bischöf-
liches Lehen. Bischof Heinrich belehnte 1348 die Elisabetha
Portner und ihre Kinder damit, welchen dann die ferneren
Ortsherrschaften im Lehensbesitze folgten. Jetzt ist der Guts-
herr Freiherr v. Rehlingen Patron [251]).

[250] Stetten l. c. 17, 22, 73, 166, 170, 106, 94, 212, 88, 93, 92.
[251]) Braun topographische Beschreibung I. 296. II. 191.

23*

Die dem hl. Stephan geweihte Pfarrkirche, von einem kleinen Begräbnissplatze umgeben, erhebt sich auf einem isolirten durch Mauerwerk unterstützten Hügel. Obwohl erst 1718 neu und grösser gebaut, bietet sie für die vermehrte Bevölkerung nicht mehr hinlänglichen Raum. Sie ist im damals üblichen Renaissance-Styl ausgeführt, das Schiff hat bei 20 Schritt Breite nur 27 Schritt Länge. Der schmalere Chor, im Halbkreis abgeschlossen, misst 13 Schritt Länge. Eine Art dorischer Pilaster belebt die Wände, die Fenster sind im Halbkreis überwölbt, der Plafond im gedrückten Bogen. Einige Statuen der Heiligen: Joseph, Anton, Joachim, Anna, 2 Fuss hoch, lassen eine bessere Arbeit, als gewöhnlich, aus dem 18. Jahrhundert erkennen. Mehrere moderne Grabsteine der Familie Rehlingen verunstalten die Kirche mehr, als sie zieren.

Der Thurm, der noch von der ehemaligen viel kleinern Kirche, deren Chor im Erdgeschosse desselben war, übrig ist, stimmt unharmonisch zu der jetzigen Kirche, an deren Ostung er sich anschliesst, und welche er kaum überragt. Ein viereckiger Bau von grösserer Tiefe als Breite steigt er zierlos hinan, und schliesst mit spitzwinkligem zinnenbekröntem Satteldache. Sein Erdgeschoss, der ehemalige Chorraum, 16' tief, 12' breit, dient nun, in zwei Geschosse abgetheilt, als Sacristei; ein schönes Sterngewölb, dessen Scheitel 26' vom Boden sich erhebt, deckt dieselbe; ein spitzbogiger Arkus verband einst dasselbe mit dem Schiff. Die Rippen dieses Gewölbes laden weit aus, sind wohl gegliedert und aus Ziegelstein. Drei Glocken schallen aus diesem Thurm. Die grössere hat 3½' Durchmesser; den obern Rand ziert eine Inschrift in lateinischen Uncialen, eingefasst mit einer Tauverzierung und einem Bogenfriese, dessen Schenkel sich kreuzen. Die Inschrift lautet: *In honorem sanctae Virginis Mariae facta est haec campana expensis Antonii Fuggeri.* An der Wandung der Glocke steht der Name des Giessers: *Peter Wagner in Augsburg MDLXXXIII.* Die mittlere Glocke hat 2' 9'' Durchmesser; die Umschrift des obern reich ver-

zierten Randbandes heisst: *Aus dem Feuer bin ich geflossen,*
Wolfgang Neidhardt in Augspurg gos mich 1600. Löwen-
köpfe bilden die Krone der Glocke. Die dritte von 2′ 3″
Durchmesser hat am obern Rande, mit Bogenfries und einem
breiten Reliefbande, das zwischen Blumen und Aehren tanzende
Genien zeigt, umschlossen, die Umschrift in lateinischen Un-
cialen: *Wolfgang Neidhardt in Augsburg gos mich* 1680. *mor-*
tua et renata sum. An der Seitenfläche befindet sich das von
Rehling'sche Wappen.

Die Kirche besitzt noch ein Werk der Goldschmiedekunst
aus der letzten Zeit der Gothik im 16. Jahrhundert. Es ist
dies eine Monstranz von Silber gearbeitet. Zwar lässt sie
nicht mehr jene hohe Kunsttechnik erkennen, die ähnliche
Werke des 15. Jahrhunderts bekunden, doch ist sie noch von
gutem Bau. Dem Fusse sind zwei Wappen und folgende
Buchstaben eingegraben, welche auf die Entstehungszeit die-
ses Werkes schliessen lassen: A. F. H. Z. K. V. W. B. F.
G. G. Z. H. Diese werden zu lesen sein: Anton Fugger,
Herr zu Kirchberg und Weissenhorn; Barbara Fugger, geb.
Gräfin zu Helfenstein. Um 1582 wurde Hainhofen von Anton
Fugger erkauft. Obwohl nur kurze Zeit im Besitze ver-
bleibend, zeigte er sich doch als Wohlthäter der dortigen
Kirche. Er schmückte sie, goss die grosse Glocke, und stif-
tete gemäss dieser Inschrift auch die Monstranz. Der Fuss
derselben ist sechsblätterig, in die Breite gedehnt, mit ein-
gravirtem Fischblasenmaaswerk geziert, der Stylus sechs-
kantig, durch Gesimse dreimal getheilt, die sechs Kanten
weiten sich dann aus, die Grundlage des Obertheils bildend,
eine Gallerie von Lilien gebildet, umzieht ihren Abschluss.
Von da an fehlt dann das alte Mittelstück, und ist durch eine
Sonne, welche die hl. Hostie umstrahlt, ersetzt, an den Sei-
ten aber sind noch zwei kleine mit Giebeln und Pyramide be-
krönte Tabernakel vorhanden, in denen die 1″ hohe Figuren
der hl. Apostel Peter und Paul stehen. Den Obertheil bildet
(jetzt über der Sonne) eine zehnseitige Krone, jede Seite
durch Spitzbogen, Giebel und Kreuzblumen, jede Ecke mit

Fiale geziert, über dieser Krone erhebt sich eine zehnflächige Pyramide in einer Schweifung aufsteigend, die Graten mit Bossen, die Flächen mit verschlungenem Stabwerk, die Spitze mit einem Kreuz geziert. 2' 2" ist die Monstranz hoch.

Ausserhalb des Dorfes, in der Schmutterniederung, ist ein zweiter Gottesacker mit einer dem hl. Anton von Padua geweihten Capelle, deren Bauzeit in das Ende des 17. Jahrhunderts fallen mag. Sie ist einfach und schmucklos. Ueber dem dreiseitig geschlossenen Chore, den ein Tonnengewölbe deckt, in welches neun rundbogige Kappen einschneiden, erhebt sich ein Dachreiterthürmchen. Auf dem Altare ist eine 2' hohe Statue der Gottesmutter. Als eine sehr schlanke, bewegte Gestalt mit starker Ausprägung der einzelnen Körpertheile und eigenthümlichem Gesichtsausdruck scheint uns dieses Bild der fränkischen Schule des 15. Jahrhunderts zu entstammen. Leider ist dasselbe durch Absägung des Haarschmuckes über der Stirne entstellt.

Im freiherrlich v. Rehling'schen Schlosse befindet sich im Erdgeschosse ein kleiner gewölbter Raum als Hauskapelle dienend, in welcher nach einem in septennium ertheilten Privilegium die hl. Messe gelesen werden darf. Als Patronin wird die seligste Jungfrau verehrt. Ausser einem Glasgemälde von Mittermayr, darstellend den hl. Michael, und gestiftet von Leopold Fürst Fugger-Babenhausen 1854, findet man daselbst keine erwähnenswerthe Zier.

Schlipsheim.

Südlich von Hainhofen, ³/₈ Stunden entfernt, liegt am sanften Abhange einer sichelförmigen Hügelbucht das Dorf Schlipsheim. Dasselbe zählt 64 Häuser, 104 Familien und 313 Seelen, jene nicht gerechnet, welche oft jahrelang abwesend sind oder nur abwechselnd sich im Heimathsorte aufhalten. Früher war eine zahlreiche Judenschaft hier, die ein besonderes Haus, in welchem 10—11 Wohnungen sind, bewohnten; jetzt haben sie bis auf drei Familien den Ort verlassen.

Die Feld- und Wiesenflur des Dorfes, erstere auf einem niedern Hügelrücken westlich des Ortes, letztere an der Schmutter ausgebreitet, gehört nur Wenigen, nämlich zwei grossen Bauern, dem Wirthe und vier Söldnern an. Die übrigen Bewohner leben nur von der Hand in den Mund als Taglöhner, Maurer, Besenbinder, Hirten etc. in der Nähe und Ferne Erwerb suchend. Darum ist Schlipsheim auch weit bekannt, wenn auch ohne Ruhm.

Schlipsheim gehörte zu den Dotationsgütern des Hospitales und nachmaligen Klosters Heilig Kreuz in Augsburg. Der hl. Ulrich hatte nämlich den gesammten Zehent in *Schlipsesheim* diesem Spitale zu einem Almosen für die Armen überlassen [252]). Auch das Domcapitel besass in *Schliphesheim* ein Besitzthum nach einer Aufschreibung aus dem 11. Jahrhundert am Rande eines Domcapitelschen Codex aus dem 9. Jahrhunderte [253]). Ferner hatte Burgau Rechte und Besitzungen (das Judenhaus) in Schlipsheim, und ausserdem waren auch Güter in den Besitz von Adeligen etc. gekommen. 1348 besass Hans Dillinger und sein Sohn zu Augsburg Güter in Schlipsheim. Später erwarben daselbst die v. Rehlingen Besitzthum. Anton Christoph stiftete um 1700 die Linie von Rehlingen-Schlipsheim. Diese erlosch aber schon 1747 mit dem Tode des Johann Euchar. Jos. v. Rehlingen [254]). Der Ort hatte früher nur wenige Häuser, die vielen Leerhäuser daselbst sind eine Schöpfung neuerer Zeit. 1789 zählte er aber schon 48 Häuser, 88 Familien.

Das Schlossgut und die Herrschaft in Schlipsheim war seit 1785 Besitzthum des Klosters Heilig Kreuz in Augsburg. Durch die Säcularisation kam es an den Staat, der das Schloss an Private verkaufte. Aus dem grössten Theile des Oeconomiebesitzes wurde das jetzige Wirthsgut gebildet, die Gebäude aber wurden abgebrochen, mit Ausnahme der Schlosscapelle, welche der Gemeinde geschenkt wurde.

---

[252]) M. B. 33 a. 30. [253]) Jahresbericht des histor. Vereins für Schwaben etc. 1841. S. 72. [254]) Stetten, Geschichte der adeligen Geschlechter 118, 89, 94.

Diese Capelle bildete einen Theil des Schlossgebäudes, ist darum abweichend von der Regel nach Südwest orientirt, und verräth nur durch das schlanke, achtseitige Kuppelthürmchen über dem Giebel im Aeussern seinen kirchlichen Zweck. Das Innere zeigt einen hohen, oblongen, salonförmigen Raum von 20 Schritt Länge und 13 Schritt Breite, dessen Ecken eingerundet sind, und der mit einer flachen Gypsdecke bedeckt ist. Die Fenster, breit, von geringer Höhe mit Stichbogen überspannt, unterscheiden sich in nichts von denen einer Privatwohnung; da auf der Südseite das Schlossgebäude sich fortsetzte, hat diese keine Fenster. Der Pinsel zweier gefeierten Maler, Jos. Huber und Rottenhammer, schmückten indess diesen Raum mit erhebender Zier. Die Vorbilder des Kreuzestodes Christi brachte der erstere Meister in seiner frommen und edlen Weise und lebendigem Colorit zur Darstellung. An den Wänden in vier quadratisch umrahmten Fresken das Opferlamm des alten und neuen Bundes und die Vorbilder des leztern, Abrahams Opfer und die Errichtung der ehernen Schlange in der Wüste; letzterer Gegenstand ist wiederholt auch im grossen Plafondgemälde zur Ausführung gebracht. Ueber dem Eingang malte er dann das Bild Christi am Kreuze, umschaart von den Stiftern dieser Capelle, den Chorherren zu Heilig Kreuz. Darüber verkünden die Zahlbuchstaben des folgenden Chronologicums: ChrIstVM aspICIte, erIt VobIs fortItVDO, VIrtVs, saLVs, VIta, die Zeit ihrer Erbauung oder Ausschmückung, nämlich 1793.

Der Altar besteht nur aus Mensa und Predella, auf letzterer sind die Statuen, Christus am Kreuz, Maria und Johannes gestellt. Die Predella selbst gliedert sich in drei Abtheilungen, die stufenförmig eine Art Sockel für diese Statuen bilden, und die mit sehr schönen Oelgemälden von Joh. Rottenhammer geziert sind. Den mittlern Theil schmückt wieder die Darstellung, wie Moses auf Gottes Befehl eine eherne Schlange in der Wüste aufrichtet; unter den zahlreichen Personen, welche Heilung von dem Bisse der Feuerschlangen suchend, herandrängen zum errichteten Zeichen, sieht man Frauen in der Tracht des 17. Jahrhunderts. Diesem Bilde zur Linken ist die Erfindung des hl. Kreuzes durch die hl. Helena, und gegenüber die feierliche Erhöhung desselben angebracht. Dieser Theil des Altares ist älter als die Capelle in ihrer jetzigen Gestalt. An der Mensa (antipendium) ist der Patron der Capelle, Nicolaus von Tolentino, gemalt, wie er in Wolken schwebend auf das seinem Schutz befohlene Schlipsheim herabblickt.

Westheim.

Gegenüber von Hainhofen, in einer Entfernung von ³/₈ Stunden am Fusse des allmälig aus dem Thal gegen den Kobelberg ansteigenden Hügels, am rechten Ufer der Schmutter, doch etwas entfernt davon, liegt das freundliche Dörfchen Westheim mit einem Schlosse des Herrn v. Molitor-Mühlfeld. Hart neben dem Orte läuft die Eisenbahn hin, die hier eine Haltstelle hat. Westheim bildet mit der nahen Einöde Schmutterhaus, die aus Wirthshaus, Mühle und einer Sölde besteht, und mit dem ¹/₈ Stunde entfernten Kobel eine politische Gemeinde, die 47 Häuser, 55 Familien und 264 Seelen zählt. Der Ort ist materiell der beste der Pfarrei, da fast alle Bewohner Grundbesitz haben; unter diesen sind noch vier Besitzer von Bauernhöfen.

Westheim gehörte zu den Besitzungen des Hochstifts Augsburg, und war dem Amtslehen der bischöflichen Kämmerer zugetheilt, welche den Ort ganz oder theilweise wieder an ihre Ministerialen als Afterlehen vergabten [255]). Als ein solcher Ministerial erscheint urkundlich *Bertholdus de Westhain*, welcher mit Eltern, Kindern und Verwandten auf Anrathen und Einwilligung seiner Herrn, der Brüder Heinrich und Arnold von Wellenburg, auf seine Ansprüche an die Güter und Leute, die der Ordensprofess Herr Wernher von Welden dem Kloster St. Ulrich und Afra zubrachte, entsagte, anno 1234 [256]). Um 1300 kam Rudiger der Langenmantel

---

[255]) Guntia 28. Viaca 24, 29. [256]) Reg. B. II. 236. M. B. 22, 210.

in den lehenbaren Besitz von Westheim; seine drei Söhne wurden die Stifter dreier Hauptlinien dieses Geschlechts, wovon eine die Westheimische hiess. 1562 erhielten die von Langenmantel die Bestätigung der niedern Gerichtsbarkeit für den Weiler Westheim und des Rechts, daselbst Schmieden, Mühlen, Schenkstatt, Badhäuser etc. anzulegen [257]). Bei dieser Familie blieb der Ort auch bis auf die neueste Zeit, und es war daselbst ein Patrimonialgericht I. Nach dem Aufgeben derer von Langenmantel kam ein Herr v. Weiss aus Augsburg in Besitz, dem durch Heirath mit dessen Tochter der oben genannte Schloss- und Gutsbesitzer folgte.

Im Hofe des Schlosses, an zwei Seiten von einem Wassergraben umgeben, der noch ein Rest der ehemaligen Befestigung ist, befindet sich eine den Heiligen Cosmas und Damian gewidmete Capelle. Sie bildet einen oblongen Raum ohne Chor, hat kleine, spitzbogige Fenster, und über dem First des Daches ein kurzes, zur Hälfte im Viereck, dann ins Achteck umsetzendes Thürmchen, das mit einem Consolenfries geziert und mit stumpfem, achtseitigem Helm bedacht ist.

Das Innere ist gewölbt, und zwar der ältere 19' lange östliche Theil mit zwei Kreuzgewölben, die sich im Halbkreis über den 13' breiten Raum spannen, während die Schildbögen übereinstimmend mit den Fenstern, Spitzbogenform haben. Die Rippen dieser Wölbung bilden Laubbänder von derselben Manier, welche man auch im Galluskirchlein zu Augsburg angewendet findet. Die spätere Verlängerung der Capelle gegen West hat 15' Länge, und ist mit einem einfachen Tonnengewölbe, dessen Scheitel 4' höher steigt als das östliche Gewölbe, überspannt.

Auf dem modernen Altare bildet das Hauptbild die Anbetung der hl. drei Könige in Holz geschnitzt; die Statuen der Madonna, Anton, Rochus, Cosmas und Damian, Johann von Nepomuk, je 18" hoch, welche den Altar umgeben, sind

---

[257]) Stetten l. c. 69, 66.

auch bessere Werke des vorigen Jahrhunderts. An der Empore befinden sich, von quadratischen „Tafeln umschlossen, zwei gute Brustbilder der heiligen Cosmas und Damian, in Relief im altdeutschen Charakter dargestellt. Sie sind circa 2′ hoch, und stammen aus dem 15. Jahrhunderte. Ueber das Alter der Capelle und eines Theils ihrer Einrichtung gibt folgende Inschrift, die auf einer Steintafel eingehauen ist, Kunde: Ad majorem Dei deiparaeque virginis gloriam, in honor. S. S. martyrum Cosmae et Damiani sacellum hoc ante annos CLXXXX funditus erectum ex integro renovarunt atque novo altari ornarunt Jacobus Guilielmus Benedictus Langenmantel a Westheim et Ottmarshausen et uxor Josepha Margaretha Baronissa de Scharfseeda Kollersaich MDCCLXXVII. In diese Capelle sind 64 Messen gestiftet, zu deren Persolvirung der Gutsherr einladen kann, wen er will; der Pfarrer hat keine Verpflichtung in derselben.

Kobel.

Östlich von Westheim erhebt sich der Kobelberg, mit welchem die Hügelreihe, welche das rechte Ufer der Schmutter von ihrem Ursprung an begleitet und die Wasserscheide zwischen Wertach und Schmutter bildet, endet. Nachdem dieselbe schon am Sandberge, über welchen die Landstrasse führt, sich etwas verflacht, erhebt sie sich noch einmal zu einer höhern Kuppe, welche den somit fast isolirt scheinenden Kobelberg bildet, fällt aber dann plötzlich ab, so dass das Schmutterthal auf der rechten Seite nur mehr eine kurze Strecke nördlich vom Kobel an der hohen Ebene von Neusäss einen niedrigen Rand findet, und weiterhin ganz mit der Lechebene sich vereint. Der Kobelberg ist fast ringsum bewaldet, seine Kuppe krönt die Wallfahrtskirche, Maria Loretto genannt, auf dem Kobel, umgeben von dem Hause des Beneficiaten und einem Wirthshause. Sowohl als Wallfahrts-Ort, als auch wegen der Frische der Natur und der weiten Aussicht auf diesem einzigen freien Hochpuncte in der Nähe Augsburgs, ist dieser Berg sehr stark besucht.

Indess wird derselbe vor Entstehung der Wallfahrt kaum bebaut gewesen seyn. Die Geschichte der Wallfahrt hängt mit der des Gnadenbildes zusammen, und ist kurz folgende.

Im Jahre 1582 besass Anton Fugger Hainhofen. Dieser baute im Schlossgarten daselbst eine Capelle, und stellte darin ein aus Holz geschnitztes Bild Mariae auf. Bald aber kam Hainhofen in den Besitz des Wolfgang Paller, der als Lutheraner das Muttergottesbild erst beseitigte, und später seinem Nachbar Karl Langenmantel von Westheim gegen erwiesene Gefälligkeit schenkte. Dieser liess nun auf dem nahen Kobelberge eine Strecke Wald ausreuten, baute mit Beihilfe seiner Schwäger Markus, Matthäus und Paulus Welser daselbst eine kleine Capelle nach der Form des lauretanischen Hauses, und stellte das Bild darin auf. Dies geschah 1602, wie eine Inschrift ausserhalb der Capelle anzeigt: *Aediculam ad exemplar et commensum domus Lauretanae, in qua verbum caro factum est, conformatam ara, statua, ornamentis et omni cultu instructam cultores magnae virginis stipe collata. Anno 1602.* Ausser diesem gibt auch ein altes Pfarrbuch von Hainhofen aus dem Jahre 1602 über den Erbauer und die ersten Donatoren der Capelle Zeugniss. In diesem heisst es: „*Herr Karl Langenmantel hat Gott dem Allmächtigen und der allerseligsten Jungfrau Maria zu Ehren die Capelle, Loretto genannt, auf seine Kosten erbauen lassen und dieselbe mit Zuthun Marx, Matthäus und Paul, der Gebrüder Welser, welche Er aus sonderlichem schwägerlichem freundlichen Willen darzu gezogen, dotirt.*“

Während des 30jährigen Krieges wurde das Bild der Gottesmutter von der Kobel-Capelle nach Hainhofen in Verwahrung gebracht. Als nach Erlöschen der Kriegsflamme die Besucher dieser Capelle sich mehrten und durch wunderbare Gebetserhörungen bewogen, ganze Gemeinden zum Bilde der Gottesmutter wallten, wurde für nothwendig erachtet, ein Langhaus an die Loretto-Capelle zu bauen; doch scheint diess erst nur ein Nothbau gewesen zu sein; da 1728 im Auftrage des Leopold Ignaz v. Langenmantel, Decans der beiden Col-

legialstifte St. Moriz und St. Peter in Augsburg und Admini-
strators des Kirchenvermögens auf dem Kobel, jenes Lang-
haus abgebrochen, aber neu und grösser wieder gebaut
und das Gebäude in den jetzigen Stand gesetzt wurde. Ein
Chronologicum über dem Frohnbogen, der den Eingang in die
Loretto-Capelle vermittelt, zeigt das Jahr dieses Baues an:
„VerI refVgII LoCVs DoMVs LaVretana." Noch später, 1748,
wurde auf der Nordseite des Loretto-Kirchleins eine Capelle
als Vorhalle angebaut von Wolfgang Anton v. Langenmantel
auf Westheim [258]).

Die 15 Schritte lange Loretto-Capelle, welche jetzt gleich-
sam den Chor der Kirche bildet, deckt ein Tonnengewölbe,
ihre fensterlosen Wände stellen im Verputz einen Ziegelstein-
rohbau vor. Das Wallfahrtsbild, die Madonna, befindet sich
hinter dem niedern Altare an der Wand. Es ist ein gut ge-
schnitztes Bild von 4' Höhe. Maria ist stehend in edel be-
wegter Haltung dargestellt, auf den Falten ihres Mantels, die
in der Mitte des Leibes zusammenfliessen und etwas aufge-
schürzt sind, sieht, von den Händen der Mutter unterstüzt,
das Kind Jesus; es ist bekleidet, in der einen Hand hält es
die Weltkugel, die andere erhebt es segnend. Die Drapperie
der Gewandung fliesst gut, ist aber nur seicht eingeschnitten.
Der Charakter dieser Sculptur verräth den Uebergang von der
Gothik zur modernen Richtung. Wenn auch kein Kunstwerk,
so ist dies Bild doch noch das Werk eines guten Meisters
des 16. Jahrhunderts, der noch auf der alten traditionellen
Bahn sich bewegte. Das Gesicht der Mutter und des Kindes
sind bräunlich gefasst. In neuester Zeit wurde dem Bilde die
hässliche Zopfkleidung, die demselben angezwängt worden,
ausgezogen, und so dasselbe in seiner Schönheit und Würde
wieder anschaulich gemacht, gewiss nur zur Freude aller
frommen Besucher dieser Wallfahrt.

Das Schiff der Kirche misst 32 Schritte Länge und 16

---

[258]) Stetten l. c. 69., und handschriftliche Nachrichten bei den
Beneficial-Acten.

Schritte Breite. Es hat eine Plafonddecke von geringer Wölbung, geschmückt mit einem schönen Gemälde von Joseph Huber vom Jahre 1793, den englischen Gruss darstellend. An den Wänden sind mehrere Epitaphien von Langenmantel'schen Familiengliedern. Die Fenster haben Rundbogenschluss. Ein kleines Thürmchen, zur Hälfte vier-, dann achteckig mit Kuppel bedeckt, reitet über dem Dache des Chores.

Nördlich von der Kirche steht das Beneficiatenhaus, da seit 1699 ein besonderer Geistlicher hier aufgestellt ist, dessen Präsentation noch ein Recht der Familie v. Langenmantel geblieben, sowie auch die Administration des auf circa 7000 fl. geschätzten Kirchenvermögens in Händen dieser Familie ist.

In der Lorettokirche wird das Sanctissimum aufbewahrt. Der Pfarrer von Hainhofen hat stiftungsgemäss von Georgi bis Michaeli jeden Samstag hier Messe zu lesen und im Beichtstuhle auszuhelfen, auch 6 gestiftete Jahrtage zu halten; ferner hat er ex convenientia an allen Frauenfesten nach Beendigung des Pfarrgottesdienstes, sowie an den 3 ersten Samstagen in der Fasten Beicht zu sitzen. Der Beneficiat ist verpflichtet: täglich die hl. Messe zu lesen, Beicht zu sitzen und an den Frauentagen, mit Ausnahme Maria Lichtmess, dann am Gründonnerstage und Ostersonntage Nachmittags zu predigen, ferner im Dreissigst täglich Nachmittags einen Rosenkranz zu halten. Weil der Pfarrer hier aushilft, ist auch die Aushilfe des Beneficiaten in Hainhofen herkömmlich [259]).

9.
Pf. Othmarshausen.

Flussabwärts, von Hainhofen und Westheim $^3/_6$ Stunden entfernt, etwas verborgen hinter einem Eichenwäldchen, das einen Ausläufer des niedern östlichen Thalrandes bedeckt und die Ebene beschränkt, am Fusse der westlichen Hügelreihe,

---

[259]) Bericht des Pfarramts von Hainhofen an das bisch. Ordinariat vom Jahr 1858.

von den Windungen der Schmutter halb umkreist, liegt das
Dörfchen O t h m a r s h a u s e n. Die Häuser sind meist in der,
Ueberschwemmungen ausgesetzten, Niederung gebaut; die
Kirche sammt dem Pfarrhofe aber beherrschen auf der Kuppe
eines, am nordwestlichen Ende des Dorfes gelegenen, Hügels,
der das Ende eines kleinen Seitenthälchens bildet, durch wel-
ches die höhern Berge bei Hainhofen Wasserabfluss finden, den
ganzen Ort und die Umgebung. Das Dorf zählt 65 Häuser,
72 Familien, 314 Seelen. Ausserdem gehört noch zur Pfar-
rei die Filiale H a m e l , beide liegen im Landgerichtsbezirke
Gögingen. Es ist auch ein Schlösschen im Orte; ehemals
denen v. Langenmantel gehörig, ist dasselbe seit 1854 im
Besitze des pens. Rittmeisters Grandaur mit allen Gütern und
Rechten, wozu auch das Präsentationsrecht auf den Schul-
und Messnerdienst gehört.

Der Name unseres Orts lässt auf verwandten Ursprung
oder Benennungsursache mit den nahen Orten Othmaring bei
Friedberg und Othmarshausen auf dem Lechfelde schliessen.
In keinem dieser Orte indess ist gegenwärtig der sonst in
der Augsburger Kirche verehrte Abt Othmar Kirchenpatron.
Diese Namensgleichheit zweier nahen Orte macht die Be-
nützung der Urkunden für die Ortsgeschichte schwer und
unsicher.

In den ulrikanischen Urkunden des 12. Jahrhunderts wird
als Zeuge der Schenkung eines Gutes in H a r d e durch Rahe-
win und Hiltegund von Waleshouen an das Kloster St. Ulrich
neben mehreren Bürgern von Augsburg und Adelichen von
diess- und jenseits des Leches auf Goteboldus et filius ejus
Heinricus de *Othmareshausen* angeführt [260]).

Unter den Besitzungen des alten Dilinger Grafenhauses
wird auch ein Othmarshausen genannt, das, weil mehrere
nah gelegene Orte, wie Oberhausen, Dietkirch etc. demselben
Hause angehörten, wohl unser Othmarshausen seyn könnte.
Bischof Hartmann, der letzte Sprosse des Dilinger Grafen-

---

[260]) M. B. 22, 28.

geschlechtes, durch den die Güter dieses Hauses an das Hoch-
stift Augsburg kamen, bestätigte nämlich 1258 dem Kloster
Kaisersheim die Schenkung eines Gutes in *Ottmarshausen* [261]),
welche sein Vater Hartmann demselben gemacht hatte. Mit
Gewissheit bezieht sich auf unsern Ort eine Urkunden-
abschrift [262]), dergemäss wir im Jahre 1329 den Ritter Herrn
Hanss Langenmantel, Bürger zu Augsburg, im Besitz der
Kirche und der Vogtei zu Ottmarshausen finden, und zwar
hatte er diesen Besitz als Lehen vom Bischof zu Augsburg.
Derselbe Ritter schenkte mit Bewilligung Bischof Friedrichs
die Lehenschaft dieser Kirche und die Gerechtigkeit der Vogtei
in derselben zu der, von ihm von neuem erbauten, Capelle
im Freithofe des Domes zu Augsburg. Alle Renten der Kirche
zu Ottmarshausen wurden dieser Capelle einverleibt; der Caplan
an derselben musste dem Vicar zu Ottmarshausen eine Woh-
nung und eine ehrbare Pfründe, nämlich 3 Scheffel Korn,
3 Scheffel Haber, davon reichen, alle kleine Zehent und das
Opfer demselben lassen. Diese Capelle war die St. Christophs-
Capelle in Coemeterio St. Joannis [263]). Der Caplan an der-
selben sollte nach dem Willen Bischof Friedrichs zugleich ein
Vikar des Domchores seyn, die Bestellung desselben sollte
dem Ritter Hanns Langenmantel für das erstemal, für die
Folge aber dem Domcapitel zustehen. Letzteres übte dann
auch das Präsentationsrecht auf die Pfarrei in Othmarshausen
aus; doch erwähnt unsere Schenkungs-Urkunde nichts von
diesem Rechte, es scheint vielmehr, dass der Caplan an der
Langenmantel'schen Capelle den Vicar zu präsentiren hatte,
was nach einem Visitationsbericht von 1676 der damalige
Pfarrer zu Othmarshausen durch authentische Schrift beweisen
zu können glaubte. Zuweilen versah wohl der Caplan an der
St. Christophscapelle und Vicar an der Domkirche selbst ex-
currendo die Pfarrei, wie diess aus einem andern Visitations-
bericht von 1575 erhellt, wo es heisst: „parochus ecclesiae
hujus est venerabilis Dns. Leonhardus Resslin, Vicarius chori

---

[26]) Braun l. c. II., 323. [262]) Stetten l. c. 385. [263]) Khamm
l. c. I., 36.

Augustensis." Dass dieser nicht in Othmarshausen residirte,
erhellt daraus, dass der Visitator nicht über dessen Bücher,
Widdum etc. berichtet, sondern beigefügt, dass solches von
ihm selbst erforscht werden könne [264]. In einem in Original
vorhandenen Verzeichnisse geistlicher Besitzungen im Burgau
von 1458 heisst es: „Zu Sant Christoffs Capelle uff dem Kirch-
hof ain widemhöflin zu Othmarshusen bei Hainhouen, item
2 Sölden daselbst." Den Langenmanteln blieb aber auch nach
dieser Schenkung noch Besitzthum in Othmarshausen. 1394
gehörte Othmarshausen dem Hartmann Langenmantel mit dem
Sparren. Später aber kamen auch andere Geschlechter hier
zu Besitzthum, wahrscheinlich durch Veräusserung der Lan-
genmantel'schen Güter. 1492 gehörte Othmarshausen dem
Hans Walter. Derselbe besass nach dem burgauischen Feuer-
stattsguldenverzeichniss von demselben Jahre hier und in Hain-
hofen zusammen 43 Feuerstätten. Durch Anna Walter, welche
mit Ulrich Sulzer ehelich verbunden war, kamen diese Güter
an diesen und ihren Sohn Georg Sulzer. Hierauf besass
Bernhard Rehlingen, ein Verwandter des Sulzer, den Ort;
dann kam derselbe an die Herwart; 1567 verkaufte Joh. Paul
Herwart Othmarshausen an Anton Fugger, dieser um 1600
an die Paller. Mit Rosina Paller kam der Ort wieder an
einen Sulzer, nämlich Wolfgang Leonhard. 1693 schrieb
sich Leonhard Karl Sulzer auf Achstätten und Ottmarshausen.
Die Sulzer überliessen hernach denselben an die Reichsstadt
Memmingen, und letztere tauschte ihn von den Langenmanteln
gegen einen Theil des Dorfes Erkheim, der denselben ge-
hörte, aus. 1698 wurde Othmarshausen von Johann Wilhelm
Langenmantel von Westheim mit bischöflich lehensberrlichem
Consens um 26,754 fl. erworben. So kam endlich Othmarshau-
sen wieder an dieselbe Familie zurück. Wolfgang Anton Langen-
mantel, Chur-Trier'scher Rath, der 1761 kinderlos gestorben,
und sein Bruder Leopold Ignaz, Decan des St. Morizstiftes,
machten aus dem vierten Theil des Dorfes Othmarshausen (das

---

[264] Acten des bisch. Archivs.

übrige gehörte andern Gliedern dieser Familie) mit Hinzu-
nahme von Westheim ein Fideicommiss auf die Descendenz
ihrer Brüder. Die Langenmantel besassen den Ort mit aller
Ein- und Zugehörde, mit Vogtei, Gericht, Zwing und Bann und
allen Ehehaften. 1806 hatten sie daselbst 1 Schloss, 1 Mühle
und 53 Feuerstätten [265]). In Othmarshausen war ein freiherr-
lich v. Langenmantel'sches Patrimonialgericht I. Classe bis
1848, in welchem Jahre die Gerichtsbarkeit an den Staat über-
ging. Der letzte Rest der v. Langenmantel'schen Güter ist,
wie wir schon oben erwähnt, jetzt auch in anderer Hand.

Die Pfarrkirche ist dem hl. Vitus geweiht; früher
wurde ausser dem auch der hl. Othmar und zwar an erster
Stelle als Patron genannt, wie aus den Visitationsberichten
von 1575 und 1676 erhellt [266]). Wegen Vermehrung des
Familienstandes musste die ehemalige kleinere Kirche ver-
grössert werden. Da eine Verlängerung des anstossenden
Pfarrhofs wegen unthunlich war, so wurde dieselbe erweitert
und erhöht. Diess geschah 1840 durch den Maurermeister
Raimund Mayr in Pfersen.

Der Thurm, an der Nordseite des Chores sich erhebend,
ist theilweise noch ein altes Bauwerk. Im Grundrisse bildet
er ein Quadrat von 12'; seine Aussenwände gliedern Eck-
Lisenen, die über dem Erdgeschosse durch ein romanisches
Rundbogenfries mit prismatischem Zahnschnitt darüber ver-
bunden sind. Höher hinauf hebt sich ein jüngerer Bau aus
der Zeit nach dem dreissigjährigen Kriege, der die gedop-
pelten rundbogigen Schalllöcher einschliesst und über den-
selben mit Rundbogenfries endet; darüber ist dann in noch
späterer Zeit zur Erhöhung des Thurmes ein Stockwerk, wie-
der mit Schallöffnungen durchbrochen, aufgesetzt worden;
ein Satteldach mit Zinnen gekrönt, schliesst den Bau. Der
halbkreisförmig schliessende Chor scheint schon im vorigen
Jahrhunderte in der jetzigen vergrösserten Gestalt erbaut wor-

---

[265]) Stetten l. c. 72, 166, 170, 94, 106, 287, 317, 69, und Mscpta.
Raiseriana Tom. III. 174. T. V. 241, 222. [266]) Acten des bischöfl.
Archives.

den zu seyn; damals mag dann auch der Thurm durch Er-
höhung mit demselben in Proportion gebracht worden seyn.
Das neue Schiff der Kirche hat eine weisse, flache Decke
und spitzbogige Fenster. Zwei Statuen sind hier die einzigen
Reste alter Kunst; die eine stellt eine **Madonna** dar, ist
ein Werk des 15. Jahrhunderts, 4' hoch. Maria trägt das
nackte Kind auf dem linken Arme, den Leib neigt sie stark
nach derselben Seite; der Faltenwurf ist kräftig geschnitten
mit eckigem Bruch. Leider sind beiden Köpfen die Haare
weggemeisselt, dafür hässliche natürliche Haare und unförm-
liche Kronen darüber angebracht. Die andere Statue stellt
einen heiligen **Apostel** dar, 2½' hoch, in der einen Hand
ein Buch haltend, die andere, wie lehrend, bewegend, Hal-
tung und Faltenwurf in geraden Linien etwas steif, wohl aus
dem Anfange des 16. Jahrhunderts. Auffallend sind die Pila-
ster an der Rückwand der Kanzel; an denselben sind Engel,
in Halbfigur, die Hände auf der Brust gekreuzt, die Köpfe
gegen den Schalldeckel stemmend; diese Figuren sind sehr
elegant und zart geschnitten, und zierten ehedem die Kanzel
in der Pfarrkirche zu Thierhaupten.

Im Thurme befinden sich drei Glocken, zwei derselben
1855 und 1856 gegossen; die ältere 1710 von Franz Kern
in Augsburg ist ein schönes Gusswerk; ihre Umschrift lautet:

Ad res divinas populo pia classica canto,
Fulmina discutio, funera ploro pia.

Hamel.

In gerader nördlicher Richtung gelangt man von Oth-
marshausen in ¼ Stunde zum Filialorte **Hamel**, einem
Weiler, der unfern der Schmutter, an der Mündung eines
kleinen Wiesenthälchens, durch welches das Mühlbächlein
rinnt, und aus dessen Hintergrunde das Schloss von Aystetten
hervorschaut, liegt. Auf einer niedern Abfallstufe eines be-
waldeten, hohen, kegelförmigen Hügels, Hamelberg genannt,
der dicht an der Nordwestseite des Ortes sich erhebt, und
dessen Gipfel einst ein Kloster krönte, ist ein stattliches von

24*

Mauern und Flankenthürmchen umgebenes Schlossgebäude. Hamel bestand früher nur aus ein paar Gütern; doch hat auch hier, wie wir diess schon in den Orten Deubach, Hainhofen, Schlipsheim fanden, die Speculation der kleinen weltlichen Grundherrn im vorigen und diesem Jahrhunderte eine mit dem urbaren Boden in keinem Verhältnisse stehende Vermehrung der Häuser bewirkt, so dass nun der Ort ausser dem Schloss und dem jezt auch dazu gehörigen einzigen Bauernhof noch 15 Häuser, 17 Familien, 86 Seelen zählt. Die Schlossherrschaft ist protestantisch und domicilirt in Augsburg.

Hamel wird erwähnt in einem alten undatirten liber censualis des Klosters St. Ulrich und Afra in Augsburg, in welchem unter dem Titel *ex officio Elemosinarii* unter andern Gütern auch angeführt wird: in *Hameler* hoba I. vnde communio datur [267]).

Auf den Berg Hamel wurde das im 12. Jahrhunderte zuerst in Muttershofen gegründete Augustiner-Mönchskloster, ehe es 1194 in das Hospital zum heil. Kreuz in der Stadt übersetzt wurde, bessern Frommens halber von Bischof Konrad um 1159 versetzt. Dieser hat demselben von dem bischöflichen Walde zur Erbauung eines Klosters und zur Kultur einen Platz auf diesem Berge, wo schon vorher eine Burg gewesen seyn soll, angewiesen.

Derselbe Bischof, sowie seine Nachfolger Hartwik und Udalskalk bestätigten diese Schenkung auch nach dem Abzuge des Klosters. Letzterer insbesondere übergab von demselben Walde noch mehrere Strecken zur Kultur, und bestimmte die Grenzmarken des geschenkten Bodens, nach einer Urkunde von 1194 [268]). Bischof Sigfried III. wendete dieses Besitzthum dem Hochstifte wieder zu, indem er 1225 dem Kloster zum hl. Kreuz in Augsburg gegen das Schloss und die Güter am Hamelberge die Pfarrei und einige Aecker zu Bobingen

---

[267]) M. B. XXII. 157. [268]) Braun, Gesch. d. Bischöfe von Augsburg II. 116, 148, 155.

umtauschte [269]. In den Kämpfen, welche die Bürger von Augsburg gegen ihren Herrn, den Bischof Hartmann, führten, um sich der Herrschaft der Bischöfe zu entziehen, machten erstere 1251 auf des Bischofs Kriegsvolk, das sich am Hamelberge gesammelt hatte, einen Ausfall und zerstreuten selbes [270]. Auch im Kriege, der zwischen Bischof Hartmann von Augsburg und Herzog Ludwig von Bayern entstand, weil letzterer sich die Advocatie über die Stadt Augsburg anmasste, muss ein Kampf oder Ueberfall bei Hamel stattgefunden haben, weil im Friedensvergleich von 1270 die an den Augsburger Bürgern zu Hamel verübten Todtschläge erwähnt werden [271].

Später verliehen die Bischöfe die Güter zu Hamel an verschiedene Augsburger Geschlechter; so an Hans Lieber, der 1455 den Hamelhof als bischöfliches Leibgeding besass; dann 1550 als Erblehen an Wolfgang Paller. Die Paller nannten sich von Hamel, und erbauten wieder ein Schloss daselbst. 1565 überliess W. Paller, B. z. A., seinen leibfälligen Hof und eine Sölde zu Gersthofen und einen leibfälligen Hof zu Tefertingen an Card. Bischof Otto für Abladung eines jährlichen Laudemiums per 29 fl. von dem bischöflich lehenbaren Hamelhof. Nach dem Absterben dieses Geschlechtes mit Wolfgang Leonhard, † 1679, kam es an die Sulzer; dann kaufte es 1687 Raimund Egger, der sich *auf Hamel* schrieb. Durch Erbschaft kam dann Hamel an Christoph Rad und Paul v. Stetten, und noch jetzt ist die v. Stetten'sche Familie im Besitze des Schlosses und der Güter [272]. Die niedere Gerichtsbarkeit, welche der Gutsherr dort übte, ist an den Staat 1848 übergegangen.

Im Schlosse war früher eine Capelle, in welcher manchmal auf Veranlassung der Gemeinde die hl. Messe celebrirt wurde; doch war keine Stiftung damit verbunden. 1843

---

[269] Ibid. 239. [270] Stetten, Geschichte von Augsburg I. 72. [271] M. B. XXXIII. a. 120. [272] v. Stetten, Geschichte der adelichen Geschlechter 287, 317, 324. Mspt. Rais. T. V. 135, 253. III. 224.

wurde der darin befindliche Altar mit Bewilligung des bisch. Ordinariates exsecrirt [273]). Auf den Flügeln dieses Altars war das Wappen des Niclas Volz, bischöflichen Burggrafen in Augsburg, der Hamel lehensweise um 1516 besessen, so wie das seiner Frau, einer gebornen Fischerin, gemalt. Nach einem Visitationsberichte von 1676 stellte der damalige Pfarrer von Othmarshausen die Anfrage, ob Hamel zur Pfarrei Oberhausen oder Othmarshausen gehöre, was also damals unbestimmt gewesen zu seyn scheint.

10.
Pf. Aystetten.

Durch das gen Südwest sich ziehende enge Wiesenthälchen, an dessen Mündung Hamel liegt, erreicht man von da in $^5/_8$ Stunden das am Schlusse dieses Thälchens gelegene, von Wäldern und Hügeln umgürtete Aystetten. Dieses Dorf zählt 92 meist kleine Häuser, 92 Familien, 451 Seelen. Ausserdem gehört zum Pfarrbezirke: das an einem Bergabhange erbaute, von Gärten und Aeckern umgebene Schloss des Freiherrn Karl von Munch, dann ein zweites $^1/_8$ Stunde weiter gen Norden zu, am Waldessaume gelegene neuere Schlösschen (Luisensruh) des Eduard von Höslin mit einem dabei gelegenen Hause, in welchem Steingutflaschen fabricirt werden, endlich eine kleine Mühle im Thälchen $^1/_8$ Stunde östlich vom Dorf. Die Besitzer beider Schlösser sind mit ihren Familien protestantisch und der protestantischen Pfarrei Hl. Kreuz in Augsburg eingepfarrt.

Von Aystetten, auch Aichstetten geschrieben, ist uns aus bis jetzt veröffentlichten Urkunden wenig bekannt. Seiner Lage nach ist es ein Rodort, und weil nur kleine Güter daselbst zu finden, wahrscheinlich einer der jüngern. Ein Rittergeschlecht ähnlichen Namens, das man mit unserm Ort zuweilen in Beziehung bringt, gehört dem Orte Ach-

---

[273]) Pfarramtlicher Bericht vom Jahr 1858.

stetten, der zwischen Ulm und Biberach liegt, an [274]). Die 1335 urkundlich genannte Hiltgunt die Aychstetterin und ihr Sohn Heinrich, Bürger zu Augsburg, scheinen ihren Namen eher von der Stadt Eichstädt als von unserm Orte geschöpft zu haben. Vom Jahre 1429 finden wir, dass Anna Langenmantlin von Radau, Wittwe, Burgerin zu Augsburg, dem Domcapitel einen Hof zu Aistetten verschrieben hat für die 7 Pfd. Münchner, so Conrad Miner ihr Anlin einem jeden Caplan der hl. Drei König-Capellen vor Zeiten gestiftet hat [275]). In einem Urbar, das Bischof Peter von Augsburg 1428 errichtete, und das sich im kgl. Reichsarchive befindet, ist auch Aichstetten vorgetragen [276]). Vom 16. Jahrhundert an finden wir Aystetten als bischöfliches Lehen im wechselnden Besitze Augsburger Patricier-Familien: erst der Eggenberger, der Herwarte; von diesen kaufte es der Probst des Klosters zum hl. Kreuz Bernhard Wörlin. 1582 aber verkaufte es Probst Anton Beyrer an Anton Fugger um 23,000 fl. Dieser verkaufte es wieder an die Fleckheimer [277]). 1622 war Johann Christoph Fleckhamber Gerichtsobrigkeit daselbst; 1630 wird Marx Fleckhammer in bischöflichen Urkunden *„unser Lehenmann"* genannt [278]). Ferner besass 1693 den Ort Leonhard Karl Sulzer, der ihn 1718 an Franz Octavian Langenmantel, dieser aber wieder an Christian von Münch 1729 mit lehensherrlichem bischöflichen Consens um 42,000 fl. verkaufte. Dieser vergrösserte das Schloss und legte Gärten und Maulbeerpflanzungen an, seine Nachkommen sind noch im Besitze. 1806 gehörte denen v. Münch der Ort mit aller Ein- und Zugehörde, es war ein Schloss und 66 Feuerstätten da [279]). Die Gerichtsbarkeit, welche ein Patrimonialgericht I. Classe bildete, ging 1848 an den Staat über.

Das Patronat über die Kirche war immer ein Recht der

---

[274]) Crusius, schwäb. Chronik I, 798. [275]) M. B. XXXIII. b. 45. Mscpt. Rais. III, 217. [276]) Nur die Namen excerpirt in Mscpta. Raiseriana T. III, 373. [277]) Stetten l. c. 106, 212. [278]) Acten des bischöfl. Archivs. [279]) Stetten l. c. 317, 69, 346. Mscpt. Rais. III. 174. V. 222. 254.

Gutsherrn. 1575 ist in dem mehrerwähnten Visitationsberichte als collator ecclesiae der Probst von hl. Kreuz genannt, welches Kloster damals im Besitz der Herrschaft war. 1630 beklagte sich die Gemeinde beim bischöflichen Vikariate, dass Max Fleckhamer den heyligen Schrein sammt Brieven aus der Kirche zu seinen Handen genommen und auf mehrfaches Ansuchen nicht zurückgestellt. Im Jahr 1685 bitten die Vierer und ganze Gemain in Aystetten, „weilen das Gotteshaus St. Martin zimblmassen bauföllig und depauperirt, den Patron H. Fleckhammer zur Herausgabe des alten Heilingbuch und zur reparation des Gotshauses anzuhalten.“ Nach dem Visitationsbericht von 1575 war die Kirche damals in gutem Stande und wohl eingerichtet. 1676 aber wird geklagt, dass an dieser Kirche, weder innen noch aussen etwas zu sehen sei, quod devotionem spirat, der Gottesacker sei ohne Mauern und Zaun, die Fenster der Kirche seien alle zerbrochen, die Altäre alt und schmucklos, der Ornat mangelhaft, dazu die jährliche Einnahme der Kirche nur 7 Gulden, während der Ortsherr die Früchte der zur Kirche gehörigen Güter selbst nütze und der Kirche nichts davon reiche. Das Einkommen des Pfarrers betrug kaum 100 Thaler. 1684 war das Aeussere restaurirt, aber der Regen drang noch durch das schadhafte Dach zum Altar [280]).

Die Kirche, vom Gottesacker umgeben, liegt in der Ebene mitten im Orte. Sie zeigt in ihren Theilen Bauwerk verschiedener Zeiten. Der Thurm fällt vor allem auf durch das reiche, hier ungewohnte Detail seiner Architectur. In quadratischer Grundform von 12' Durchmesser steigt derselbe in 6 Stockwerken zu etwa 70' Höhe hinan. Das Erdgeschoss bildet der etwas verstärkte Sockel, von hier an lösen sich die Mauerflächen in Ecklesenen, die durch Quergurten verbunden sind, und in 1' tiefe Wandnischen auf, die wiederum durch Blendarcaden oder Friese belebt sind. Diese Arcaden bestehen aus je 2 Halbpfeilern und 3 Bogen darüber, die Bo-

---

[280]) Acten des bischöfl. Archivs.

gen sind im 2. Stock Spitzbogen, im 3. Rundbogen, im 4.
Eselsrückenbogen. das 5. Stockwerk schmückt ein Rundbogen-
fries mit Kleeblattenden, das 6., in welchem auch die doppel-
ten rundbogigen Schallöffnungen. ein Consolenfries. Das im
gleichschenkligen Dreieck gebildete Satteldach darüber ist nicht
minder zierlich, indem die beiden Giebel durch horizontale
und verticale Mauerstreifen gegliedert und mit je 5 Zinnen
bekrönt sind. Diese beschriebene Detailformen zeugen dafür,
dass dieser Thurm am Anfange des 16. Jahrhunderts erbaut
worden. Der Chor und ältere Theil des Schiffes könnten auch
aus dieser Uebergangsperiode von der Gothik zur Renaissance
ihren Ursprung leiten. Den Chor umgeben 3 Streben, die
nur 1′ ausladen und 20″ breit sind; erst viereckig, setzen
sie dann ins Dreieck um, schliessen aber wieder mit vier-
eckiger Dachschräge. Das dem kleinen Chor entsprechende
alte Schiff ist 33′ lang, 25′ breit, von sehr festem, aber nur
2′ 4″ starkem Ziegelbau, die Fenster waren nur klein und
im Segmentbogen überwölbt. Dieses alte Schiff ist nun um
18′ verlängert und 5′ erhöht, und andere grössere Fenster
im gedrückten Rundbogen schliessend in dasselbe gemacht.
Die Sacristei an der Südseite correspondirt dem Thurm; da
ein Oratorium für die Herrschaft über derselben gebaut ist,
so ist das Aeussere so hoch als die Kirche und bildet so eine
Art Kreuzbau.

Die Kirche hat im Innern das Gewand der Renaissance.
1853 wurde sie wiederholt renovirt, was auch 1783 nach
einem Berichte an das bischöfliche Ordinariat geschehen war.

Die Altäre sind nach Zopfmanier gebaut, der Choraltar
dem heil. Martinus geweiht, an den Seitenaltären die Bilder
Maria immaculata und Antonius durch Merkle von Hamel
gemalt. 1575 war einer der Seitenaltäre zu Ehren der vier
Evangelisten, der andere zu Ehren der hl. drei Könige ge-
weiht [281]).

Aussen an der Ostwand des Chores ist ein Denkstein

---

[281]) Acten des bischöfl. Archivs.

auf ein Familienglied der frühern Besitzer aus Sandstein, eine
Inschrift mit lateinischen Initialen von einem Kranz von Wappen umgeben enthaltend. Die Inschrift heisst: *Joan. Jacobo
Fleckhamero equiti D. Alberto Archiduc. Austriae a consiliis
et secretioribus ac ejusdem consilio statuum atque aulico a
Germanicis secretis VI. Cal. Jul. A. MDCXI. Bruxellae pie
defuncto Joannes Christoph, Joannes Philippus Fleckhameri
a Aisteten et Sabina Fleckhamera Hieronymi Schoreri uxor
fratri suo chariss. deb. gratitud. E. M. A. V. P. P. A.
MDCXVIII.*

11.
Teferdingen.

Nördlich von Hamel bilden der Hamel- und Loder-Berg
mit Tannen und Buchen bewaldet die westliche Gränze des
Schmutterthales. Beide Berge gehören zum rauhen Forst, der
hier seine Wälder bis zur Thalsohle sendet [282]). Diese selbst
weitet sich aus und wird ganz eben, im erlenumsäumten
Bette schlängelt sich die Schmutter durch den grossen Wiesenplan. Gegenüber von Hamel, etwas nördlicher gerückt,
$\frac{1}{4}$ Stunde entfernt, in einer Einbuchtung des östlichen Thalrandes, aus der ein Büchlein rinnt, und in welcher selbst sich
wieder ein Hügel erhebt, den die Pfarrkirche krönt, liegt
Teferdingen. Die Häuser, 56 an der Zahl, von 56 Familien und 323 Seelen bewohnt, sind theils in der Ebene gebaut, theils stehen sie oben auf dem Thalrande, auf dem auch
das ebene fruchtbare Ackerland anstossend an die Gelände
von Hürblingen, Gersthofen, Neusäss, sich ausbreitet und über
den niedern Abfall jenes Randes bis in das Thal zieht. Von

---

[282]) In diesem ehemals bischöflichen, nun königlichen Waldbezirk sind 22 in- und umliegende Gemeinden forstberechtigt mit
jährlichen Holzbezügen nach Herkommen und Gutsumfang: so erhält ein Bauer in Schlipsheim 39 Klafter, in Teferdingen ein Bauer
20, ein anderer 8 Klafter, die Söldner daselbst 2 Klafter nebst
Abholz.

12 ehemals hier bestandenen Bauernhöfen [283]) haben sich noch
6 erhalten; dann besteht hier das vom Hospital Augsburg
erbaute, jetzt im Privatbesitz befindliche schöne Bräu- und
Wirthshaus mit grossem Gute, fünf Halbbauern, mehrere
Söldner, die zum Theil auch Lohnerwerb treiben, aber auch
mehrere neuere Leerhäuschen, deren Bewohner fast nur auf
Lohnerwerb angewiesen sind. Zur Pfarrei gehört auch die
$1/4$ Stunde nördlicher, mitten im Thale gelegene, ansehnliche
Gailenbacher Mühle mit grossem Oeconomiegut, welche
von 17 Seelen bewohnt, und in politischer Beziehung mit
der Gemeinde Edenbergen verbunden ist.

Der Name des Ortes erscheint in Urkunden in verschie-
dener Schreibart: Tenefridingen, Ten- und Denferdingen,
Teferdingen und Deverdingen, endlich Täfertingen.

Teferdingen war Besitzthum des Hochstifts Augsburg,
die Güter daselbst waren grossen Theils erst im lehenbaren
Besitze theils ortsgesessener, theils anderer Ministerialen;
von diesen kamen selbe durch Schenkung oder Kauf an ver-
schiedene geistliche Corporationen und Patricierfamilien der
Stadt, endlich aber in den fast alleinigen Besitz des Hospitals
zum hl. Geist in Augsburg. Purchard de *Tenefriding* ist mit
vielen andern aus dem benachbarten Adel und Bürgern der
Stadt Zeuge der Schenkung eines Gutes in *Huorwilingen*,
welche Ovdalricus de lapidea domo an das Kloster St. Ulrich
und Afra in Augsburg in Gegenwart des Bischofs Conrad,
des Abtes Hezilo (regierte von 1148 — 1164) und der Mini-
sterialen machte. Diepold Filius Purchardi de *Tenefrid* bezeugt
eine Schenkung, die Wortwinus de Emersacher mit einem
Gute in demselben Huorwilingen (Hürblingen) an dieses Klo-
ster macht, nach einer zwischen den Jahren 1126 — 1179
ausgestellten Urkunde [281]). Conradus sen. de *Tenfridingen*
und Conradus jun. ibidem sind Zeugen in einer hl. Geist-
Spital-Urkunde, wodurch Sifrid miles de Bannacker eine Gilt
von 6 Schill., welche bischöfliche Lehen war und von

___

[253]) Pfarramtlicher Bericht. [254]) M. B. XXII. 93, 90.

Bischof Hartmann 1249 allodificirt wurde, sammt dem als
Eigenthum innegehabten Orte Bannacker als Seelgeräth besag-
tem Spital überliess, actum in castro Mergatowe anno 1249 [285]).
Hermann von Pferse verkaufte 1288 an Bertold den Wolan,
Bürger zu Augsburg, einen Hof zu *Tenfridigingen.* Hilde-
brandus de Biberbach marscalcus verkauft mit Consens des
Kaisers Rudolf an St. Moriz in Augsburg zur Feier eines
Jahrtages in dieser Kirche seine 2 Höfe in Tenverdingen um
68 Pfd. und 18 Denare anno 1289 [286]). 1322 übergeben
die Kämmerer von Wellenburg den Mayrhof zu Teferdingen
an das Kloster Salmanshofen [287]). Schwester Katharina von
Rechberg, Meisterin des Klosters Salmanshofen, verkauft 1343
ihren Hof gelegen datz Tenferdingen an Herrn Wörtwin v.
Bollstat Vikar zu dem Dom zu Augsburg um 40 Pfd. Pfenig [288]).
1349 verkauft Cunrad von Wolmershofen, gesessen zu Hürn-
heim, denselben Hof datz Denferding bei der Schmutter an
Heinrich von Ahmerdingen Vikar am Dom zu Augsburg, auch
Caplan der Capelle St. Lienhard daselbst, und Ulrich den Zol-
ner, Bürger zu Augsburg [289]). 1346 übergaben Heinrich der
Portner und seine Söhne Heinrich und H. Peter, Ritter, einen
Hof zu Teferdingen dem Kloster St. Martin in Augsburg.
1355 verkaufte Conrad Onsorg an Elsbeth die Meisterin und
die Sammung zum Stern 2 Höfe zu Teferdingen. 1387 ver-
kaufte Agnes, Hans des Nördlingers Wittwe, an Hans Alpers-
hofer um 150 fl. einen Hof zu Teferdingen [290]). 1402 ver-
kaufte Alpershofer diesen seinen Hof wieder an Anna Lan-
genmantlin, Priorin zu St. Katharina um 210 fl. 1368 wurde
ein Vertrag zwischen dem Domcapitel und dem Hans Hangen-
ohr, Bürger zu Augsburg, geschlossen, wodurch letzterem
folgende Zehenten ausgezeichnet wurden: a. aus St. Martins-
hof pr. 24 Jauchert. b. aus dem hl. Kreuz'schen Lehen p.
12$\frac{1}{2}$ J. c. aus dem Kämmerer-Lehen p. 15 J. d. aus den

---

[285]) v. Raiser in Drusomagus S. 79. nota 13. [286]) Reg. b. IV.
359, 425. v. Raiser, Drusomagus S. 26, 80. [287]) Stetten 31. [288])
R. b. VII. 364. [289]) M. B. XXXIII. b. 159. [290]) Stetten 84, 61, und
Kloster Stern'sche Urkunden-Regesten, Mscpt. im hist. Verein.

2 St. Moriz'schen Höfen p. 47 J. e. den Zehent der Aecker
aus der Priolin Hof, 6 J., ausgenommen, welche die Vor-
fahren zu Unser Frau zu Teferdingen an die Kirche zu dem
Licht gestiftet haben. 1400 gaben die Testamentsexecutoren
des verstorbenen Ulrich Büchler, Canoniker an der Domkirche,
dem Domcapitel um seines Seelenheils willen 144 Pfd. 6 Schill.
8 Denare zum Kaufe eines halben Zehents in Teferdingen.
1408 verlieh Bischof Eberhard dem Hans Hangnor in Tragers-
weise ain zehenden ze Deferdingen. 1447 verkauft Thomas
Preyschuh, Bürger zu Augsburg, verehelicht mit Magdalena
Hangnor die Zehend zu Teferdingen um 400 fl. rhn., als bi-
schöfliches Lehen, an den Domprobst Heinrich Truchsäss und
den Domdecan Gottfried Harscher, und Bischof Peter erliess
dem Domcapitel den Lehenverband [291]).

Nach dem Burgauischen Feuerstattsgulden-Verzeichniss
von 1492 besassen damals in Teferdingen das Domcapitel 2,
St. Moriz 1, Hl. Kreuz 1, St. Katharina 1, St. Martin 5,
St. Maria Stern 1, das Hospital 1, Bürgermeister Ridler 3
und Georg Conzelman 3 Feuerstätten [292]). 1516 kaufte Wilh.
Höchstädter, Bürger zu Augsburg, von Georg Langenmantel
und Anna Ilsung seiner Hausfrau das sogenannte Ilsunglehen
zu Teferdingen um 290 fl. Dasselbe Lehen, ferner ein Haus,
Hofraite, Stadel, Garten und Gesäss zu Teferdingen kaufte
1554 Matthias Manlich von Wolfgang Paller, Bürger zu Augs-
burg, um 900 fl. 1565 tauscht W. Paller an Cardinal Otto
einen leibfälligen Hof zu Teferdingen gegen Rechte auf sei-
nem Gute Hamel [293]). Im 16. Jahrhundert war die Augs-
burger Patricierfamilie Lauinger in Teferdingen und Hürb-
lingen begütert, dann der Stadtpfleger Christoph Peutinger,
der Katharina Lauingern zur Ehe hatte; von diesem kaufte
es Marx Fugger, der 1593 Besitzer war, hernach aber wur-

---

[291]) Hospitalische Urkundenregesten, Mscpt. mitgetheilt von Pf.
Uhl in Batzenhofen, und M. B. XXIII. 308. XXXV. 213. [292]) Mscpt.
Raiseriana, Urkundenregesten aus den Staatsarchiven, betreffend
die Markgrafschaft Burgau. Tom. 5, Seite 281 etc. [293]) Mscpt. Rais.
T. III. 138, 223, 224.

den diese Güter an Daniel Burglin überlassen. Durch Erb-
schaft kamen dieselben dann an Daniel Welser und Gott-
fried Amman [294]), welche sie nebst Gütern in Neusäss
1685 an das Hospital um 77,000 fl. verkauften [295]). 1685
tauschte das Kloster hl. Kreuz in Augsburg seinen Hof und
2 Feldlehen zu Teferdingen an das Hospital gegen den Spi-
talhof und 3 Sölden zu Inningen. 1686 wurden die St. Mar-
tinsstift'schen Höfe und Sölden zu Teferdingen an das Ho-
spital gegen Güter desselben in Oberhausen, Eisenbrechts-
hofen, Langenreichen, und Aufbezahlung von 515 fl., und in
demselben Jahre auch der St. Margarethenhof zu Teferdingen
eingetauscht [296]). Die Erwerbung der übrigen Güter von Seite
des Hospitals ist uns unbekannt. 1806 zur Zeit des Press-
burger Friedens hatte das Hospital 33 Feuerstätte in Tefer-
dingen und war so Alleinbesitzer des Orts, mit Ausnahme
1 St. Moriz'schen und 1 dem St. Sternkloster gehörigen Hauses.
Die zur Pfarrei Teferdingen gehörige Gailenbacher Mühle gehörte
der Gutsherrschaft von Gailenbach [297]). Das Hospital in Augs-
burg bezog bis zur Vollzugsetzung des Ablösungsgesetzes
von 1848 alle grundherrlichen Gefälle, mit Ausnahme eines
einzigen dem Staate grundzinsbaren Hofes, im ganzen Dorfe.

Das Dorfgericht in Teferdingen war Reichslehen; das
Gassengericht aber mit der Schmidtehhaft und dem Hirtenstab
bischöfliches Lehen. Kaiser Rudolf und Kaiser Ludwig hat-
ten Conrad und dessen Sohn Heinrich die Portner mit dem
Dorfgericht daselbst belehnt, wie letzterer, als 1325 und 1338
dieses Recht nicht anerkannt werden wollte, vor Gericht durch
Briefe bewies [298]). 1351 verkaufte Heinrich der alte Portner
das Gericht, die Ehehaften daz Deverdingen, die Schmidtstatt
mit 12 Hühnern Gült, die Hirtschaft mit 200 Eiern Gült etc.
als rechtes Eigen an Ulrich de Augusta. Jos Rot kaufte
von Conrad Portner das Gericht auf der Strassen zu Tefer-
dingen als Lehen vom Bisthum Augsburg, bald kam aber

---

[294]) Stetten 185, 189, 212, 101, 321. [295]) Khamm Hierarchia Aug.
1. 567. [296]) Hosp.-Urk. [297]) Mscpt. Rais. V. 211, 203, 110, 149.
[298]) Stetten 384. Urkunde XXXIII, und Hosp.-Urk.

dieses Recht wieder an den Portner, der es dann 1404 abermals verkaufte. 1414 belehnte Bischof Friedrich den Hans Riedler und seine Hausfrau, Hans Portners sel. Tochter, mit dem Gericht zu Teferdingen, und Kaiser Sigismund erliess 1431 ein Mandat an die Stände des Reiches, den H. Riedler und seine Nachkommen in Uebung seiner Obrigkeit zu Grünenbaindt, Batzenhofen, Hürblingen und Teferdingen nicht zu stören, welches Mandat Kaiser Max 1497 erneuerte für Jörg Riedler [299]).

Zum bischöflichen Erbkämmerer-Amte war der Zehent aus 3 Höfen und Sölden, dann die Gattergilt lehenbar. 1360 allodificirte Hermann der Kammerer von Wellenburg den kammeramtlich lehenbar gewesenen Zehent aus dem St. Margarethenhof dem Hans Sieghard, Bürger zu Augsburg, und Bischof Marquard bestätigte dieses 1363, und trug denselben Werner dem Schönegger, der ihn inzwischen gekauft, als Lehen auf, der diesen Zehent 1473 an Barth. Riedler wiede verkaufte. 1438 belehnte Bischof Peter den Barth. Riedler wieder mit 1 bischöflichen lehenbaren, zum Kammereramte gehörigen Hof zu Teferdingen, der Theilhof genannt. 1449 belehnte der oberste Kammerer des Bisthums Augsburg, Rudolf v. Hohenegk, mit 2 Höfen zu Teferdingen und 1 Sölde zu Bergen den Barth. Riedler, welcher diese Güter von seinem Vater als kammeramtliches Lehen ererbt hatte. 1470 wurde diese Belehnung an den Sohn Hilpold Riedler erneuert. 1478 belehnte Rudolf v. Hohenegk zu Vilseck, bischsöflicher Erbkämmerer, den Klaus Span mit der Gattergült pr. 12 M. Roggen, 12 M. Haber, 8 M. Gerste und 18 Pf. aus dem hl. Kreuzbof zu Teferdingen. 1482 beurkundet Dorothea Zinkin, Meisterin des Klosters St. Martin, dass die Gattergült pr. 9 M. Roggen und 9 M. Haber aus dem hl. Kreuz-Kloster um eine ehrbare Summe Geldes in Gold abgelassen worden sei [300]). In einem Vertrag zwischen Erzherzog Ferdinand zu Oesterreich und dem Cardinal Bischof Otto zu Augsburg, 1566,

---

[299]) Hosp. Urk.-Reg. und Stetten 236. [300]) Viaca Urkunden-Regesten Nr. 90, Hosp.-Urk. u. Mscpt. Rais. III. 137.

wurde auch über das Gericht zu Teferdingen verhandelt. Zur Zeit des Pressburger Friedens war das Hospital in Augsburg im Besitze der bischöflich kammeramtlichen Lehen und des vom Reiche zu Lehen gehenden Dorfgerichts zu Teferdingen mit seinen Zugehörungen, Rechten und Gerechtigkeiten zu Haus, Hof und auf allen Gütern daselbst. Dasselbe hatte in Teferdingen ein Amt etablirt, welches auch die niedere Gerichtsbarkeit über die hospitalischen Dörfer Hürblingen und Lützelburg übte. 1808 wurde es vom Staate eingezogen und dessen Befugniss dem königl. bayerischen Landgericht Göggingen ubertragen [301]).

Ueber die Kirche und Pfarrei zu Teferdingen mangeln ältere Urkunden. 1304 schenkte Kaiser Albrecht, dem der letzte Markgraf von Burgau, Heinrich V., die Markgrafschaft abgetreten, die Kirche und den Kirchensatz zu Teferdingen (einer Inclave der Markgrafschaft Burgau) mit Einwilligung des Bischofs Degenhard dem Domcapitel in Augsburg [302]). 1318 bestätigt Bischof Friedrich seinem Capitel die von ihm und seinen Vorfahren demselben incorporirten und übergebenen 22 Pfarreien, unter welchen auch *Tenuerdingen* genannt ist [303]). 1379 vertauscht Bischof Burkard dem Capitel das Patronatrecht und die Vogtei der Pfarrkirche in Sunthofen gegen das Patronatrecht der Pfarrkirche in *Tenverdingen*, welchen Tausch Cardinal Pileus bestätigte; in demselben Jahre schenkte dann Bischof Burkard seinem Capitel das Patronatsrecht zu Teferdingen auf's neue wieder [304]). In einem Verzeichnisse der dem Bischof und der Geistlichkeit zu Augsburg in der Herrschaft Burgau zugehörenden und gefreyten Güter von circa 1458 heisst es: das Capitel des Thums zu Augspurg hat den widemhof zu Täfertingen. Seit einem zwischen dem Domcapitel und den Pflegern des Hospitals am 18. Juli 1685 abgeschlossenen Kauf- und Tauschvertrage übten das Domcapitel und das Spital das Präsentations-

---

[301]) Mscpt. Rais. V. 256, 259, III. 258. [302]) Braun, Gesch. der Bischöfe II. 395. Guntia 86. [303]) M. B. XXXIII. a. 425. [304]) M. B. XXXIII. b. 515, 531, 535.

recht abwechselnd aus; die Rechte des erstern sind nun an den Staat gekommen [305]).

1632 fielen, wie in einer Kirchenrechnung bemerkt ist, die Schweden das erstemal in Teferdingen ein und nahmen nebst anderem Raub auch den Heiligenschrein mit. 1646 wurde der Ort von den Schweden und Franzosen, welche beim Herannahen der Bayern und Oesterreicher die Belagerung von Augsburg aufheben mussten, erst geplündert, dann gänzlich niedergebrannt [306]).

Das Hospital besoldet den Pfarrer zum grössten Theil; auch besorgte dasselbe alle Gross- und Kleinbauten an Kirche und Pfarrhof, seit 1856 aber ist letztere Last abgelöst.

Die Pfarrkirche, in Mitte des Ortes auf einem Hügel gelegen, ist der Himmelfahrt Maria gewidmet. Sie ist circa 66' lang, wovon ein Drittheil auf den schmälern, dreiseitig geschlossenen, Chor kommt. Der schlanke Thurm von richtiger Symmetrie steht an der Nordseite in der Ecke von Chor und Schiff. Weite Fenster, in etwas gedrückter Rundung geschlossen, durchbrechen die Wände. Ein Plafond in flacher ungegliederter Wölbung spannt sich über Chor und Schiff. Ein guter Maler des vorigen Jahrhunderts, J. Huber, zierte denselben 1791 mit Gemälden: im Schiff stellte er die Himmelfahrt Maria, im Chor die allerheiligste Dreifaltigkeit dar. Zum Glück haben die Gemälde bis zur Zeit noch keinen verderbenden Restaurator gefunden.

Die Altäre, Kanzel etc. sind unschöne Machwerke der Renaissance. Es hat sich aber hier noch eine Perle altchristlicher Kunst, eine Madonna aus dem 14. oder Anfang des 15. Jahrhunderts erhalten. Sie ist auf dem nördlichen Seitenaltare, freilich unter einer Last von Kleidern und Flitterwerk verborgen, aber mit Ausnahme der Fassung unverletzt. Die Tradition nennt sie ein uraltes Gnadenbild, zu welchem häufige Wallfahrten stattfanden, auch mehrere hundert Jahre hindurch die Congregation der Herren und Bürger

---

[305]) Codex msceptus. und Acten d. bisch. Archivs. [306]) v. Stetten, Gesch. Augsburgs II. 696.

Steichele, Archiv II.   25

und der Studenten von Augsburg alle Jahre in feierlichem
Bittgang hinwallten [307]). Im J. 1458 verlieh Peter der heiligen
römischen Kirche Cardinal und Bischof zu Augsburg zur Be-
förderung der Andacht der frommen Wallfahrer allen die hier
reumüthig beichten und andächtig kommuniziren, einen Ab-
lass von hundert Tagen; 1769 wurde auch zur Aneiferung
der Andacht eine Bruderschaft unter dem Titel Jesus, Maria
und Joseph errichtet und von Papst Clemens XIV. bestätigt.
Diesen Umständen verdanken wir auch die Erhaltung des in
Rede stehenden Kunstwerkes. Die Statue ist 33″ hoch, Maria
sitzt auf einem Blocke oder Stein, auf dem ein Kissen liegt.
Das ovale Gesicht ist schön geformt (der ursprüngliche Aus-
druck durch Fassung verdorben), von reichem Haar umsäumt,
das sich dann unter einem grünen Schleier birgt, der über
das Haupt geworfen ist. Ein goldener Mantel liegt eng am
Hals und dem obern Theile der Brust an, fällt über beide
Arme, öffnet sich etwas unter der Brust, kommt aber auf
dem Schooss wieder zusammen und wallt von da in reichen
Falten herab. Das rothe Untergewand, auch an den Vorder-
ärmen und unter der Brust sichtbar, deckt die Füsse. Das
ganz nackte, sehr vollkommene Kind sitzt im Schoosse der
Mutter, von deren linkem Arm umfasst. Die linke Hand hält
es hohl hin, um einen Gegenstand (jetzt die Weltkugel) zu
tragen, mit der rechten weist es aufwärts und gegen die
Mutter, das Gesicht wendet es dem Beschauer zu. Maria
hält in der Rechten einen Scepter. Es ist diese Statue ein
vollendetes Meisterwerk voll Leben, anziehender und sprechen-
der Bewegung, Grazie, Frommheit und Würdigkeit.

Auf dem Choraltare an der Stelle des Altarblattes ist
ebenfalls noch ein Bildwerk von Holz, den Tod Maria dar-
stellend, von gothischem Charakter. Maria, die mackellose,
zu der der Sohn des Verderbens sich niemals herangewagt,
zeigt sich auch im Sterben als die Starke, welche der Schlange
den Kopf zertreten; ihr Tod erscheint nicht als Folge der

---

[307] Laut Bruderschaftsbuch von 1708.

Sünde, leidenlos wird die Unbefleckte, die Braut des hl. Geistes hinübergerückt in den himmlischen Hochzeitsaal. Sie kniet mitten in unserer Bildergruppe, angethan mit goldenem, die Verklärung kündendem Gewande, die Hände zum Gebete zusammengefügt und erhoben. Um sie herum drängen sich die heiligen zwölf Boten, die einen in liturgischem Gewand und Haltung, ihrer heiligen Aemter waltend, andere in gewöhnlicher Apostelgewandung, einzelne eben angekommen aus weiter Ferne mit Reisemantel und Muschelhut bedeckt. Neben oder eigentlich vor Maria hält einer der Apostel (Jakobus), im Gold- und Silbergewand der Diaconen, der heil. Gottesmutter ein offenes Buch vor, in dem sie selbst gleichsam die Funeraliengebete zu lesen scheint. Neben diesem hält ein anderer Apostel den Weihwasserkessel; hinter diesen beiden steht der hl. Petrus im goldenen bischöflichen Gewande das Aspergill in der Hand, um ihn herum stehen noch drei andere Apostel. Links neben und hinter der seligsten Jungfrau steht zunächst derjenige Apostel, welcher ihr zum Sohne vermacht worden, er unterstützt sie liebend und besorgt, sie unter den Armen haltend. Neben diesem ein anderer Apostel in halb knieender Stellung und weiter gegen den Hintergrund gerückt die vier übrigen Apostel, von denen einer segnend die Hand erhebt, ein anderer einen Gegenstand, der nun nicht mehr vorhanden, wahrscheinlich ein Licht hält. Fünf Personen dieser Gruppe sind runde Figuren, die übrigen reliefartige Halbfiguren. Ihre Höhe ist 33''. Die ganze Darstellung nimmt einen Raum von 5' Breite und 4' Höhe ein. Weiter oben über dem Gebälk des modernen Altares ist eine zweite Gruppe, die Krönung Maria's, aus 3 ganzen Figuren bestehend. Gott Vater und Gott Sohn setzen der knieenden, etwas im Vordergrund befindlichen Gottesmutter eine Krone auf; über ihnen schwebt der heilige Geist in Taubengestalt (neuer).

Dieses beschriebene Werk mag aus dem Anfange des 16. Jahrhunderts stammen. Die Köpfe sind zwar charakterisirt, aber von verzerrtem Ausdruck; die Darstellung ist

25 *

jedenfalls originell und christlich ideal, auch sehr gut in der Gruppirung und Situation der Figuren, doch mangelhaft in der Ausführung und darum keineswegs kunstschön. Indess gibt es jedenfalls Zeugniss, dass selbst die Werke gewöhnlicher Bildschnitzer des Mittelalters viel edler und würdiger waren als Werke von Künstlern aus der Zopfzeit. Dass diese Bildwerke noch Reste des alten ehemaligen gothischen Altáres sind, braucht kaum angedeutet zu werden.

Ueber der Thüre zum Thurm an der Nordwand des Chores ist ein Sandsteinrelief 3′ hoch 2½′ breit eingemauert. Ein Werk moderner italienischer Kunst des 16. Jahrhunderts, doch noch mit einem leisen Zuge altdeutschen Charakters, darum wohl das Werk eines Augsburger Künstlers. Der Leichnam Jesu liegt zu den Füssen des Kreuzes auf der Erde, der hl. Johannes hält ihn, unter den Armen fassend, etwas empor; Maria beugt sich über den Leichnam ihres göttlichen Sohnes, hinter ihr steht Magdalena mit der Salbbüchse, eine schmucke Gestalt in der üppigen Tracht des 16. Jahrhunderts; das Gewand liegt eng an der Brust, die weiten Aermel fallen bis zu den Knieen herab, eine Schaubenmütze deckt ihr Haupt.

In der Sacristei sehen wir ein schweres eisernes Gitter in einfacher Netzform, das einen Wandschrank schliesst, wo früher wohl das heilige Sacrament, die heiligen Oele etc. verwahrt worden sind. Ferners ist da eine grosse, runde Taufschüssel aus Messing, inwendig verzinnt, von 25″ Durchmesser und 2″ Höhe. Der Boden ist in der Mitte aufwärts getrieben, die Tiefung aber schmückt eine erhabene Inschrift in gothischen Minuskeln, die im Kreise umherlauft und vier Mal den Spruch: „got sei mit vns" enthält. Den breiten Rand ziert ein mit dem Stempel eingeschlagenes schmales Fries aus einem einfachen, lilienartigen Ornament ohne besondern Charakter bestehend. Es mag diese Schüssel auch schon der Uebergangsperiode im 16. Jahrhundert entstammen.

Der Thurm ist ein fester solider Bau aus einem ältern quadratischen und einem jüngern achteckigen Aufsatz mit

Kuppel bedacht, bestehend. 16' ist der Durchmesser des
Thurmes. Die Mauer, in der untern Hälfte ungetheilt, ist
$3^1/_2'$ dick, die 2 untern Stiegen sind in diesem Mauerkörper
angebracht, ein Kreuzgewölbe ohne Rippen von 13' Scheitel-
höhe deckt den untern Raum des Thurmes. In der Hälfte
der Höhe verjüngt sich innen die Mauer um 9'' und nach
aussen tritt eine Gliederung durch Mittelfeld und Ecklisenen
ein. Das Mauerwerk ist sehr solid, die Ziegelsteine sind 15''
lang, 7'' breit und nur $2^1/_2''$ dick, sehr fest, aber nicht
sehr accurat geformt; die steinharten Mörtelfugen $1^1/_2''$
stark, sehr regelmässig und sorgfältig aufgetragen, aber
nicht, wie oft bei romanischen Bauten, mit dem Fugeisen
ausgestrichen. Alle Fensteröffnungen, so auch die doppelten
durch einen schmalen Mauerpfeiler getrennten Schalllöcher
sind in einem etwas kräftigen Segmentbogen eingewölbt.

Den Uebergang in den Achteckbau bilden 4 über den
Thurmecken sich wölbende Bogen. Material und Technik ist
bei diesem Bau anders, als im viereckigen Unterbau, doch
noch ziemlich solid. Die 8 Ecken begleiten im Aeussern
pilasterartige Lisenen.

Drei Glocken bilden ein harmonisches Geläute. Die grosse
von 39'' Durchmesser ziert ein Relief: die allerheiligste Drei-
faltigkeit; darunter steht: *„Johannes Heroldt in Augsburg gos
mich Anno 1652.‟* Am obern Rande von 2 mit manirirtem
Laubwerk ornamentirten Bändern umfasst steht in lateinischen
Uncialbuchstaben: *„Sancta Trinitas Vnus Deus miserere nobis.
Defertingen.‟*

Die zweite von 34'' Durchmesser hat auf einer Seiten-
fläche das Reliefbild des hl. Joseph; darunter steht: *Teffer-
dingen Anno 1764.* Auf der andern Seite ist ein erhabenes
Patriarchalkreuz, darunter steht: *„Fugite partes adversae.‟*
Ringsum am obern Rande von breitem Band, das Arabesken
zieren, umgränzt steht: *„Ave Maria gratia plena Dominus
tecum‟* und: *„Fudit me Simon Wober in Augsburg.‟*

Die dritte Glocke hat 29'' Durchmesser, ist wie die vo-
rige von schönem Guss. Ein breites Arabeskenband, orgel-

spielende Engel und reifschlagende Genien zwischen Laub und
Blumenwerk enthaltend, und ein schmäleres Ornamentenband
umfassen die Inschrift des obern Randes, die lautet: *„A ful-
gure et tempesdate libera nos Domine Jesv Christe. Fudit me
S. Wober in Augsburg."* Die Seitenfläche schmückt das Bild
Maria, von 2 Engeln umgeben, erhaben gegossen; darunter
steht: *„S. Maria ora pro nobis 1764."*

12.
Pf. Batzenhofen.

Nördlich von Teferdingen und Hamel, ½ Stunde von
diesen Orten, 2 Stunden von Augsburg entfernt, liegt dieser
Ort an der Gränze der Capitel Agenwang und Westendorf,
und bildet somit die äusserste Pfarrei im Schmuttergebiete.
Dieselbe breitet sich mit ihren Filialen am linken Ufer der
Schmutter und über die angränzenden Thäler und Hügel aus.
Drei Hügelrücken treten nämlich aus dem Waldrevier im
Westen gen Osten an die Schmutter heran: der südliche ist
der schon früher genannte Loderberg, der nördliche der
gleich jenem bewaldete Katharinenberg, der mittlere ein
niedrigerer, breiter, fruchtbarer Hügelrücken, an dessen Fuss,
hart an der Schmutter, das Pfarrdorf B a t z e n h o f e n, und
auf dem, ¼ Stunde entfernt, das Dorf E d e n b e r g e n liegt.
Zwischen diesem Hügel und dem Katharinenberg erstreckt
sich ein muldenförmiges Thälchen gen Westen, in dessen
Hintergrund, ½ Stunde vom Pfarrort entfernt, das Dorf
R e t t e n b e r g e n liegt; an der Mündung eines zweiten Thäl-
chens endlich, das sich zwischen dem mittlern Hügel und
dem Loderberg nach Westen erstreckt, und durch welches
der Gailenbach, der im rauhen Forst aus dem sogenannten
Schwefel entspringt, rinnt, ist das ehemalige Rittergut G a i-
l e n b a c h erbaut. Das Pfarrdorf Batzenhofen bildet eine
eigene politische Gemeinde, und zählt 49 Häuser, 57 Fami-
lien, 289 Einwohner. Die Häuser liegen meist in der Ebene,
nur wenige, wie die Kirche, Pfarrhof und Wirthshaus etwas

auf der Anhöhe, welche hier von Edenbergen her abfällt. Bezüglich der Besitzverhältnisse enthält das Dorf 6 grössere Bauerngüter oder Höfe, 34 Sölden und 9 Gnaden- oder Leerhäuser. Der Feldbau ist ergiebig, auch die Viehzucht wird stark betrieben, ausserdem bilden Holzhandel und Waldarbeit einen ergiebigen Nahrungszweig, da jeder Bauer und Söldner eine Waldstrecke besitzt. Etwa 16 Familien betreiben noch nebenbei die auf dem Lande nothwendigen Gewerbe. Der Sitz der Schule für die ganze Pfarrei ist auch in Batzenhofen.

Im 9. Jahrhunderte besass das Stift Kempten Güter in Batzenhofen, welche schon unter Carl dem Grossen demselben mochten geschenkt worden seyn, zumal einige Huben, wie es im Stift Kemptischen Copialbuche vom 11. Jahrhundert heissst, *in pago Augustgowe* dem Kloster Kempten, in welchem, wie die Urkunde anführt, die Leiber der hl. M. Gordianus und Epimachus ruhen, von einigen Freien zu Carl d. Gr. Zeiten waren geschenkt worden [308]). Dasselbe Copialbuch enthält nun eine Urkunde vom 14. Juni 838, ausgefertigt *Nouiomago palatio regio* (Nimwegen), der gemäss Kaiser Hludowicus einen Tausch genehmigt, durch welchen Abt Tatto von Kempten dieses Klosters Güter in *Pazcinhoua* etc. an den Grafen Waningus gegen dessen Güter in *Reoda* (Ried) und *Eitraha* (Aitrach) abtrat [309]). Den in dieser Urkunde erwähnten Waningus hält der Historiograph des Bisthums Constanz, der

---

[308]) M. B. XXXI. a. 61. [309]) . . . Hludowicus gloriosus rex nobis innotuit, eoquod Tatto uenerabilis abba monasterii uocabulo *Campidona* nec non et *Waningus* comes quasdam res pro ambarum partium oportunitate commutassent. Dedit igitur nostro permissu praedictus Tatto abba ex rebus praescriptis monasterii sui praenominato Waningo comiti ad proprium, quidquid juris ejusdem monasterii in locis que dicuntur Plezza, *Pazcinhoua*, Hovruuane et in Suntheim habebatur. excepta marca silvae et curtili, quae pro *Aldrico* ad memoratum monasterium delegata est, et exceptis illis pratis in Gundilenstec et Cultinwanc, reliqua omnia quae in supradictis locis in jure praescripti monasterii possidebantur, cum markis et omnibus appendiciis suis praedicto Waningo comiti commutando tradidit.

gelehrte Benedictiner von St. Blasien, P. Trudpert Neugart, für einen Gaugrafen des Nibelgau, *Pazcinhoua* nimmt er für unser Batzenhofen an [310]). Obwohl zwar jetzt kein zweiter Ort dieses Namens mehr bekannt ist, so schien es uns doch gewagt, ein noch zweimal genanntes Pacenhovan, woselbst unter einem Grafen Vodalricus (den Neugart und Stälin für einen Gaugrafen des Argengau und Linzgau halten), 907 und 909 Urkunden ausgestellt werden (*actum Pacenhovan*), betreffend Tausch und Uebergabe von Gütern, die im Argengevve, Albegevve und im Thurgau lagen, an das Kloster St. Gallen, für unser Batzenhofen zu halten, weil die grosse Entfernung jener Orte und Gaue kaum eine Beziehung zu unserm Orte zulässt [311]).

Im Jahre 969 stiftete der heil. Bischof Ulrich bei der Kirche des hl. Stephan in Augsburg ein Kloster. Unter den Stiftungsgütern wird auch *Pazenhoua* in den vorhandenen Urkundencopien genannt. Es hatte nämlich der Archidiacon Amalrich, der Diacon Walker und die Reclusin Elensinde ihre Besitzungen in Batzenhofen etc. an die Kirche des hl. Stephan geschenkt, welche Stiftung den hl. Ulrich noch mehr zur Gründung eines Klosters an dieser Kirche. in welchem Elensinde die erste Abtissin wurde, angefeuert [312]).

Et econtra in compensatione earundem rerum dedit saepedictus Waningus comes ex rebus comitatus sui antedicto Tattoni abbati ad partem praenominati monasterii sui quicquid in uilla uocabulo Reoda tam terris quam et pratis atque etiam siluis aquis et markis uel omnibus rebus ex jure comitatus sui inibi possidere dinoscitur, similiter et quicquid in loco qui dicitur Eitraha de jure praefati comitatus sui possidebat. M. B. XXXI. a. 81. Die Curtes, Herrenhöfe, bestanden ihrem Ursprunge nach aus den Grundstücken, die bei Eroberung des Landes unter die Sieger vertheilt worden; aus denselben gingen die Gutsherrschaften hervor. Stälin:, Geschichte von Wirtemberg I. 356   [310]) Codex dipl. Alemaniae ed. Neugart I. Nro 284. Den Waning kennt Stälin in seiner wirttembergischen Geschichte Bd. I. S. 331 als Gaugrafen des Nibelgaus vom Jahr 802 bis 827. [311]) Neugart I. c. Nro. 665. 670. conf. Stälin I. c. 283. und über den Grafen des Argen und Linzgau, Ulrich den Jüngern, von 866 — 909. I. c. 328. [312]) Der hl. Ulrich sagt in der genannten

Vom 12. bis 14. Jahrhundert sind Ministerialen, milites, welche sich von unserm Orte *de Pazzenhofen* oder die Pazzenhofer nannten, beurkundet. Ihre bis jetzt eruirte Reihe ist folgende:

Manegolt de Pazenhoven bezeugt zwischen 1126 bis 1179 im Gefolge des bisch. Kämmerers Arnolt die Schenkung eines Gutes zu Maentichingen (Schwabmünchen) durch Wimar de Altheim an das Kloster St. Ulrich und Afra in Augsburg. Gerunch de Battzenhoven bezeugt um dieselbe Zeit die Vergebung eines Gutes in Moutilumbach (Mittelumbach bei Dachau) an das obige Kloster. Wahrscheinlich derselbe Gerungus de Bazzchouen übergibt dem Kloster St. Ulrich eien Wald bei Tinzelbach. In dem oben angegebenen Zeitraum kommt Gerung de Pazzenhouen noch zweimal als Zeuge der Schenkungen des Pernhardus und Gozoldus de Stainbach an das erwähnte Kloster vor. Heinricus mit seinen Söhnen übergibt ein Gut in *Pazzenhoven* für 20 Talente an das St. Ulrichskloster[313]. Ulricus de Bazzenhouen ist unter den Zeugen in einer Kloster hl. Kreuz'schen Urkunde, dergemäss Bischof Siboto 1245 diesem Kloster einen Hof in Oberhausen allodificirt, den sein Lehenmann (fidelis et camerarius noster), dahin vergabt[314]. Derselbe Ulrich erscheint auch als Zeuge im Jahr 1249, als die Ab-

Urkunde, dass er das Kloster zu errichten unternommen, ob reuerentiam sancti Prothomartyris (Stephani). Insuper etiam et pro remedio mee omniumque mihi commissorum maxime autem et eorum, quorum oblationibus ecclesiasticum inibi officium sustentatur, id est Amalrici bone memorie nostre ecclesie Archidiaconi ejusque nepotis Walkeri bone etiam memorie Diaconi et Elensinde bona conversatione in eadem adhuc cella commoranti, quorum proprietatis adminiculo sustentatnr ecclesia suprascripta. . . . Res autem, quibus eundum locum sublimare cepimus, subnotari curauimus, id est quidquid ea die, quando Amalricus recessit e seculo ejusque nepos Walker possessionis ac familie visi sunt habere et Ellenssind supra nominata in Pazenhoua et Gerfredeshoua et Geginga et Pirichah etc. v. Raiser Viaca Urkundensammlung 1. [313] Codex traditionum 1128—1179 in M. B. XXII. 103, 10, 26, 34, 39, 59. [314] Viaca Urkunden-Sammlung Nro. 30.

tissin zu St. Stephan, Adelheid von Glaheim. dem Pfarrer
Gerbold zu Bergheim einige Zehenten und Wiesen lebens-
länglich überliess [315]. Wernherus et Marquardus de
Bazzenhoven werden, als der in einer Fehde gefangen
genommene bischöfl. Kämmerer, Heinrich von Wellenburg,
Frieden schwören und Bürgen stellen musste, als seine Dienst-
leute (homines milites) mit Sifrid von Leitershofen zu Bür-
gen für kleinere Schäden unter 10 Pfund von des Bischofes
und der Stadt Bevollmächtigten angenommen, anno 1257 [316].
1308 erhält Frau Luitgart, Marquards von Bazenhofen
Hausfrau, mit ihren zwei Söhnen Ulrich und Heinrich und
Adelheid ihrer Tochter von der Abtissin Irmengard zu St.
Stephan einen Zehend zu Bazenhofen als Leibgeding [317].
Heinrich von Batzenhofen erscheint als Bürge 1288 in der
Verkaufsurkunde eines Hofes zu Teferdingen von Seite des,
im Dienste des Kämmerers von Wellenburg stehenden, Her-
mann von Pferse; und in gleicher Eigenschaft, als Ulrich der
Kämmerer von Wellenburg und Diomedis seine Frau eine
Halbhube zu Göggingen an Heinrich Wizzinger, Bürger zu
Augsburg, als Lehen überliess; endlich abermals im J. 1288
ist derselbe in zwei Urkunden einmal Bürge, das anderemal
Zeuge, als die Beistände des durch Schuldenlast gedrückten
bischöfl. Kämmerers Ulrich von Wellenburg dessen Güter und
Holz im Bärenloch (Deuringer Flurmarkung) an das Hospital
verkauften und er selbst diesen Kauf bestätigte [318]. 1299
übergab der obengenannte bischöfl. Kämmerer die Aussteuer
seiner Tochter Agnes, welche Nonne in Oberschönefeld war,
als freies Eigen; unter den Zeugen dieser Uebergabe werden
genannt: Heinrich der alte Berhtolt von Batzenhofen [319].
In dem liber ordinationum der Augsburger Kirche heisst es

---

315) Gesch. des Stifts St. Stephan von Placidus Braun. Mscpt.
Abschrift in den Mscpt. Raiser. T. VIII. 316) Reichsstadt Augsburg.
Urk. Viaca l. c. Nro. 38. 317) Gesch. des Stiftes St. Stephan l. c.
318) Kloster Stern'sche Urk.-Regest. Nro. 60. Mscpt. Viaca 13. Denk-
würdigkeiten des Oberdonaukreises von Raiser (1820) S. 16. 319)
Gesch. von Oberschönefeld l. c. S. 216.

unter dem Titel: anniversarium dicti Batzenhofer anno d. 1312: dominus Hainricus socius chori dictus Batzenhouen obiit, qui dedit nobis 24 lib. den. aug. Derselbe Hainricus wird auch im Necrologium August. unter dem XVI. Kal. Marcii angeführt [320]). 1326 bezeugt Volrich von Batzenhoven, dass Arnold der Chamrer von Wellenburg Ritter, und sein Bruder Gottfrid ihre Vogtei aus einem Hofe zu Annehusen Berhtolden von Burgaw für 68 Augsb. Pfd. verpfändet haben. Ernste und Ulrich Pacenhoven sind 1327 Zeugen einer Urkunde, wodurch *Heinrich von Adlenswanden Maiger zu Roschobtun von Ludwig Herrn Ludwigs sel. Sohn von Mursteten Güter zu Hermanstetten und Stetwanch, zu rechtem Lehen erhält, dass er und seine vier Söhne der ersamen Frauen Mechtild Herrn Ludwigs sel. Tochter von Mursteten, die nu ist Wirthin Cunradz von Vischach, getreue Träger um dieselben Gut seien* [321]). 1341 ist Volrich der Batzenhouer Bürge in einer Urkunde, gemäss welcher Heinrich von Burgau seinen Hof und Selde zu Annhusen, beide Lehen von Arnold dem Kämmerer von Wellenburg, an Johann Dahsler, Bürger zu Augsburg, verkauft. In demselben Jahre verkauft Ulrich der *Patzenhouer*, gesessen zu Berkhaim, zwei Hofstetten zu dem Klinger nebst Zugehörungen, rechtes Lehen von dem Bisthum Augsburg, Chunraden dem Minner, Bürger zu Augsburg. Derselbe ist bei Entscheidung einer Streitsache betreffend Grundstücke zu Berchain Zeuge 1351 [322]). 1367 wird in einer beurkundeten Schenkung eines Hauses in Nördlingen durch den Pfarrer Conrad Schreiber von Ebermergen an die Domkirche in Augsburg Heinricus Batzenhouer, Pönitenciarius des Bischofs von Augsburg, als Zeuge genannt [323]).

Diese vorstehenden Regesten lassen erkennen, dass das Geschlecht, welches sich von dem Orte Batzenhofen nannte, daselbst begütert war, zu den bischöflichen Ministerialen und Milites, welche den bischöflichen Kämmerern untergeordnet

---

[320]) M. B. XXXV. 135 und 21. [321]) M. B. XXXIII. b. 492. Reg. b. VI. 241. [322]) M. B. XXXIII. b. 85, 86. Reg. b. VIII, 218. [323]) M. B. XXXIII. b. 412.

und in deren Gefolge waren, gehörte, dass dieselben auch
Beamte des Klosters St. Stephan waren, wahrscheinlich als
Vögte über die Güter dieses Klosters in unserem Ort ge-
setzt, dass Glieder dieser Familie sich auch dem geistlichen
Stande gewidmet, und dass endlich Zweige dieses Geschlech-
tes auch Lehen und Sitze an andern Orten, wie über dem
Lech, im Gebiete der bayerischen Herzoge und wahrschein-
lich als deren Dienstmannen, und ferners in Bergheim, an
letzterm Orte wohl auch als Vögte der St. Stephan'schen
Güter, besassen. Vor Ende des 14. Jahrhunderts erlosch
dieses Geschlecht. In der Reichsstadt Nördlingen kommt im
15. und 16. Jahrhundert eine Patricierfamilie, die den Namen
Batzenhofer führte, vor. Hans Batzenhofer, Umgelder und
Bürger zu Nördlingen, unterzeichnet, und siegelt als Bürge
1527 den Pachtvertrag des Johann Uebel, ersten vom Rath
gesetzten Pfarrers in Nördlingen [324]).

Der ohne Zweifel feste Wohnsitz dieses Geschlechtes
möchte an der Anhöhe südwestlich des Dorfes gebaut gewesen
seyn, wo auch später ein Schloss, das zum Sommeraufenthalt
und Erholungsort der Stiftsdamen von St. Stephan und zur
Wohnung des Vogtes diente, bestand; dahin wurde nachher
ein Bräuhaus gebaut und später die Schenkwirthschaft dazu
gezogen; diesen letzteren Zwecken dient das stattliche Ge-
bäude noch. Der in der Ortsflur vorkommende Namen Reg-
lesburg lässt aber auch einen andern Platz als Burgstelle
annehmen.

Das Frauenstift St. Stephan, welches schon bei seiner Grün-
dung mit Gütern in Batzenhofen dotirt wurde, finden wir bald
nach dem Erlöschen der Edlen von Batzenhofen im Besitze
fast aller Güter in unserm Orte. Nur das Kloster St. Ulrich
und Afra, dem, wie erwähnt, Heinricus mit seinen Söhnen
ein Gut (predium) in Pazzenhoven übergeben, hatte daselbst

---

324) Dolp, gründlicher Bericht von dem alten Zustand und er-
folgte Reformation der Kirchen und Klöster der Reichsstadt Nörd-
lingen (1738) Urk. XXXVI.

noch Besitzthum. Nach dem alten Codex Traditionum dieses Klosters gehörte zum Officium Cellerarii *in Bazzenhouen vna hoba vnde communio datur* [325]). Henricus II. de Maysach, Abt von St. Ulrich und Afra, stiftete um 1174 einen Jahrtag für sich und seine Eltern mit Gütern in Batzenhofen, Erringen etc. [326]). In dem schon erwähnten im Original erhaltenen Verzeichnisse Augsburgischer geistlicher Güter im Burgau von 1458 heisst es ebenfalls: *St. Ulrich hat zu Batzenhowen ain gütlin ist vogtber;* und ferners: *St. Stephan hat zu Patzenhouen vier Höfe vnd etenvil Söld, darein vnd in die Höf kert ain Holzmark.* In dem Feuerstattsgulden-Verzeichnisse von 1492 geschieht aber des St. Ulrichsgutes keiner Erwähnung mehr, St. Stephan aber bezahlt für 22 Feuerstätten in Batzenhofen [327]). 1592 kommt noch urkundlich der Kauf eines Hofes (des nun seit 1761 abgegangenen Pfleger- oder Vogthofes) und einer Sölde (noch zum Untervogt genannt) um 1500 fl. durch die Abtissin von St. Stephan, Euphrosine von Kreut, vor [328]).

Es ist noch ein *„Geometrisches Grundrissbuch"* vorhanden *„über Eines Hochadelichen freyen Weltlichen Stüftes zue St. Stephan in Augspurg, mit der Marggräfl. Burgauischen Insassen Freyheit und Jurisdiction, als Gericht- Dienst- Reiss- Steuer- Vogtbar, und Bottmässigkeit angehörige und unterworfene Stück und Güeter des Ambts, Bazenhofen genannt, in Dorf Bazenhofen, beeden Weylern Eden- und Rettenbergen, dann in dem Weyler Hausen und Oggenhoff, auch einigen von Willishausen Anhero gehörigen Zehentäckhern, Nit weniger in dem Widumbhoff und ganzen Zehenten zue Berkheimb u. Wöllenburg, dann Letzlichen einem Unterthanen zue Mayngründel bestehend. Alles, da die Hochw. frey Reichs Hochwohlgeb. Frau Maria Eva Rosina Theresia des Hochadelichen freyen Weltl. Stüfts zue St. Stephan Abtissin, gebohrne Freyin von Bodman zu Güttingen im 32. Jahr regierte auf deren Hohen Gnädigen Befelch u. Verordnung mittelst Beywohnung u. Zuezug deren*

---

[325]) M. B. XXII. 145. [326]) Khamm l. c. V. 40. [327]) Mscpt. Rais. T. V. [328]) Geschichte des St. Stephan-Stiftes l. c. Seite 49.

Inhabern u. Aeltern Männern uf u. zusammen getragen etc.
Anno 1738 durch Mich Joh. Caspar Klückh geschwornen und
approbirten Veldmesser auch Bürgern in Wettenhausen.

Nach der Explicatio geschah die Aufnahme im 1000thei-
ligen Maasstabe nach dem herkömmlichen Augsburgischen
Feldmaass: ein Jauchert oder Tagwerk wurde zu 40,000' oder
zu 400 Quadratruthen, jede zu 100' gerechnet. Blatt I ent-
hält einen genauen Grundriss des Dorfes Batzenhofen mit
Häusern, Gärten, Brunnen, Wegen, Gemeindeplätzen, Zäu-
nen etc. Die Zahl der Häuser, ohne Zurechnung der Städel,
betrug mit der Kirche 48, das beigefügte Verzeichniss nennt
deren Besitzer. Der Flächenraum des Dorfes ohne Wege und
Gemeindeplätze ist zu 22 Jauchert angegeben. Tafel II stellt
die Feld-, Wiesen- und Waldmarkung dar. Unter den Flur-
marknamen erwähnen wir die Reglesburg (die Aecker unter
der Reglesburg), Klingenberg, die Herdtwegwiesen.

Diese Feldmarken waren fast alle in sehr viele Theile
zersplittert und zwar das Ackerland in der Grösse von $^1/_8$
bis 14 Jauchert. Die Grossbegüterten waren folgende: Die
Hersschaft St. Stephan besass 105 J. Waldung. Der Pfarrer
34 J. Aecker, 27 Tagw. Wiesen in 45 Parcellen und 12 J.
Wald. Mathes Hofbauer, der Meyr, an Aeckern 77, Wiesen
29, Wald 33 J. in 50 Parcellen. Jakob Baur, Tafernwirth,
an Aeckern 48, Wiesen 33, Wald 43 J. in 52 Parcellen.
Ulrich Friess, Bauer, Aecker 47, Wiesen 19, Wald 24 J.
Michael Schwab, Bauer, Aecker 37, Wiesen 23, Wald 37 J.
Firmus Reuther, Bauer, Aecker 38, Wiesen 18, Wald 8 J.
Jörg Seitz, Bauer, Aecker 39, Wiesen 21, Wald 30 J. Tho-
mas Welleshofer, Müller, Aecker 23, Wiesen 20, Wald 40 J.
Jakob Preysegger, Bräumeister, Aecker 24, Wiesen 11, Wald
— J. Ausser diesen 9 Grossbegüterten hatten die übrigen
Bewohner nur unbedeutenden Grundbesitz, der dazu über die
Hälfte der Jauchertzahl in Wald bestand: ein Söldner hatte
26 J.; drei besassen je 10 — 14 J.; eilf 6 — 8 J.; sechs je
5 J.; vier unter dieser Zahl und zehn waren sogenannte
Blösslinge oder Gnadenhäusler und hatten keinen Grundbesitz.

Diese Güter erlitten seitdem theilweise mannigfache Veränderung; der Pfarrwiddum wurde 1741 an die Herrschaft St. Stephan abgetreten und von dieser dann der sogenannte Widdumhof errichtet; die Güter des 1761 abgegangenen Pflegerhofs kamen meist zur Mühle. Der Mayrhof wurde 1832 und die Güter des Tafernwirthes 1838 zertrümmert [329]; dadurch wurde dann auch theilweise der Besitzstand der Sölden vermehrt und verbessert.

Die Schirmvogtei über des Klosters St. Stephan Güter hatte sich schon bei der Stiftung Bischof Ulrich vorbehalten (*reservata advocatia*); mit derselben war die Gerichtsbarkeit und der Bezug der Vogtgefälle verbunden. Diese Schirmvogtei scheinen zuerst die Advocaten der Augsburger Kirche geübt zu haben; so erscheint 1146 der Schwabegger Adalgoz als Advocat der Nonnen von St. Stephan und als solcher der Augsburger Kirche [330]. Später mögen dieses Amt die milites de Pazzenhofen verwaltet haben; dann erscheinen die Riedler, Endorfer, Sulzer, Knöringer im bischöflich lehenbaren Besitz der Vogtei über Batzenhofen etc. Nach dem Lehenbuche des Bischofs Peter 1420 — 1440 wurde Hans Riedler der alte, dessen Frau Barbara Endorfer war, unter anderm auch mit der Vogtei und dem Gericht zu Batzenhofen belehnt; die Lehenträger seiner Frau waren Bartholomä Ridler und Wilhelm Endorfer. 1431 erliess Kaiser Sigismund ein Mandat an die Reichsstände, den H. Ridler, Bürger zu Augsburg, in Ausübung seiner Obrigkeiten zu Batzenhofen etc. nicht zu stören. 1452 und 1469 verglich sich das Kloster St. Stephan wegen dieser Vogtei über Batzenhofen mit den Ridlern in Augsburg, dann 1518 mit Ulrich Sulzer, der wahrscheinlich seine Ansprüche ererbt hatte, und endlich kaufte 1530 die Abtissin Anna v. Freyberg, um weitern Verdriesslichkeiten auszuweichen, die Vogtei, das Gericht und andere Lehengüter zu Batzenhofen um 1000 fl. in Gold von Ulrich

---

[329] Notizen, mitgetheilt von Hrn. Pfarrer Uhl in Batzenhofen.
[330] Geschichte von St. Stephan l. c. 10. Annales Wettenhus. I, 21. M. B. VI. 482.

von Knöringen [331]). Schon 1415 bestätigt der römische Kö-
nig Sigmund dem Kloster St. Stephan in Augsburg alle die
vom hl. Bischof Ulrich und den übrigen Bischöfen zu Augs-
burg erhaltenen Freiheiten, Rechte und Privilegien und Hand-
festen, namentlich auch, dass es in seinen Dörfern zu Batzen-
hofen und Pfaffenhofen von allen Vogteien und Vogtrechten
frei seyn, und wenn es einen Vogt brauche, sich selbst dazu
einen redlichen Mann von des Reiches wegen setzen soll, und
nimmt es in seinen und des Reiches Schirm und Geleit. G.
zu Costentz [332]). Damals schon wollte das Kloster die Ge-
richtsbarkeit über seine Unterthanen selbst ausüben, gemäss
dieses Privilegiums, doch stand diesem noch die bischöfliche
Lehenbarkeit und zu Recht bestehenden Belehnungen an dritte
Personen entgegen. Mit letzteren fand sich das Kloster durch
die oben erwähnten Verträge und Käufe ab. Dasselbe liess
dann die ihm zuständige niedere Gerichtsbarkeit (die hohe
und Criminalgerichtsbarkeit übte Burgau aus, da Batzenhofen
eine Enclave dieser Markgrafschaft war) durch einen Beamten,
Vogt genannt, der bis zu Anfang des Schwedenkrieges in
Batzenhofen, hierauf aber unter dem Namen Oberamtmann in
Augsbnrg seinen Sitz hatte, ausüben [333]). Auch besass be-
sagtes Kloster alle Gülten, den Zehent, die Grundbarkeitsrechte
und das Patronatsrecht in Batzenhofen. All dieses ging durch
die Säcularisation an den Staat über, und Batzenhofen wurde
dem 1803 errichteten Landgerichte Göggingen zugetheilt.

Das Verhältniss des Klosters zu seinen Unterthanen cha-
rakterisiren die Stiftungen, die dasselbe zu deren Gunsten
machte. 1420 stiftete der Convent des Klosters St. Stephan
einen Jahrtag für alle die, welche der Abtissin Agnes der
Ostheimerin und ihrem Kloster Gutes gethan haben, nament-

---

[331]) Geschichte des Stiftes St. Stephan l. c. 10, 46, 48, 38. [332])
Reg. b. XII. 200. [333]) Die Abtissinen des Damenstiftes nahmen
gewöhnlich bei ihrem Amtsantritt in Batzenhofen selbst die Erb-
huldigung ihrer Unterthanen feierlich vor; so laut Gemeinderech-
nung 1747 die Abtissin M. Beata v Welden und 1789 ihre Nach-
folgerin M. Antonia Freiin v. Welden.

lich für Ulrich Mair zu Patzenhofen, Huber genannt, für den Widenmann zu Berkheim und Ulrich Widenmann und seine Söhne zu Pfaffenhofen [334]). Die Abtissin Beata v. Welden (1747—1794) gründete für 10 presthafte und dürftige Unterthanen ein Spital und eine Almosencassa in Hausen an der Schmutter. 1818 hat zwar die Aufnahme in dasselbe aufgehört und das Gebäude wurde, nachdem 1830 der letzte Pfründner gestorben, verkauft; allein aus dem jetzt 39,620 fl. betragenden Spital- und Almosenfonde, welcher von dem Pfleger des Domcapitel'schen Spitals zu Dinkelscherben verwaltet wird, beziehen die Armen der Pfarrei Batzenhofen jährlich 175 fl. Ferner hat die als Krankenwärterin bei dem Damenstifte zu St. Stephan 1802 verstorbene Johanna Mader der Pfarrei Batzenhofen ein Capital von 1000 fl. vermacht, damit von den Zinsen desselben das Lehrgeld für arme Kinder, die ein Handwerk lernen, bezahlt werde [335]).

Batzenhofen mag wohl zu den ältesten Pfarreien der Umgegend gehören. Die Reihenfolge der Pfarrer ist vom Ende des 16. Jahrhunderts durch die Pfarrmatrikel bekannt. Der Pfarrer Peter Reisser ist der älteste derselben; er hat zur Pfarrkirche 9 Tagwerk Aeker, auch für sich einen Jahrtag gestiftet. Johannes Schöppich, Chorherr vom Kloster hl. Kreuz in Augsburg, war Pfarrer von 1596—1613. Die Zahl der folgenden Pfarrer bis jetzt beträgt 18. Ein Mann von Muth und Klugheit scheint der Pfarrer Johann Rempold aus Landsberg 1631—1650 gewesen zu seyn. Da durch die Kriegsdrangsale mehrere benachbarte Pfarreien hirtenlos geworden, so versah er dieselben, und taufte auch die meisten Kinder, die in den Pfarreien Lützelburg, Gablingen, Hürblingen 1632—1635 geboren wurden. Er selbst musste jedoch mehreremal die Flucht ergreifen, fand dann theils in Landsberg, theils in Augsburg ein Asyl, aus dem er aber immer möglichst bald zu seiner Heerde zurückkehrte. Die Hälfte

---

[334]) Reg. b. XII. 357. [335]) Geschichte des Stiftes St. Stephan l. c. 57. und pfarramtlicher Bericht von 1858.

Steichele, Archiv II. 26

der Pfarreinwohner kam in jener Zeit durch Elend, Hunger
und Krankheit um.

Die Einkünfte der Pfarrei flossen theils aus dem Wid-
dum, theils aus Zehnten. Grossdecimator war aber in der
Batzenhofer, Edenberger und Rettenberger Flur das Stift St.
Stephan. Von Gailenbach bezog der Pfarrer allen Gross- und
Kleinzehent allein. Nach dem Urbar von 1624 ertrug der-
selbe damals 12 Schäffel Roggen und 12 Schäffel Haber.
Ausserdem bezog der Pfarrer den Grosszehent von Neu-
brüchen, die 1599 und 1625 zu Ackerland gemacht wurden,
dann von 5 Jauchert Heiligenäcker zu Edenbergen, ferners
von den Baindten und Gärten. 1717 tauschte er einen
Grosszehent von $19^1/_4$ Jauchert, den er im Rettenberger
Feld bezog, gegen einen gleichen in den Aeckern von
Batzenhofen vom Stifte um. 1741 trat der Pfarrer mit bi-
schöflicher Genehmigung seinen Grosszehent und den Widdum
mit Ausnahme von $4^1/_2$ Tagwerk Wiesen und 14 Jauchert
Wald, an das Damenstift St. Stephan ab, wogegen sich dieses
verbindlich machte, demselben jährlich 120 Gulden in Geld,
9 Schäffel Roggen, 6 Sch. Kern, 7 Sch. Gerste, 4 Sch. Ha-
ber Augsburger Messung, dann 8 Schober Roggen-, 3 Fuder
Gersten- und 3 Fuder Haberstroh aus dem herrschaftlichen
Zehentstadel zu verabreichen. Der Pfarrhof wurde 1705 von
dem Stifte St. Stephan neu erbaut [336]).

Die Pfarrkirche des hl. Martin, vom Friedhof umge-
ben, ist in Mitte des Dorfes, am äussersten Ende des von
Edenbergen her abfallenden Hügels, der hier noch durch eine
untermauerte Terrasse verlängert ist, gebaut. Der untere
Theil des Thurmes mit seinem dicken Gussmauerwerk und
dem ungerippten Kreuzgewölbe möchte noch vor der Mitte
des 13. Jahrhunderts, also in der romanischen Bauperiode,
entstanden seyn. Der höhere Theil des viereckigen Thurm-
baues mit schwächern, doch noch soliden Mauern, aber nach
Innen zur Verstärkung vortretenden Eckpfeilern, ist mit dem

---

[336]) Aus den Pfarracten gesammelt von Pf. Uhl in Batzenhofen.

Chor, an dessen südlicher Ecke er steht, ein Bau gothischen Styles. Der achteckige Aufsatz des Thurmes aber, ebenso das Kirchenschiff sind Werke aus neuerer Zeit.

Diese Kirche ist ein ansehnliches Gebäude, da sie eine Länge von 112', eine Breite von 50' hat, und der Thurm circa 160' Höhe misst. 1719 wurde die alte Kirche [337]) abgebrochen und 1720, wie es heisst, von Grund auf neu zu bauen begonnen (was sich indess nicht auf Chor und Thurm beziehen kann); die Baukosten beliefen sich in diesem Jahre auf 1619 fl. 1722 wurden ferner zum Ausbau verwendet 1408 fl., doch waren Beicht- und Chorstühle und Communicantengitter noch abgängig. Am 20. Sept. 1722 wurde die neue Kirche eingeweiht [338]).

Die Wände des Schiffes sind nur durch hohe im Rundbogen geschlossene Fenster gegliedert, die Decke bildet ein Gyps-Plafond im gedrückten Segmentbogen mit Schildbogen über den Fenstern, deren Schenkel auf Kämpfergesimsen von Gyps, die zwischen den Fenstern an der Wand ausladen, zu ruhen scheinen.

Den Plafond zieren Stukaturen und Gemälde, in 9 Feldern die Wunder des hl. Martinus, des Patrons dieser Kirche, darstellend.

Der 50' lange und 24' breite Chor mit polygonem Schluss ist im Innern dem Schiff conform modernisirt. Aussen umgeben ihn noch die alten hohen, gothischen Strebepfeiler, die 2' ausladen, 1$\frac{1}{2}$' breit sind und in 2 Geschossen aufsteigen. Unten haben sie einen Sockel; das zweite Geschoss wird durch ein Gesims, aus Stab, Kehle und Plättchen bestehend und durch eine Dachschräge vom ersten abgetheilt und steigt dann mit geringer Verjüngung, nur das Profil durch Abschrägung der Ecken in ein Dreieck umgestaltend, bis unter

---

[337]) Von der alten Pfarrkirche wurde 1676 gesagt, der Pfarrer habe sie also wohl geziert, dass im ganzen Capitel keine ähnliche zu finden. Acten des bisch. Ordinariats. [338]) Pfarracten, notificirt von Pf. Uhl.

26*

das Dach auf. Das östlichste, nun zugemauerte, Fenster zeigt noch die Spitzbogenform.

Der Thurm hat Ecklisenen und Querbänder und war bis 1737 mit einem Satteldach bedeckt. In jenem Jahre aber wurde auf den alten quadratischen Bau ein Achteck gesetzt und dieses mit einer kupfergedeckten Kuppel gekrönt; zugleich wurden die Ecklisenen in moderne Pilaster umgewandelt, die den Pilastern im neuen Achteckbau entsprechen. Die auf 1066 fl. belaufenden Kosten trug das Stift St. Stephan. Von den drei Glocken wurde die kleinere 1683, die mittlere 1722 und die grosse, mit 42″ Durchmesser und 16 Ctr. Gewicht, 1751 gegossen, und zwar letztere von Abraham Brandmair und Franciscus Kern in Augsburg.

Die Einrichtung der Kirche, meist aus der Zeit und nach dem modernen Style der Kirche, hat keinen Kunstwerth, mit Ausnahme einiger Werke der alten Bildschnitzkunst.

Auf dem Frauenaltare ist ein wundersam schönes M a d o n n a b i l d. Maria sitzt auf einer Steinbank, die mit Gesims bekrönt und auf welche ein Kissen gelegt ist. Ihr schönes, rundes Antlitz drückt hohe Würde, Frömmigkeit und Demuth zumal aus. Die Haare, durch ein Stirnband angeschlossen, umsäumen das Gesicht und bergen sich dann unter den Mantel. Das eng um die Brust anliegende Gewand ist durch einen, die Lenden umfassenden, Gürtel zusammengehalten. Der Mantel, durch eine Agraffe oben verbunden, fällt in weichen Falten über die Schultern, die dann unter den Knieen zusammenfliessen und von da zur Erde herabfallen, so die Gestalt an den Füssen umsäumend. Das nackte Kind, im Schoos der Mutter sitzend, hält in der einen Hand eine Traube, in der andern eine Beere dieser Traube. Mit einer Hand umfasst die Mutter das Kind, in der andern hält sie das Scepter. Die Figur hat 3′ Höhe. Es gehört dieses Bild einem Kreise von Sculpturen an, die man nur noch sporadisch findet, und welche man oft, weil sie ganz verschieden von den zahlreichen gothischen Statuen des 15. Jahrhunderts sind, byzantinisch nennt. Schöne runde Gesichtsbildung, lange, oft

schmale Leibesgestaltung, weicher, gerade fliessender Falten-
wurf sind das Charakteristische dieser Sculpturen, deren Ent-
stehen wir in eine Zeit setzen möchten, wo auch die Archi-
tectur den Gipfelpunct ihrer Blüthe hatte, nämlich in das 13.
und 14. Jahrhundert. Leider ist dieses schöne Kunstwerk in
eine hässliche Zopfkleidung gesteckt, und damit diese besser
anpasse, wurde ein Knie und die Falten am obern Theile des
Mantels abgesägt.

Auf dem südlichen Seitenaltare ist ein Vesperbild,
zwar roh, doch noch ziemlicher Arbeit, wohl aus dem 16.
Jahrhunderte. In der Sacristei stehen 2 Statuen der Heiligen
Ulrich und Afra: sie sind jetzt halb abgesägt, also nur
mehr Brustbilder von 15" Höhe. Ulrich hat markirte deutsche
Gesichtszüge, ist mit einem Pluviale bekleidet; das Bild der
Afra zeigt schon eine Annäherung an moderne Formen; diese
Bilder mögen dem Anfang des 16. Jahrhunderts entstammen.
Die Pfarrkirche hat ein rentirendes Vermögen von 5000 fl.

Die Sebastians-Capelle steht ausserhalb des Dor-
fes am Fahrwege nach Gablingen; früher hatte sie den Namen
Johannes-Capelle. 1575 war die Capelle S. Joannis Baptistae
profanirt und zergangen nach einem Visitationsbericht. In
dem erwähnten, 1738 angefertigten Grundrissbuch wird ein
Gässle zue St. Johanniskirchen angezeigt, die Capelle selbst
ist auf Blatt VI gezeichnet und bestand aus dreiseitigem Chor,
Schiff und Thurm über der Façade des Schiffes, darüber steht
St. Johannes et Sabastian Kürch. Letzterer Name mag ihr
seit 1669 beigelegt worden seyn, wo bei grosser Viehseuche
ein dem hl. Sebastian gewidmeter Altar aus dem Erlöse ge-
opferter Kühe errichtet wurde. 1765 wurde die alte Capelle
abgebrochen und im folgenden Jahre neu erbaut, mit einem
Aufwand von 815 fl., den das Stift St. Stephan deckte.
Batzenhofen, Rettenbergen und Holzhausen aber leisteten Frohn-
dienste und theilweise Geldbeiträge, nicht aber Edenbergen,
weil die Capelle nicht, wie sie es gewünscht hätten, in ihrem
Orte erbaut wurde [339]). Die Capelle ist ein schmuckloses,

[339]) Pfarracten etc.

modernes Gebäude; die Fenster sind verkehrt herzförmig, die
Decke flach und weiss getüncht. Die Statue des hl. Stephan
ist das einzig Erwähnenswerthe in dieser Capelle; an ihr ha-
ben wir ein gutes Bild des 15. Jahrhunderts; der Heilige ist
mit Humerale, Albe und Tunica bekleidet, in einer Hand trägt
er das Siegeszeichen, einen Palmzweig, mit der andern hebt
er einen Theil der Tunica auf, in welcher Steine, das Werk-
zeug seines Martyriums, liegen. Sein Antlitz ist ernst und
würdig, das Haar dicht, doch nicht lockig, der Faltenwurf
kräftig und ungezwungen. Die Figur ist 4' hoch. Das Stif-
tungsvermögen dieser Capelle beträgt 450 fl. Fast jede Woche
wird daselbst eine hl. Messe gefeiert.

Im Thale, das sich gen Rettenbergen erstreckt, steht,
noch auf der Batzenhofer Flur, eine offene Feldcapelle,
von fünf Lindenbäumen umschattet, genannt zu *Maria Hilf*,
welche im Sommer von den Bewohnern der Umgegend häufig
betend besucht wird. Dort findet sich in der Wand einge-
mauert ein Basrelief, 10'' im Quadrat, in Solenhofer Stein ge-
arbeitet, darstellend den Englischen Gruss. Die Hand-
lung geschieht in einer gothischen Halle, die in der Mitte
eine achteckige Säule mit Blättercapital stützt. Der Thüre,
die mit Halbkreisbogen überdeckt, in diese Halle führt, zu-
nächst kniet der Engel, der in dieser demuthsvollen Stellung,
die Hände andächtig gefaltet, die Botschaft ausrichtet; sein
Kopf ist mit lockigen Haaren umwallt, ein weiter schön drap-
perirter Mantel umhüllt ihn, grosse Flügel breiten sich im
Rücken aus.

Auf der andern Seite durch die Mittelsäule geschieden,
kniet Maria, die hl. Jungfrau, ihr Antlitz seitwärts zum Him-
melsboten gewendet. Auch dieses Bild von sehr vollendeter
Form gehört noch dem Mittelalter an; der etwas eckig ge-
brochene Faltenwurf, die Architectur etc. sprechen dafür,
wenn auch das angewandte Material bei uns aus jener Zeit
selten sich findet. Es mag dem Ende des 15. Jahrhunderts
entstammen. Auch diese Capelle ist schon im Grundrissbuch
von 1738 auf den Blättern 3 und 8 gezeichnet, soll aber

1797 neu erbaut worden seyn. Sie besitzt 640 fl. Stiftungsvermögen.

Rettenbergen.

Dieses Dorf zählt dermal 23 Häuser, 27 Familien, 122 Seelen; die aus 3 Seelen bestehende Wirthsfamilie ist protestantisch und in die Pfarrei hl. Kreuz in Augsburg eingepfarrt. Nach den Besitzverhältnissen sind hier 5 Bauernhöfe, 14 Sölden und 4 Gnaden- oder Leerhäuser. Der waldumschlossenen Lage wegen ist der Feldbau minder ergiebig, als in der fruchtbaren Batzenhofer Feldmarkung. Mit dem zur Pfarrei Heretsried gehörigen Weiler Peterhof bildet Rettenbergen eine eigene politische Gemeinde.

Rettenbergen, wahrscheinlich erst Reutenberg, ein aus Wald erreuteter Ort genannt, wird mehrfach in Urkunden erwähnt. Im Codex Traditionum des Klosters St. Ulrich in Augsburg wird als zum Officium Cellerarii gehörig angeführt: *In Raetinberch II. hobe, que XVII. solidos soluunt et dimid. hoba, que dim. talentum persoluit* [340]). 1126 — 1179 gab Pertholdus Helbiling für seinen Sohn, den er Gott und den hl. Ulrich und Afra in das Kloster dieser Heiligen opfert, ein Gut in Raetenberch, nachdem diese Schenkung schon vorher vor dem Herzog Kuonrad de Dachouc und vielen Zeugen erklärt worden. Derselbe schenkte auch ein Gut in Gersthofen. Die Zeugen sind bei der Uebergabe schwäbische Edle, an deren Spitze der Kämmerer Arnolt, bei der vorausgehenden Uebergabserklärung bayerische Edle [341]). 1279 überliess die Abtissin von St. Stephan, Offemia, mit Bewilligung ihres Convents, dem Priester Heinrich Riffe (vielleicht Pfarrer in Batzenhofen) lebenslänglich den Zehenden von den Höfen zu Rettenbergen [342]). 1331 verzichteten die Brüder Marquard und Berchtold, die Rätenberger, Maier von Octelried auf ihre Ansprüche an ein Gut zu Asbach zu Gunsten des Klosters Ober

---

[340]) M. B. XXII. 145. [341]) M. B. XXII. 102. (Ein Rettenberg ist auch im Ruralcapitel Friedberg.) [342]) Geschichte des Stifts St. Stephan l. c. 30.

schönefeld [343]). Unter den schon bei Teferdingen erwähnten,
von Heinrich dem alten Portner 1351 an Ulrich den Augs-
burger verkauften Rechten war auch $1\frac{1}{2}$ Schäffel Haber
Vogtrecht über den St. Ulrichshof zu Raitenberg [344]). 1399
gab Selindis, die Dachsin, Bürgerin zu Augsburg, an Eber-
hard von Randeck, Probst, und das Convent von St. Moriz
ein Höflein zu Rettenbergen zur Haltung von zwei Jahr-
tägen [345]). 1401 belehnte Bischof Burkard von Augsburg
den Hans Ridler, Bürger zu Augsburg, mit zwei Höfen zu
Rettenberg, welche Zugehörde der Vogtei und des Gerichts
zu Batzenhofen waren. Diese Höfe waren die damals schon
St. Stephan gehörigen, nämlich der Hüllenbauer und Stephele
Hof, beide jetzt zertrümmert. 1414 wurde diese Belehnung
von Bischof Friedrich erneuert [346]). 1464 verkaufte die Mei-
sterin Margaretha v. Freiberg und der Convent zum Holz
eine Waldung den Gern hinter Rettenbergen an das Kloster
hl. Kreuz in Augsburg. 1469 erkaufte Peter Mayer zu Ret-
tenbergen einen Hof daselbst als Grundeigen von St. Ulrich
um 71 fl.; von diesem erkaufte denselben 1476 das Domcapitel
um 100 fl. [347]). Dieser Hof (Neubauer-Hof) blieb bis zur
Säcularisation im Besitze des Domcapitels. Nach dem mehr-
erwähnten Verzeichniss geistlicher Güter von 1458 hatte da-
mals zu Rätenberg das Capitel des Thumbs $\frac{1}{2}$ Hof, Sant
Mauritzen 1 Hof, S. Ulrich drein Gut. Im Feuerstattsgulden-
verzeichniss von 1492 sind aufgeführt für das Domcapitel drei,
St. Moriz eine, St. Stephan eine, Kloster Holzen eine Feuer-
stätte. Die Waldungen und Wiesen bei und hinter Retten-
bergen erwarb das Hospital in Augsburg zwischen 1347 bis
1492; unter der allgemeinen Stiftungsadministration 1807 bis
1817 wurden sie aber an die Freifrau v. Schnurbein ver-
kauft [349]).

---

[343]) Gesch. des Klosters Oberschönefeld l. c. 221. [344]) Hospital-
Urkunde Extract iu Mscpt. Rais. Tom. VIII. b. 49. [345]) St. Moriz-
Urkunde. [346]) Hospital-Urkunde l. c. 53 und Bemerkung des Pfar-
rers Uhl von Batzenhofen. [347]) Mscpt. Rais. III. 143. [349]) Hospital-
Urkunde.

In dem schon erwähnten St. Stephan'schen Grundrissbuch von 1738 [349]) ist auf Blatt 28 das Dorf Rettenbergen im 500-theiligen Maasstab dargestellt; die Zahl der Häuser mit Kirche und Hirtenhaus beträgt 20, der Flächenraum des Dörfchens mit Gras- und Baumgärten misst 29 Jauchert. Auf Blatt 29 bis 41 sind die Feld- und Waldmarken gezeichnet. Bezüglich des Unterthans- und Besitzverhältnisses hatte nach demselben das Domcapitel 1 Hof, 1 Sölde und 1 Blösslingshaus, St. Moriz einen Hof, hl. Kreuz einen Blössling und einen Acker von 16 Jauchert, das Fällesfeld genannt, dann einen Ziegelstadel zwischen diesem Feld und dem hl. Kreuz-Wald; alles übrige gehörte St. Stephan.

Aus der Schwedenkriegszeit ist in den Pfarrbüchern bemerkt, dass 1633 der Bauer Caspar Scheel von hier von einem schwedischen Soldaten erschossen worden, weil er eine ihm geraubte Kuh nicht wieder mit Geld auslösen wollte. Er hatte bereits 80 Stück Vieh während des Krieges verloren.

Die Kirche zu Rettenbergen steht am Eingange des Ortes von Batzenhofen her; sie ist dem hl. Wolfgang geweiht. 1575 heisst es von dieser Capelle: *sie ist gar prophanirt vnd zergangen, das Tiernlein zergangen und die glöcklein herabgefallen.* 1676 wird sie aber eine Capella valde pulchra et bene exornata genannt. Jetzt ist sie ein schmuckloses Gebäude mit glatten Wänden und weisser Decke; in den dreiseitig geschlossenen Chor führt ein halbkreisförmiger Triumphbogen. Der Thurm in der nördlichen Ecke der Choreinziehung scheint ein Bau des 17. Jahrhunderts zu seyn. Der untere Theil quadratisch mit Ecklisenen und 4 Spitzbogenfenstern, darüber ein Achteckbau mit Pilastern und 8 im Spitzbogen geschlossenen Fenstern, über diesem noch ein Stockwerk mit verjüngtem Achteck. Uebrigens, obwohl von etwas bessern Formen, ein schlechter Ziegelbau.

Ueber der Kirchenthüre steht die Statue des hl. Wolfgang, circa $2^1/_2'$ hoch, bekleidet mit der Casula, die fast

---

[349]) In der Bibliothek des historischen Vereins in Augsburg.

bis an die Füsse reicht, und deren Faltenwurf äusserst ein-
fach aber grossartig ist. In den Händen trägt der Heilige
eine Kirche. Dieses Bild möchte der Form der Casula nach
zu schliessen, dem Anfang des 15. Jahrhunderts angehören.

Eines der besten Holzschnitzwerke fanden wir auf dem
Boden der Kirche. Es sind diess drei Gruppen, darstellend
11 Heilige aus der Zahl der 14 Nothhelfer, ausgeführt in
Hochrelief. Die erste Gruppe lässt erkennen die hhl. Jung-
frauen Barbara und Margaretha in fast runden Figuren; zwi-
schen denselben steht eine männliche Person nur mit halbem
Leibe sichtbar. Die zweite Gruppe enthält 3 männliche Heilige
in derselben Anordnung wie die erste; nur der hl. Vitus ist
an seinem Symbol, dem Kessel, kennbar. Die dritte Gruppe
besteht aus 5 Heiligen, dem hl. Antonius mit einem Schweins-
kopf in der Hand, dem hl. Christoph mit schönem, kraftvollem
Kopf, das Gewand aufgeschürzt bis über die Knie, einen der-
ben Stock in der Hand, das Jesuskind auf der Schulter; dem
hl. Aegidius in Mönchsgewand mit weiten Aermeln, über dem
Haupt die Capuze, ein Reh springt an ihm empor; dem hl.
Dionysius, ein Buch in der Hand, auf dem das Haupt liegt;
dem hl. Blasius. Die vierte Gruppe mit den übrigen 3 Noth-
helfern fehlt.

Diese Bilder gehören zu den schönsten Werken der
Holzschnitzkunst. Uns erinnerten sie lebhaft an Holbeinische
Gemälde aus dem Anfang des 16. Jahrhunderts; altdeutsche
Würde und Kraft sind gepaart mit moderner Formenschönheit
und Weichheit. Die Gruppirungen sind lebendig, die Gestal-
ten, zumal die weiblichen, sehr schön und schlank, die Drap-
perie der reichen Gewandung sehr natürlich und frei. Die
hhl. Jungfrauen haben Kronen auf den Häuptern, das Gewand
liegt bei der hl. Barbara miederartig an, die Aermel sind
oben an den Achseln und unter dem Ellbogen ausgebauscht.
Mäntel sind über die Schultern geworfen. Der Kelch der hl.
Barbara hat nicht mehr die gothische trichterförmige, sondern
die spätere tulpenartige Gestalt. Margaretha hat ein Buch in
der Hand, ihr zu Füssen liegt der Drache. Die Haare der

Barbara umsäumen bundförmig das Haupt; die der Margaretha wallen frei herab.

Die Köpfe der ältern männlichen Heiligen sind ächt deutsche Physiognomien. Die Haare der jüngern hängen in kurzen, gedrehten Locken herab. Die Kleidung, der Haarputz etc. weisen auf den Anfang des 16. Jahrhunderts. Nicht alle 11 Figuren scheinen indess von einer Meisterhand zu seyn; die vollendetsten sind die erstgenannten, andere, wie besonders der Einsiedler Antonius, sind etwas vernachlässigt und wohl nur aus Schülerhand. 22$\frac{1}{2}$" ist die Höhe der Figuren. Leider sind diese ausserordentlich schönen Bilder sehr verwahrlost, durch den Einfluss der Nässe die Fassung fast ganz abgelöst. Dieses Kunstwerk könnte etwa zur Zeit der Bilderstürmung aus Augsburg in diese Kirche gekommen seyn. Die Capelle het ein rentirendes Vermögen von 1360 fl. Ausser dem Patrocinium wird altem Herkommen gemäss vom Pfarrer in Batzenhofen alle 14 Tage dort an einem Werktage die hl. Messe celebrirt [350]).

Oedenbergen.

Dieses Dörfchen zählt 28 Häuser, 33 Familien, 133 Einwohner, bildet mit Gailenbach eine politische Gemeinde und ist der Sitz eines königl. Revierförsters. Der Ort enthält 3 Bauernhöfe, 20 Sölden und 5 Gnadenhäuser.

Oedenbergen (jetzt gewöhnlich Edenbergen geschrieben) mag wohl der jüngste Ort der Batzenhofer Pfarrei seyn und ist allmälig durch neue Ausrodungen vergrössert worden; das dem Wald zunächst liegende Feld von 42 Jauchert heisst noch *die Reuthe.* In einem Leibgedingbrief der Abtissin von St. Stephan, Benigna, vom Jahr 1382 wird Oedenberg zuerst genannt. Vom Jahre 1405 sind 2 Lehenbriefe vorhanden, denen gemäss die Abtissin von St. Stephan, Agnes die Ostheimerin, ein Gütlein zu Oedenbergen, in Bazzenhofer Pfarr gelegen, an Martin Schülz um jährlich 1 Pfd. Wachs, und ein anderes Gütlein daselbst, welches bestanden Adelheid die

---

350) Pfarramtlicher Bericht 1858.

Vischerin von Hürblingen, auf fünf Leiber um jährlich 1 Pfd.
Wachs verleiht. 1470 kauft das Domcapitel ein Lehen zu
Oedenbergen als frei, ledig und grundeigen von Ulrich Ho-
nold, Bürger zu Augsburg, um 100 fl. 1492 besass Hans
Walter, Bürger zu Augsburg, hier eine Feuerstätte. 1549
erkaufte Balthasar Widemann zu Oedenbergen 1 Söld daselbst,
als Haus, Stadel, Garten sammt 3 Jauchert Aecker von Fried-
rich Bronnenmayr um 145 fl. 1592 wechselte das Domcapitel
und Hieronymus Walter, Bürger zu Augsburg, 2 Erbsölden
zu Oedenbergen [351]).

Nach dem St. Stephan'schen Grundrissbuch von 1738,
Blatt 19, bestand das Dorf damals aus 25 Häusern und einer
unbezimmerten Söld-Hofstatt; das Areal des Dorfes enthielt
14 Jauchert. Von den Feldmarkbenennungen erwähnen wir:
den Schwefelbrunnen, dessen Ausfluss dem Gailenbach zu-
rinnt, und die Wolfsschlucht. Die Ackerfluren betrugen 146,
die Mäden 71 J., Wald besass nur $3^1/_2$ J. der St. Stephan'-
sche Bauer Joseph Fischer; dieser hatte 59 J. Aecker, 16
J. Wiesen, baute ausserdem 18 J. Aecker Domcapitel'sche
Güter, und hatte auch die unbezimmerte Söld-Hofstatt inne.
Der Ulricanische [352]) Unterthan und Halbbauer Andreas Bühler
baute an Aeckern 11 J., an Wiesen 6 J. und dazu noch 3 J.
Aecker St. Stephansgut. Ein drittes grösseres Gut zu 14 J.
Aecker, 6 J. Wiesen war ebenfalls St. Stephansgut, dess-
gleichen 18 Sölden und 1 Blösling; 2 andere Sölden und
1 Blösling waren domcapitelisch. Von den Söldnern besassen
nur 4 je 5—8 J. und 16 je 1—4 J. an Grundbesitz. Da-
mals sass hier auch ein Fugger'scher Jäger, der zugleich
als spitalischer Holzwart vom Hospital Dienstwiesen nützte.

Das kgl. Revier Edenbergen, zum Forstamt Biburg ge-
hörig, enthält 4600 Tagwerk 81 Dez. grösstentheils Nadel-
waldung. Zum rauhen Forst gehören davon 1595 Tagwerk.

---

[351]) Geschichte des Stifts St. Stephan l. c. 12, 40. Mscpt. Rais.
III. 176. V. 176. [352]) In dem Ulricanischen codex traditionem folgt
nach Raetinberch und Bazzenhouen: „in Bergen dimid. hoba rnde
II. modii sigalis et IIII. modii auene dantur. M. B. XXII. 145.

Nach dem Besitzstand vor 1803 gehörten von diesen Waldungen 1) dem Bisthum Augsburg 1620 Tagw. 1 Dez. 2) dem Domcapitel daselbst 365 T. 28 D. 3) dem Kloster hl. Kreuz 640 T. 64 D. 4) dem Kloster St. Georg 231 T. 1 D. 5) dem Kloster St. Katharina 117 T. 45 D. 6) gemeinschaftlich dem Domcapitel, Kloster hl. Kreuz und St. Stephan der grosse Wald mit dem Krabenberg 1625 T. 52 D.

Die Gemeinde Oedenbergen ist im rauhen Forst forstberechtigt.

Es ist hier nur eine kleine, offene Capelle, die schon 1738 bestand. In derselben sind 2 Statuen aus dem Anfang des 16. Jahrhunderts, eine 3′ hohe Maria mit dem Kinde Jesu, und eine kleinere schmerzhafte Mutter Maria. Obwohl sie zwar schon ursprünglich etwas roh gearbeitet, und durch gräuliche Ueberschmierung und Zopfzuthat entstellt sind, lässt sich doch die den mittelalterlichen Bildern eigene Würde nicht verkennen.

Gailenbach.

Dieser Ort, aus einem Schlösschen mit schönem Garten, jetzt dem Herrn August v. Stetten in Augsburg gehörig, dann einem Bauernhof, Wirthshaus und Gärtnerhaus bestehend, zählt, ohne die Herrschaft, welche nur während des Sommers hier weilt, 3 Familien, von denen die Bauersfamilie mit 13 Seelen katholisch, die 2 andern, mit zusammen 9 Seelen, protestantisch sind.

Ob', wie vermuthet wird, der zum bischöfl. Kammereramte gehörige Ort *Gvellenrothe* [353]) mit unserem Orte identisch sei, ist ungewiss. 1283 überliess das Domcapitel von Augsburg Güter bei Gailenbach gelegen dem Ritter Albert von Villenbach auf Lebenszeit gegen jährlich 5 Schill. Heller. Der lehenbare, theils bischöflich, theils und zuletzt ganz burgauische Besitz von Gailenbach, bald mit einem, bald mit 2 und 2½ Höfen daselbst in den Lehenbriefen vorgetragen,

[353]) Viaca 29. Geschichte von Oberschönefeld l. c. 215. Regesta boica IV. 703, 748.

und mit der zum Lehen gehörig gewesenen Mühle bei Teferdingen und einer Fischenz in der Schmutter, auch mit der allodirten Holzmark von 130 Tagwerk, *der Rettenberger*, auch *Höchstetter, Pariserholz* genannt, wechselte von 1325 fortan im Besitze von Bürgern in Augsburg. Es erscheinen nämlich als Käufer und Verkäufer dieser Stücke: die Schongauer (1325), Bitschlin und Riederer (1357), Gollenhofer und Vögelin (1375), Villenbach und Langenmantel (1399), Vittel (1429), Egon und Argon (1441 — 1491, Egon wurde von Erzherzog Friedrich damit belehnt); Endorfer, Grander und Arzet (1472 — 1492). Nach einem Lehensrevers von 1481 hatte Anton Arzet einen Hof zu Gailenbach von Bischof Johannes II. von Augsburg zu Lehen [354]), dann Rem (1492) [355]), wieder Argon und Höchstetter (1514 — 1534), Uhlstätter (1555 — 1569); von letzterem erwarb es David Haug um 16,000 fl. und verkaufte es wieder 1592 an Zacharias Geizelkofer, kais. Rath und Reichspfenningmeister. Dieser erbaute hier mit einem Aufwande von 6000 fl. ein Schlösschen. Erzherzog Ferdinand von Oesterreich, als Inhaber der Markgrafschaft Burgau, wovon Gailenbach damals zu Lehen ging, ertheilte ihm auf diesen Ort das Privilegium eines adelichen Rittersitzes mit den Rechten der Burgauischen Insassen. Ferd. Geizelkofer zu Haunsheim verkaufte diesen Rittersitz 1622 um 11,000 Speciesthaler an den Patricier Koch in Augsburg. 1654 wurden die Brüder Mathias und Hans Koch unter dem Namen Koch von Gailenbach von Kaiser Ferdinand III. in den Adel erhoben [356]). Nach dem Tode des Max Chr. v. Koch ohne Erben, fiel dieses Kunkellehen an seine Schwester Susanna, verwittwete v. Paris. 1771 folgt ihr einziger Sohn und hierauf dessen Nachkommen. Das an die Krone Bayern übergegangene Lehen wurde 1816 gegen Erlegung von 3786 fl. allodificirt. 1817 kaufte v. Paris die 2 Bauernhöfe mit Wirthschaftsgerechtigkeit, und gab sie an Pächter; 1819 constituirte er ein Patrimonialgericht erster

---

[354]) Mscpt. Rais. III. 137. [355]) Burgauisches Feuerstattsgulden-Verzeichniss. [356]) Stetten, Geschichte der adelichen Geschlechter 323.

Classe [357]). 1822 liess Joh. Benedict v. Paris eine Familien-
denkmünze [358]) auf den 200jährigen Besitz des allodificirten
Rittergutes Gailenbach in der v. Koch-Paris'schen Familie schla-
gen. 1838 starb der königl. Kämmerer Benedikt v. Paris,
Gutsherr zu Gailenbach [359]), ohne männliche Erben, und setzte
mit Einwilligung seiner Gattin das protestantische Studien-
Institut bei St. Anna in Augsburg zum Erben des Gutes
Gailenbach, das eine jährliche Rente von 1200 fl. ertrug, ein.
Die Verwaltung dieses Studienfondes aber verkaufte dieses
ererbte Gut, wodurch es, nach einem Zwischenverkauf, an
den jetzigen Besitzer August v. Stetten kam.

---

[357]) Jahresbericht des historischen Vereins im Oberdonaukreis
für 1835. Seite 25. Paul v. Stetten, Ortsbeschreibung in Mscpt.
Rais. VIII. d. 46. [358]) Die Aversseite stellt die Ansicht des Gutes
Gailenbach dar mit der Umschrift: Feier des 200jährigen Familien-
besitzes von Gailenbach, den 9. Nov. 1822. Die Reversseite enthält
rechts das v. Paris'sche, und links das v. Koch'sche Wappen, dar-
über zwei in einander geschlungene Hände; Umschrift: Mathias
v. Koch, geb. 18. Juni 1581; Joh. Benedict v. Paris, geb. 18. Juni
1781. Psalm 126, 3. Neuss f. [359]) Derselbe testirte zum histor.
Verein in Augsburg einen Theil seiner Bibliothek, 600 Nummern
enthaltend.

VI.

Einkünfte-Verzeichniss des Klosters Heilig-Kreuz in Donauwerd aus dem XIII. Jahrhunderte.

Mitgetheilt und erläutert

vom

Herausgeber.

Vorbemerkung.

In der kgl. Hof- und Staatsbibliothek zu München befindet sich eine Pergamenthandschrift in 4. aus dem ehemaligen Cistercienserkloster Aldersbach in Niederbayern, bezeichnet als Cod. lat. Mon. Nr. 2617 (Aldersbac. Nr. 87). Sie zählt 153 Blätter, deren grössten Theil (Bl. 25—117 ª) die *„Miracula b. Marie virg.“* füllen; an sie schliessen sich (Bl. 117 ᵇ bis 126) die *Passio S. Margarethe* und (Bl. 127—153) *Passio S. Catharine;* voraus (Bl. 2—9 ª) gehen verschiedene lateinische Gebete. Zwischen inne (Bl. 19 ᵇ—23 ᵇ) findet sich ohne Ueberschrift ein *Rotulus reddituum* des Klosters Heilig-Kreuz in Donauwerd, Benediktiner-Ordens, von einer und derselben Hand in der Mitte des 13. Jahrhunderts eingetragen. Es ist nicht unwahrscheinlich, dass ehedem die ganze Handschrift dem letztgenannten Kloster angehörte; von da scheint sie in das nahe Kaisersheim gewandert zu seyn (auf Bl. 1 ª findet sich von einer Hand des 14. Jahrhunderts der sonderbare Eintrag: *Dyalogus est concessus in Cesarea*), von wo sie bei einem uns unbekannten Anlasse den Weg in das demselben Orden mit Kaisersheim angehörige Aldersbach

gefunden haben mag. Dass die Handschrift ursprünglich
heilig-kreuzisch war, darauf weist nicht nur der Eintrag des
zweifellos heilig-kreuzischen Einkünfte-Verzeichnisses hin,
sondern es spricht hiefür auch das gemalte Bild auf Bl. 1 ᵇ,
auf Goldgrund eine sitzende Maria mit dem Kinde auf dem
linken Arme darstellend, vor welcher ein betender Mönch in
Benediktinertracht kniet, mit der Beischrift von etwas späterer
Hand: *S. Benedictus* *). Bl. 2 ᵃ findet sich der Eintrag: *Liber
sancte Marie in Aldersbach*, zu Ende des 15. oder Anfang
des 16. Jahrhunderts eingeschrieben, so dass der Codex schon
seit Jahrhunderten sich in Aldersbach befunden hat.

Der für die Ortsgeschichte der Umgegend von Donau-
werd wichtige und für die Kenntniss der bäuerlichen und
anderer Verhältnisse damaliger Zeit nicht uninteressante *Ro-
tulus reddituum* von Heilig-Kreuz folgt nachstehend aus der
Urschrift in getreuem Abdrucke, mit Auflösung der sehr zahl-
reichen Abkürzungen.

———

Rudelingen ¹). In villicana curte uillicus beneficiatus
est privato beneficio; cetera omnia foluuntur *(Rasur)* tam in

———

*) Auf derselben Seite steht von einer Hand des 13. Jahrhun-
derts folgender Hymnus auf die hl. Eucharistie:

Salve sancta caro, te nunc indignus adoro,
Vt me digneris in tempore pascere mortis.
Saluans me munda, ne dampner morte secunda.
Christi sanguis ave, tibi corpus flectitur omne.
Morbos auerte, pestes preme, crimina pelle.
O sanguis vive, mihi confer gaudia uite.
Per te mundetur mens, sensus purificetur.
Hoc des, hoc iubeas, qui secula cuncta gubernas.

¹) Riedlingen, Filialdorf der kathol. Pfarrei Wernitzstein,
bayer. Landgerichts Donauwerd. — *Villicana curtis*, der Mayerhof.
— *Houegerihte*, Hofgericht, begreift dasjenige in sich, was ein vom
Gute abziehender Kolone dem neu Aufziehenden an Vieh, Fahrniss
und Feldbedarf oder als Geldentschädigung dafür hinterlassen muss,
den Hof zu richten, wie er es selbst bei seinem Antritte über-
nommen hatte. S. Westenrieder Glossarium Germanico-latinum
I. 186, s. voc. *Gerihte*. — *Scrofa*, ein Mutterschwein. — Geldgefälle
Bleichele, Archiv II.   27

tritico quam in ceteris fructibus terre.   In porco sicut decet
villicum, lx. casei, dc. oua, vi. pullos. i. maltrum olei.   Idem
villicus de alio beneficio v. maltra auene, medium maltrum
tritici, et xiii. solidos. Houegerihte iii. boues vel xxxvi. sol.,
scrofa et ii. porcelli anniculi et porcus pafcualis.

Ibidem in secunda curia soluuntur iiii. maltra tritici, viii.
filiginis, vi. ordei et vi. auene, xxxvi. casei, cc. oua, iiii.
pulli et viii. fol. Houegerihte xxiiii. fol.

In tercia curia, quam poffidet Loubaerius, foluuntur vi.
malt. tritici, x. filig., viii ordei, viii. auene.   Porcus fumme
penfilacionis ad v. sol., iiii. q. olei, lx. cas., cc. oua, vi. pulli,
quartam med. fol.   Houegerihte iii. boues uel xxxvi. fol. et
semen.

In quarta curia foluuntur iiii. tritici, viii. filig., vi. ordei
et vi. auene, xxxvi. cas., cc. oua, iiii. pulli, et porcus fumme
penf. ad v. fol. Houeg. xxiiii. fol.

In quinto beneficio folu. v. malt. auene, medium maltrum
tritici, xi. fol. et vi. den.   Idem de area una iii. fol.   Idem
de allodio uno iiii. malt. filig., i. trit., ii. ord. et ii. au., xviii.
caf., c. oua, iiii. pullos et iiii. fol.

_____

sind in vorliegendem Abgaben-Verzeichnisse in *Solidi* und *Denarii*
angesetzt.   Der Solidus (Schilling) ist keine wirkliche Münze, son-
dern deutet blos eine Rechnungszahl in der Weise an, dass 12 De-
narii (Pfennige) einen Solidus und 20 Solidi ein Pfund von 24
Lothen ausmachten; daher 240 Denare auf ein Pfund gerechnet
wurden.   Der Solidus aus früherer Zeit wird nach dem heutigen
Gelde im Durchschnitte zu 1 fl. 12 kr. berechnet; daher der Denar
  kr. ausmacht. (Beischlag, Münzgeschichte von Augsburg, 1835
S. 3.)   Aber in der Mitte des 13ten Jahrhunderts, also in der Zeit
unseres Einkünfte-Verzeichnisses, betrug der sich stets verringernde
Preis eines Pfundes nur 11½ Gulden unseres Geldes (Stälin, wirtb.
Gesch. II. 779); daher ein Solidus zu 34½ kr., ein Denar zu 2⅞ kr.
anzusetzen ist. — Die meisten der nachgenannten Orte lagen im
Umfange der alten Grafschaft Dilingen, und die Besitzungen darin
stammten aus den Schenkungen der Stifter von Ill. Kreuz, der
Mangolde aus dem Hause Dilingen-Werd. S. Königsdorfer,
Gesch. des Klosters Ill Kreuz I. 43. 56. Aus andern Orten kam
Vieles durch Schenkungen und Käufe an das Kloster.

In beneficio fexto, quod poffidet Äpclinus, quod est lip-gedinge, ad prefens foluuntur v. fol.

Ibidem de area una et agro iiii. fol. De secunda area xxviii. den. In curte tercia xvi. den. Item de domo una iiii. den. De altera domo iii. fol. De quarta area ii. fol. et pulli.

In Tvtelfpiunt[2]) in curia nostra solu. x. malt. trit. et ii. porci fumme penf. ad xx. fol. De vacca una xl. caf. Houeg. xxiiii. fol. et femen.

In oppido quod dicitur Sigeberwilaere[3]) solu. vi. malt. filig., ii. ord. et ii. au. et i. q. olei, xxiiii. caf. Houeg. xii. fol. et semen.

In Nuzzenriet[4]) folu. xvi. fol. Houeg. x. fol.

In Ebermaeringen[5]) in beneficio quod poffidet Clemmo folu. xv. fol. et xxiiii[6]). De molendino ibidem ii. porci pu-blice penfitationis ad xviii. fol., xx. cafei et mulgerihte[7]).

In Spileberch[8]) solu. vi. malt. et xxiiii. caf.

In Staehelinefwilaere[9]) v. malt. filig., iii. auene, i. leguminum et xxxvi. caf. et iiii. fol. Houeg. xii. fol. et femen, iii. malt. au. et modium.

In Stillenouwe[10]) foluuntur xvi. fol. (H)oueg.

In Rapotenwilaere[11]) folu. xii. fol. excepto pomerio. Houeg. vi. fol. et semen, ii. malt. au. nostre mensure.

---

[2]) Dittelspaint, Weiler der Pfarrei Wernizstein.

[3]) Muss um Wernitzstein oder Ebermergen gelegen haben; ist aber abgegangen oder hat den Namen verändert.

[4]) Gleichfalls abgegangen oder trägt jetzt einen andern Namen.

[5]) Ebermergen, protest. Pfarrdorf im Landg. Donauwerd.

[6]) Casei?

[7]) Mit dem Mühlgerichte, mulgerihte, verhält es sich in dersel-ben Weise, wie oben mit dem Hofgerichte; so dass der abziehende Müller seinem Nachfolger die Mühlgeräthschaften in solcher Be-schaffenheit hinterlassen musste, wie er sie selbst übernommen hatte.

[8]) Spielberger Höfe bei Mauren, Landg. Bissingen.

[9]) Abgegangen oder hat den Namen verändert.

[10]) Stillnau, kathol. Pfarrdorf, Ldgs. Bissingen.

[11]) Abgegangen oder hat den Namen verändert.

27*

In **Müren** [12]) v. malt. filig. Werdenſis mensure.

In **Bizzingen** [13]) ſolu. vii. fol. Ibidem de area una ii. fol.

In **Calharteſhouen** [14]) ſolu. v. ſol.

In **Colenberch** [15]) ſolu. xx. fol.

In **Egelingen** [16]) in curia prima ſoluuntur xviii. maltra filig. et auene, porcus publ. penſitationis ad vi. fol. et lx. caſ. Houeg. bos uel x. fol. et ſem. In secunda curia ſolu. xviiii. malt. filig. et auene et lx. caſ., porcus publ. penſ. ad vii. fol. Houeg. bos.

In **Oprechteſhouen** [17]) ſolu. xvi. malt. filig. et auene, quod dicitur wlae xxxvi. caſ. et iiii. fol. Idem de prato uno ii. fol. Houeg. xii. fol. et ſem.

In **Luzzingen** [18]) ſolu. x. malt. tritici et xxiiii. caſ. Houeg.

In **Gacizeſhart** [19]) in una curia ſolu. nouum maltrum filig. et au. Werdenſiſ menſure, lxxx. caſ., porcus publice penſitationis ad vi. fol. Houeg. xii. fol. et ſemen.

Ibidem in secunda curia ſolu. xxii. malt. filig. et au. Werdenſis menſure, xxxvi. caſ. et x. fol. et ii. modii humuli et i..., cc. oua et pulli. Houeg.

In tercio beneficio ſolu. x. fol. Houeg. x. fol. et ſemen.

In quarto beneficio ſolu. vi. fol.

In **Tiſchingen** [20]) in curia maiori ſolu. ii. malt. tritici, v. filig., v. auene et ii. ordei, xl. caſ., porcus publ. penſ. ad vii. fol. Houeg.

In secunda curia ſolu. iiii. malt. filig. et iiii. auene, porcus p. penſ. ad iiii. fol. Houeg. De area una ibidem viii.

---

[12]) **Mauren**, protest. Pfarrdorf, Ldgs. Bissingen.

[13]) **Bissingen**, kathol. Marktflecken, Ldgs. gleichen Namens.

[14]) **Kallertshofen**, Weiler der Pfarrei Bissingen.

[15]) **Abgegangen** bei Bissingen?

[16]) **Eglingen**, kath. Pfarrdorf im wirtb. Oberamte Neresheim.

[17]) **Oppertshofen**, protest. Pfarrdorf im Ldg. Bissingen.

[18]) **Lutzingen**, kath. Pfarrdorf im Ldg. Höchstädt.

[19]) **Geishart**, Filialdorf der kath. Pfarrei Bissingen.

[20]) **Dischingen**, Markt im wirtemb. Oberamte Neresheim.

den. In molendino ibidem folu. ii. malt. trit., viii. filig., por-
cus publ. penf. ad vii. fol.

In Vfhuefen [21]) folu. xii. den., quod est lipgedinge ad
duof hominef.

In Sorzingen [22]) folu. vi. fol.

In Memmingen [23]) folu. v. malt. filig., i. trit., vi. au.
menfure illius in Gingen, xxx. caf., porcus p. p. ad vi. fol.
Houeg.

In Hermaeringen [24]) folu. vii. malt. filig. et vii. fol.

In Gundeluingen [25]) in curia maiori f. vi. malt. trit.,
x. filig., iiii. ord. et ii. q. olei, lx. caf., xii. fol.'

In curia minori folu. iiii. malt. trit. vi. filig., iiii. ordei,
et ii. au., ii. q. olei et x. fol. et xl. caf.

Ibidem de area una vi. fol., in secunda xl. den. In
tercia xvi. den.

In Louigingen [26]) ii. fol.

In Mergfilingen [27]) in curia maiori foluuntur vi. malt.
trit., vi. filig., vi. au. et vi. ord. et vii. fol. Idem alio bene-
ficio iiii. trit.

In curia minori iiii. malt. trit., v. filig., iiii. ord. et iiii.
au., xxxxvi. caf., c. oua, ii. q. olei, vi. pulli et iiii. anferes.
Porcus publ. penf. ad vii. fol. Houeg.

In Snekkenhouen [28]) in curia maiori foluuntur
xxxvi. fol. Werdenfis monete. Houeg. x. fol.

In secundo beneficio folu. xviii. fol. Vlmenfis monete.

In tercio beneficio folu. xii. fol. Vlmenfis monete.

[21]) Aufhausen, Weiler b. Schnaitheim, wirt. O.-A. Heidenheim.

[22]) Unbekannt; wahrscheinlich abgegangen.

[23]) Hoben-Memmingen, prot. Pfarrdorf im wirtemb. Ober-
amte Heidenheim.

[24]) Hermaringen, prot. Pfarrrdorf im wirt. O.-A. Heidenheim.

[25]) Gundelfingen, Stadt im Ldg. Lauingen.

[26]) Lauingen, Stadt im Ldg. gl. N.

[27]) Merslingen, kath. Pfarrdorf im Ldg. Höchstädt

[28]) Vielleicht abgegangen bei Merslingen und Finningen. Das
Filialdorf Schneckenhofen in der Pfarrei Grosskissendorf, Ldg. Günz-
burg, scheint zu entlegen.

In Vinningen [29]) in primo beneficio folu. xviiii. fol.
et vi. den. Werdenfis monete. Ibidem de area una vii. fol.
Vlmenfis monete.

In Binzperch [30]) in primo beneficio, quod poffidet
Marquardus, foluuntur vi. malt. auene, i. trit., iiii. q. olei,
xxvi. caf., ccl. oua et vi. fol. Houeg.

In secundo ut in primo. In tercio ut in secundo. In
quarto ut in tercio. In quinto medium maltrum tritici, iii.
auene, ii. q. olei, xiii. caf., c. et xv. oua et iii. fol.

In sexto folu. ii. malt. trit., vii. au., iiii. q. olei, xxvi.
caf., vi. fol., ccl. oua. Idem de alio beneficio vi. fol.

In Wichartefruite [31]) folu. iii. porci publ. penf. ad
xxi. fol., et dimidius manipulus . . . caf. Houeg.

In Colbaenaere [32]) fol. xxx. fol. Houeg.

In Walpach [33]) in beneficio primo, quod poffidet Otto,
folu. vi. malt. filig. et vi. au., iiii. q. olei, iiii. q. bife,
xxxvi. [34]) caf., cc. oua, v. pulli. Idem de alio beneficio vii.
fol. et vi. pullof. Houeg.

In fecundo ut in primo. In tercio ut in fecundo. In
quarto ut in tercio. In quinto hofpitalis folu. viii. fol. et
xxiii. caf., vi. pulli.

In Rohenwilaere [35]) folu. vi. [36]) et iiii. pulli.

In Schellenberch [37]) folu. viii. et dimidius manipulus.

In Bûchdorf [38]) folu. iii. porci publ. penf. ad xxiiii.
fol., lx. caf. ccc. oua, xii. pulli, et dimidius manipulus. Houeg.

---

[29]) Finningen (Ober- und Unter-), kath. Pfarrei im Ldg.
Höchstädt.
[30]) Binsberg, Weiler in der Pfarrei Berg, Ldg. Donauwerd.
[31]) Ein Dorf Weikersreut liegt im Ldg. Schwabach.
[32]) Unbekannt.
[33]) Die Waldbacher Höfe in der Pfarrei Berg.
[34]) Das dritte x ist später eincorrigirt.
[35]) Reichersweiler in der Pfarrei Wernitzstein?
[36]) Solidi?
[37]) Der Schellenberger Hof auf der Höhe des Schellen-
berges nahe bei Donauwerd.
[38]) Buchdorf, kath. Pfarrdorf im Ldg. Donauwerd.

In arcis ibidem folu. . . .

In Sulzdorf[39]) folu. xxii. caf. et xx. fol. den. Wege-
lose [40]).

In Bveruelt[41]) folu. c. caf. et iii. porci publico penfita-
cionis ad xxiiii. fol. et dimidius manipulus, et lateres. Houeg.

In Hochvelt[42]) in primo beneficio, quod poffidet Sweuus,
folu. x. fol. et xxxiiii. [43]) caf. Houeg.

In fecundo ibidem x. fol. et xxiii. caf. Houeg.

In tercio folu. lx. den. et xiii. caf. Houeg.

In quarto folu.

In Tacitingen[44]) in primo beneficio folu. xii. fol.
Wegelofe.

In secundo folu. vii. fol. Wegelose.

In tercio iii. fol. Wegelose[45]).

De area ibidem xvi. den.

In secunda area iiii. den.

In Mundelingen[46]) in curte villicana folu. xvi. malt.
filig. et x. malt. auen., i. m. olei et i. bife, porcus publ. penf.
ad viii. fol., lx. caf., cc. oua, x. pulli. Houeg.

In fecunda curia, quam poffidet Beringerus, folu. xi.
malt. filig., xi. au., xlv. caf., c. oua, vi. pulli, porcus publ.

---

[39]) Sulzdorf, kath. Pfarrdorf im Ldg. Donauwerd.

[40]) In derselben Zeile, etwas von letzterem Worte entfernt,
wahrscheinlich erst später beigeschrieben. *Wegelose* (weglöse), ein
in schwäbischen Urkunden öfters vorkommender Ausdruck, ist jene
Abgabe, welche der Erbpächter eines Bauerngutes an den Grund-
herrn, wenn er diesem das Gut freiwillig auf- oder zurückgab, für
seinen Rücktritt oder Abstand zu bezahlen hatte; er musste sonach
die Erlaubniss des Wegzuges durch eine Gebühr lösen. Jene
Abgabe an den Grundherrn, wenn der Erbpächter starb und sein
Sohn von jenem das Gut empfing, hiess Handlohn oder Handlöse.
S. Mone, Zeitschrift für die Geschichte des Oberrheins, V. 388.

[41]) Beierfeld, kath. Pfarrdorf im Ldg. Donauwerd.

[42]) Hochfeld, Weiler in der Pfarrei Beierfeld.

[43]) Das dritte x. später beigesetzt, das iiii. untertüpfelt.

[44]) Daiting, kath. Pfarrdorf im Ldg Monheim

[45]) Das dreimalige *Wegelose* ist vielleicht später beigeschrieben.

[46]) Mündling, kath. Pfarrdorf im Ldg. Donauwerd.

penf. ad v. fol. Houeg. xx. fol. et ı. m. olei, semen, x. mod. auene.

In tercia curia, quam poffidet Eberhardus, folu. vııı. malt. filig. et vııı. au., v. pulli, porcus publ. penf. ad vıı. fol. Houeg. x. fol., semen, modii ordei et au.

In beneficio quarto, quod poffidet Livtfridus. folu. ıx. mod. filig. et au., xxxvı. caf., c. oua, ıı. q. olei, v. pulli et ıııı. fol. Houeg. xııı. fol., semen v. modii et au. et vı. q. ord.

In quinto, quod poffidet Acmerinch, folu. vııı. malt. filig. et au., xxxvı. caf., c. oua, ıı. q. olei, v. pulli. Houeg. x. fol. v. mod. et au. et vı. q. or.

In sexto, quod possidet Gotfridus. folu. vııı. malt. filig., vıı. au., xxxvı. caf., ıı. q. olei, v. pulli. Houeg. x. fol. et vı. mod. au.

In feptimo, quod poffidet Chunradus, folu. xvıı. malt. filig. et au., ııl. caf., c. oua, ıı. q. olei, v. pulli. Houeg. x. fol., v. mod. et au. et ıııı. q. ord.

In octauo, quod poffidet Heinricus, folu. ıııı. malt. filig. et ıııı. au., xxxvı. caf., c. oua, vı. pulli. Houeg. fol. x., v. mod. au. et ıııı. q. ord.

In nono, quod poffidet Bertholdus, folu. ıııı. malt. filig., et ıııı. au, xxxvı. caf., c. oua, v. pulli. (H)oueg. x. fol., v. modii au. et v. q. ord.

In decimo folu. x. fol. et xx. caf. Houeg.

De area una ibidem xx. den. Item de altera xxvı. den.

In Wolueferozzen [47]). In allodio primo folu. ıı. malt. trit., tercium med. filig. et ıuı. mod. au., xxx. caf., vı. pulli. Wegelo.

In fecundo ut in primo.

In opido quod dicitur Gehei [48]), in benef. primo folu. ıııı. malt. filig. et ıı. au. Werdenfif menfure, xxx. caf. Wegel. vııı. fol. Houeg.

In fecundo ibidem folu. ıııı. malt. filig. et ıı. au. Wegelo. (H)ouegerihte x. fol., ıı. malt. au. et ıııı. q. ord.

---

[47]) Besteht wahrscheinlich nicht mehr unter diesem Namen.

[48]) Dieses *oppidum Gehei* weiss ich zur Zeit nicht zu deuten.

In Hage [49]) folu. m. malt. filig., m. au. Werdenfis men-
fure, xviii. caf. Wegelofe.

In Brunnehoibct [50]) folu. vi. malt. filig. et vi. au.,
xxiii. caf., n. q. olei. Wegelofe v. fol. Houeg. x. fol., femen.

In Hiwefheim [51]) in curte villicana foluuntur vi. malt.
filig., v. au. et i. ord., xxxvi. caf., c. oua, porcus publ. penf.
ad vm. fol., v. pulli. Houeg. xm. fol. et vi. modii au. et
i. ord.

In fecunda curia folu. v. malt. filig., m. au. et i. ord.,
xxx. caf., c. oua, v. pnlli, porcus p. p. ad vi. fol. Houeg.
vm. fol., nn. modii au. et im. q. ord.

In benef. pomerii. Porcus p. p. ad vii. fol. et diuifio
pomerii. Houeg.

In benef. iuxta ripam folu. vm. fol. et xxiiii. caf., n. q.
olei. (H)oueg. vii. fol. et sem.

Ibidem in area prima folu. n. fol. et i. q. olei et anfer.
In fecunda n. fol. In tercia xiii. den. et anfer. In quarta
xvi. den., quart. olei, et anfer. In quinta xii. den. i. q. olei
et pulli. In fexta.

In Salhach [52]). In benef. primo folu. vm. malt. filig.
et vm. mod. au. Wegel. Houeg. bos [53]) uel. *(Mehr nicht
eingetragen.)*

In fecundo ut in primo. Wegelo. Houeg. bos uel.

In V̂lberch [54]).

In Afchowe [55]) lx. den. et v. pulli. Weg.

In Vrrefheim [56]) in curia noftra folu. vi. malt. filig.
e vi. modii au., xxxvi. caf. et im. fol. Houeg. x. fol., fem.
De agro et curtili im. fol. De area pomerici xviii. den.

---

[49]) Vielleicht Haag bei Mören.

[50]) Etwa der Brünnhof bei Huisheim.

[51]) Huisheim, kath. Pfarrdorf im Ldg. Wemding.

[52]) Der Salchhof bei Mündling.

[53]) Ist roth ausgestrichen und dann schwarz unterlüpfelt.

[54]) Ist im Codex durchstrichen.

[55]) Abgegangen oder hat den Namen verändert.

[56]) Ursheim, protest. Pfarrdorf im Ldg. Heidenheim.

In Linungefperge [57]). In curia maiori folu. ix. malt.
filig. et viii. au., xxx. caf. Houeg.

In altero benef. folu. lx. den. et xxiii. caf. Weg.

In tercio ut in fecundo. In qvarto folu. xl. den. et x.
caf., iii. pulli.

In Sammenheim [58]). In curia prima folu. x. malt.
filig., ii. trit., iiii. au., xl. caf., ccc. oua, iii. q. olei, xii. fol.
Wegelofe vii. fol. Houeg. xxiii. fol. In fecunda ut in prima.

In Titenbeim [59]) folu. ii. trit., vii. filig., iiii. au., lx.
caf., cc. oua, porcus p. p. ad vi. fol. Houeg.

In Langelaeren [60]) in benef. maiori foluuntur x. fol.
et vi. den. In fecundo lxx. den. Idem de alio benef. xxviii.
den. Item de tercio x. fol. De quarto ibidem l. den. Item
de quinto lx. den. In sexto lx. den. In septimo xxviii. den.
De araea (sic) ibidem. x. den.

In Brukke [61]) folu. x. fol.

In Grube [62]) folu. v. fol.

In Bvierberch [63]) ii. fol.

In Buchefdorf [64]) folu. x. malt. filig. et v. au.. xxxvi.
caf. Houeg. Ibidem in molendino folu. x. fol. et xx. caf.

In Lerchenbühel [65]) folu. xviii. fol. Houeg. vacca
uel x. fol. Wegelofe xl. den. et sem.

In Maegefheim [66]) folu. iiii. malt. filig. et iiii. au. et
i. ordei. et xxiii. caf. Houeg.

In Haeide [67]) folu. iii. fol. et xxx. caf. Wegel.

---

[57]) Lienlesberg (Ober- und Unter-), Höfe bei Ursheim.
[58]) Sammenbeim, protest. Pfarrdorf im Ldg. Heidenheim.
[59]) Dittenheim, protest. Pfarrdorf im Ldg. Heidenheim.
[60]) Vielleicht Langenlohe im Ldg. Schwabach?
[61]) Bruck, Weiler im Ldg. Wassertrüdingen. Pfarrei Wieseth·
[62]) Gruh, Weiler in der Pfarrei Beierberg.
[63]) Beierberg, protest. Pfarrdorf im Ldg. Wassertrüdingen.
[64]) Muss in dortiger Gegend zu suchen seyn; ist mir aber zur
Zeit unbekannt.
[65]) Lerchenbühl, Weiler bei Megesheim.
[66]) Megesheim, kath. Pfarrdorf im Ldg. Oettingen.
[67]) Haid, Weiler bei Munningen, Ldg. Oettingen.

In **Waechingen** [68]) folu. ii. malt. filig. et ii. au. et ix. fol. Houeg.

In **Cimbern** [69]) de duobus benef. x. fol.

In **Grozeluingen** [70]) in prima curia folu. viii. malt. trit. et dimidium, xv. caf., porcus p. p. ad viii. fol. Houegerihte xx. fol., ii. malt. auene et ii. ord. In fecunda per fingula ut in prima.

In **Magingen** [71]) folu. ii. malt. tritici, viii. filig. viii. au., i. bife, lx. caf. cc. oua, vi. pulli, iii. anferef, porcus p. p. ad vii. fol. Houeg.

In **Motingen** [72]) folu. iii. malt. trit., v. fil., iii. au. et iiii. ordei, xxiii. caf. Houeg. Ibidem de area xl. den. et pulli

In **Rumelingen** [73]) in curia maiori folu. vi. malt. trit., vi. fil., vi. au. et vi. ord., i. maltrum bife, iii. quart. olci, xl. caf. et iii. fol. (H)oueg. x. fol. et fem.

Ibidem in benef. min. folu. viii. fol.

In **Aciderheim** [74]) xi. fol. Houeg. x. fol. et fem.

In **Aercheim** [75]) iiii. fol.

In **Dorfen** [76]) in benef. primo folu. xlii. den. *et xx. caf. et c. oua, et II, malt. sig. et II. malt. au. Ibidem in secundo ut in primo beneficio* [77]).

In **Mekkingen** [78]) folu. iiii. malt. trit., iii. filig., xxx. caf., iii. pulli, porcus p. p. ad vii. fol. Houeg.

In **Sorheim** [79]) in curia maiori folu. ii. malt. trit., viii.

---

[68]) W e c h i n g e n , protest. Pfarrdorf im Ldg. Oettingen.

[69]) D ü r r e n z i m m e r n , protest. Pfarrdorf im Ldg. Wallerstein.

[70]) G r o s s e l f i n g e n , protest. Pfarrdorf im Ldg. Nördlingen.

[71]) M a i h i n g e n , kath. Pfarrdorf im Ldg. Wallerstein.

[72]) M ö t t i n g e n , protest. Pfarrdorf im Ldg. Nördlingen.

[73]) R e i m l i n g e n , kath. Pfarrdorf im Ldg. Nördlingen.

[74]) E d e r h e i m , protest. Pfarrdorf im Ldg. Nördlingen.

[75]) H e r k h e i m , Filiale der kath. Stadtpfarrei Nördlingen.

[76]) Abgegangen oder hat den Namen geändert.

[77]) Das cursiv Gedruckte ist späterer Eintrag von einer Hand des 14. Jahrhunderts.

[78]) M e g g i n g e n , Dorf bei Gross-Sorheim.

[79]) und [80]) Die beiden Orte S o r h e i m (Gross- und Klein-) im Ldg. Nördlingen.

fil., x. au., xxxvi. caf., porcus p. p. ad vi. fol. Houeg. x. fol. et carrada feni et fem.

In secunda curia folu. ii. malt. trit., iii. fil., vi. au. Werdenfif menfure, xxxvi. caf., porcus p. p. ad vii. fol. Houeg. x. fol. et carrada feni.

In tercio beneficio sancte Katharine folu. xii. fol. et ii. q. olei et taberna.

In fecundo Sorheim [80]) in curia prima folu. iii. malt. trit., iii. fil., iii. au. et iii. ord. Idem de alio benef. vi. fol. Houeg.

In fecundo benef. ibidem folu. xx. fol.

In Northeim [81]) foluuntur xl. den.

In Moringen [82]) in primo benef. folu. ii. malt. trit., vi. au., xxxvi. caf. ccxx. oua et x. fol. Houeg.

In fecundo ut in primo. In tercio ut in fecundo. In quarto ut in tercio. In quinto folu. viii. fol. et xxiiii. caf. et...

In Ahfeinfheim [83]) in curia maiori folu. vi. malt. filig. et vi. au. i. m. olei, xxxvi. caf., cc. oua. v. pulli, porcus
lipgodinge
p. p. ad vii. fol. Idem de alio benef. v. fol. Houeg.

In fecunda curia ibidem folu. vi. malt. filig. et vi. au. xxxvi. caf., cc. oua, v. pulli, porcus p. p. ad v. fol.

In tercio benef. folu. v. malt. au., xxx. caf., cc. oua, v. pulli et x. fol.

Idem de alio benef. viii. fol.

In quarto benef. hofpitalis folu. xvii. fol., xxxvi. caf., cc. oua, v. pulli. Houeg.

In quinto ibidem folu. viii. fol.

In Afpach [84]) folu. xxxii. fol.

---

81) Nordheim, Filiale der kath. Pfarrei Auchsesheim im Ldg. Donauwerd.

82) Vielleicht Mören, kath. Pfarrdorf im Ldg. Monheim.

83) Auchsesheim, kath. Pfarrdorf im Ldg. Donauwerd.

84) Aspach, kath. Pfarrdorf im Ldg. Donauwerd.

In Hamelaeren [85]) in curia prima foluuntur ɪɪɪ. ^{waz.} malt. trit., ɪɪɪ. au., xxxvɪ. caf. Houeg.

In fecundo benef. folu. xx. fol. Houeg.

In (E)ligen [86]) folu. vɪ. fol.

In Oberndorf [87]) in curte villicana folu. vɪɪ. malt. fpelte et vɪɪ. au., xxɪɪɪ. Houeg.

In fecunda curia foluuntur ɪx. maltra fpelte et auene, xɪɪ. caf. Houege. In tercia ut in fecunda. In quarta folu. xɪɪ. malt. fpelte et ^{wazzo} au., et xvɪ. caf. Houeg. In quinto. De pratif ibidem x. fol.

In Maerdingen [88]) folu. xv. malt. trit., xxxvɪ. caf. Houeg.

Ibidem in area una f. ɪɪ. fol. In fecunda xɪɪ. den.

De prediolo in Baebenheim [89]) xɪɪ. den.

In Zufeme [91]) ^{villicus 90)} dccc., Cunrat xc., Heinrich cxl., Hergart. xxɪɪɪ. caf.

In Hüfingefheim [92]) villicus beneficiatus primato beneficio, cetera omnia foluuntur sancte Cruci ɪ . . . . frumento, lx. caf. et x. fol., ɪɪ. q. olei, ɪɪɪɪ. anferef, vɪɪɪ. pulli. Houeg.

In Aehingen [93]) folu. xxv. fol. Houeg.

In Türheim [94]) in curia nostra folu. . .

---

45) Hamlar, Filiale der Pfarrei Aspach.

86) Der erste Buchstabe undeutlich. Es wäre Elgen, Filiale der kath. Pfarrei Westendorf.

87) Oberndorf, kath. Pfarrdorf im Ldg. Donauwerd.

88) Märdingen, kath. Pfarrdorf im Ldg. Donauwerd.

89) Bämenheim, Filiale der Pfarrei Märdingen.

90) Von späterer Hand darüber geschrieben.

91) Zusam, Weiler bei Auchsesheim. Die cursiv gedruckte Stelle zeigt Rasuren, und der Eintrag ist später, doch noch im 13. Jahrhunderte gemacht. Ueber die sogen. Kreuzkäse von Zusam und andern Orten s. Königsdorfer I. 172 ff.

92) Heisesheim, Filiale der Pfarrei Märdingen.

93) Ehingen, kath. Pfarrdorf im Ldg. Wertingen.

94) Thürheim (Ober- oder Unter-), im Ldg. Wertingen.

In secundo benef. vi.   In tercio v. fol.

uel XXIIII., malt. 96)

In Houifteten 95) dimidius manipulus, x. fol. et lx.
caf. uel v. fol. Houeg.

Anno m. cc. l111. Virieus de Bokspork iure precario possidet. 96)

In Longinen 97) folu. vii. fol.

Quedam possidet ad tempus vite sue Tinn. filia villici de Altmanshovsu, vxor

In Rotigen 99) folv. iiii. malt. trit. et iiii. filig. Werden-
villici de Holzheim. 100)

fis menfure, x. fol., vii. pulli, iiii. anferes. Houeg.

In Plinefpach 101) folu. vi. malt. filig. et ii. au. Houeg.
x. fol. et femen et . . . (Rasur, auf welche von einer Hand
des 13. Jahrhunderts geschrieben: Is (oder idem) beneficium,
quod dedit dominus Vlricus de Bokfperc.)

In Herwoltefhouen 102) lipgedingen, primum xx. den.
i. minus.

lipgedinge

In fecundo ibidem xii. den.   In tercio xii. den.

(D)e reditibus curtilium in ciuitate 103). Juxta hortum noft-
rum de duabus arcis primis xx. den., in fecunda ii. fol., in tercia

lauatricis   fabri

ii. fol., in quarta Aepelini xxxviii. den., in quinta ix., in fexta

lapicide

iiii., item de eadem iiii. den., in octaua xxvi. den. Item
lapicida de horto extra murum xxviii. den. De curtilibus,

sartor

quas poff, Otto, vi. fol.   Ibidem de domo una viii. fol.

---

95) Ein Ort dieses Namens besteht in dortiger Gegend nicht:
es müsste nur Stetten, gewöhnlich Frauenstetten genannt, kath.
Pfarrdorf bei Wertingen, gemeint seyn.

96) Dieser sonderbare Ansatz von der Hand des Codex darüber
geschrieben.

97) Laugna, kath Pfarrdorf im Ldg. Wertingen.

98) Mit kleinerer Schrift von anderer Hand darüber geschrieben.

99) Roggden, Filiale der kath. Pf. Zusam-Altheim, Ldg. Wertingen.

100) Noch im 13. Jahrhunderte mit kleinerer Schrift darüber
geschrieben.

101) Bliensbach. kath. Pfarrdorf im Ldg. Wertingen.

102) Herbertshofen, kath. Pfarrdorf im Ldg. Wertingen.

103) In der Stadt Donauwerd selbst.

Item ante portam. De horto Tefferif xxviii. den.

Vlricus cameraiius de quatuor arcis quartum med. fol.

hospitalis

In prima Meninwardi folu. xii. den. In fecunda Vlrici
xii. den.

horlog

In tercia.

Item in alio vicu per afcenfum in area prima, quam
Friderici
poff. Beibein folu. ii. fol., in fecunda xxviii. den., in tercia
xii. den. Idem de alia area xx. den. et de nouella xii. den.,
azolaere   Gerhtholdi   Iruingardis
in quarta xii. den. In quinta ii. fol., in fexta viii. den., in
feptima ii. fol. Stolzelin ibidem de duabus areis ii. fol.

hospitalis
Item in reditu uerfus portam ciuitatis. In curte prima
foluuntur iii. fol., in fecunda v. fol., in tercia ii. fol., in
Beiheines
quarta ii. fol., in quinta xxx. den., in fexta ii fol, in feptima
xii. den., in octaua iiii. fol., in nona iiii. fol., in decima xxx.
uascher   ——   lichardus
den., in vndecima xiii. den., in duodecima ii. fol.

De hortif iuxta fluuium qui dicitur Cheibach [104]), in
primo folu. iii. fol., in fecundo xii. den, in tercio ii. fol., in
Semimilos
quarto ii. fol., in quinto ii. fol., in fexto, quem poff. filius
Horbugaerii folu. xxvi. den. et obulus, in feptimo xxvi. den.,
in octavo ii. fol., in nono ii. fol., in decimo ii. fol., in un-
lozo
decimo ii. fol., in duodecimo ii. fol., in terciodecimo ii. fol.,
institoria
in quartodecimo xii. den. De fecunda parte Adelheidis iii.
dispensator
fol., Speiho ii. fol., Ludewicus ii. fol., Fridericus ii. fol.,
Gaeizefhart xxx. den. De duabus domibus ibidem. De domo
pincerno
Wibaelaerii vii. fol. et vi. den. De alia area xviii. den. Item
pincerne   pincerno
de fecunda ii. fol. De agro iiii. fol.

---

[104]) Der Keibach, das von Kaisersheim herkommende, an
der Ostseite von Donauwerd der Donau zufliessende Bächlein.

In **Tulingen** [105]). In curte prima ıı. fol., in fecunda
cholbelines   hano
et tercia xxvııı. den., in quarta ııı. fol., in quinta ıı. fol. De
duabus areis ibidem ııı. fol., in octaua xx. den., in nona ıı.
Moyses
fol., in decima xxıı. den.

Jvxta litus Danubii in prima curte infra portam.
Reminulaero
Ante portam in fecunda folu. ıı. fol., in tercia xııı. den.,
Arnoldi
in quarta xxvı. den., in quinta ıı. fol , in fexta ıı. fol., in
septima, octaua et nona v. fol. Sifridus de hortu ibidem ıı.
de ortu
fol. Vidua vı. den. De decima, quam poffidet Strowelin,
folu. xvııı. den. Idem vı den. In vndecima xvııı. den., in
duocima (sic) x. den., in terciadecima x. den. In tribus areis
ibidem Welfarie ıı. fol. [106]). Vlmaria de duabus areis ıı. fol.
Diemut et filia eius ıı. fol. In quatuor areis ibidem, quas pof-
fident Biterolf, Judea, Diemar, Sifridus.

In area ibidem, quam poff. Rudolfus xıı. den. Wern-
herus de hortu vı. den. In curte, quam poff. Sifridus xıı.
Maucgoldi
den. Item in alia xıı. den. Decanus xıı. den. De horreo
ibid. xıı. den. De hortu, quem poff. Diepoldus xxx. den.
Hachentievel xxx. den. De domo et area molendinatoris xı.
fol. tribus denariis minus.

De curtilibus domini Wernheri. . . .

(I)vxta villicariam noftram. In area cementarii folu. ıı.
balbjarii   praui   fabri
fol., in altera xıı. den., in tercia ıı. fol., in quarta ıııı. fol.

Jvxta litus Waranze [107]). De hortu, quem poff. Sinnelin
vogelin
folu. ıı. fol. De alia curte xıı. den. In tercia xvııı. den.

In prato Rutelhut xıı. den. (Rasur).

---

105) Die Stadt Dilingen?
106) Am Rande von der Hand des Codex: lipgedinge.
107) Der Fluss Wernitz.

437

Druck:
Customized Business Services GmbH
im Auftrag der KNV-Gruppe
Ferdinand-Jühlke-Str. 7
99095 Erfurt